LEE CHI

Der letzte Befehl

Roman

Alles hat irgendwo einen Anfang. Für den Elite-Militärpolizisten Jack Reacher war dieses Irgendwo Carter Crossing, Mississippi, 1997. Eine einsame Straße. Der Schauplatz eines Verbrechens. Eine Vertuschung. Eine junge Frau ist tot und verlässliche Indizien deuten auf einen Soldaten von der nahegelegenen Militärbasis als Schuldigen. Doch dieser Soldat hat mächtige Freunde in Washington.
Reacher wird inoffziell beauftragt, alles herauszufinden, was er kann, und es dann zu verbergen. Aber als er Carter Crossing erreicht, trifft Reacher auf den örtlichen Sherrif Elizabeth Deveraux, die es nach Gerechtigkeit verlangt und die Geheimnisse gar nicht leiden kann. Die beiden sind sich nicht sicher, ob sie einander trauen können, tun sich aber dennoch zusammen. Als Reacher auf unerwartete Zusammenhänge stößt, setzt er alles daran, die Wahrheit aufzudecken, während andere alles tun, um die Wahrheit zu begraben. Die Verschwörung lässt Reacher an der Rechtmäßigkeit seines Auftrags zweifeln – und macht aus ihm einen Mann, den man fürchten muss.

Autor

Lee Child wurde in den englischen Midlands geboren, studierte Jura und arbeitete dann zwanzig Jahre lang beim Fernsehen. 1995 kehrte er der TV-Welt und England den Rücken, zog in die USA und landete bereits mit seinem ersten Jack-Reacher-Thriller einen internationalen Bestseller. Er wurde mit mehreren hoch dotierten Preisen ausgezeichnet, u. a. mit dem »Anthony Award«, dem renommiertesten Preis für Spannungsliteratur.

Besuchen Sie uns auch auf www.facebook.com/blanvalet und www.twitter.com/BlanvaletVerlag

Lee Child

Der letzte Befehl

Ein Jack-Reacher-Roman

Aus dem Englischen
von Wulf Bergner

blanvalet

Die Originalausgabe erschien 2011 unter dem Titel
» The Affair (16 Jack Reacher)« bei Bantam Press,
an imprint of Transworld Publishers,
A Random House Group Company, London.

MIX
Papier aus verantwor-
tungsvollen Quellen
FSC® C014496

Verlagsgruppe Random House FSC® N001967

1. Auflage
Taschenbuchausgabe Juli 2018
Copyright © der Originalausgabe 2011 by Lee Child
Copyright © der deutschsprachigen Ausgabe 2017 by Blanvalet Verlag, München,
in der Verlagsgruppe Random House GmbH,
Neumarkter Str. 28, 81673 München
Published by Arrangement with Lee Child
Dieses Werk wurde vermittelt durch die Literarische Agentur
Thomas Schlück GmbH, 30827 Garbsen.
Umschlaggestaltung: www.buerosued.de
Umschlagabbildungen: Getty Images/MCCAIG;
Arcangel Images/Stephen Mulcahey; www.buerosued.de
HK · Herstellung: wag
Druck und Einband: GGP Media GmbH, Pößneck
Printed in Germany
ISBN: 978-3-7341-0607-1

www.blanvalet.de

Ich widme dieses Buch David Thompson, 1971–2010
Ein toller Buchhändler und ein guter Freund

1

Mit hundertfünfunddreißigtausend Quadratmetern Grundfläche, dreihundertfünfundvierzigtausend Quadratmetern Bürofläche, achtundzwanzig Kilometern Korridoren und dreißigtausend Beschäftigten ist das Pentagon, der Sitz des amerikanischen Verteidigungsministeriums, das größte Bürogebäude der Welt. Aber es hat nur drei Eingänge, die jeweils in eine bewachte Eingangshalle führen. Ich wählte den Südosteingang, den eigentlichen Haupteingang, der Bus und Metro am nächsten liegt, weil er am belebtesten war und von Zivilangestellten bevorzugt wurde. Ich wollte möglichst viele Zivilisten um mich herum haben, am liebsten in einer endlos langen Schlange, um vor »Zufällen« sicher zu sein – vor allem davor, ohne Warnung erschossen zu werden. Verhaftungen gehen immer mal wieder schief, manchmal versehentlich, manchmal absichtlich, deshalb wollte ich Augenzeugen. Ich wollte zumindest anfangs unter unabhängiger Beobachtung stehen. Das Datum weiß ich natürlich noch. Es war Dienstag, der 11. März 1997, mein letzter Arbeitstag als Angestellter der Leute, die dieses Gebäude erbaut hatten.

Lang ist's her.

Außerdem lag der 11. März 1997 zufällig genau viereinhalb Jahre vor jenem zukünftigen Dienstag, der die Welt verändern würde, deshalb waren die Kontrollen am Haupteingang wie so viele Dinge in der guten alten Zeit gründlich, ohne gleich hysterisch zu sein. Nicht dass ich Anlass zur Hysterie gegeben hätte. Nicht aus einiger

Entfernung. Ich trug meinen Dienstanzug – frisch gereinigt, Oberhemd frisch gewaschen, Schuhe auf Hochglanz poliert – mit allen Orden, Ehrenzeichen und Aufnähern, die ich in dreizehn Dienstjahren angesammelt hatte. Ich war sechsunddreißig, hielt mich kerzengerade und marschierte mit festem Schritt: in jeder Beziehung ein vorbildlicher Major der U.S. Army Military Police, wenn man davon absah, dass mein Haar zu lang war und ich mich fünf Tage nicht mehr rasiert hatte.

Damals war für die Sicherheit des Pentagons der Defense Protective Service zuständig, und ich konnte schon aus vierzig Metern Entfernung zehn seiner Kerle in der Eingangshalle ausmachen, was erheblich zu viele zu sein schienen, sodass ich mich fragte, ob das wirklich alles DPS-Männer waren oder ob einige aus unseren Reihen kamen und in dieser Tarnung auf mich warteten. Unsere qualifizierte Arbeit wird hauptsächlich von Warrant Officers ausgeführt, die zur Tarnung häufig in andere Rollen schlüpfen. Sie verkörpern Colonels, Generale, Mannschaftsdienstgrade und alle möglichen anderen Leute und machen ihre Sache gut. Für sie wäre es nichts Besonderes gewesen, hier in DPS-Uniform auf die Zielperson zu warten. Aus dreißig Metern erkannte ich keinen von ihnen, aber andererseits ist die Army eine sehr große Einrichtung, und man hätte Leute genommen, die ich garantiert nicht kannte.

Ich ging weiter, war Teil einer vielköpfigen Menge, die durch die Eingangshalle zu den Türen strömte: Frauen und Männer in Uniform, im Dienstanzug wie ich oder in dem alten Flecktarnanzug, den wir damals noch hatten; Frauen und Männer, die militärisch wirkten, aber keine Uniform, sondern Anzüge oder Arbeitskleidung trugen, und offensichtliche Zivilisten aus beiden Kategorien, die Taschen, Aktenkoffer oder Pakete mit sich führten. Alle diese Menschen wurden langsamer, bewegten sich seitlich und gingen weiter, als der breite Strom sich vor den Einlasskontrollen zu einem Rinnsal aus Einzelgängern oder kollegialen Duos verengte.

Ich reihte mich einzeln hinter einer Frau mit blassen, nicht abgearbeiteten Händen und vor einem Kerl in einem blauen Anzug ein, der an den Ellbogen glänzte. Beides Zivilisten, Bürohocker, vermutlich irgendwelche Analysten, also genau das, was ich brauchte. Unabhängige Beobachter. Es war kurz vor Mittag. Dieser Märztag war sonnig und schon ein bisschen warm. Frühling in Virginia. Jenseits des Flusses würden die Kirschbäume bald zu neuem Leben erwachen. Die berühmte Blüte stand unmittelbar bevor. Überall im ganzen Land lagen Flugtickets und Spiegelreflexkameras für Sightseeingtouren in die Hauptstadt bereit.

Ich wartete in der Schlange. Weit vor mir taten die DPS-Kerle, was Sicherheitsleute machen. Vier von ihnen hatten spezifische Aufgaben: zwei bemannten die Auskunftstheke, und zwei kontrollierten Dienstausweise und ließen ihre Inhaber das offene Drehkreuz passieren. Zwei weitere standen direkt hinter den Glastüren, suchten mit erhobenen Köpfen die Eingangshalle ab und beobachteten die Anstehenden. Die letzten vier blieben im Schatten hinter den Drehkreuzen, bildeten dort eine geschlossene kleine Gruppe und schwatzten miteinander. Alle zehn waren bewaffnet.

Es waren die vier hinter den Drehkreuzen, die mir Sorgen bereiteten. Auch wenn das Verteidigungsministerium damals im Jahr 1997 im Verhältnis zu den uns drohenden Gefahren zweifellos einen Personalüberhang hatte, war es höchst ungewöhnlich, vier Männer, die im Dienst waren, untätig herumstehen zu sehen. Die meisten Dienststellen sorgten wenigstens dafür, dass ihr überschüssiges Personal vorgab, beschäftigt zu sein. Aber diese vier hatten anscheinend nichts zu tun. Ich reckte mich hoch und bemühte mich, ihre Schuhe zu erspähen. Schuhe können viel verraten. Wer sich tarnt, denkt oft nicht an sie, vor allem nicht in einem uniformierten Umfeld. Weil der DPS-Dienst viel Ähnlichkeit mit dem eines Streifenpolizisten aufwies, trugen diese Leute am liebsten bequeme Copschuhe, mit denen man den ganzen Tag gut gehen und stehen konnte. Getarnte Warrant Officers der Militärpolizei würden vielleicht eigene Schuhe tragen, die meist etwas schmaler geschnitten waren.

Aber ich konnte ihre Schuhe nicht erkennen. Nicht im Halbdunkel und aus dieser Entfernung.

Die Schlange bewegte sich weiter, kam wie vor dem 11. September 2001 üblich zügig voran. Keine mürrische Ungeduld, keine Frustration, keine Angst. Nur eine Routine alter Art. Die Frau vor mir benutzte Parfüm. Ich konnte den zarten Duft riechen, der von ihrem Nacken aufstieg. Das gefiel mir. Die beiden Kerle hinter der Glaswand entdeckten mich aus zehn Metern Entfernung. Ihr Blick wandte sich von der Frau ab und erfasste mich. Er ruhte eine Sekunde länger auf mir als unbedingt nötig und wanderte dann zu dem Mann hinter mir weiter.

Danach kehrte er zurück. Die beiden Männer musterten mich ganz unverhohlen von oben bis unten, bestimmt vier bis fünf Sekunden lang, bevor ich den nächsten Schritt machte und sie nochmals den Mann hinter mir in Augenschein nahmen. Sie wechselten kein Wort miteinander. Sagten auch nichts zu ihren Kollegen. Keine Warnung, kein Alarm. Das konnte zwei mögliche Gründe haben. Erstens, der beste Fall: Ich war nur ein Typ, den sie noch nicht gesehen hatten. Vielleicht war ich auch aufgefallen, weil ich größer und schwerer war als alle anderen in hundert Metern Umkreis. Oder weil ich wie ein Fotomodell zu den goldenen Eichenblättern eines Majors eine Ordensspange mit hohen Auszeichnungen wie einem Silver Star trug, aber mit Fünftagebart und langem Haar wie ein richtiger Höhlenmensch aussah – eine Diskrepanz, also Grund genug für den langen zweiten Blick, hinter dem vielleicht nur flüchtiges Interesse steckte. Wache zu stehen kann langweilig sein, und ungewöhnliche Anblicke sind stets willkommen.

Oder zweitens, der schlimmste Fall: Für sie war lediglich irgendein erwartetes Ereignis eingetreten, weil alles nach Plan lief.

Als hätten die beiden sich vorbereitet und Fotos studiert und sagten sich jetzt: *Okay, da ist er, genau pünktlich. Also warten wir jetzt noch zwei Minuten, bis er drinnen ist, und erledigen ihn dann.*

Denn ich wurde erwartet und kam genau pünktlich. Ich hatte einen Termin um zwölf Uhr, um mit einem bestimmten Colonel in seinem Dienstzimmer im zweiten Stock des Rings C bestimmte Dinge zu besprechen, und war mir ziemlich sicher, dass ich nie dort ankommen würde. Geradewegs in eine Verhaftung zu marschieren war eine ziemlich brachiale Taktik, aber wenn man sich vergewissern will, ob der Herd heiß ist, muss man ihn manchmal anfassen.

Der Kerl vor der Frau vor mir trat an die Tür und hielt einen Dienstausweis hoch, den er um den Hals gehängt trug. Er wurde durchgewinkt. Die Frau vor mir ging weiter und hielt dann inne, weil die beiden DPS-Beobachter in genau diesem Augenblick hinter dem Glas hervortraten. Die Frau machte ihnen Platz, damit sie sich gegen den Strom vor ihr herausquetschen konnten. Dann setzte sie sich wieder in Bewegung, und die beiden Kerle standen plötzlich genau da, wo sie gestanden hatte: einen Meter vor mir, aber nicht mit dem Rücken zu mir, sondern mir zugekehrt.

Sie blockierten die Tür. Sie sahen nur mich an. Ich war mir ziemlich sicher, dass ich echte DPS-Leute vor mir hatte. Sie trugen Copschuhe, und ihre etwas ausgebeulten Uniformen hatten sich ihren individuellen Körperformen über längere Zeit hinweg angepasst. Das waren keine Uniformen, die jemand an diesem Morgen zur Tarnung aus dem Schrank geholt und erstmals angezogen hatte. Ich blickte an den beiden Männern vorbei zu ihren vier Partnern, die weiter nichts taten, und versuchte, den Sitz *ihrer* Uniformen zu beurteilen, um einen Vergleich zu haben. Aber das war fast nicht möglich.

Der Kerl rechts vor mir fragte: »Sir, können wir Ihnen behilflich sein?«

Ich fragte: »Wobei?«

»Wohin wollen Sie heute?«

»Muss ich Ihnen das sagen?«

»Nein, Sir, absolut nicht«, entgegnete der Kerl. »Aber wir könnten dafür sorgen, dass Sie schneller hinkommen, wenn Sie möchten.«

Vermutlich durch eine unauffällige Tür in einen kleinen absperrbaren Raum, dachte ich. Sicher hatten auch sie wie ich die Zivilisten als Zeugen im Auge. Ich sagte: »Danke, ich warte gern, bis ich drankomme. Ich bin ohnehin der Nächste.«

Darauf wussten die beiden Kerle nichts zu sagen. Schachmatt. Die Stunde der Amateure. Dass sie versucht hatten, mich hier draußen zu verhaften, war dämlich gewesen. Ich konnte sie wegstoßen, mich herumwerfen und losspurten und binnen Sekunden in der Menge verschwinden. Und sie würden nicht schießen. Nicht hier draußen. In der Eingangshalle waren zu viele Menschen unterwegs. Zu hohe Kollateralschäden. Dies war 1997, vergessen Sie das nicht. Der 11. März. Viereinhalb Jahre vor dem Inkrafttreten der neuen Regeln. Aus ihrer Sicht war es weit besser abzuwarten, bis ich die Kontrollen passiert hatte. Die beiden Handlanger konnten die Tür hinter mir schließen und sich Schulter an Schulter davor aufbauen, während ich an der Auskunftstheke die schlechte Nachricht erhielt. Darauf konnte ich theoretisch kehrtmachen und mich an den beiden vorbei zum Ausgang durchkämpfen. Doch das würde ein paar Sekunden dauern, und in dieser Zeit konnten die vier Männer, die scheinbar nichts zu tun hatten, mich von hinten mit ungefähr tausend Kugeln durchlöchern.

Und wenn ich weiterstürmte, konnten sie mich von vorn erschießen. Und wohin hätte ich mich wenden sollen? *Ins* Pentagon zu flüchten war bestimmt keine gute Idee. Das größte Bürogebäude der Welt. Dreißigtausend Beschäftigte. Vier Stockwerke. Zwei Kellergeschosse. Achtundzwanzig Kilometer Korridore. Die

Ringe sind untereinander durch zehn speichenförmige Gänge verbunden, sodass angeblich jeder Punkt des Gebäudes in maximal sieben Minuten erreichbar ist. Diese Angabe basierte vermutlich auf dem bei sechseinhalb Stundenkilometern liegenden beschleunigten Marschtempo der U.S. Army, was bedeutete, dass ich jeden Punkt in etwa drei Minuten erreichen konnte, wenn ich rannte. Aber wohin? Ich konnte eine Besenkammer finden, Leuten ihren mitgebrachten Lunch klauen und ein bis zwei Tage durchhalten, um dann doch geschnappt zu werden. Oder ich konnte Geiseln nehmen und versuchen, meine Argumente vorzubringen, aber ich hatte noch nie erlebt, dass das geklappt hatte.

Also wartete ich.

Der DPS-Kerl rechts vor mir sagte: »Sir, ich wünsche Ihnen noch einen schönen Tag.« Dann ging er an mir vorbei. Sein Partner ging auf der anderen Seite an mir vorbei. Beide schlenderten davon wie zwei Typen, die froh sind, nicht mehr eingeengt zu sein und Streife gehen zu können, um ihren Blickwinkel zu verändern. Vielleicht waren sie doch nicht so dämlich. Sie taten ihre Arbeit und hielten sich an ihren Plan. Sie hatten versucht, mich in einen kleinen abgesperrten Raum zu locken, aber das hatte nicht geklappt, was nicht weiter schlimm war, weil sie gleich zu Plan B übergegangen waren. Sie würden abwarten, bis ich drinnen war und die Tür sich hinter mir geschlossen hatte; dann würden sie alle Hereinkommenden für den Fall, dass drinnen geschossen werden musste, aus Sicherheitsgründen abweisen. Die Glastrennwand in der Eingangshalle sollte bestimmt aus schusssicherem Glas bestehen, aber kluge Köpfe würden nie darauf wetten, dass das Verteidigungsministerium genau das bekam, wofür es gezahlt hatte.

Die Tür war direkt vor mir. Sie stand offen. Ich holte tief Luft und betrat den Empfangsbereich.

Wenn man sich vergewissern will, ob der Herd heiß ist, muss man ihn manchmal anfassen.

2

Die Frau mit dem Parfüm und den blassen Händen befand sich schon weit auf dem Korridor hinter dem offenen Drehkreuz. Sie war durchgewinkt worden. Geradeaus vor mir lag die mit zwei Mann besetzte Auskunftstheke. Links voraus waren die zwei Kerle damit beschäftigt, Dienstausweise zu kontrollieren. Das offene Drehkreuz befand sich zwischen ihren Hüften. Die vier bereitstehenden Kerle taten weiterhin nichts. Sie bildeten eine stille, wachsame Gruppe, als wären sie ein unabhängiges Team. Ihre Schuhe konnte ich noch immer nicht sehen.

Ich atmete nochmals tief durch und trat an die Theke.

Wie ein Lamm an die Schlachtbank.

Der linke der beiden Männer schaute mich an und sagte: »Ja, Sir.« In seiner Stimme lagen Erschöpfung und Resignation. Das war keine Frage, sondern eine Antwort, als hätte ich schon etwas gesagt. Er sah jung und nicht unintelligent aus. Vermutlich ein echter DPS-Angehöriger. Warrant Officers der Militärpolizei lernen schnell, aber sie könnten trotzdem niemals an der Auskunft im Pentagon Dienst tun.

Der Mann hinter der Theke sah mich erwartungsvoll an, und ich sagte: »Ich habe einen Termin um zwölf Uhr.«

»Bei wem?«

»Colonel Frazer«, antwortete ich.

Der Kerl tat so, als würde er diesen Namen nicht erkennen. Das größte Bürogebäude der Welt. Dreißigtausend Beschäftigte. Er blätterte in einem Buch von der Größe eines Telefonbuchs und fragte dann: »Sie meinen Colonel John James Frazer, Sir? Verbindungsoffizier zum Senat?«

Ich sagte: »Ja.«

Oder: *Schuldig im Sinne der Anklage.*

Weit links von mir beobachteten mich die vier Kerle des Reserveteams. Aber sie rührten sich nicht von der Stelle. Noch nicht.

Der Kerl hinter der Theke fragte nicht nach meinem Namen. Das brauchte er nicht, weil er vermutlich eingewiesen worden war und ein Foto von mir gesehen hatte – und weil zu meinem Dienstanzug ein Namensschild auf der Patte der rechten Brusttasche gehörte: exakt mittig und einen Viertelzoll unter dem oberen Saum getragen.

Sieben Buchstaben: REACHER

Oder dreizehn Buchstaben: *Verhaftet mich!*

Der Kerl an der Auskunft sagte: »Colonel John James Frazer ist in 3C315. Sie wissen, wie Sie dort hinkommen?«

Ich sagte: »Ja.« Dritte Ebene, Ring C, in der Nähe von Radialkorridor drei, Sektion 15. Die Pentagonversion eines Koordinatensystems, das hier auch nötig war, wenn man an die dreihundertfünfundvierzigtausend Quadratmeter Bürofläche dachte.

Der Kerl sagte: »Sir, ich wünsche Ihnen einen schönen Tag«, und sein unschuldiger Blick glitt an meiner Schulter vorbei zu dem nächsten Wartenden. Ich blieb noch einen Moment stehen. Diese Leute machten wirklich alles perfekt – mit einer Zierschleife obendrauf. Ein alter Rechtsgrundsatz lautet: *Actus non facit reum nisi mens sit rea* – Keine Schuld ohne Bewusstsein der Schuld, was grob gesagt bedeutet, dass man für sein Tun nicht unbedingt zur Verantwortung gezogen werden kann. Absichtliches Handeln gilt als Prüfstein. Die DPS-Männer warteten darauf, dass ich durch das Drehkreuz ging und das Labyrinth betrat.

Was die Erklärung dafür war, dass das Reserveteam auf ihrer Seite des Durchgangs, nicht auf meiner, bereitstand. Indem ich diese Linie überschritt, gab ich meine Absichten zu erkennen. Vielleicht hatte es Zuständigkeitsprobleme gegeben. Vielleicht waren Anwälte hinzugezogen worden. Frazer wollte mich liquidieren lassen, das stand fest, aber gleichzeitig dafür sorgen, dass kein Verdacht auf ihn fiel.

Ich atmete nochmals tief durch, überschritt die Linie und machte damit alles real. Ich ging zwischen den beiden Kontrolleuren hindurch und spürte die kalten Stahlflanken des Drehkreuzes. Der bewegliche Stab war eingeklappt, so konnte nichts meine Schenkel streifen. Ich kam auf der anderen Seite heraus und blieb stehen. Die vier Männer standen rechts von mir. Ich betrachtete ihre Schuhe. Die Bekleidungsvorschriften der Army sind überraschend vage, was Schuhe betrifft. Schwarze Halbschuhe, konservativ, ohne Verzierungen, mindestens drei Paar Ösen, vorn geschlossen, höchstens fünf Zentimeter Absatz. Daran hielten sich alle vier, aber keiner von ihnen hatte Copschuhe an. Nicht wie die beiden Kerle draußen in der Eingangshalle. Sie trugen vier Variationen desselben klassischen Themas: auf Hochglanz poliert, straff geschnürt, mit kleinen Furchen, aber nicht wirklich abgenutzt. Vielleicht gehörten sie tatsächlich zum DPS. Vielleicht auch nicht. Das ließ sich nicht feststellen. Jedenfalls nicht sofort.

Ich sah sie an, und sie erwiderten meinen Blick, aber keiner sagte etwas. Ich ging um die Gruppe herum und marschierte weiter ins Innere des Gebäudes. Ich benutzte den Ring E entgegen dem Uhrzeigersinn und bog am ersten Radialkorridor links ab.

Die vier Kerle folgten mir.

Sie blieben ungefähr zwanzig Meter hinter mir, dicht genug, um mich im Auge behalten zu können, und weit genug entfernt, um mich nicht zu bedrängen. Maximal sieben Minuten zwischen zwei beliebigen Punkten. Ich kam mir wie ein Stück Fleisch zwischen zwei Sandwichhälften vor. Bestimmt würde ein weiteres Team vor 3C315 warten – falls sie mich nicht schon vorher abfingen. Ich marschierte geradewegs auf sie zu. Nirgends eine Fluchtmöglichkeit, nirgends ein Versteck.

Auf dem Ring D benutzte ich die Treppe, um zwei Ebenen höher ins dritte Geschoss zu gelangen. Dort wechselte ich nur so aus Spaß die Richtung, ging entgegen dem Uhrzeigersinn weiter und passierte die Radialkorridore fünf und vier. Auf Ring D herrschte reger Betrieb. Leute mit Armen voller khakifarbener Akten hasteten von einem Ort zum anderen. Uniformierte Männer und Frauen liefen mit ausdruckslosen Mienen aneinander vorbei. Das Gedränge war wirklich sehr dicht. Ich umging Leute, wich ihnen aus und kam weiter gut voran. Unterwegs wurde ich immer wieder angestarrt. Wegen meiner Haare und des Fünftagebarts. Ich machte bei einem Wasserspender halt, beugte mich hinunter und nahm einen Schluck. Die vier zusätzlichen DPS-Männer waren nirgends zu sehen. Andererseits brauchten sie mich nicht wirklich zu beschatten. Sie wussten, wohin ich wollte und wann ich dort eintreffen sollte.

Ich richtete mich auf, ging weiter und bog rechts auf den Radialkorridor drei ab. Dort roch die Luft nach Uniformwolle, Linoleumpolitur und ganz schwach nach Zigarren. Die Ölfarbe an den Wänden schien aus Dutzenden von Schichten zu bestehen. Ich blickte nach links und rechts. Auf dem Flur befanden sich Leute, aber keine größere Ansammlung vor Sektion fünfzehn. Vielleicht warteten sie drinnen auf mich. Ich hatte schon fünf Minuten Verspätung.

Ich kehrte nicht um, sondern blieb auf Radialkorridor drei und ging über Ring B zum Ring A hinüber. Ins Herz des Gebäudes, in dem alle Korridore endeten. Oder begannen – je nach Dienstgrad und Perspektive. Jenseits des Rings A gab es nur noch einen gut zwei Hektar großen Innenhof, der dem Loch eines fünfeckigen Donuts glich. In der guten alten Zeit hatten die Leute ihn »Nullpunkt« genannt, weil sie sich ausrechneten, dass die Sowjets mit ihrer größten und besten ICBM ständig darauf zielten, als wäre er das Schwarze einer riesigen Zielscheibe. Ich glaube, dass sie unrecht hatten. Ich glaube, dass die Sowjets für den Fall, dass die ersten vier Raketen versagten, mit ihren fünf größten und besten ICBMs darauf zielten. Kluge Köpfe würden auch nie darauf wetten, dass die Sowjets genau das bekommen hatten, wofür sie gezahlt hatten.

Auf Ring A wartete ich, bis ich zehn Minuten Verspätung hatte. Die anderen sollten lieber im Ungewissen bleiben. Vielleicht suchten sie mich bereits. Vielleicht bekamen die vier unterbeschäftigten Kerle bereits einen Anschiss, weil sie mich aus den Augen verloren hatten. Ich holte nochmals tief Luft, stieß mich von der Wand ab und marschierte auf dem Radialkorridor drei über Ring B zu C zurück. Dort bog ich ab, ohne aus dem Tritt zu kommen, und hielt auf Sektion 15 zu.

3

Vor Sektion 15 wartete niemand. Kein Team aus DPS-Männern. Überhaupt niemand. So weit das Auge reichte, war auch der Korridor auf beiden Seiten völlig leer. Und auffällig still. Offenbar befand sich jeder schon dort, wo er hinwollte. Die Mittagsbesprechungen waren in vollem Gange.

Die Tür von Sektion 15 stand offen. Ich klopfte kurz an – aus Höflichkeit, als Ankündigung, als Warnung – und trat sofort ein. Die Dienstzimmer im Pentagon waren ursprünglich Großraumbüros mit nur angedeuteten Unterteilungen durch Karteischränke und andere Büromöbel gewesen, aber im Lauf der Jahre waren Wände eingezogen worden. Dafür war 3C315, Frazers Dienstzimmer, ein relativ typisches Beispiel: ein kleiner quadratischer Raum mit einem Fenster ohne bemerkenswerte Aussicht, einem Orientteppich auf dem Fußboden, gerahmten Fotos an den Wänden, einem stahlgrauen Dienstschreibtisch, drei Stühlen (einer davon mit Armlehnen) und einem extrabreiten Karteischrank.

Und es war ein kleiner quadratischer Raum, in dem sich außer Frazer, der am Schreibtisch saß, niemand aufhielt. Er sah zu mir auf und lächelte.

Er sagte: »Hallo, Reacher.«

Ich schaute nach links und rechts. Kein Mensch. Absolut niemand. Hier gab es keine private Toilette. Keinen großen Schrank. Keine weitere Tür. Und der Korridor hinter mir war leer. In dem riesigen Gebäude herrschte Stille.

Frazer sagte: »Schließen Sie die Tür.«

Ich schloss die Tür.

Frazer sagte: »Setzen Sie sich, wenn Sie wollen.«

Ich setzte mich.

Frazer sagte: »Sie kommen spät.«

»Entschuldigen Sie«, sagte ich. »Ich bin aufgehalten worden.«

Frazer nickte. »Kurz vor zwölf ist hier die Hölle los. Mittagspausen, Schichtwechsel, weiß der Teufel, was noch alles. Der reinste Zoo! Ich nehme mir nie vor, um zwölf irgendwohin zu gehen und verkrieche mich einfach nur hier.« Er war einen Meter fünfundsiebzig groß, wog geschätzte neunzig Kilo, war stämmig und breitschultrig, rotgesichtig, schwarzhaarig und Mitte vierzig. In seinen Adern floss altes schottisches Blut, gefiltert durch die fruchtbare Erde Tennessees, von wo er stammte. Er hatte als Teenager in Vietnam gekämpft und sich später am Golf ausgezeichnet. Er war ein altmodischer Krieger, aber weil er zu seinem Pech so gut reden und lächeln konnte, wie er kämpfte, war er zum Verbindungsoffizier beim Senat ernannt worden; denn die Leute, die das Geld bewilligten, waren heute der eigentliche Feind.

Er fragte: »Also, was haben Sie heute für mich?«

Ich schwieg. Ich hatte nichts zu sagen. Ich hatte nicht erwartet, dass ich so weit kommen würde.

Er sagte: »Hoffentlich gute Nachrichten.«

»Keine Nachrichten«, sagte ich.

»Nichts.«

Ich nickte. »Nichts.«

»Sie haben mir mitgeteilt, Sie wüssten einen Namen. Das hat in Ihrer Mitteilung gestanden.«

»Ich weiß keinen Namen.«

»Warum haben Sie's dann behauptet? Wieso wollten Sie mich sprechen?«

Ich machte eine kurze Pause.

»Das war eine Abkürzung«, sagte ich.

»In welcher Beziehung?«

»Ich habe verbreitet, ich wüsste einen Namen. Ich war neugierig, wer unter einem Stein hervorkriechen und versuchen würde, mich zum Schweigen zu bringen.«

»Und das hat niemand getan?«

»Bisher nicht. Aber vor zehn Minuten hat die Sache noch anders ausgesehen. In der Eingangshalle haben vier Männer in DPS-Uniform gestanden. Sie sind mir anfangs gefolgt. Ich dachte, sie sollten mich verhaften.«

»Wohin verfolgt?«

»Auf Ring B bis zu C. Dann habe ich sie auf der Treppe abgeschüttelt.«

Frazer lächelte wieder.

»Sie sind paranoid«, sagte er. »Sie haben sie nicht abgeschüttelt. Ich habe Ihnen gesagt, dass es um zwölf Uhr Schichtwechsel gibt. Diese Kerle kommen wie alle mit der Metro, sie schwatzen ein bisschen miteinander und machen sich dann auf den Weg in ihren Bereitschaftsraum. Der liegt im Ring B. Diese vier haben Sie nicht verfolgt.«

Ich schwieg.

Er sagte: »Es gibt immer wieder Gruppen, die einfach nur rumhängen. Sogar jede Menge. Wir sind personell gewaltig überbesetzt. Dagegen muss etwas unternommen werden. Das ist unvermeidlich. Diese Litanei höre ich im Kongress tagtäglich. Das lässt sich nicht vermeiden. Daran sollten wir alle denken. Vor allem Leute wie Sie.«

»Wie ich?«, fragte ich.

»In der heutigen Army gibt's viele Majore. Vermutlich zu viele.«

»Auch viele Colonels«, sagte ich.

»Weniger als Majore.«

Ich schwieg.

Er fragte: »Hatten Sie auch mich auf Ihrer Liste von Wesen, die unter einem Stein hervorkriechen könnten?«

Du warst der einzige Name darauf, dachte ich.

Er fragte: »Hab ich draufgestanden?«

»Nein«, log ich.

Er lächelte wieder. »Gute Antwort. Hätte ich was gegen Sie gehabt, hätte ich Sie drunten am Mississippi umlegen lassen. Vielleicht wäre ich vorbeigekommen, um es selbst zu erledigen.«

Ich schwieg. Er sah mich einen Augenblick lang an, dann erschien auf seinem Gesicht ein Lächeln, das sich in ein Lachen verwandelte, das er angestrengt zu unterdrücken versuchte, was ihm aber nicht gelang. Es klang wie ein Blaffen, ein Niesen, und er musste sich zurücklehnen und zur Decke aufsehen.

Ich fragte: »Was?«

Sein Blick erfasste mich wieder. Er lächelte noch immer, als er sagte: »Entschuldigung, ich musste nur gerade an eine Redensart denken. Sie wissen, was man über einen Trottel sagt? Dass er sich nicht mal verhaften lassen konnte.«

Ich schwieg.

Er sagte: »Sie sehen schlimm aus. Hier gibt es Friseure. Sie sollten zu einem gehen.«

»Das kann ich nicht«, entgegnete ich. »Ich muss so aussehen.«

Fünf Tage zuvor war mein Haar noch fünf Tage kürzer, aber anscheinend lang genug gewesen, um Aufmerksamkeit zu erregen. Leon Garber, der damals wieder mein Kommandeur war, hatte mich zu sich beordert; und weil in seiner Mail stand, ich solle mich nicht mit meiner äußeren Erscheinung aufhalten, rechnete ich mir aus, er wolle das Eisen schmieden, solange es heiß ist, und mir eine Zigarre verpassen, während das Beweismaterial noch auf meinem Kopf vorhanden war. Und genau so begann unsere Besprechung. Er fragte mich: »Welche Dienstvorschrift regelt die persönliche Erscheinung des Soldaten?«

Das empfand ich als reichlich unverschämte Frage, weil sie von ihm kam. Garber war bestimmt der ungepflegteste Offizier, den ich kannte. Holte er sich aus der Kleiderkammer ein neues Uniformjackett, sah es nach einer Stunde aus, als hätte er darin zwei Kriege geführt, darin geschlafen und drei Schlägereien in Bars überstanden.

Ich behauptete: »Ich kann mich nicht erinnern, welche Dienstvorschrift die persönliche Erscheinung von Soldaten regelt.«

Er sagte: »Ich auch nicht. Aber ich scheine mich daran zu erinnern, dass Details zu Haarschnitt, Fingernägeln und Frisur in Kapitel eins, Absatz acht geregelt sind. Das steht mir alles klar vor Augen, wie's auf der Seite steht. Können Sie sich an den Wortlaut erinnern?«

Ich sagte: »Nein.«

»Dort heißt es, Normen für Frisuren seien notwendig, um innerhalb des Soldatenstands Einheitlichkeit herzustellen.«

»Verstanden.«

»Diese Normen sind vorgeschrieben. Wissen Sie, was sie besagen?«

»Ich hatte verdammt viel zu tun«, antwortete ich. »Bin gerade aus Korea zurückgekommen.«

»Japan, dachte ich.«

»Das war nur ein Zwischenstopp.«

»Wie lange?«

»Zwölf Stunden.«

»Gibt's in Japan Friseure?«

»Oh, bestimmt.«

»Brauchen japanische Friseure für einen Herrenhaarschnitt länger als zwölf Stunden?«

»Sicher nicht.«

»In Kapitel eins, Absatz acht, Paragraf zwo steht, dass das Kopfhaar ordentlich frisiert, dass Länge und Fülle des Haars nicht exzessiv sein oder zottelig, ungekämmt oder extrem aussehen dürfen. Stattdessen heißt es dort, das Haar müsse einen zwanglos angepassten Eindruck machen.«

Ich sagte: »Ich bin mir nicht sicher, ob ich weiß, was das heißt.«

»Darunter versteht man, dass die Umrisse der Frisur eines Soldaten seiner Kopfform folgen sollen, um ganz natürlich in einem spitz zulaufenden Nackenschnitt zu enden.«

Ich sagte: »Gut, ich kümmere mich darum.«

»Das sind Vorschriften, verstehen Sie? Keine Vorschläge.«

»Okay«, sagte ich.

»Paragraf zwo bestimmt, dass gekämmtes Haar *nicht* über Ohren oder Augenbrauen fallen und nicht den Kragen berühren darf.«

»Okay«, sagte ich wieder.

»Würden Sie Ihre gegenwärtige Frisur nicht als zottelig, ungekämmt oder extrem aussehend bezeichnen?«

»Im Vergleich wozu?«

»Und wie stehen Sie in Bezug auf die Sache mit dem Kamm und den Ohren, den Augenbrauen und dem Kragen da?«

»Ich kümmere mich darum«, wiederholte ich.

Dann lächelte Garber, und der Tonfall unserer Besprechung änderte sich vollständig.

Er fragte: »Wie schnell wächst Ihr Haar überhaupt?«

»Weiß ich nicht«, sagte ich. »Normal schnell, nehme ich an. Vermutlich wie bei allen Leuten. Wieso?«

»Wir haben ein Problem«, erklärte er mir. »Drunten in Mississippi.«

4

Garber sagte, das Problem drunten in Mississippi betreffe eine siebenundzwanzigjährige Frau namens Janice May Chapman. Sie stellte ein Problem dar, weil sie tot war. Sie war in der Kleinstadt Carter Crossing einen Straßenblock hinter der Main Street ermordet worden.

»War sie eine von uns?«, fragte ich.

»Nein«, sagte Garber. »Sie war eine Zivilistin.«

»Wieso ist sie dann ein Problem?«

»Dazu komme ich noch«, erklärte Garber. »Aber zuerst müssen Sie die Story kennen. Das Gebiet dort unten ist finsterste Provinz; die Nordostecke des Bundesstaats im Grenzgebiet zu Alabama und Tennessee. Es gibt eine in Nord-Süd-Richtung verlaufende Eisenbahnlinie und eine früher unbefestigte Nebenstraße, die sie bei einem Ort mit einer Quelle in Ost-West-Richtung quert. Die Lokomotiven konnten dort Wasser aufnehmen, und die Fahrgäste konnten aussteigen, um etwas zu essen – deshalb ist die Kleinstadt gewachsen. Aber seit dem Zweiten Weltkrieg verkehren nur noch zwei Züge täglich, beides Güterzüge, keine Fahrgäste, daher war die Kleinstadt wieder auf dem Weg nach unten.«

»Bis?«

»Steuergelder. Sie wissen, wie so was läuft. Washington konnte nicht zulassen, dass weite Teile des Südens zu Dritte-Welt-Staaten wurden, deshalb haben wir etwas Geld reingesteckt. Sogar ziemlich viel Geld. Ist Ihnen schon mal aufgefallen, dass die Leute, die am lautesten nach einem schlanken Staat rufen, immer in den Bundesstaaten mit den höchsten Subventionen zu leben scheinen? In einem schlanken Staat wären sie erledigt.«

Ich fragte: »Was hat Carter Crossing bekommen?«

Garber sagte: »Carter Crossing hat einen Army-Standort namens Fort Kelham bekommen.«

»Okay«, sagte ich. »Von Kelham habe ich schon gehört. Aber ich habe nie gewusst, wo es genau liegt.«

»Früher war es riesig«, fuhr Garber fort. »Der Baubeginn war 1950, glaube ich. Es hätte so groß wie Ford Hood werden sollen, aber letztlich war es doch zu weit östlich der I-55 und zu weit westlich der I-65, um wirklich brauchbar zu sein. Man musste weit auf Nebenstraßen fahren, um es überhaupt zu erreichen. Oder vielleicht haben Politiker aus Texas lautere Stimmen als Politiker aus Mississippi. Jedenfalls wurde Hood weiter ausgebaut, und Kelham ist am Halm verdorrt. Es hat bis zum Ende des Vietnamkriegs durchgehalten und ist dann in eine Ranger-Schule umgewandelt worden – was es noch immer ist.«

»Ich dachte, Ranger würden in Benning ausgebildet.«

»Das 75th schickt seine besten Leute für einige Zeit nach Kelham. Das ist nicht weit. Hat irgendwas mit dem dortigen Gelände zu tun.«

»Das 75th ist ein Regiment für Special Operations.«

»Das habe ich auch schon gehört.«

»Gibt es genug Ranger, die dort eine Sonderausbildung bekommen, um eine ganze Kleinstadt am Leben zu erhalten?«

»Beinahe«, sagte Garber. »Carter Crossing ist nicht sehr groß.«

»Wovon gehen wir also aus? Dass Chapman von einem Ranger ermordet worden ist?«

»Das bezweifle ich«, sagte Garber. »Der Täter war eher ein einheimischer Hillbilly, denke ich.«

»Gibt's in Mississippi Hillbillys? Gibt's dort überhaupt Hügel?«

»Gut, dann Hinterwäldler. Bäume haben sie genug.«

»Wie auch immer, warum reden wir überhaupt darüber?«

An dieser Stelle stand Garber auf, kam hinter seinem Schreibtisch hervor, durchquerte den Raum und schloss die Tür. Er war natürlich älter als ich und viel kleiner, aber fast ebenso breit. Und er war besorgt. Es kam selten vor, dass er die Tür seines Dienstzimmers schloss, und noch seltener schaffte er's, fünf Minuten lang zu reden, ohne eine mühsam zurechtgebogene kleine Ermahnung, einen Aphorismus oder einen Merkspruch anzubringen, um den Punkt, auf den es ihm ankam, in eine Form zu bringen, die man nicht so leicht vergaß. Jetzt setzte er sich wieder, wobei die Luft aus seinem Sitzpolster seufzend entwich, und fragte: »Haben Sie schon mal vom Kosovo gehört?«

»Balkan«, antwortete ich. »Wie Serbien und Kroatien.«

»Dort drüben wird's Krieg geben. Wir wollen anscheinend versuchen, ihn zu verhindern. Das dürfte misslingen, und wir werden uns damit begnügen müssen, eine der beiden Seiten in Schutt und Asche zu bomben.«

»Okay«, sagte ich. »Immer gut, einen Plan B zu haben.«

»Dieser serbisch-kroatische Krieg war eine Katastrophe. Wie der in Ruanda. Total peinlich. Wir leben schließlich im zwanzigsten Jahrhundert.«

»Mir ist's vorgekommen, als passte er gut ins zwanzigste Jahrhundert.«

»Heutzutage sollte das anders sein.«

»Warten Sie das einundzwanzigste ab. Das ist mein Rat.«

»Wir werden auf nichts warten. Wir wollen versuchen, im Kosovo das Richtige zu tun.«

»Na, dann viel Erfolg. Aber bitte ohne meine Hilfe. Ich bin nur ein Polizist.«

»Wir haben schon Leute drüben. Jeweils für kurze Zeit, wissen Sie, rein und raus.«

Ich fragte: »Wer?«

Garber sagte: »Friedenswächter.«

»Was, von den Vereinten Nationen?«

»Nicht genau. Nur unsere Leute.«

»Das wusste ich nicht.«

»Weil es niemand erfahren soll.«

»Wie lange geht das schon?«

»Zwölf Monate.«

Ich fragte: »Wir setzen seit einem vollen Jahr heimlich Bodentruppen auf dem Balkan ein?«

»Das ist keine so große Sache«, erwiderte Garber. »Zum Teil geht's dabei um Aufklärung. Für den Fall, dass später etwas passieren muss. Aber vor allem soll für Ruhe gesorgt werden. Dort drüben gibt es viele Gruppierungen. Fragt uns jemand, behaupten wir immer, die andere Seite habe uns eingeladen. So glauben alle, die anderen hätten unsere Unterstützung. Das ist ein nützliches Abschreckungsmittel.«

Ich fragte: »Wen haben wir hingeschickt?«

Garber sagte: »Ranger der Army.«

Garber erklärte mir, während Fort Kelham nach außen hin eine legitime Ausbildungsstätte für Ranger bleibe, seien dort jetzt auch zwei Kompanien – Kompanie Alpha und Kompanie Bravo – mit handverlesenen Soldaten aus dem 75th Ranger Regiment stationiert, die sich bei heimlichen einmonatigen Einsätzen im Kosovo abwechselten. Kelhams relative Abgeschiedenheit mache es zu einem idealen Stützpunkt für Geheimoperationen. Obwohl, sagte Garber, wir eigentlich gar keinen Anlass hätten, irgendwas geheim zu halten. Wir schickten nur sehr wenige Leute nach drüben, und das Ganze sei ein humanitärer Einsatz, der aus edelsten Motiven erfolge. Aber Washington sei nun mal Washington, und manche Dinge blieben besser ungesagt.

Ich fragte: »Hat Carter Crossing eine Polizei?«

Garber sagte: »Ja, es gibt eine.«

»Lassen Sie mich raten. Sie kommt mit ihren Ermittlungen wegen Mordes nicht weiter und möchte auf Schnüffeltour gehen. Sie möchte einige der in Kelham Stationierten in den Kreis der Verdächtigen einbeziehen.«

Garber sagte: »Ja, das will sie.«

»Auch Männer der Kompanien Alpha und Bravo?«

»Ja.«

»Sie will ihnen alle möglichen Fragen stellen.«

»Ja.«

»Aber wir dürfen nicht zulassen, dass sie unsere Leute ausfragt, weil wir ihr heimliches Kommen und Gehen tarnen müssen.«

»Korrekt.«

»Hat sie einen hinreichenden Verdacht?«

Ich hoffte, Garber werde Nein sagen, aber stattdessen sagte er: »Auf gewissen Indizien basierend.«

Ich fragte: »Indizien?«

Er sagte: »Der Zeitpunkt liegt sehr ungünstig. Janice May Chapman ist drei Tage nach der Rückkehr der Kompanie Bravo von ihrem jüngsten Kosovo-Einsatz ermordet worden. Die Abgelösten kommen im Direktflug aus Übersee zurück. Kelham hat einen eigenen Flugplatz, so groß ist die Anlage. Aus Geheimhaltungsgründen landen sie im Schutz der Dunkelheit. Die Heimkehrer bleiben erst mal zwei Tage interniert, um ausführlich befragt zu werden.«

»Und dann?«

»Am dritten Tag bekommt die heimgekehrte Kompanie eine Woche Urlaub.«

»Den alle in der Stadt verbringen.«

»Meistens.«

»Auch in der Main Street und den Straßen dahinter.«

»Dort sind die Bars.«

»Und in den Bars lernen sie Frauen kennen.«

»Wie immer.«

»Und Chapman war eine Einheimische.«

»Und als freundlich und umgänglich bekannt.«

Ich sagte: »Klasse.«

Garber sagte: »Sie ist vergewaltigt und verstümmelt worden.«

»Wie verstümmelt?«

»Danach habe ich nicht gefragt. Ich wollt's nicht wissen. Sie war siebenundzwanzig. Jodie ist auch siebenundzwanzig.«

Seine einzige Tochter. Sein einziges Kind. Heiß geliebt.

Ich fragte: »Wie geht's ihr?«

»Danke, gut.«

»Wo ist sie jetzt?«

»Sie ist Anwältin«, sagte er, als wäre das kein Beruf, sondern ein Ort. Dann fragte er seinerseits: »Wie geht's Ihrem Bruder?«

Ich sagte: »Dem geht es gut, soviel ich weiß.«

»Noch immer im Finanzministerium?«

»Soviel ich weiß.«

»Er war ein guter Mann«, sagte Garber, als sei das Ausscheiden aus der Army gleichbedeutend mit dem Tod.

Ich sagte nichts.

Garber fragte: »Also, was täten Sie dort drunten in Mississippi?«

Das war im Jahr 1997, deshalb sagte ich: »Die örtliche Polizei können wir nicht ausschließen. Nicht unter diesen Umständen. Aber wir können auch nicht voraussetzen, dass sie viel Fachkenntnis oder große Ermittlungsmöglichkeiten hat. Deshalb sollten wir ihr Hilfe anbieten und jemanden dort runterschicken. Alle Ermittlungen auf dem Stützpunkt könnten wir übernehmen. War der

Täter jemand aus Kelham, servieren wir ihn auf einem Silbertablett. Damit wird der Gerechtigkeit Genüge getan, und wir können verbergen, was geheim bleiben muss.«

»So einfach ist die Sache nicht«, meinte Garber. »Sie wird noch schlimmer.«

»Wodurch?«

»Kompaniechef von Bravo ist ein Kerl namens Reed Riley. Kennen Sie den?«

»Der Name klingt bekannt.«

»Aus gutem Grund. Sein Vater ist Carlton Riley.«

Ich sagte: »Scheiße.«

Garber nickte. »*Senator* Riley. Der Vorsitzende des Streitkräfteausschusses. Der unser bester Freund oder schlimmster Feind werden wird, je nachdem wie diese Sache ausgeht. Und Sie wissen, wie's bei solchen Kerlen ist. Einen Captain der Infanterie als Sohn zu haben bringt ihm eine Million Wählerstimmen. Einen Helden als Sohn zu haben ist doppelt so viele wert. Ich mag mir gar nicht vorstellen, was passieren wird, wenn einer der Männer des jungen Reeds sich als Mörder erweist.«

Ich sagte: »Wir müssen sofort jemanden nach Kelham in Marsch setzen.«

Garber sagte: »Deshalb haben Sie und ich jetzt diese Besprechung.«

»Wann soll ich dort sein?«

»Ich will Sie nicht dort haben«, erklärte Garber.

5

Garber teilte mir mit, für den Job in Kelham habe er nicht mich ausgesucht. Seine Wahl war auf einen frisch beförderten MP-Major namens Duncan Munro gefallen. Soldatenfamilie, Silver Star, Purple Heart und so weiter und so fort. Er hatte sich vor Kurzem in Korea bewährt und bewährte sich gegenwärtig in Deutschland. Er war fünf Jahre jünger als ich, und nach allem, was ich gehört hatte, war er genau so wie ich vor fünf Jahren. Ich kannte ihn nicht persönlich.

Garber sagte: »Er fliegt heute Nacht dort runter.«

»Ihre Entscheidung«, sagte ich. »Vermutlich.«

»Die Situation ist knifflig«, meinte er.

»Offenbar«, sagte ich. »Zu knifflig für mich.«

»Machen Sie sich nicht gleich in die Hose. Sie brauche ich für etwas anderes. Für etwas, das Sie hoffentlich als ebenso wichtig erachten werden.«

»Zum Beispiel?«

»Verdeckte Ermittlungen«, antwortete er. »Deshalb bin ich froh über Ihr Haar. Zottelig und ungekämmt. Es gibt zwei Punkte, in denen wir schwach sind, wenn wir verdeckt ermitteln: Haar und Schuhe. Gebrauchte Schuhe kriegt man bei Goodwill. Aber unordentliches Haar kann man nicht sofort erwerben.«

»Um wo zu ermitteln?«

»Natürlich in Carter Crossing. Drunten in Mississippi. Außerhalb des Stützpunkts. Sie kommen in die Kleinstadt wie irgendein Exsoldat, der ziellos durchs Land stromert. Sie kennen den Typ. Sie spielen einen Kerl, der sich dort sofort wohlfühlt, weil er diese Atmosphäre gewohnt ist. Sie knüpfen Kontakte zur dortigen Polizei und nutzen sie, um heimlich dafür zu sorgen, dass Munro und sie diese Ermittlungen absolut richtig führen.«

»Ich soll einen Zivilisten spielen?«

»Das ist nicht allzu schwer. Schließlich gehören wir alle derselben Spezies an – mehr oder weniger. Sie kommen schon zurecht.«

»Ermittle ich dort aktiv?«

»Nein. Sie sollen nur beobachten und berichten. Wie in der Ausbildung. Das kennen Sie von früher. Meine Augen und Ohren. Diese Sache muss absolut richtig ablaufen.«

»Okay«, sagte ich.

»Noch Fragen?«

»Wann reise ich ab?«

»Morgen bei Tagesanbruch.«

»Und wie lautet Ihre Definition von ›diese Sache muss absolut richtig ablaufen‹?«

Garber wich meinem Blick aus, rutschte auf seinem Stuhl herum und drückte sich vor einer Antwort.

Ich ging in meine Unterkunft zurück und stellte mich unter die Dusche, ohne mich anschließend zu rasieren. Verdeckte Ermittlungen sind wie Method Acting, und Garber hatte recht: Ich kannte diesen Typ. Jeder Soldat kennt ihn. Kleinstädte in der Nähe von Stützpunkten sind voller Kerle, die aus irgendwelchen Gründen ausgeschieden sind und den Absprung nicht geschafft haben. Manche bleiben, andere werden zum Weiterwandern gezwungen und enden in irgendeiner anderen Kleinstadt in der Nähe eines anderen Stützpunkts. Gleich, aber anders. Diese Atmosphäre kennen sie, und in der fühlen sie sich wohl. Aus alter Gewohnheit, vielleicht aus Veranlagung, bewahren sie sich eine gewisse unbewusste militärische Disziplin, aber sie vernachlässigen ihre äußere Erscheinung. Kapitel eins, Abschnitt acht, Paragraf zwei, beherrscht nicht mehr ihr Leben. Also rasierte ich mich nicht, föhnte auch mein Haar nicht, sondern ließ es einfach nur trocknen.

Dann legte ich mein Zeug auf dem Bett bereit. Wegen der Schuhe brauchte ich nicht zum Goodwill. Ich verfügte über ein Paar, das sich gut eignete. Vor ungefähr zwölf Jahren hatte ich in England bei einem Trödler auf dem Land ein paar feste braune Herrenschuhe gekauft. Große, schwere, solide Dinger. Gut gepflegt, aber keineswegs mehr neu. Ein bisschen abgetreten.

Ich stellte sie vors Bett, vor dem sie zunächst allein standen. Sonstige Zivilkleidung besaß ich nicht. Überhaupt keine. Nicht mal Socken. In einer Schublade fand ich ein altes olivgrünes T-Shirt, dessen schwere Baumwolle durch häufiges Waschen dünn wie Seide geworden war. Ich rechnete mir aus, dass ein Typ, wie ich ihn spielen sollte, so was aufheben würde, und legte es neben die Schuhe. Dann ging ich in die PX und suchte auf Gängen herum, die ich sonst nie betrat. Ich fand eine schlammfarbene Gabardinehose und ein langärmeliges Hemd, das eigentlich kastanienbraun, aber schon vorgewaschen war, sodass seine Nähte einen blassen Rosaton angenommen hatten. Es rief nicht gerade Begeisterung in mir hervor, aber es war das einzige in meiner Größe. Es war herabgesetzt, aus verständlichen Gründen, und sah im Prinzip zivil aus. Ich hatte schon Leute in schlimmeren Klamotten gesehen. Außerdem konnte man es vielseitig verwenden. Ich wusste nicht, welche Temperaturen mich im März in der Nordostecke von Mississippi erwarteten. War das Wetter warm, konnte ich die Ärmel aufkrempeln, war es kalt, konnte ich sie herunterrollen.

Ich entschied mich für weiße Unterwäsche und khakifarbene Socken. Dann machte ich bei den Toilettenartikeln halt und fand eine zusammenklappbare Reisezahnbürste, die mir sofort gefiel. Der Borstenteil steckte in einer Klarsichthülle und konnte herausgezogen und umgedreht wieder hineingesteckt werden, sodass eine vollwertige Zahnbürste entstand. Sie passte in jede Tasche, und der Borstenteil blieb auf diese Weise immer sauber. Eine klasse Idee.

Meine Einkäufe gab ich gleich zum Waschen, damit sie etwas alterten. Nichts lässt Klamotten wirkungsvoller altern als die Wäscherei auf einem Stützpunkt. Dann suchte ich ein Schnellrestaurant auf, um ein verspätetes Mittagessen einzunehmen. Dort traf ich einen alten Freund und MP-Kollegen namens Stan Lowrey, mit dem ich schon oft zusammengearbeitet hatte. Er saß vor einem Tablett mit den Überresten eines halbpfündigen Hamburgers mit Pommes. Ich brachte meine Mahlzeit mit und setzte mich ihm gegenüber. Er sagte: »Wie ich höre, bist du nach Mississippi unterwegs.«

Ich fragte: »Wo hast du das gehört?«

»Mein Sergeant hat's von einem Sergeant in Garbers Büro erfahren.«

»Wann?«

»Vor ungefähr zwei Stunden.«

»Klasse«, sagte ich. »Vor zwei Stunden hab ich's selbst noch nicht gewusst. So viel zu Geheimhaltung.«

»Mein Sergeant sagt, dass du die zweite Geige spielen wirst.«

»Dein Sergeant hat recht.«

»Mein Sergeant sagt, dass der leitende Ermittler noch feucht hinter den Ohren ist.«

Ich nickte. »Ich bin der Babysitter.«

»Das ist Scheiße, Reacher. Das ist echt beschissen.«

»Aber nur, wenn der Junge alles richtig macht.«

»Was er tun könnte.«

Ich biss von meinem Hamburger ab, trank einen Schluck von meinem Kaffee. »Tatsächlich weiß ich nicht, ob irgendjemand was richtig machen könnte. Da geht's um alle möglichen Empfindlichkeiten. Vielleicht gibt's gar keine richtige Methode. Vielleicht schützt Garber mich, indem er den Jungen opfert.«

Lowrey sagte: »Träum nur weiter, mein Freund. Du bist ein altes Streitross, und Garber wechselt dich in der zweiten Hälfte des neunten Innings bei voll besetzten Bases noch mal ein. Ein neuer Star wird geboren. Du bist Geschichte.«

»Dann du aber auch«, entgegnete ich. »Wenn ich ein altes Streitross bin, wartest du bereits am Tor der Leimfabrik.«

»Stimmt«, sagte Lowrey. »Genau das macht mir Sorgen. Ich werd ab heute Abend mal die Stellenanzeigen studieren.«

Der Rest dieses Nachmittags verlief ruhig. Meine Wäsche kam von den riesigen Maschinen etwas gebleicht und mitgenommen zurück. Sie war gemangelt, aber das würde sich geben, wenn ich einen Tag darin reiste. Ich ließ das Wäschepaket auf meinen Schuhen liegen. Dann klingelte mein Telefon, und die Verbindung stellte einen Anruf aus dem Pentagon durch. Ich sprach mit einem Colonel namens John James Frazer. Er stellte sich als Verbindungsoffizier beim Senat vor – aber bevor er das sagte, erwähnte er seine Kampfeinsätze, damit ich ihn nicht als Vollidioten abschrieb. Dann sagte er: »Ich muss augenblicklich darüber informiert werden, wenn es auch nur die geringste Andeutung oder den Hauch eines Gerüchts über jemanden aus der Kompanie Bravo gibt. Sofort, okay? Tag und Nacht.«

Ich sagte: »Und ich muss wissen, ob die dortige Polizei überhaupt weiß, dass es in Kelham eine Kompanie Bravo gibt. Ich dachte, das sei geheim.«

»Die Soldaten werden mit C5 Galaxy transportiert. Laute, riesige Maschinen.«

»Die immer nur nachts starten und landen. Also könnten das Versorgungsflüge sein. Munition und Verpflegung.«

»Vor ein paar Monaten hat das Wetter nicht mitgespielt. Stürme über dem Atlantik. Sie waren spät dran. Sie sind nach Tagesanbruch gelandet und beobachtet worden. Und Kelham ist ohnehin eine Garnisonsstadt. Sie wissen, wie das läuft. Die Einheimischen erkennen bestimmte Muster. Bekannte Gesichter sind einen

Monat lang da, im nächsten nicht mehr, aber im übernächsten wieder. Die Leute sind nicht dumm.«

»Andeutungen und Gerüchte gibt es bereits«, sagte ich. »Der Zeitpunkt regt zu Spekulationen an. Wie Sie selbst sagen, sind die Leute nicht dumm.«

»Der Zeitpunkt könnte bloßer Zufall sein.«

»Schon möglich«, sagte ich. »Hoffen wir das Beste.«

Frazer erklärte: »Ich muss sofort davon erfahren, wenn es irgendetwas gibt, das Captain Riley hätte tun können oder sollen oder hätte wissen müssen oder sollen. Absolut *alles*, okay? Und zwar sofort.«

»Ist das ein Befehl?«

»Es ist ein Wunsch eines ranghöheren Offiziers. Erkennen Sie einen Unterschied?«

»Sind Sie in meiner Befehlskette?«

»Tun Sie einfach so, als gehörte ich dazu.«

»Okay«, sagte ich.

»Absolut alles«, wiederholte er. »Sofort und direkt an mich. Nur an mich persönlich. Tag und Nacht.«

»Okay«, sagte ich noch mal.

»Hier steht viel auf dem Spiel. Haben Sie verstanden? Der Einsatz ist sehr hoch.«

»Okay«, sagte ich zum dritten Mal.

Dann sagte Frazer: »Aber ich möchte nicht, dass Sie etwas tun, wobei Ihnen nicht wohl ist.«

Ich ging mit strubbeligem Haar und kratzigem Bart früh ins Bett. Die Uhr in meinem Kopf weckte mich um fünf, zwei Stunden vor Tagesanbruch, am Freitag, dem 7. März 1997. Dem ersten Tag meines restlichen Lebens.

6

Ich duschte und zog mich an, ohne Licht zu machen: Socken, Boxershorts, Hose, mein altes T-Shirt, mein neues Hemd. Ich schnürte meine Schuhe und steckte meine Zahnbürste mit einem Päckchen Kaugummi und einen kleinen Packen Geldscheine ein. Alles andere ließ ich zurück: den Ausweis, die Geldbörse, die Uhr, ohne alles. *Method acting* nach Lee Strasberg. Ich stellte mir vor, was ich tun würde, wenn ich's im Ernst tun müsste.

Dann marschierte ich los. Als ich das Tor erreichte, trat Garber aus dem Wachhäuschen, um im Freien mit mir zu reden. Er hatte auf mich gewartet. Um sechs Uhr morgens. Noch bei Dunkelheit. Garbers Arbeitsanzug, den er vermutlich vor weniger als einer Stunde frisch angezogen hatte, sah aus, als hätte er sich auf einer Farm im Dreck gewälzt. Wir standen im gelblichen Schein einer Natriumdampflampe. Es war sehr frisch.

Garber fragte: »Sie haben kein Gepäck?«

Ich antwortete: »Wozu sollte ich welches haben?«

»Leute haben Gepäck.«

»Wozu?«

»Für ihre Ersatzkleidung.«

»Ich habe keine Ersatzkleidung. Diese Klamotten musste ich eigens kaufen.«

»Sie haben dieses Hemd *ausgesucht*?«

»Was gibt's daran auszusetzen?«

»Es ist rosa.«

»Nur teilweise.«

»Sie sind nach Mississippi unterwegs. Man wird Sie für schwul halten. Man wird Sie totschlagen.«

»Das bezweifle ich«, entgegnete ich.

»Was machen Sie, wenn diese Sachen schmutzig sind?«

»Weiß ich nicht. Neue kaufen, vermutlich.«

»Wie wollen Sie nach Kelham kommen?«

»Ich gehe in die Stadt und nehme dort den Greyhound-Bus nach Memphis. Die restliche Strecke fahre ich per Anhalter. So würden es andere Leute machen, glaub ich.«

»Haben Sie schon gefrühstückt?«

»Ich finde bestimmt ein Schnellrestaurant.«

Garber machte eine kurze Pause, dann fragte er: »Hat John James Frazer Sie gestern angerufen? Der Verbindungsoffizier beim Senat?«

Ich sagte: »Ja, das hat er.«

»Welchen Eindruck hatten Sie?«

»Dass wir in der Scheiße stecken, wenn Janice May Chapman nicht von einem Zivilisten ermordet worden ist.«

»Dann wollen wir hoffen, dass es so war.«

»Ist Frazer in meiner Befehlskette?«

»Vermutlich ist's am sichersten, davon auszugehen.«

»Was für eine Art Mensch ist er?«

»Jemand, der im Augenblick verdammt viel Stress hat. Fünf Jahre harter Arbeit könnten vergeblich sein, wenn sie gerade wichtig zu werden beginnt.«

»Er hat mich aufgefordert, nichts zu tun, wobei mir nicht wohl ist.«

»Bockmist«, sagte Garber. »Sie sind nicht in der Army, um sich wohlzufühlen.«

Ich sagte: »Was irgendein Kerl im Urlaub tut, nachdem er sich in einer Bar betrunken hat, ist nicht die Schuld seines Kompaniechefs.«

»Nur im richtigen Leben«, erklärte Garber. »Aber hier reden wir von Politik.« Dann machte er wieder eine kurze Pause, als hätte er noch viele Argumente vorzubringen und überlegte, mit welchem er beginnen solle. Aber zuletzt sagte er doch nur: »Also, dann gute Reise, Reacher. Halten Sie mich auf dem Laufenden, okay?«

Der Weg zum Busbahnhof war weit, aber nicht schwierig. Man brauchte nur einen Fuß vor den anderen zu setzen. Ich wurde von ein paar Autos überholt. Kein Fahrer stoppte, um mich mitzunehmen. Wäre ich in Uniform gewesen, hätte bestimmt einer gehalten. Hier im Herzen Amerikas war die Bevölkerung den Soldaten in ihrer Mitte wohlgesinnt. Dass keiner hielt, nahm ich als Beweis dafür, dass ich als Zivilist überzeugend wirkte, und war froh, diesen Test bestanden zu haben. Ich hatte noch nie einen Zivilisten verkörpert, für mich stellte das Neuland dar. Ich selbst war nie Zivilist gewesen. Vielleicht theoretisch in den achtzehn Jahren zwischen meiner Geburt und West Point, aber diese Zeit hatte ich als Sohn eines Berufsoffiziers auf Stützpunkten des U.S. Marine Corps verbracht, und das Leben in einer Soldatenfamilie hatte nichts mit dem Zivilleben zu tun. Absolut nichts. Deshalb empfand ich diesen Morgenspaziergang als erfrischend und experimentell. Die Sonne ging hinter mir auf und erwärmte die feuchte Luft, während stratusförmiger Bodennebel mir bis zu den Knien reichte. Ich marschierte weiter und dachte an meinen alten Kumpel Stan Lowrey auf dem Stützpunkt. Ich fragte mich, ob er die Stellenanzeigen studiert hatte. Ich fragte mich, ob er das tun sollte. Ich fragte mich, ob *ich* das tun sollte.

Eine halbe Meile vor der Stadtmitte stand ein Diner, in dem ich frühstückte. Ich bestellte Kaffee, reichlich Kaffee, und Rührei mit Schinken. Nach Aussehen und Benehmen fühlte ich mich ziemlich gut integriert. In dem Diner saßen außer mir sechs weitere Gäste. Lauter Zivilisten, lauter Männer, die nach den fürs Militär geltenden Normen zottelig und ungekämmt aussahen. Alle trugen Baseballkappen mit Netzeinsätzen und Werbung von Firmen, die ich für Landmaschinenhersteller oder Saatgutlieferanten hielt. Ich fragte mich, ob ich mir auch so eine Mütze hätte zulegen sollen. Ich hatte nicht daran gedacht und in der PX keine ausgestellt gesehen.

Ich trank meinen Kaffee aus, zahlte bei der Bedienung und ging barhäuptig zu dem Busbahnhof weiter, von dem die Greyhounds abfuhren. Ich kaufte mir eine Fahrkarte, wartete auf einer Bank und saß eine halbe Stunde später hinten in einem Bus, der nach Südwesten fuhr.

7

Die Busfahrt war auf ihre Art wundervoll. Keine gewaltige Strecke, nicht mehr als ein kleiner Teil eines riesigen Kontinents, kaum ein Zoll auf einer Amerikakarte in einem Blatt, aber sie dauerte sechs Stunden. Der Blick aus dem Fenster veränderte sich so langsam, dass er sich kaum zu verändern schien, aber trotzdem sah die Landschaft am Ziel ganz anders aus als bei der Abfahrt. Memphis war eine moderne Stadt, von frisch gesprengten Straßen durchzogen, die von niedrigen Gebäuden in dezenten Pastellfarben gesäumt wurden, zwischen denen das Leben in unerklärlicher Geschäftigkeit wogte. Ich stieg am Busbahnhof aus und blieb einen Augenblick in der hellen Nachmittagssonne stehen, horchte auf die Geräusche von Menschen, die arbeiteten oder ihre Freizeit genossen. Dann schlug ich, die Sonne rechts neben mir, den Weg nach Südosten ein. Als Erstes wollte ich eine große Straße erreichen, die aus der Stadt hinausführte. An zweiter Stelle stand das Bedürfnis nach einer kräftigen Mahlzeit.

Wenig später fand ich mich in einem schäbigen Viertel mit Pfandhäusern, Pornoshops und professionellen Kautionsstellern wieder und rechnete mir aus, dass es fast unmöglich sein würde, hier per Anhalter weiterzukommen. Derselbe Fahrer, der auf der Landstraße vielleicht gehalten hätte, würde hier nicht im Traum daran denken, einen Fremden mitzunehmen. Deshalb änderte ich meine Prioritäten, schlug mir den Magen in einem billigen Schnellimbiss voll und fand mich damit ab, anschließend eine längere Strecke marschieren zu müssen. Ich wollte eine Straßenecke mit einem Wegweiser, einem großen grünen Rechteck, auf dem unter einem Pfeil die Orte *Oxford, Tupelo* und *Columbus* standen. Meiner Erfahrung nach ließ ein Kerl, der mit hochgerecktem Daumen unter einem solchen Schild stand, keinen Zweifel daran, was und wohin er wollte. Weitere Erklärungen waren überflüssig. Kein Fahrer brauchte erst zu halten und zu fragen, was die Sache erleichterte. Die meisten Leute mögen es nicht, von Angesicht zu Angesicht Nein sagen zu müssen. Oft fahren sie einfach vorbei, um dem zu entgehen. Da ist's immer besser, vorher Klarheit zu schaffen.

Eine Ecke, die mit einem Wegweiser dieser Art meinen Vorstellungen entsprach, fand ich nach halbstündigem Marsch am Rand eines üppig begrünten Vororts, was bedeutete, dass neunzig Prozent der Vorbeifahrenden ehrbare Gattinnen auf dem Heimweg sein würden, die mich völlig links liegen lassen würden. Keine Frau aus Suburbia und kein Kurzstreckenfahrer würden bereit sein, einen Anhalter mitzunehmen. Trotzdem wäre Weitermarschieren kein Vorteil gewesen. Unwirtschaftlich. Lieber Zeit durch Stillstehen vergeuden, als sie in Bewegung zu verschwenden und so Energie zu verbrennen. Selbst wenn neun Zehntel aller Wagen vorbeirauschten, rechnete ich damit, binnen einer Stunde mobil zu sein.

Und das war ich. Keine zwanzig Minuten später hielt ein alter Pickup neben mir. Der Fahrer sagte, er sei zu einem Sägewerk hinter Germantown unterwegs. Da anscheinend erkennbar war, dass ich von der hiesigen Geografie nicht viel Ahnung hatte, erklärte mir der Mann, wenn ich mitführe, würde ich den Stadtbrei hinter mir lassen und nur noch die Straße in den Nordosten Mississippis vor mir haben. Also stieg ich ein und stand weitere zwanzig Minuten später allein auf dem Bankett einer staubigen zweispurigen Straße, die eindeutig in die gewünschte Richtung führte. Ein Kerl in einem klapprigen Buick hielt an, und zusammen überquerten wir die Staatsgrenze und fuhren vierzig Meilen weit nach Osten. Dann nahm ein Typ in einem stattlichen alten Chevy mich auf einer Nebenstraße zwanzig Meilen weit nach Süden mit und ließ mich an einer Abzweigung aussteigen, die er als die für mich richtige bezeichnete. Inzwischen war es später Nachmittag, und die Sonne näherte sich ziemlich schnell dem westlichen Horizont. Die Straße vor mir verlief schnurgerade, war auf beiden Seiten von niedrigen Wäldern gesäumt und schien in der Ferne in nichts als Dunkelheit zu führen.

Ich rechnete mir aus, dass Carter Crossing auf beiden Seiten dieser Straße liegen würde, vielleicht dreißig oder vierzig Meilen östlich von hier. Was bedeutete, dass ich kurz davor war, den ersten Teil meines Auftrags abschließen zu können, indem ich einfach dort ankam. Der zweite Teil bestand daraus, Kontakt zu den einheimischen Cops aufzunehmen, was sich vielleicht als schwieriger erweisen würde. Es gab keinen vernünftigen Grund dafür, weshalb ein Herumtreiber auf der Durchreise sich bei Leuten in Polizeiuniform anbiedern sollte. Auch keinen vernünftigen Mechanismus dafür, wenn man sich nicht etwa verhaften lassen wollte, womit unsere ganze Beziehung auf denkbar ungünstige Weise begonnen hätte.

Wie sich dann herausstellte, konnte ich beide Teile meines Auftrags auf einmal abschließen, weil das erste Auto, das auf meiner Straße unterwegs war, sich als Streifenwagen auf der Heimfahrt herausstellte. Ich reckte den Daumen hoch, und der Mann hielt, um mich mitzunehmen. Er war geschwätzig, und da ich ein guter Zuhörer war, fand ich binnen Minuten heraus, dass einiges von dem, was Garber mir erzählt hatte, nicht stimmte.

8

Der Cop hieß Pellegrino wie das Mineralwasser, obwohl er das nicht sagte. Ich hatte den Eindruck, dass die Menschen in diesem Teil von Mississippi eher Leitungswasser tranken. Im Nachhinein war es nicht überraschend, dass er angehalten hatte, um mich mitzunehmen. Kleinstadtcops interessieren sich immer für Fremde, die in ihre Stadt unterwegs sind. Und wer sie sind, bekommt man am schnellsten heraus, indem man einfach fragt, was er sofort tat. Ich nannte meinen Namen und erzählte mit wenigen Worten meine »Legende«. Ich sagte, ich sei vor Kurzen aus der Army entlassen worden und auf der Suche nach einem Freund, der vielleicht in Carter Crossing lebte. Ich behauptete, mein Freund sei zuletzt in Kelham stationiert gewesen und vielleicht dort hängen geblieben. Dazu hatte Pellegrino nicht viel zu sagen. Er sah nur kurz zu mir herüber, musterte mich von oben bis unten, nickte und schaute wieder nach vorn. Er war ziemlich klein und unförmig dick, bestimmt italienischer Abstammung, mit schwarzem Bürstenhaarschnitt, dunklem Teint und geplatzten Äderchen auf den Nasenflügeln. Er schien zwischen dreißig und vierzig zu sein, aber ich vermutete, dass er die Pensionierung kaum erleben würde, wenn er nicht aufhörte, unmäßig zu essen und zu trinken.

Nachdem ich meine Geschichte berichtet hatte, legte er los, und ich erfuhr als Erstes, dass er kein Kleinstadtcop war. Garber hatte sich geirrt: Carter Crossing verfügte über keine eigene Polizei. Carter Crossing lag im Carter County, in dem es ein County

Sheriff's Department gab, das in dem knapp dreizehnhundert Quadratkilometer großen County für Recht und Ordnung sorgte. Andererseits lag in diesem Gebiet nicht viel außer Fort Kelham und der Kleinstadt mit dem Sheriff's Department – was Garber in gewisser Weise wieder recht gab. Aber Pellegrino war zweifellos ein Deputy Sheriff, kein Polizeibeamter, und schien auf diesen Unterschied sehr stolz zu sein.

Ich fragte ihn: »Wie groß ist Ihr Department?«

Pellegrino antwortete: »Nicht sehr. Wir haben den Sheriff, den wir den Chief nennen, dann einen Sheriff's Detective, dann mich und einen weiteren Deputy in Uniform. Weiter gibt's einen Zivilisten am Empfang, wir haben eine Frau an den Telefonen, aber der Kriminalbeamte ist wegen seiner Nieren für längere Zeit krankgeschrieben, deshalb sind wir eigentlich nur zu dritt.«

Ich fragte ihn: »Wie viele Menschen leben im Carter County?«

»Ungefähr zwölfhundert«, sagte er. Das waren viele, fand ich, für drei einsatzfähige Cops. Hochgerechnet entsprach das dem Versuch, in New York City mit einem halbierten NYPD für Recht und Ordnung zu sorgen. Ich fragte ihn: »Mit Fort Kelham?«

»Nein, die zählen extra«, erklärte er. »Und sie haben ihre eigene Polizei.«

Ich sagte: »Trotzdem sind Sie und Ihre Kollegen bestimmt sehr beschäftigt. Ich meine, zwölfhundert Einwohner auf dreizehnhundert Quadratkilometern.«

»Im Augenblick haben wir echt viel zu tun«, bestätigte er, ohne jedoch Janice May Chapman zu erwähnen. Stattdessen sprach er von einem neueren Ereignis. Gestern am späten Abend hatte jemand im Schutz der Dunkelheit ein Auto auf dem Bahngleis abgestellt. In diesem Punkt hatte Garber sich erneut geirrt. Er hatte von zwei Zügen pro Tag gesprochen, aber Pellegrino sagte, in Wirklichkeit sei es nur einer. Er rumpelte genau um Mitternacht durch die Kleinstadt: ein eine Meile langer Schwergüterzug, der zwischen

Biloxi im Norden und der Golfküste verkehrte. Dieser Mitternachtszug hatte den abgestellten Wagen zerfetzt und die Trümmer in weitem Umkreis entlang der Strecke und in dem angrenzenden Wald verteilt. Der Zug hatte nicht gehalten, war anscheinend nicht mal langsamer geworden, was bedeutete, dass der Lokführer den Unfall überhaupt nicht bemerkt hatte. Sonst wäre er zum Anhalten verpflichtet gewesen. Das stand in der Dienstvorschrift. Pellegrino hielt es für durchaus möglich, dass der Kerl nichts mitbekommen hatte. Das glaubte ich auch. Tausende von Tonnen gegen zwei, in voller Fahrt, keine Chance. Pellegrino schien von der Sinnlosigkeit des Ganzen fasziniert zu sein. Er sagte: »Ich meine, wer würde so was tun? Wer würde ein Auto auf dem Gleis parken? Und wozu?«

»Kids?«, sagte ich. »Aus Spaß?«

»Das war noch nie da. Und bei uns hat's immer Kids gegeben.«

»Niemand im Auto?«

»Nein, Gott sei Dank. Soviel wir wissen, ist es einfach dort abgestellt worden.«

»Gestohlen?«

»Das steht noch nicht fest. Viel ist nicht davon übrig. Wir glauben, dass es blau war. Ist in Brand geraten und hat ein paar Bäume versengt.«

»Hat niemand angerufen und einen Autodiebstahl gemeldet?«

»Bisher nicht.«

Ich fragte: »Was hält Sie sonst noch auf Trab?«

Daraufhin verstummte Pellegrino, und ich fragte mich, ob ich zu weit gegangen sei. Doch als ich mir unser Gespräch nochmals durch den Kopf gehen ließ, fand ich, das sei eine berechtigte Frage gewesen. Ich hatte nur Konversation machen wollen. Sagt ein Kerl, er habe echt viel zu tun, und erwähnt dann nur ein zertrümmertes Auto, hat der andere Kerl das Recht, nach mehr zu fragen, richtig? Vor allem, wenn die beiden in geselliger Zweisamkeit durch die Abenddämmerung fahren.

Wie sich dann zeigte, beruhte Pellegrinos Zögern nur auf Höflichkeit und altmodischer südlicher Gastfreundlichkeit. Das war alles. Er sagte: »Nun, ich möchte nicht, dass Sie einen schlechten Eindruck bekommen, nachdem Sie zum ersten Mal hier sind. Aber bei uns ist eine Frau ermordet worden.«

»Wirklich?«, sagte ich.

»Vor zwei Tagen«, sagte er.

»Wie ermordet?«

Und nun stellte sich heraus, dass Garbers Informationen auch in diesem Punkt ungenau waren. Janice May Chapman war nicht verstümmelt worden. Jemand hatte ihr die Kehle durchgeschnitten, das war alles. Und das Zufügen einer tödlichen Wunde ist nicht das Gleiche wie eine Verstümmelung. Ganz und gar nicht. Nicht im Entferntesten.

Pellegrino sagte: »Von einem Ohr zum anderen. Echt tief. Ein einziger Schnitt. Scheußlich.«

Ich sagte: »Sie haben ihn vermutlich gesehen?«

»Persönlich und ganz aus der Nähe. Ich konnte ihre Halswirbel erkennen. Sie war völlig ausgeblutet. Der reinste See. Schlimmer Anblick. Eine attraktive Frau, echt hübsch, ausgehfein angezogen, alles sehr adrett, liegt in einer riesigen Blutlache auf dem Rücken. Furchtbar anzusehen.«

Ich schwieg aus Respekt vor etwas, das Pellegrinos Tonfall einzufordern schien.

Er sagte: »Sie ist auch vergewaltigt worden. Das hat der Arzt festgestellt, als sie ausgezogen auf der Steinplatte vor ihm lag. Es sei denn, sie wäre so geil gewesen, sich auf den Boden zu werfen und den Hintern am Kies aufzuschürfen. Was ich mir bei ihr nicht vorstellen kann.«

»Sie haben sie gekannt?«

»Wir haben sie ab und an gesehen.«

Ich fragte: »Wer war's?«

Er sagte: »Das wissen wir noch nicht. Vermutlich jemand vom Standort. Das denken wir.«

»Wieso?«

»Weil sie meistens mit diesen Leuten zusammen war.«

Ich fragte: »Wer ermittelt in dieser Sache, wenn Ihr Kriminalbeamter krank ist?«

Pellegrino sagte: »Der Chief.«

»Hat er viel Erfahrung mit Morden?«

»Sie«, sagte Pellegrino. »Der Chief ist eine Frau.«

»Tatsächlich?«

»Unser Sheriff ist ein Wahlbeamter. Sie hat die Stimmen gekriegt.« In seiner Stimme lag leichte Resignation. Der Ton eines Kerls, dessen Team ein großes Spiel verloren hat. *Es ist, wie es ist.*

»Haben Sie dafür kandidiert?«, fragte ich.

»Das haben wir alle getan«, antwortete er. »Nur unser Kriminaler nicht. Der hatte es schon mit den Nieren.«

Ich schwieg. Der Wagen schlingerte und schwankte. Pellegrinos Reifen schienen weich und abgefahren zu sein. Sie trommelten auf dem rauen Untergrund. Vor uns war es ganz finster geworden. Die Scheinwerfer reichten fünfzig Meter weit, aber außerhalb des Lichtkegels wirkte alles pechschwarz. Die schnurgerade Straße verlief wie ein Tunnel durch den Wald. Die Bäume wuchsen krumm und willkürlich, wetteiferten wie Unkraut um Licht, Luft und Nährstoffe. Sie flitzten im Streulicht wie in voller Bewegung erstarrt vorüber. Auf dem Bankett sah ich ein Blechschild stehen, schief, verblichen und von Schrotkugeln durchsiebt. Es machte Reklame für ein Hotel Toussaint's und versprach die Bequemlichkeit einer Lage an der Main Street und Zimmer von höchster Qualität.

Pellegrino sagte: »Sie ist wegen ihres Namens gewählt worden.«

»Der Sheriff?«

»Von der reden wir.«

»Warum? Wie heißt sie?«

»Elizabeth Deveraux«, antwortete er.

»Netter Name«, sagte ich. »Aber nicht besser als beispielsweise Pellegrino.«

»Ihr Daddy war der vorige Sheriff und in gewissen Kreisen recht beliebt. Wir glauben, dass manche Leute aus alter Loyalität für sie gestimmt haben. Oder vielleicht haben sie geglaubt, noch den Alten zu wählen. Vielleicht haben sie nicht mal gewusst, dass er tot war. Manche Dinge brauchen lange, um in gewissen Kreisen anzukommen.«

Ich fragte: »Ist Carter Crossing groß genug, um Kreise zu haben?«

Pellegrino sagte: »Na ja, Hälften. Zwei davon. Westlich der Bahn oder östlich davon.«

»Richtige Seite, falsche Seite?«

»Wie überall.«

»Auf welcher liegt Kelham?«

»Östlich. Man fährt drei Meilen weit. Durch die falsche Seite.«

»Und auf welcher liegt das Hotel Toussaint's?«

»Bleiben Sie denn nicht bei Ihrem Freund?«

»Wenn ich ihn finde. Falls ich ihn finde. Bis dahin brauche ich eine Unterkunft.«

»Das Toussaint's ist okay«, sagte Pellegrino. »Ich setze Sie dort ab.«

Und das tat er. Wir verließen den Tunnel unter den Bäumen. Die Straße wurde breiter, der Wald wich zurück und bestand wenig später nur noch aus Jungbäumen und Setzlingen, die fast von Müll und Unkraut erstickt wurden. Die Straße verwandelte sich in ein glattes Asphaltband, das nach einer T-förmigen Einmündung mit Gehsteigen auf beiden Seiten zwischen niedrigen Häusern verlief. Dies war vermutlich die Main Street. Architektur gab es hier keine. Nur Zweckbauten, viele davon alt, die meisten aus Holz, aber mit gemauerten Fundamenten. Wir fuhren an einem Gebäude mit dem Schild *Carter County Sheriff's Department* neben dem Eingang, einem unbebauten Grundstück und einem Schnellrestaurant vorbei. Dann erreichten wir das Hotel Toussaint's. Es musste früher ein Luxushotel gewesen sein. Mit seinem verblassten grünen Anstrich, einem von Säulen getragenen Vordach über dem Eingang und den schmiedeeisernen Balkongeländern im ersten Stock sah es wie aus New Orleans hierher verpflanzt aus. Auf dem Rasen vor dem Hotel stand ein verblichenes Schild mit seinem Namen, und die Fassade wurde von Halogenstrahlern erhellt, von denen zwei nicht mehr brannten.

Pellegrino brachte den Streifenwagen zum Stehen. Ich bedankte mich fürs Mitnehmen und stieg aus. Er wendete auf der Straße hinter mir und fuhr vermutlich zum Sheriff's Department zurück. Ich stieg eine wurmstichige Holztreppe hinauf, überquerte den federnden Holzboden unter dem Vordach und zog die Eingangstür auf.

9

Hinter dem Eingang lag eine kleine quadratische Hotelhalle mit der nicht besetzten Rezeption. Der Fußboden bestand aus leise knarrenden Dielen, die zum Teil mit einem abgetretenen Orientteppich bedeckt waren. Das Hartholz der Empfangstheke war durch jahrzehntelanges Polieren auf Hochglanz gebracht worden. In die Wand dahinter waren Holzfächer eingelassen. Vier in der Höhe, sieben in der Breite. Also achtundzwanzig Zimmer. In siebenundzwanzig Fächern hingen Schlüssel. In keinem steckten Briefe oder Notizen oder sonstige Anzeichen schriftlicher Kommunikation.

Vor mir auf der Theke stand eine Klingel: ein kleines Messing-
ding, das an den Rändern grün zu werden begann. Ich schlug
zweimal darauf und hörte ein dezentes *Ding-ding*, das jedoch rasch
verhallte, ohne dass jemand kam. Neben den Schlüsselfächern
befand sich eine Tür, die geschlossen blieb. Ein Büro, vermutete
ich. Offenbar leer. Ich sah keinen Grund, weshalb ein Hotelbesitzer
bewusst darauf verzichten sollte, seine Gästezahl zu verdoppeln.

Ich zögerte einen Augenblick, dann öffnete ich die Tür in der
linken Wand der Hotelhalle. Sie führte in einen dunklen Salon, in
dem es nach Feuchtigkeit, Staub und Schimmel roch. Im Halbdunkel waren unförmige Gebilde auszumachen, die ich für Klubsessel
hielt. Keine Aktivitäten. Keine Gäste. Ich ging an die Rezeption
zurück und klingelte nochmals.

Keine Reaktion.

Ich rief laut: »Hallo?«

Keine Antwort.

Also gab ich vorläufig auf und ging wieder hinaus: über die
federnde Veranda, die abgetretenen Stufen hinunter und auf den
Gehsteig, wo ich vor einem der ausgebrannten Strahler verharrte.
Viel zu sehen gab es hier nicht. Jenseits der Main Street stand eine
lange Reihe niedriger Gebäude. Vermutlich Geschäfte, alle längst
dunkel. Hinter ihnen lag Schwärze. Die Nachtluft war klar, trocken
und von angenehmer Temperatur. März in Mississippi. Meteoro-
logisch gesehen hätte ich überall sein können. Ich hörte, wie eine
leichte Brise Laub rascheln ließ, und glaubte ein eben wahrnehm-
bares Mahlen zu hören, das von aufgewirbeltem Staub oder fres-
senden Termiten stammen konnte. Ich hörte, wie der Entlüfter des
Schnellrestaurants nebenan Luft aus der Küche absaugte. Aber das
war alles. Keine Menschenlaute. Keine Stimmen. Kein Feiern, kein
Verkehr, keine Musik.

Dienstagabend am Rand eines Militärstützpunkts.

Untypisch.

Ich hatte seit dem Lunch in Memphis nichts mehr gegessen, also machte ich mich auf den Weg zu dem Diner, einem schmalen, tiefen Gebäude an der Main Street. Die Küche war vermutlich von der Parallelstraße aus zu erreichen. In dem Vorraum hinter der Eingangstür gab es ein Wandtelefon, ein an einer sehr dünnen Kette hängendes Telefonbuch und ein unbesetztes Stehpult für eine Hostess, drinnen einen langen Mittelgang mit Vierertischen links und Zweiertischen rechts. Keine Sitznischen, sondern Tische mit frei stehenden Stühlen, wie in einem Café. Die einzigen anderen Gäste waren ein Paar, schätzungsweise doppelt so alt wie ich. Es saß sich an einem Vierertisch gegenüber. Der Mann las eine Zeitung, die Frau ein Buch. Sie machten einen zufriedenen Eindruck, als hätten sie es sich mit ihrer Lektüre nach dem Essen gemütlich gemacht. Außer ihnen gab es hier nur noch eine Bedienung, die in der Nähe der in die Küche führenden Schwingtür stand. Als sie mich hereinkommen sah, hastete sie mir auf dem langen Gang entgegen. Sie platzierte mich an einem Zweiertisch etwa in der Mitte des Raums. Ich setzte mich so, dass ich die Küche im Rücken und den Eingang im Blick hatte. Leider konnte ich auf diese Weise nicht beide Eingänge gleichzeitig beobachten, was mir lieber gewesen wäre.

»Möchten Sie etwas trinken?«, fragte die Bedienung.

»Schwarzen Kaffee«, sagte ich. »Bitte.«

Sie ging weg und kam mit Kaffee in einem Becher und der Speisekarte zurück.

Ich sagte: »Ruhiger Abend.«

Sie nickte unglücklich, machte sich vermutlich Sorgen wegen der ausbleibenden Trinkgelder.

Sie sagte: »Sie haben den Stützpunkt dichtgemacht.«

»Kelham?«, fragte ich. »Sie haben das Fort dichtgemacht?«

Die Bedienung nickte nochmals. »Seit heute Nachmittag ist's

abgeriegelt. Jetzt hocken sie alle drinnen und futtern Armeeverpflegung.«

»Passiert das oft?«

»Das hat's noch nie gegeben.«

»Tut mir leid«, sagte ich. »Was empfehlen Sie?«

»Wofür?«

»Zum Essen.«

»Hier? Bei uns ist alles gut.«

»Cheeseburger«, sagte ich.

»Fünf Minuten«, sagte sie. Sie entfernte sich, und ich ging mit meinem Kaffee an dem Stehpult für die Hostess zu dem Wandtelefon hinaus. Ich wühlte in meinen Taschen und fand drei Quarter Wechselgeld vom Mittagessen, die für ein kurzes Gespräch reichten, was mir entgegenkam. Ich rief Garbers Dienststelle an, und der Lieutenant vom Dienst stellte mich zu ihm durch, und er fragte: »Sind Sie schon dort?«

Ich sagte: »Ja.«

»Reise okay?«

»Kein Problem.«

»Haben Sie eine Unterkunft?«

»Machen Sie sich meinetwegen keine Sorgen. Ich habe fünfundsiebzig Cent und vier Minuten, bevor mein Essen kommt. Ich muss Sie etwas fragen.«

»Schießen Sie los.«

»Von wem haben Sie Ihre Informationen bekommen?«

Garber zögerte.

»Das darf ich Ihnen nicht sagen«, antwortete er.

»Nun, er hat eine etwas verschwommene Vorstellung von den Details, wer immer er ist.«

»Das kann vorkommen.«

»Und Kelham ist dichtgemacht.«

»Das hat Munro gleich nach seiner Ankunft veranlasst.«

»Wozu?«

»Sie wissen, wie so was ist. Wir sehen das Risiko von Spannungen zwischen Stadt und Stützpunkt. Das war eine vernünftige Maßnahme.«

»Das war ein Schuldeingeständnis.«

»Nun, vielleicht weiß Munro mehr als Sie. Machen Sie sich seinetwegen keine Gedanken. Sie sollen nur die dortigen Cops überwachen.«

»Bin schon dabei. Einer von ihnen hat mich als Anhalter mitgenommen.«

»Hat er Ihnen den Zivilisten geglaubt?«

»Anscheinend schon.«

»Gut. Die Cops würden mauern, wenn sie wüssten, woher Sie kommen.«

»Sie müssen für mich rauskriegen, ob jemandem aus der Kompanie Bravo ein blaues Auto gehört.«

»Warum?«

»Der Cop hat mir erzählt, dass jemand ein blaues Auto auf dem Bahngleis geparkt hat. Der Mitternachtszug hat es zertrümmert. Könnte ein Versuch gewesen sein, Beweismaterial zu vernichten.«

»Dazu hätte er's bestimmt angezündet.«

»Vielleicht waren die Spuren durch Feuer nicht zu vernichten. Vielleicht ein größerer Blechschaden, eine eingedrückte Stoßstange, irgendwas in dieser Art.«

»Welchen Zusammenhang könnte das mit einer Frau haben, die jemand mit einem Messer übel zugerichtet hat?«

»Sie ist nicht übel zugerichtet worden. Jemand hat ihr die Kehle durchgeschnitten. Das war alles. Ein einziger tiefer Schnitt. Der Cop, mit dem ich gesprochen habe, hat gesagt, er habe Knochen gesehen.«

Garber machte eine kurze Pause.

Dann sagte er: »So lernen es Ranger.«

Ich schwieg.

Er sagte: »Aber welchen Zusammenhang könnte das mit einem Auto haben?«

»Weiß ich nicht. Vielleicht keinen. Aber wir sollten es herausfinden, okay?«

»Die Kompanie Bravo ist zweihundert Mann stark. Nach den Wahrscheinlichkeitsgesetzen bedeutet das fünfzig blaue Autos.«

»Und alle fünfzig sollten auf dem Stützpunkt geparkt sein. Vielleicht können wir das eine finden, das nicht dort steht.«

»Es war vermutlich ein ziviles Fahrzeug.«

»Das wollen wir hoffen. Darum kann ich mich kümmern. Aber ich muss Gewissheit haben.«

»Dies sind Munros Ermittlungen«, sagte Garber. »Nicht Ihre.«

Ich sagte: »Und wir müssen wissen, ob jemand sich im Kies Hautabschürfungen zugezogen hat. Vielleicht an Händen, Knien und Ellbogen. Von der Vergewaltigung. Von dem Cop weiß ich, dass Chapman entsprechende Verletzungen hatte.«

»Dies sind Munros Ermittlungen«, wiederholte Garber.

Ich äußerte mich nicht dazu. Ich sah die Bedienung aus der Küche kommen. Sie trug einen Teller mit einem riesigen Hamburger in einem Brötchen, das von einem breiten Kranz aus Pommes umgeben war. Ich sagte: »Ich muss jetzt Schluss machen, Boss. Ich rufe morgen wieder an«, hängte ein und ging mit meinem Kaffee an den Tisch zurück. Die Bedienung servierte mein Essen mit gewisser Feierlichkeit. Es sah gut aus und roch auch gut.

»Danke«, sagte ich.

»Kann ich sonst noch was für Sie tun?«

»Sie können mir Auskunft über das Hotel geben«, sagte ich. »Ich brauche ein Zimmer, aber drüben war niemand.«

Die Servierin drehte sich halb um, und ich folgte ihrem Blick zu dem alten Paar an einem Vierertisch hinüber. Die beiden lasen noch immer. Die Bedienung erklärte: »Sie sitzen meistens eine Weile hier, dann gehen sie wieder rüber. Das wäre der beste Augenblick, um sie abzufangen.«

Dann entfernte sie sich wieder. Ich aß langsam und genoss jeden Bissen. Das alte Paar las weiter. Die Frau blätterte alle paar Minuten um. Weit seltener machte der Mann ein großes Theater daraus, seine Zeitung laut raschelnd und genau auf Kante neu zu falten. Er studierte sie intensiv. Er sog das Gedruckte praktisch in sich auf.

Später kam die Bedienung zurück, um meinen Teller abzutragen und mir eine Nachspeise anzubieten. Sie sagte, sie habe gute Kuchen. Ich sagte: »Ich möchte einen Spaziergang machen und schaue auf dem Rückweg wieder rein; und wenn die beiden noch immer da sind, nehme ich einen Kuchen. Hetzen lassen sie sich vermutlich nicht.«

»Gewöhnlich nicht«, meinte die Bedienung.

Ich zahlte den Hamburger und meinen Kaffee und gab ein Trinkgeld, das nicht mit dem vergleichbar war, was zwei, drei Dutzend hungrige Ranger gegeben hätten, aber sie doch ein bisschen lächeln ließ. Dann trat ich wieder auf die Straße hinaus. Die Nacht begann kühl zu werden, und in der Luft hing leichter Nebel. Ich wandte mich nach rechts und ging an dem unbebauten Grundstück und dem Dienstgebäude des Sheriffs vorbei. Pellegrinos Wagen parkte davor, und der Lichtschein in einem der Fenster ließ darauf schließen, dass in einem der inneren Räume gearbeitet wurde. Ich ging weiter und kam zu der T-förmigen Einmündung, an der wir abgebogen waren. Links verlief die Straße, auf der ich mit Pellegrino gekommen war, durch den Wald. Rechts führte sie nach Osten in die Nacht. Wahrscheinlich überquerte sie das Bahngleis und führte durch die falsche Seite der Kleinstadt nach Fort Kelham. Garber hatte sie als unbefestigt beschrieben, was sie einmal gewesen sein mochte. Jetzt war sie eine gewöhnliche Teerstraße: schnurgerade und unbeleuchtet, auf beiden Seiten von tiefen Gräben begrenzt. Am Himmel stand eine schmale Mondsichel, die ein wenig Licht spendete. Ich wandte mich nach rechts und lief ins Dunkel hinein.

10

Zwei Minuten und hundertfünfzig Meter weiter entdeckte ich das Bahngleis. Als Erstes kam das X-förmige Warnkreuz auf dem Bankett: zwei rechtwinklig zueinander verschraubte Arme, die mit *RAILROAD* und *CROSSING* beschriftet waren. An dem Mast waren rote Warnleuchten und eine elektrische Klingel angebracht, die ein herankommender Zug automatisch auslösen würde. Zwanzig Meter weiter hörten die Straßengräben abrupt auf, und die Fahrbahn stieg etwas an, um übers Bahngleis zu führen. Im Mondschein glänzten die beiden Schienen, die nicht sehr eben und nicht ganz gerade von Norden nach Süden führten; sie sahen alt und abgenutzt und wartungsbedürftig aus. Das klumpige, vielfach eingesunkene Schotterbett war von Unkraut überwuchert. Ich stand auf einer Schwelle zwischen den Schienen und sah erst in die eine, dann in die andere Richtung. Zwanzig Meter weiter nördlich ragte links neben dem Gleis ein baufälliger alter Wasserkran in die Höhe, an dem noch ein biegsamer Schlauch wie ein Elefantenrüssel hing. Einst musste er, mit der Quelle in Carter Crossing verbunden, dazu gedient haben, die hier haltenden durstigen Dampfloks mit Wasser zu versorgen.

Ich drehte mich in der Dunkelheit langsam einmal um meine eigene Achse. Auf allen Seiten herrschte absolute Stille. Ich bildete mir ein, verkohltes Holz zu riechen – vielleicht von der Stelle, wo das zertrümmerte Auto nördlich von hier einen kleinen Waldbrand ausgelöst hatte. Aus Osten, wo der Rest der Kleinstadt auf der falschen Seite des Bahngleises liegen musste, wehte leichter Grillduft herüber. Aber dort war kein Lichtschein zu erkennen. Ich sah nur die Andeutung einer Lücke, wo die Straße verlief, aber nicht mehr.

Ich machte mich auf den Rückweg, spürte die harte Fahrbahn unter meinen Stiefeln und dachte an Kuchen, als in der Ferne Schweinwerfer auftauchten: ein großer Wagen oder kleiner Truck, der langsam auf mich zukam. Ich glaubte, der Fahrer würde auf die Main Street abbiegen, aber dann schien er sich die Sache anders zu überlegen. Vielleicht hatte er mich im Scheinwerferlicht entdeckt. Er fuhr weiter geradeaus auf mich zu. Ich setzte meinen Weg fort. Der Wagen war ein Pick-up mit kurzer Motorhaube. Seine Scheinwerfer hüpften und tanzten im leichten Nebel. Ich konnte das tiefe Orgeln eines ausgeleierten V-8-Motors hören.

Der Pick-up kam auf die falsche Straßenseite und blieb mit laufendem Motor zwanzig Meter von mir entfernt stehen. Wer darin saß, war nicht zu erkennen, weil die Scheinwerfer blendeten. Ich ging weiter darauf zu. Ich hatte keine Lust, ins Unkraut auszuweichen, und das Bankett war wegen des Straßengrabens ohnehin sehr schmal. Also hielt ich meinen Kurs. Als ich noch drei, vier Meter entfernt war, kurbelte der Fahrer seine Scheibe herunter und fuhr den linken Ellbogen aus, um mich aufzuhalten. Inzwischen gab es genug Nebenlicht, sodass ich ihn ziemlich gut erkennen konnte. Es war ein Zivilist, weiß und übergewichtig. Er trug ein T-Shirt mit hochgekrempelten Ärmeln, die stark behaarte, großflächig tätowierte Arme sehen ließen. Er hatte langes, fettiges Haar, das er mindestens eine Woche lang nicht mehr gewaschen hatte.

Drei Möglichkeiten.

Erstens: Stehen bleiben und mit ihm schwatzen.

Zweitens: Im Unkraut zwischen Fahrbahn und Graben an ihm vorbeigehen.

Drittens: Dem Kerl den Arm brechen.

Ich entschied mich für Nummer eins. Ich blieb stehen. Aber ich schwatzte nicht. Zumindest nicht gleich. Ich stand einfach nur da.

Auf dem Beifahrersitz hockte ein zweiter Mann. Genau der gleiche Typ. Behaart, tätowiert, schmuddelig, übergewichtig, speckig. Aber nicht identisch. Kein Bruder, aber vielleicht ein Cousin. Beide starrten mich mit der selbstgefälligen Unverschämtheit an, die manchen Fremden in manchen Bars entgegenschlägt. Ich erwiderte ihre Blicke gelassen. Ich gehöre nicht zu dieser Art von Fremden.

Der Fahrer fragte: »Wer bist du, und wohin willst du?«

Ich sagte nichts. Ich bin gut darin, nichts zu sagen. Ich rede nicht gern. Wenn's sein müsste, könnte ich bis ans Ende meiner Tage kein einziges Wort mehr reden.

Der Fahrer sagte: »Ich hab dich was gefragt.«

Ich dachte: *Du hast sogar zwei Fragen gestellt.* Aber ich schwieg weiter. Ich hätte den Kerl nicht anfassen mögen. Nicht mit den Händen. Ich bin kein Hygienefreak, aber bei diesem Typen würde ich anschließend das Bedürfnis haben, mich gründlich mit guter Seife zu waschen – vor allem wenn es anschließend Kuchen geben sollte. Deshalb wollte ich nur die Füße einsetzen. Ich sah die Szene schon vor mir: Er stößt seine Tür auf, steigt aus, kommt um die Tür herum auf mich zu … und dann geht er zu Boden: ächzend und würgend und sich mit beiden Händen den Schritt haltend.

Nicht besonders schwierig.

Er sagte: »Sprichst du Englisch?«

Ich schwieg. Der Kerl auf dem Beifahrersitz sagte: »Vielleicht ist er ein Mexikaner.«

Der Fahrer fragte mich: »Bist du ein Mexikaner?«

Ich gab keine Antwort.

Der Fahrer sagte: »Er sieht nicht wie ein Mexikaner aus. Er ist zu groß.«

Was generell stimmte, obwohl ich von dem Mexikaner José Calderón Torres wusste, der zwei Meter einunddreißig und damit gut einen Kopf größer als ich gewesen war. Und ich erinnerte mich an den Mexikaner José Garces, der 1984 bei den Olympischen Sommerspielen in L.A. im Stoßen 202,5 Kilo zur Hochstrecke gebracht hatte, was vermutlich fast so viel war, wie diese beiden Kerle zusammen wogen.

Der Fahrer fragte: »Bist du aus Kelham?«

Wir sehen das Risiko von Spannungen zwischen Stadt und Stützpunkt, hatte Garber gesagt. Letzten Endes denken wir alle in Stammesgemeinschaften. Vielleicht hatten diese Kerle Janice May Chapman gekannt. Vielleicht hatten sie nie verstanden, wieso sie mit Soldaten, aber nicht mit ihnen ausging. Vielleicht hatten sie nie in den Spiegel gesehen.

Ich schwieg. Aber ich ging auch nicht weiter. Ich wollte den Pick-up nicht unbeaufsichtigt hinter mir haben. Nicht an einer einsamen Stelle, nicht auf einer dunklen Landstraße. Ich blieb einfach stehen, musterte die beiden Kerle nacheinander und ließ dabei selbst nicht viel mehr als Offenheit und Skepsis und eine gewisse Belustigung erkennen. Das ist ein Blick, der meist funktioniert. Einen bestimmten Männertyp provoziert er todsicher.

Der Beifahrer ließ sich als Erster provozieren.

Er kurbelte sein Fenster herunter, lehnte sich bis zur Taille hinaus und verdrehte den Oberkörper, um mich über die Motorhaube hinweg direkt anstarren zu können. Mit einer Hand umklammerte er die A-Säule, mit der anderen machte er eine scharfe Bewegung, als knallte er mit der Peitsche oder würfe etwas nach mir. Er sagte: »Wir *reden* mit dir, Arschloch.«

Ich sagte nichts.

Er fragte: »Weißt du einen Grund dafür, dass ich nicht aussteige und dich in den Arsch trete?«

Ich sagte: »Zweihundertsechs Gründe.«

Er sagte: »Was?«

»So viele Knochen hast du in deinem Körper. Die könnte ich dir alle brechen, ohne dass du an mich rankommst.«

Das brachte seinen Kumpel auf. Er reagierte instinktiv und wollte seinem Freund helfen, dieser Herausforderung entgegenzutreten. Er beugte sich weiter aus seinem Fenster und sagte: »Denkst du?«

Ich sagte: »Oft den ganzen Tag lang. Das ist eine gute Angewohnheit.« Das brachte den Kerl zum Schweigen, während er zu verstehen versuchte, was ich gesagt hatte. Seine Lippen bewegten sich, als er sich unser kurzes Gespräch ins Gedächtnis rief.

Ich sagte: »Was haltet ihr davon, wenn wir uns um unseren eigenen Kram kümmern und uns gegenseitig in Ruhe lassen? Wo seid ihr her, Jungs?«

Jetzt stellte ich die Fragen, und sie antworteten nicht.

Ich sagte: »Vorhin hat's so ausgesehen, als wolltet ihr auf die Main Street abbiegen. Wäre das euer Heimweg?«

Keine Antwort.

Ich fragte: »Was, seid ihr obdachlos?«

Der Fahrer sagte: »Wir haben ein Haus.«

»Wo?«

»Eine Meile nach der Main Street.«

»Dann fahrt dorthin. Seht fern, trinkt Bier. Macht euch meinetwegen keine Gedanken.«

»Bist du aus Kelham?«

»Nein«, sagte ich. »Ich bin nicht aus Kelham.«

Die beiden Kerle sagten nichts mehr und schienen wie schlaff werdende Kinderballone zusammenzuschrumpfen: durch ihre Fenster zurück, ins Fahrerhaus zurück, auf ihre Sitze zurück. Ich hörte, wie der Fahrer einen Gang einlegte, dann schoss der Pick-up rückwärts davon, bremste schleudernd, wendete mit quietschenden Reifen in einer Staubwolke, raste los, bremste erneut scharf und bog auf die Main Street ab. Dort kam er hinter dem Dienstgebäude des Sheriffs außer Sicht. Ich atmete langsam aus und ging weiter. Nichts passiert. *Die besten Kämpfe sind die, die man nicht hat,* hatte ein kluger Mann mir einmal erklärt. Das war ein Ratschlag, den ich nicht immer befolgte, aber diesmal war ich froh, dass meine Hände in doppelter Beziehung sauber geblieben waren.

Dann sah ich ein weiteres Auto herankommen. Es imitierte den Pick-up: Es schien abbiegen zu wollen, fuhr dann aber doch geradeaus weiter und kam auf mich zu. Schon aus einiger Entfernung erkannte ich einen Streifenwagen. Form und Größe waren charakteristisch, und ich konnte die Blinkleuchten auf dem Dach erkennen. Anfangs glaubte ich, das sei Pellegrino auf Streife, aber als der Wagen mich erreichte, wurden die Scheinwerfer ausgeschaltet, und ich erkannte eine Frau am Steuer, und Mississippi wurde schlagartig sehr viel interessanter.

11

Der Streifenwagen kam auf die linke Straßenseite und hielt neben mir. Es war ein alter Chevrolet Caprice mit dem Wappen des Carter County Sheriff's Department auf den vorderen Türen. Die Frau am Steuer hatte eine üppige dunkle Mähne, irgendwo zwischen wellig und lockig, die sie zu einer Art Pferdeschwanz zusammengefasst hatte. Ihr Teint war blass und makellos. Sie saß ziemlich tief, was bedeutete, dass sie klein oder der Sitz nach langen Jahren im Polizeidienst durchgesessen war. Ich vermutete Letzteres, denn ihre Arme schienen eher lang zu sein, und ihre Schultern hätten nicht zu einer kleinen Frau gepasst. Ich schätzte sie auf Mitte dreißig: alt genug, um einiges erlebt zu haben, das Spuren hinterlassen hatte; jung genug, um noch Spaß am Leben zu haben. Sie lächelte ein wenig, und das Lächeln erreichte ihre Augen, die groß und dunkel und ausdrucksvoll waren und von innen heraus zu leuchten schienen. Aber vielleicht kam das nur vom Widerschein der Instrumentenbeleuchtung des Chevys.

Sie kurbelte ihre Scheibe herunter und nahm mich systematisch in Augenschein: erst mein Gesicht, dann von oben bis unten und von rechts nach links, vom Scheitel bis zur Sohle, alles ganz ungeniert. Ich trat näher, damit sie mich besser sehen konnte – und um sie besser sehen zu können. Sie war mehr als makellos. Sie war absolut umwerfend. Sie trug ein Revolverhalfter an der rechten Hüfte, und daneben steckte eine abgesägte Schrotflinte mit dem Lauf voraus in einem Futteral zwischen den Sitzen. Vor dem Beifahrersitz war ein großes Funkgerät montiert, von dem aus ein Spiralkabel zu der Mikrofonhalterung in der Nähe des Lenkrads führte. Der Streifenwagen war alt und klapprig, bestimmt gebraucht von einer reicheren Gemeinde erworben.

Sie sagte: »Sie sind der Mann, den Pellegrino mitgebracht hat.«

Ihre Stimme war ruhig, aber deutlich, warm, aber nicht sanft, und sie sprach mit leichtem Südstaatenakzent.

Ich sagte: »Ja, Ma'am, der bin ich.«

Sie sagte: »Sie sind Reacher, richtig?«

Ich sagte: »Ja, Ma'am, der bin ich.«

Sie sagte: »Ich bin Elizabeth Deveraux, der hiesige Sheriff.«

Ich sagte: »Freut mich sehr, Sie kennenzulernen.«

Sie machte eine kurze Pause, dann fragte sie: »Haben Sie schon zu Abend gegessen?«

Ich nickte. »Aber noch keine Nachspeise«, antwortete ich. »Tatsächlich bin ich gerade zum Diner unterwegs, um ein Stück Kuchen zu essen.«

»Machen Sie immer einen Spaziergang zwischen einzelnen Gängen?«

»Ich warte darauf, dass die Hotelleute gehen. Sie scheinen es nicht sehr eilig zu haben.«

»Übernachten Sie dort? Im Hotel?«

»Das hoffe ich.«

»Sie wohnen nicht bei dem Freund, den Sie hier finden wollten?«

»Ich habe ihn noch nicht gefunden.«

Sie nickte ihrerseits. »Ich muss mit Ihnen reden«, sagte sie. »Kommen Sie ins Restaurant. In fünf Minuten, okay?«

In ihrem Tonfall lag Autorität, aber keine Drohung. Keine bestimmte Absicht. Nur ein lässig hingeworfener Befehl einer Frau, die als Tochter eines Sheriffs aufgewachsen und nun selbst Sheriff war.

»Okay«, sagte ich. »Fünf Minuten.«

Sie kurbelte ihre Scheibe wieder hoch, stieß zurück und wendete auf der Straße – genau wie die Kerle in dem Pick-up, nur deutlich langsamer. Sie schaltete ihre Scheinwerfer wieder ein und fuhr davon. Die Bremsleuchten strahlten rot auf, bevor sie auf die Main Street abbog. Ich folgte ihr zu Fuß durchs Unkraut zwischen Fahrbahn und Straßengraben.

Ich erreichte das Restaurant in weniger als den vorgegebenen fünf Minuten. Elizabeth Deveraux' Streifenwagen parkte bereits davor. Sie selbst saß an dem Tisch, an dem ich zuvor gegessen hatte. Das alte Paar aus dem Hotel war endlich gegangen. Außer mir, Deveraux und der Servieren, befand sich niemand mehr im Raum.

Deveraux sagte nichts, als ich hereinkam, aber sie schob den Stuhl ihr gegenüber mit dem Fuß ein Stück weit unter dem Tisch hervor. Eine Einladung. Fast ein Befehl. Die Bedienung verstand, wie das gemeint war, und versuchte nicht, mich anderswo zu platzieren. Deveraux hatte anscheinend schon bestellt. Ich bat die Serviererin um ein Stück von ihrem besten Kuchen und einen weiteren Kaffee. Sie ging in die Küche und ließ uns allein.

Aus der Nähe betrachtet sah Elizabeth Deveraux toll aus. Eine Schönheit. Wie ich vermutet hatte, war sie relativ groß, und ihre dunkle Mähne haute einen um.

Allein der Pferdeschwanz musste einige Pfund schwer sein. Alle Kurven saßen an den richtigen Stellen, und sie sah in Uniform blendend aus. Ich mochte Frauen in Uniform, vielleicht weil ich nur sehr wenige andere gekannt hatte. Aber das Beste an ihr waren Mund und Augen. Sie verliehen ihrem Gesicht einen leicht amüsierten, ironischen Ausdruck, als würde sie allen Widrigkeiten zum Trotz immer cool, gelassen und beherrscht bleiben – und letzten Endes irgendwas finden, worüber sie lächeln konnte. Ihre Augen leuchteten noch immer. Nicht nur vom Widerschein des Tachos im alten Streifenwagen.

Sie sagte: »Pellegrino hat mir erzählt, dass Sie in der Army waren.«

Ich überlegte. Als verdeckter Ermittler muss man lügen können, und ich hatte Pellegrino belogen, ohne ein schlechtes Gewissen zu haben. Aber aus irgendeinem unerklärlichen Grund wollte ich Deveraux nicht belügen. Deshalb sagte ich: »Vor sechs Wochen war ich in der Army«, was auf dem Papier stimmte.

»Bei welcher Einheit?«

»Die meiste Zeit war ich beim Hundertzehnten«, antwortete ich wahrheitsgemäß.

»Infanterie?«

»Das war eine Spezialeinheit. Hauptsächlich kombinierte Unternehmen.« Auch das stimmte natürlich.

»Wer ist Ihr hiesiger Freund?«

»Ein Mann namens Hayder«, antwortete ich. Eine glatte Erfindung.

Deveraux sagte: »Er muss bei der Infanterie gewesen sein. In Kelham gibt's nur Infanterie.«

Ich nickte. »75th Ranger Regiment«, sagte ich.

»War er ein Ausbilder?«

»Ja«, sagte ich.

Auch sie nickte. »Das sind die Einzigen, die lange genug hier sind, um später vielleicht bleiben zu wollen.«

Ich schwieg.

Sie sagte: »Ich habe nie von ihm gehört.«

»Dann ist er vielleicht weitergezogen.«

»Wann hätte er das tun können?«

»Weiß ich nicht. Wie lange sind Sie schon Sheriff?«

»Zwei Jahre«, sagte sie. »Jedenfalls lange genug, um die Einheimischen kennenzulernen.«

»Pellegrino hat erzählt, Sie hätten Ihr ganzes Leben hier verbracht. Das müsste reichen, um die Einheimischen zu kennen, denke ich.«

»Stimmt nicht«, sagte sie. »Ich war nicht mein Leben lang hier. Ich bin hier aufgewachsen und jetzt wieder hier. Aber dazwischen liegen viele Jahre.«

Ihre Stimme klang leicht wehmütig, als sie das sagte. *Dazwischen liegen viele Jahre.* Ich fragte sie: »Wie haben Sie diese Jahre verbracht?«

»Ich hatte einen reichen Onkel«, sagte sie. »Ich habe die Welt auf seine Kosten bereist.«

In diesem Augenblick ahnte ich, dass es Ärger geben, ja dass ich mit meinem Auftrag scheitern würde, denn diese Antwort kannte ich von früher.

12

Die Bedienung brachte Elizabeth Deveraux' Essen und meine Nachspeise auf einem Tablett. Deveraux hatte das Gleiche bestellt wie ich: den Cheeseburger in einem Brötchen mit einem breiten Kranz aus Pommes. Ich bekam ein riesiges Stück Pfirsichkuchen, das über den Rand des Tellers hinausragte. Mein Kaffee kam in einem hohen Steingutbecher. Deveraux trank Wasser aus einem leicht angeschlagenen Glas.

Weil es leichter ist, einen Pfirsichkuchen kalt werden zu lassen als einen Cheeseburger, wollte ich meine Chance nutzen und reden, während Deveraux nur essen, zuhören und kurze Kommentare abgeben konnte. Also sagte ich: »Pellegrino hat mir erzählt, dass ihr Leute echt viel zu tun habt.«

Deveraux nickte kauend.

Ich sagte: »Ein Autowrack und eine Ermordete.«

Sie nickte erneut und schob einen Tropfen Mayonnaise mit der Spitze ihres kleinen Fingers in ihren Mund zurück. Eine elegante Geste für eine unelegante Tätigkeit. Ihre farblos lackierten Nägel trug sie ziemlich kurz. Sie hatte schlanke, leicht gebräunte sehnige Hände. Gute Haut. Keine Ringe. Vor allem nicht am linken Ringfinger.

»Gibt's bei den Ermittlungen schon Fortschritte?«, fragte ich.

Sie schluckte, dann lächelte sie und hob eine Hand wie ein Verkehrspolizist. *Stopp! Warten.* Sie sagte: »Lassen Sie mir ein bisschen Zeit, okay? Nicht weiterreden.«

Also aß ich meinen Kuchen, der gut schmeckte. Der Teig war süß, die Pfirsiche waren weich. Vermutlich aus hiesigem Anbau. Oder vielleicht aus Georgia importiert. Von Obstanbau hatte ich wenig Ahnung. Während sie aß, hielt sie den Burger in der rechten Hand, nahm mit der Linken einzelne Pommes vom Teller und sah mich dabei die meiste Zeit an. Frittierfett ließ ihre Lippen glänzen. Sie war gertenschlank, musste einen Metabolismus wie ein Kernreaktor haben. Zwischendurch trank sie große Schlucke Wasser. Ich leerte meinen Becher. Der Kaffee war in Ordnung, aber längst nicht so gut wie der Kuchen.

Sie fragte: »Hält Kaffee Sie nicht wach?«

Ich nickte. »Bis ich schlafen will. Dazu ist er da.«

Sie nahm einen letzten Schluck Wasser, ließ etwas Brötchenrinde und ein paar Pommes auf ihrem Teller liegen und tupfte sich die Lippen mit der Papierserviette ab, die sie auch für ihre Hände benutzte. Sie faltete die Serviette zusammen und legte sie neben den Teller. Sie war mit dem Essen fertig.

Ich fragte: »Machen Sie also Fortschritte?«

Sie lächelte amüsiert. Dann beugte sie sich zur Seite, wobei sie sich mit den Händen am Tisch festhielt, und musterte mich nochmals eingehend: von den Füßen bis hinauf zu den Haaren. Dann sagte sie: »Sie sind ziemlich gut. Echt nichts, wofür Sie sich schämen müssten. Das ist nicht Ihre Schuld.«

Ich fragte: »Was ist nicht meine Schuld?«

Sie lehnte sich auf ihrem Stuhl zurück, ohne mich aus den Augen zu lassen, und sagte: »Mein Daddy war hier vor mir Sheriff. Sogar schon vor meiner Geburt. Er ist mindestens zehnmal wiedergewählt worden. Er war energisch, aber gerecht. Und ehrlich. Weder ängstlich noch bestechlich. Er war ein guter Wahlbeamter.«

Ich sagte: »Das glaube ich Ihnen.«

»Aber mir hat's hier nicht sonderlich gut gefallen. Nicht in meiner Jugend. Ich meine, Sie können sich unser Leben vorstellen. Hier ist wirklich finsterste Provinz. Bücher haben wir mit der Post bekommen. Ich wusste, dass es dort draußen eine große, weite Welt gab. Deshalb musste ich von hier fort.«

Ich sagte: »Das kann ich verstehen.«

Sie sagte: »Aber bestimmte Ideen setzen sich fest. Wie öffentlicher Dienst. Wie Polizeilaufbahn. Zuletzt kommt einem das Ganze wie ein Familienunternehmen vor – genau wie jedes andere.«

Ich nickte. Kinder von Polizeibeamten ergreifen weitaus häufiger den elterlichen Beruf als Kinder anderer Eltern. Außer im Baseball. Der Sohn eines Baseballprofis hat eine achthundertmal höhere Chance, eines Tages in der Major League zu spielen, als irgendein anderer Junge.

Sie sagte: »Versuchen Sie also, die Dinge mit meinen Augen zu sehen. Was, glauben Sie, habe ich getan, sobald ich achtzehn war?«

Ich sagte: »Weiß ich nicht«, obwohl ich inzwischen eine ziemlich genaue Vorstellung davon hatte und durchaus nicht glücklich darüber war.

Sie sagte: »Ich bin nach South Carolina gefahren und ins Marine Corps eingetreten.«

Ich nickte. Schlimmer als erwartet. Aus irgendeinem Grund hatte ich auf die Air Force getippt.

Ich fragte sie: »Wie lange waren Sie dabei?«

»Sechzehn Jahre.«

Also war sie sechsunddreißig. Achtzehn Jahre zu Hause, plus sechzehn Jahre bei den Marines, plus zwei Jahre als Sheriff im Carter County. So alt wie ich.

Ich fragte sie: »Bei welcher Einheit des Corps?«

»Stab des Provost Marshals.«

Ich schaute weg. »Sie waren bei der Militärpolizei.«

Sie sagte: »Öffentlicher Dienst und Polizeiaufgaben. Ich hab zwei Fliegen mit einer Klappe geschlagen.«

Ich nickte resigniert. »Letzter Dienstgrad?«

»CWO5«, antwortete sie.

Chief Warrant Officer 5. Eine Expertin auf einem sehr speziellen Fachgebiet. Auf dem Sektor, in dem die wirkliche Arbeit getan wurde.

Ich fragte sie: »Warum sind Sie gegangen?«

»Gerüchte«, antwortete sie. »Die Sowjets waren erledigt, ein Personalabbau stand bevor. Ich dachte, es sei besser, einen Schritt nach oben zu machen, als rausgeworfen zu werden. Außerdem war mein Daddy eben gestorben, und ich konnte nicht zulassen, dass irgendein Idiot wie Pellegrino hier den Laden übernimmt.«

Ich fragte sie: »Wo waren Sie stationiert?«

»Überall«, sagte sie. »Onkel Sam war mein reicher Onkel. Er hat mir die Welt gezeigt. Manche Teile waren sehenswert, andere eher nicht.«

Ich schwieg. Die Bedienung kam zurück und trug unsere leeren Teller ab.

»Jedenfalls«, fuhr Deveraux fort, »habe ich Sie erwartet. Genau das hätten wir ehrlich gesagt unter diesen Umständen auch gemacht. Ein Mord hinter einer Bar in einer Kleinstadt am Rand eines Stützpunkts. Irgendwelche großen Geheimnisse *auf* dem Stützpunkt? Wir hätten einen Ermittler nach Kelham entsandt, und wir hätten einen weiteren verdeckten Ermittler in die Stadt geschickt.«

Ich schwieg.

Sie sagte: »Natürlich mit der Idee, dass der verdeckte Ermittler sich umhören und eingreifen würde, um die Hiesigen daran zu hindern, das Corps in Verlegenheit zu bringen. Im äußersten Notfall, versteht sich. Das ist eine Methode, hinter der ich früher natürlich gestanden habe. Aber jetzt vertrete *ich* die Hiesigen, deshalb kann ich sie keineswegs mehr dulden.«

Ich sagte nichts.

»Sie brauchen kein schlechtes Gefühl zu haben«, erklärte Deveraux. »Sie waren besser als manche unserer Leute. Mir gefallen beispielsweise Ihre Schuhe. Und Ihr Haar. Sie sind ziemlich überzeugend. Sie haben Pech gehabt, das ist alles, weil ich bin, was ich bin. Allerdings war der Zeitpunkt nicht gerade subtil gewählt, stimmt's?

Andererseits ist er das nie. Und Sie sind kein besonders guter Lügner. Sie hätten nicht sagen dürfen, dass Sie bei der Hundertzehnten sind. Die kenne ich natürlich. Ihr wart fast so gut wie wir. Und ausgerechnet Hayder! Ein viel zu ungewöhnlicher Name. Und die Khakisocken waren ein Fehler. Eindeutig aus der PX. Wahrscheinlich gestern gekauft. Solche habe ich früher auch getragen.«

»Ich wollte nicht lügen«, sagte ich. »Ist mir nicht richtig vorgekommen. Mein Vater war ein Marineinfanterist. Vielleicht habe ich's in Ihnen gespürt.«

»Er war ein Marine, aber Sie sind zur Army gegangen? Was war das, eine Meuterei?«

»Keine Ahnung«, sagte ich. »Aber mir ist's damals richtig vorgekommen.«

»Und jetzt?«

»In diesem Augenblick? Nicht so großartig.«

»Sie brauchen kein schlechtes Gefühl zu haben«, sagte sie noch mal. »Sie haben Ihr Bestes getan.«

Ich sagte nichts.

Sie fragte: »Welchen Dienstgrad haben Sie?«

Ich sagte: »Major.«

»Sollte ich salutieren?«

»Nur wenn Sie möchten.«

»Noch immer bei der Hundertzehnten?«

»Vorübergehend. Meine Stammeinheit ist die 349th MP. Für Ermittlungen wegen Straftaten zuständig.«

»Wie lange sind Sie schon dabei?«

»Dreizehn. Plus West Point.«

»Ich fühle mich geehrt. Vielleicht *sollte* ich salutieren. Wen haben sie nach Kelham geschickt?«

»Einen Kerl namens Munro. Auch ein Major.«

»Das ist verwirrend«, meinte sie.

Ich fragte: »Machen Sie Fortschritte?«

Sie sagte: »Sie geben nicht auf, was?«

»Aufgeben steht nicht im Einsatzbefehl. Sie wissen, wie das ist.«

»Okay, ich tausche«, sagte sie. »Eine Antwort gegen eine Antwort. Und dann verlassen Sie die Stadt. Morgen früh bei Tagesanbruch. Ich lasse Sie von Pellegrino an die Stelle zurückfahren, wo er Sie aufgelesen hat. Abgemacht?«

Was blieb mir anderes übrig? Ich sagte: »Abgemacht.«

»Nein«, sagte Deveraux. »Wir machen keine Fortschritte. Absolut keine.«

»Okay«, sagte ich. »Danke. Jetzt Sie.«

»Für mich wär's natürlich nützlich, wenn ich wüsste, ob Sie das Ass sind oder der nach Kelham entsandte Kerl das Ass ist. Nach aktueller Auffassung der Army, meine ich. Hier geht's um die Verteilung von Wahrscheinlichkeiten. Glaubt die Army, dass das Problem innerhalb der Tore oder außerhalb liegt? Sind also Sie der große Zampano? Oder dieser andere Kerl?«

»Ehrliche Antwort?«

»Vom Sohn eines Kameraden aus dem Marine Corps würde ich nichts anderes erwarten.«

»Die ehrliche Antwort lautet: Ich weiß es nicht«, sagte ich.

13

Elizabeth Deveraux zahlte ihren Hamburger und lud mich zu Kaffee und Kuchen ein, was ich großzügig fand; also übernahm ich das Trinkgeld, das die Serviererin erneut lächeln ließ. Wir traten auf den Gehsteig hinaus und blieben einen Augenblick neben dem alten Caprice stehen. Der Mond schien jetzt heller, weil die hohen Schleierwolken abgezogen waren. Nun waren auch Sterne zu sehen.

Ich sagte: »Darf ich Sie noch etwas fragen?«

Deveraux reagierte sofort misstrauisch und sagte: »Zu welchem Thema?«

»Haar«, sagte ich. »Die Umrisse der Frisur des Soldaten sollen der Kopfform folgen, um ganz natürlich in einem spitz zulaufenden Nackenschnitt zu enden. Was ist mit Ihrer?«

»Ich habe mein Haar fünfzehn Jahre lang militärisch kurz getragen«, sagte sie. »Ich hab's erst wieder wachsen lassen, als ich wusste, dass ich den Dienst quittieren würde.«

Ich betrachtete sie im Mondschein und dem Licht, das aus den Fenstern des Restaurants fiel. Ich stellte sie mir mit einem Kurzhaarschnitt vor. Sie musste sensationell ausgesehen haben. Ich sagte: »Gut zu wissen. Danke.«

Sie sagte: »Ich hatte von Anfang an keine Chance. Frauen schreibt das Corps Frisuren vor, die ›nicht exzentrisch‹ sein dürfen. Das Haar darf höchstens kragenlang sein. Man kann es hochstecken, aber dann hätte ich keine Mütze mehr aufsetzen können.«

»Opfer müssen gebracht werden«, meinte ich.

»Mir war's das wert«, sagte sie. »Ich war gern bei den Marines.«

»Das sind Sie noch immer«, sagte ich. »Einmal ein Marine, immer ein Marine.«

»Hat Ihr Daddy das gesagt?«

»Das konnte er leider nicht. Er ist in den Sielen gestorben.«

Sie fragte: »Lebt Ihre Mom noch?«

»Sie ist ein paar Jahre später gestorben.«

»Meine ist gestorben, als ich noch in der Ausbildung war. Krebs.«

»Tatsächlich? Meine auch. Krebs, meine ich. Nicht in der Ausbildung.«

»Das tut mir leid.«

»Nicht Ihre Schuld«, sagte ich automatisch. »Sie hat in Paris gelebt.«

»Da war ich auch. Zumindest auf Parris Island. Ist sie ausgewandert?«

»Sie war Französin.«

»Sprechen Sie Französisch?«

Ich sagte: »*Un peu, mais lentement.*«

»Was heißt das?«

»Ein bisschen, aber langsam.«

Sie nickte, dann legte sie eine Hand auf den Türgriff des Streifenwagens. Ich verstand diesen Wink und sagte: »Okay, gute Nacht, Chief Deveraux. War nett, Sie kennenzulernen.«

Sie lächelte nur.

Ich wandte mich nach links und ging in Richtung Hotel davon, hörte, wie hinter mir der große Chevy-Motor ansprang; dann fuhr der Streifenwagen an, rollte langsam an mir vorbei, wendete auf der Straße und kam mir zugekehrt genau vor dem Eingang des Hotels Toussaint's wieder zum Stehen. Ich erreichte ihn, als Deveraux eben ausstieg. Ich glaubte natürlich, sie wolle noch etwas sagen, hielt inne und wartete höflich.

»Ich wohne hier«, sagte sie. »Gute Nacht.«

Deveraux war bereits hinaufgegangen, als ich die Hotelhalle betrat. Der alte Mann, den ich aus dem Diner kannte, stand hinter der Empfangstheke und sah mir erwartungsvoll entgegen. Ich merkte, dass es ihn beunruhigte, dass ich kein Gepäck hatte. Aber Cash bleibt Cash, und er nahm mir achtzehn Dollar ab und gab mir dafür den Schlüssel zu Zimmer 21. Er erklärte mir, es liege im ersten Stock zur Straße hinaus und sei ruhiger als die nach hinten hinausführenden Zimmer, was mir zunächst widersinnig erschien, bis ich an die Bahnstrecke dachte.

Im ersten Stock endete die Treppe in der Mitte eines langen Nord-Süd-Korridors mit blankem Holzboden, der von vier schwachen Glühbirnen trüb beleuchtet wurde. Hier oben gab es acht Türen nach hinten hinaus und neun zur Straße hin. Unter der Tür von Nummer 17, ebenfalls zur Straße hinaus, zeichnete sich ein hellerer gelber Lichtstreifen ab. Das musste Deveraux' Zimmer sein. Meines lag vier Türen weiter nördlich. Ich schloss auf, ging hinein, machte Licht und nahm den leicht muffigen Geruch wahr, der für lange nicht mehr benutzte Räume typisch ist. Das rechteckige Zimmer mit hoher Decke hätte angenehme Proportionen gehabt, wenn die Sanitärzelle nicht gewesen wäre, die im letzten Jahrzehnt in die Ecke neben der Tür gezwängt worden war. Statt eines Fensters gab es eine zweiflüglige Tür, die auf einen der schmiedeeisernen Balkone hinausführte, die ich von der Straße aus gesehen hatte. Die Einrichtung bestand aus Bett, Nachttisch, Stuhl und Kommode, und den Boden bedeckte ein abgetretener Orientteppich, der durch Benutzung und vom vielen Ausklopfen zerschlissen war.

Ich zog die Vorhänge zu und packte aus, indem ich meine neue Zahnbürste zusammensteckte und in den Milchglasbecher vor dem Spiegel im Bad stellte. Zahncreme hatte ich keine, aber ich war schon immer der Ansicht gewesen, Zahncreme sei nichts anderes als ein wohlschmeckendes Schmiermittel. Ein Militärzahnarzt hatte mir einmal versichert, die mechanische Wirkung der Borsten einer Zahnbürste reiche völlig aus, um gesunde Zähne zu garantieren. Und für frischen Atem hatte ich Kaugummi. Ich besaß noch alle meine Zähne bis auf einen oberen Backenzahn, den ich vor Jahren in Cleveland, Ohio, bei einer Schlägerei auf offener Straße durch einen Zufallstreffer verloren hatte.

Meine innere Uhr sagte mir, dass es ungefähr 23.20 Uhr war. Ich setzte mich für kurze Zeit aufs Bett. Ich war früh aufgestanden und ein bisschen müde, aber keineswegs erschöpft. Und ich hatte in der begrenzten Zeit, die mir noch blieb, einiges zu erledigen, deshalb wartete ich nur so lange, wie ein normaler Mensch braucht, um einzuschlafen. Dann trat ich wieder auf den Korridor hinaus. Bei Deveraux brannte kein Licht mehr. Durch den schmalen Schlitz unter ihrer Tür war nichts zu erkennen. Ich schlich die Treppe in die Hotelhalle hinunter. Die Rezeption war wieder unbesetzt. Ich ging auf die Straße hinaus und wandte mich nach links, wo bisher unerforschtes Territorium lag.

14

Ich betrachtete die gesamte Länge der Main Street, so gut das bei Mondschein möglich war. Sie führte etwa zweihundert Meter weit schnurgerade nach Süden, wurde dann etwas enger, begann zu mäandern und verwandelte sich in eine Wohnstraße, an der bescheidene Einfamilienhäuser auf unterschiedlich großen Grundstücken standen. Auf der Westseite des kleinen Geschäftsbezirks gab es Läden und Werkstätten aller Art, zwischen denen schmale Gassen zu weiteren Häusern in der zweiten Reihe oder einfach ins Buschland führten. Die Ostseite der Main Street mit dem Hotel Toussaint's sah ähnlich aus, nur waren hier die Gassen breiter und führten zu einer nur einseitig bebauten Parallelstraße. Ich vermutete, dass man sie angelegt hatte, um der Kleinstadt Einnahmen zu verschaffen; sie war jedenfalls der Hauptgrund dafür, dass ich noch so spät unterwegs war.

Die in Nord-Süd-Richtung verlaufende Straße war unbefestigt. Ich glaubte zu sehen, wie hier früher Schnellzüge mit kreischenden Bremsen gehalten hatten: ihre keuchenden Dampfloks weiter vorn am Wasserkran, lange Wagenreihen in Richtung Süden dahinter. Ich stellte mir vor, wie Cafébesitzer und Restaurantpersonal über die kahle Erde rannten und Holzpodeste unter die Waggontüren stellten. Ich glaubte zu sehen, wie hungrige, von der langen Reise durstige Fahrgäste aus den Waggons quollen und zu Hunderten in die Lokale strömten, um sich satt zu essen und zu trinken. Ich stellte mir vor, wie Münzen klirrten, Registrierkassen klingelten, Dampfloks pfiffen, Fahrgäste einstiegen und Schnellzüge wieder anfuhren. Wie dann Stille einkehrte, sobald die Holzpodeste eingesammelt waren, bevor zwei Stunden später der nächste Zug hielt – ein Vorgang, der sich endlos wiederholte.

Diese nur einseitig bebaute Straße hatte die hiesige Wirtschaft angekurbelt, und das tat sie noch immer.

Die Schnellzüge waren natürlich längst verschwunden – und mit ihnen die Cafés und Restaurants. Aber sie waren durch Bars und Läden für Autoersatzteile, Bars und Pfandhäuser, Bars und Waffengeschäfte, Bars und Läden für Stereoanlagen aus zweiter Hand und Bars ersetzt worden, und an die Stelle der Züge war ein stetiger Fahrzeugstrom aus Kelham getreten. Ich stellte mir vor, wie die Autos auf der kahlen Fläche parkten und Grüppchen von zukünftigen Rangern ausspuckten, die sich daranmachten, Onkel Sams Geld unter die Leute zu bringen. Ein geschlossener Markt, meilenweit vom nächsten Nest entfernt, genau wie früher der mit den hungrigen und durstigen Fahrgästen. Die Wiederholung dieser Konstellation hatte ich schon auf vielen Dutzend Stützpunkten in aller Welt gesehen. Die Autos konnten alte Mustangs oder Gran Turismos, in Deutschland auch BMWs oder Mercedes aus dritter Hand oder in Fernost seltsame Toyotas oder Datsuns sein; und die anderen Biermarken würden stärker oder schwächer sein; und die Pfandleiher würden in anderen Währungen rechnen; und die Waffen würden ganz andere Patronen verschießen; und die Stereoanlagen würden für eine andere Spannung ausgelegt sein. Aber ansonsten lief das überall stattfindende Geben und Nehmen genau gleich ab.

Ich hatte keine Mühe; die Stelle zu finden, an der Janice May Chapman ermordet worden war. Pellegrino hatte gesagt, sie habe in einer riesigen Blutlache gelegen, was bedeutete, dass man sie mit Sand abgedeckt hatte, und ich fand eine frische Sandfläche in der gepflasterten Durchfahrt neben der hinteren linken Ecke einer Bar namens Brannan's. Die Bar befand sich in der Mitte der Straße, und die fragliche Durchfahrt führte zweimal leicht abgeknickt links an ihr vorbei, um zwischen einer altmodischen Apotheke und einem Baumarkt die Main Street zu erreichen. Vielleicht war der Sand von dort gekommen. Drei oder vier Säcke zu fünfundzwanzig Kilo hätten genügt. Er war auf den Natursteinen sehr ordentlich tropfenförmig ausgebracht, bildete dort eine acht bis zehn Zentimeter hohe Schicht.

Die Stelle war nicht ohne Weiteres einzusehen. Der Hinterausgang des Brannan's war etwa fünf Meter entfernt, und das Gebäude hatte seitlich keine Fenster. Auch die Rückwand der Apotheke wies keine Fenster auf. Brannan's Nachbar war ein Leihhaus mit einer Western-Union-Lizenz, das ein Fenster nach hinten hinaus besaß; aber es würde nachts geschlossen gewesen sein. Keine Tatzeugen. Nicht dass es viel zu sehen gegeben hätte. Jemandem die Kehle durchzuschneiden geht schnell. Hat man ein anständiges Messer und genug Kraft und Gewicht, dauert das so lange, wie man braucht, um seine Hand zwanzig Zentimeter weit zu bewegen. Das ist alles.

Ich trat wieder aus der Gasse, ging halb bis zum Gleis, blieb auf dem festgefahrenen Boden stehen und begutachtete das Licht. Sinnlos, nach Dingen Ausschau zu halten, die ich nicht würde erkennen können. Aber der Mond stand noch hoch, und der Himmel war noch immer klar, deshalb ging ich weiter, stieg über die erste Schiene, machte linksum und marschierte auf den Schwellen nach Norden, wie es früher viele Kerle gemacht hatten, wenn sie das Land verlassen hatten und nach Chicago oder New York gegangen waren. Ich kam am Bahnübergang vorbei und ließ den alten Wasserkran hinter mir.

Dann begann der Boden unter meinen Füßen zu beben.

Anfangs nur schwach, ein leichtes ständiges Zittern wie in der Randzone eines fernen Erdbebens. Ich blieb stehen. Die Bahnschwelle unter meinen Füßen bebte. Dann begannen die Schienen zu singen. Ich drehte mich um und entdeckte in weiter Ferne einen winzigen Lichtpunkt: einen einzelnen Stirnscheinwerfer: der Mitternachtszug, der sich noch einige Meilen südlich von mir befand, aber rasch näher kam.

Ich blieb fasziniert stehen. Beide Schienen fingen an zu summen. Die Schwellen hämmerten um Bruchteile von Millimetern auf und ab. Schottersteine stießen klickend aneinander. Das ferne Stirnlicht funkelte wie ein Stern, der in sehr engen Grenzen von einer Seite zur anderen ruckelte und zuckte.

Ich verließ das Gleisbett, trabte zu dem alten Wasserkran und lehnte mich an den geteerten Holzmast, an dem die Steigleitung verlegt war. Er zitterte an meiner Schulter. Der Boden unter meinen Füßen bebte. Die Schienen heulten. Die Diesellok ließ einen Pfiff ertönen: lang und laut und in der Ferne einsam klingend. Die Klingel an dem zwanzig Meter entfernten Bahnübergang begann warnend zu schrillen. Die roten Warnleuchten fingen zu blinken an.

Der Güterzug kam auf mich zugerast: lange ziemlich fern, dann plötzlich ganz nah, praktisch über mir, riesengroß, unglaublich massiv und immens laut. Der Erdboden bebte so stark, dass der alte Wasserkran neben mir lautlos schwankte, während ich fürchtete, gleich den Boden unter den Füßen zu verlieren. Die Druckwelle des Zugs rüttelte und schüttelte mich durch. Die Diesellok röhrte an mir vorbei, dann folgte eine endlose Kette rasselnder, scheppernder, durch kurze Zwischenräume voneinander getrennter Güterwagen, die unaufhaltsam nach Norden ratterten: zehn, zwanzig, fünfzig, hundert. Ich klammerte mich eine Minute, volle sechzig Sekunden lang, an den schwarz geteerten Holzmast, war von dem klirrenden Metall taub, fühlte mich wie gelähmt und wurde von Luftwirbeln durchgerüttelt.

Dann war der Zug vorbei.

Das hintere Ende eines Kesselwagens rollte mit sechzig Meilen in der Stunde von mir weg. Der Fahrtwind heulte einen halben Ton tiefer, und das Erdbeben wurde wieder zu einem leichten Zittern, das wenig später ganz aufhörte; das Kreischen der Schienen sank zu einem Summen herab. Auch das irrsinnige Warnläuten verstummte schlagartig.

Nun herrschte wieder Stille.

Als Erstes änderte ich meine Meinung darüber, wie weit ich würde gehen müssen, um die Trümmer des blauen Wagens zu finden. Ich hatte angenommen, sie würden ganz in der Nähe liegen. Aber nach dieser imposanten Demonstration brutaler Energie rechnete ich mir aus, sie könnten in halb New Jersey verteilt sein. Oder in Kanada.

15

Schließlich fand ich die größten Teile des Wagens ungefähr zweihundert Meter nördlich des Bahnübergangs. Bis dahin erstreckte sich ein Trümmerfeld aus weithin verstreuten Autoteilen. Die bei Mondschein im taunassen Gras glänzenden und glitzernden Scherben der Windschutzscheibe waren wie von einer Riesenhand auf zufälligen Bahnen fortgeschleudert worden. Ich sah eine verchromte Stoßstange, die abgerissen und wie im Scherz eng V-förmig zusammengefaltet worden war. Sie hatte sich wie ein Rasenpfeil tief in die Erde gebohrt. Daneben lag ein Rad ohne Radkappe. Der Aufprall musste ungeheuer gewesen sein. Das Auto war mit immenser Wucht fortgeschleudert worden. Von null auf sechzig Meilen in Bruchteilen einer Sekunde.

Ich vermutete, es sei ungefähr zwanzig Meter nördlich des Wasserkrans auf den Gleisen abgestellt worden. Dort fanden sich die ersten Glassplitter. Als die Diesellok den Wagen erfasst hatte, war er mindestens fünfzig bis sechzig Meter weit durch die Luft geflogen, bevor er aufgeprallt war und sich mehrfach überschlagen hatte. Bestimmt nicht nur in der Folge Räder-Dach-Räder, sondern auch der Länge nach. Ich vermutete, dass der erste Aufprall ihn mehr oder weniger zerlegt hatte. Wie eine Explosion. Anschließend hatten die Überschläge die Wrackteile über eine weite Fläche verteilt. Auch das Benzin aus dem Tank, das sich entzündet hatte. Auf den letzten fünfzig Metern durchzogen schmale Brandschneisen das Unterholz, und die Reste des Autos waren von einem Kranz aus verbrannten Ästen und angekohlten Baumstämmen umgeben. Brandfahnder, die ich kannte, hätten allein aus diesen Spuren berechnen können, mit welcher Geschwindigkeit der Wagen rotiert hatte.

Pellegrino, der den Wagen bei Tageslicht gesehen hatte, hatte ihn blau genannt. Im Mondschein erschien er mir eher aschgrau. Allerdings konnte ich kein intaktes größeres Stück Blech finden, nichts, was größer als ein Zündholzbriefchen war. Alles war verbogen, zertrümmert und bis zur Unkenntlichkeit verbrannt. Ich glaubte, dass dies ein Auto gewesen war – aber nur, weil ich nicht wusste, was es sonst hätte sein sollen.

Falls jemand Beweise hatte vernichten wollen, war ihm dies zu hundert Prozent gelungen.

Ich traf um Punkt ein Uhr wieder im Hotel ein und ging sofort ins Bett. Den Wecker in meinem Kopf stellte ich auf sieben Uhr, weil ich vermutete, dass Deveraux um diese Zeit aufstehen würde. Ich ging davon aus, dass ihr Dienst gegen acht Uhr begann. Sie achtete offenbar auf ihr Äußeres, aber als Marine und praktisch veranlagte Frau würde sie für die Morgentoilette nicht mehr als eine Stunde einplanen. Ich rechnete mir aus, dass ich zur selben Zeit fertig sein und sie dann beim Frühstück im Diner antreffen würde. Weiter in die Zukunft reichte meine Planung nicht. Ich hatte keine Ahnung, was ich zu ihr sagen würde.

Aber ich konnte nicht bis sieben Uhr schlafen. Ich wurde kurz nach sechs geweckt, von jemandem, der laut an meine Tür hämmerte. Das begeisterte mich keineswegs. Ich wälzte mich aus dem Bett, schlüpfte in meine Hose und machte die Tür auf. Draußen stand der alte Mann. Der Hotelbesitzer.

Er fragte: »Mr. Reacher?«

Ich sagte: »Ja?«

Er sagte: »Gut. Ich bin froh, dass ich den Richtigen erwischt habe. Um diese Zeit, meine ich. Da ist's immer besser, sich zu vergewissern.«

»Was wollen Sie?«

»Nun, in erster Linie geht's mir wie gesagt darum, Ihre Identität bestätigt zu bekommen.«

»Ich will hoffen, dass es nicht nur darum geht. Um diese Tageszeit. Sie haben nur zwei Gäste. Und Ihr anderer Gast ist eindeutig kein *Mister* irgendwas.«

»Sie haben einen Anruf.«

»Von wem?«

»Von Ihrem Onkel.«

»Von meinem *Onkel*?«

»Von Ihrem Onkel Leon Garber. Er hat gesagt, die Sache sei dringend. Und seinem Tonfall nach ist sie auch wichtig.«

Ich zog mein T-Shirt an und folgte dem Mann barfuß nach unten. Er führte mich durch einen Seiteneingang in das Büro hinter dem Empfangsbereich. In dem kleinen Raum stand ein abgewetzter Mahagonischreibtisch mit einem Telefon. Der abgenommene Hörer lag auf dem dunklen Holz.

Der alte Mann sagte: »Machen Sie's sich bitte bequem«, dann

ging er hinaus und schloss die Tür hinter sich. Ich ließ mich auf seinen Drehstuhl fallen und griff nach dem Telefonhörer.

Ich sagte: »Was?«

Garber fragte: »Alles in Ordnung bei Ihnen?«

»Mir geht's gut. Wie haben Sie mich gefunden?«

»Telefonbuch. In Carter Crossing gibt's nur ein Hotel. Bei Ihnen klappt alles?«

»Bestens.«

»Wissen Sie das bestimmt?«

»Klar doch.«

»Weil Sie sich eigentlich jeden Morgen um sechs melden sollten.«

»Soll ich das?«

»Das haben wir vereinbart.«

»Wann?«

»Wir haben gestern um sechs miteinander geredet. Als Sie aufgebrochen sind.«

»Ja, ich weiß«, entgegnete ich. »Daran erinnere ich mich. Aber wir haben nicht vereinbart, dass wir jeden Morgen um sechs miteinander telefonieren wollen.«

»Sie haben mich gestern Abend angerufen. Sie haben gesagt, Sie würden heute wieder anrufen.«

»Ich habe keine Uhrzeit genannt.«

»Ich denke, dass Sie's getan haben.«

»Nun, Sie täuschen sich, Sie alter Trottel. Was wollen Sie?«

»Sie sind heute Morgen schlechter Laune.«

»Ich war bis spätnachts unterwegs.«

»Um was zu tun?«

»Mich umzusehen.«

»Und?«

»Mir sind ein paar Dinge aufgefallen«, sagte ich.

»Zum Beispiel?«

»Nur zwei spezielle Dinge, die interessant sein könnten.«

»Stellen sie Fortschritte dar?«

»Vorläufig sind sie nur Fragen. Die Antworten könnten Fortschritte bewirken. Falls ich sie jemals bekomme.«

Garber sagte: »Munro kommt in Kelham nicht voran. Bisher nicht. Möglicherweise ist der Fall schwieriger, als wir anfangs dachten.«

Ich äußerte mich nicht dazu. Garber machte eine kurze Pause.

»Augenblick!«, sagte er dann. »Was soll ›falls ich die Antworten bekomme‹ heißen?«

Ich gab keine Antwort.

Garber fuhr fort: »Und wieso haben Sie sich nachts umgesehen? Wär's nicht besser gewesen, damit bis Tagesanbruch zu warten?«

Ich sagte: »Ich habe den hiesigen Chief kennengelernt.«

»Und?«

»Auffällig anders.«

»In welcher Beziehung?«, fragte Garber. »Ist er ehrlich?«

»Er ist eine Sie«, sagte ich. »Die Nachfolgerin ihres Vaters auf diesem Posten.«

Garber machte wieder eine Pause.

»Erzählen Sie's mir nicht«, sagte er resigniert. »Sie hat Sie enttarnt.«

Ich gab keine Antwort.

»Jesus«, sagte er, »das muss ein neuer Weltrekord sein. Wie lange hat sie dazu gebraucht? Zehn Minuten? Fünf?«

»Sie war Militärpolizistin bei den Marines«, erklärte ich. »Praktisch eine von uns. Sie wusste von Anfang an Bescheid und hat mich erwartet. Ihr war längst klar, dass jemand wie ich aufkreuzen würde.«

»Was haben Sie jetzt vor?«

»Weiß ich nicht.«

»Will sie Sie ausschließen?«

»Schlimmer. Sie will mich rauswerfen.«

»Nein, das dürfen Sie nicht zulassen. Auf keinen Fall. Sie bleiben dort. Das steht verdammt fest. Ich befehle Ihnen ausdrücklich, nicht zurückzukommen. Haben Sie verstanden? Sie haben Befehl, dort zu bleiben. Sie kann Sie ohnehin nicht rauswerfen. Das ist eine Frage der Bürgerrechte. Im Ersten Verfassungszusatz oder sonst wo geregelt. Freie Wahl des Aufenthaltsorts. Schließlich ist Mississippi ein Bundesstaat wie jeder andere. Dies ist ein freies Land. Sie bleiben also, wo Sie sind, okay?«

Ich legte wortlos auf und blieb noch einen Augenblick in dem kleinen Büro sitzen. Ich fand einen Dollarschein in meiner Hosentasche und legte ihn auf den Schreibtisch, um für ein Ferngespräch zu bezahlen, und wählte die Nummer des Pentagons. Das Pentagon hat viele Nummern und mehrere Vermittlungen, und die Nummer, die ich anrief, war besetzt. Ich forderte den Telefonisten auf, mich mit John James Frazer zu verbinden. Mit dem Verbindungsoffizier beim Senat. Eigentlich rechnete ich nicht damit, dass er schon vor halb sieben in seinem Dienstzimmer sein würde, aber er war da. Das sagte mir einiges. Ich nannte meinen Namen und erklärte ihm, ich hätte keine Neuigkeiten.

»Sie müssen etwas haben«, sagte er, »sonst hätten Sie nicht angerufen.«

»Ich habe eine Warnung«, sagte ich.

»Wovor?«

»Ich habe hier einige Dinge gesehen, die mir sagen, dass dieser Fall schlecht ausgehen wird. Er wird sich als abscheulich und unheimlich herausstellen und in ganz Amerika wochenlang die Schlagzeilen beherrschen. Selbst wenn er nichts mit Kelham zu schaffen hat, könnte etwas an uns hängen blieben. Allein wegen der räumlichen Nähe.«

Frazer dachte nach. »Wie abscheulich?«

»Potenziell sehr abscheulich.«

»Worauf tippen Sie? *Hat* der Fall etwas mit Kelham zu schaffen?«

»Kann ich noch nicht sagen.«

»Lassen Sie mich nicht hängen, Reacher. Worauf tippen Sie?«

»Nach gegenwärtigem Stand würde ich Nein sagen. Keine militärische Beteiligung.«

»Das hört man gern.«

»Das ist nur eine Vermutung«, sagte ich. »Lassen Sie die Zigarren lieber noch in der Kiste.«

Ich ging nicht wieder ins Bett. Zwecklos. Zu spät. Ich putzte mir nur die Zähne, duschte und kaute ein Stück Kaugummi, während ich mich anzog. Dann schaute ich aus dem Fenster und verfolgte, wie der Tag anbrach. Der heraufdämmernde Morgen vergrößerte die Welt. Ich sah die Main Street in allen Einzelheiten. Ich sah Büsche, Felder und Wälder, die sich nach allen Seiten erstreckten.

Dann setzte ich mich auf den Stuhl, um zu warten. Ich rechnete mir aus, dass ich hören würde, wenn Deveraux zu ihrem Wagen ging. Mein Zimmer lag ziemlich genau über der Stelle, wo er am Randstein parkte.

16

Ich hörte, wie Deveraux das Hotel um Punkt 7.20 Uhr verließ. Erst knarrte die Hoteltür und wurde zugeknallt, dann knarrte die Autotür und wurde zugeknallt. Ich stand auf und schaute aus dem Fenster. Sie saß in dem alten Streifenwagen – wieder in Uniform, wieder tief hinter dem Steuer. Ihre dunkle Mähne war noch vom Duschen feucht. Sie sprach ins Mikrofon ihres Funkgeräts. Wahrscheinlich erklärte sie Pellegrino, heute müsse er als Erstes mich halb nach Memphis zurückfahren.

Ich ging die Treppe hinunter und hinaus ins Freie. Die Morgenluft war frisch und kalt. Ich blickte die Straße entlang und stellte fest, dass Deveraux' Wagen vor dem Diner parkte. So weit, so gut. Ich schlenderte hinüber, zog die Eingangstür auf und ging an Wandtelefon und Stehpult vorbei, um ins Restaurant zu gelangen. Mit Elizabeth Deveraux zählte ich sechs Gäste. Bei den anderen fünf handelte es sich um Männer, vier davon in Arbeitskleidung, einer in einem hellen Anzug. Ein Akademiker. Vielleicht ein Arzt oder Rechtsanwalt – oder der Typ, der das Leihhaus hinter Bannan's Bar betrieb. Die Serviererin, dieselbe Frau wie am Vorabend, war damit beschäftigt, Frühstück zu servieren, deshalb wartete ich nicht auf sie. Ich trat einfach an Deveraux' Tisch und fragte: »Stört es Sie, wenn ich mich zu Ihnen setze?«

Sie trank einen kleinen Schluck Kaffee. Ihr Frühstück war gerade erst serviert worden. Sie lächelte und sagte: »Guten Morgen.«

Ihre Stimme klang herzlich, als freute sie sich, mich zu sehen.

Ich sagte: »Ja, guten Morgen.«

Sie sagte: »Sind Sie gekommen, um sich zu verabschieden? Das ist sehr höflich und sehr förmlich.«

Ich äußerte mich nicht dazu. Sie benutzte wieder ihren Fuß, um den Stuhl gegenüber ein Stück hinauszuschieben. Ich zog ihn ganz heraus und setzte mich. Sie fragte: »Haben Sie gut geschlafen?«

Ich sagte: »Traumlos.«

»Der Zug um Mitternacht hat Sie nicht geweckt? An den muss man sich erst gewöhnen.«

»Ich war noch auf«, sagte ich.

»Was haben Sie gemacht?«

»Dies und das.«

»Drinnen oder draußen?«

»Draußen.«

»Sie haben den Tatort gefunden?«

Ich nickte.

Sie nickte ihrerseits.

»Und Ihnen sind zwei Sachen aufgefallen«, erklärte sie. »Daher wollten Sie vor der Abreise vorbeikommen und sich vergewissern, dass ich ihre Bedeutung richtig einschätze. Das nenne ich anerkennenswerten Gemeinsinn.«

Die Bedienung kam vorbei und stellte ein Körbchen mit Toast auf den Tisch. Als sie sich mir zuwandte, bestellte ich das Standardfrühstück mit Kaffee. Deveraux wartete, bis sie gegangen war, bevor sie fragte: »Oder stecken dahinter ausschließlich private Interessen? Ist dies Ihr letzter Versuch, die Army zu schützen, bevor Sie abreisen?«

»Ich bleibe vorerst«, sagte ich.

Sie lächelte wieder. »Halten Sie mir jetzt einen kleinen Vortrag über Ihre Bürgerrechte? Dass wir in einem freien Land leben und all dieser Bockmist?«

»Irgendwas in dieser Art.«

Sie machte eine kurze Pause.

»Ich bin sehr für Bürgerrechte«, fuhr sie dann fort. »Und es ist noch Raum in der Herberge, wie man so sagt. Schön, okay, bleiben Sie meinetwegen. Amüsieren Sie sich. Bei uns können Sie wandern, auf die Jagd gehen oder Sehenswürdigkeiten besichtigen. Verausgaben Sie sich. Machen Sie alles, wonach Ihnen der Sinn steht. Aber halten Sie sich gefälligst aus meinen Ermittlungen raus.«

Ich fragte sie: »Wie erklären Sie die beiden Dinge?«

»Muss ich das? Ihnen gegenüber?«

»Zwei Köpfe sind besser als einer.«

»Ich kann Ihnen nicht trauen«, sagte sie. »Sie sind hier, um mich in die Irre zu führen, wenn's nötig ist.«

»Nein, ich bin hier, um die Army zu warnen, falls die Situation peinlich zu werden droht. Was ich notfalls tun würde. Aber wir sind hier noch weit von irgendwelchen Schlussfolgerungen entfernt. Wir haben kaum angefangen. Für den Versuch, eine bestimmte Richtung vorzugeben, ist's noch zu früh, selbst wenn ich das vorhätte, was nicht der Fall ist.«

»Wir?«, fragte sie. »*Wir* sind weit von Schlussfolgerungen entfernt? Was haben wir hier – eine Demokratie?«

»Okay, Sie«, sagte ich.

»Ja«, sagte sie. »Ich.«

In diesem Augenblick brachte die Bedienung mir mein Frühstück samt Kaffee. Ich sog den Duft ein und nahm einen großen Schluck. Ein kleines Ritual. Es gibt nichts Besseres als frisch aufgebrühten Kaffee am frühen Morgen. Mir gegenüber futterte Deveraux systematisch weiter. Ihr Teller war schon fast leer. Ein Metabolismus wie ein Kernreaktor.

Sie sagte: »Okay, eine Auszeit. Überzeugen Sie mich. Legen Sie Ihre Karten auf den Tisch. Erzählen Sie mir von dieser ersten Sache, und drehen Sie sie so hin, dass sie schlecht für die Army aussieht. Was sie übrigens tut, selbst wenn Sie noch so sehr daran drehen.«

Ich musterte sie. »Waren Sie schon auf dem Stützpunkt?«

»Nicht nur einmal.«

»Ich aber nicht. Deshalb wissen Sie offenbar, was ich nur vermuten kann.«

Sie nickte. »Behalten Sie das im Hinterkopf. Nehmen Sie sich in Acht. Versuchen Sie nicht, etwas zu vernebeln.«

Ich sagte: »Janice May Chapman ist nicht auf dieser Gasse vergewaltigt worden.«

»Weil?«

»Weil Pellegrino von Hautabschürfungen von Kies an der Leiche gesprochen hat. Und in dem Durchgang oder seiner Nähe liegt nirgends Kies. In weitem Umkreis sind nur Asphalt oder glatte Pflastersteine zu sehen.«

»Zwischen den Schienen liegt Kies.«

Ein Test. Sie wollte nur sehen, wie ich darauf reagieren würde.

»Nicht wirklich Kies«, entgegnete ich. »Unter den Schwellen liegt Schotter. Granitbrocken, die größer als Kieselsteine und kleiner als Ihre Faust sind. Die Verletzungen hätten völlig anders ausgesehen. Sie wären nicht mit Kiesspuren zu verwechseln.«

»Auf den Straßen liegt Kies.«

Ein weiterer Test.

»Mit Teer gebunden und eingewalzt«, sagte ich. »Überhaupt kein Vergleich.«

»Also?«

Der abschließende Test.

Drehen Sie sie so hin, dass sie schlecht für die Army aussieht.

»Kelham ist für eine Elite«, antwortete ich. »Hier erhält das Fünfundsiebzigste, das an Special Operations teilnimmt, den letzten Schliff. Dort muss es einen Parcours mit allen möglichen Geländearten geben. Sand, um die Wüste zu imitieren. Beton wie gefrorene Steppen. Übungsdörfer und dieser ganze Scheiß. Ich bin davon überzeugt, dass es dort auch reichlich Kiesflächen gibt.«

Deveraux nickte erneut. »Sie haben eine Übungsbahn mit Kiesboden. Fürs Ausdauertraining. Zehn Runden entsprechen zehn Stunden auf ebener Straße. Und die Kerle mit den schlechtesten Zeiten dürfen die Bahn zur Strafe morgens glatt rechen. Zwei Fliegen mit einer Klappe.«

Ich schwieg.

Deveraux sagte: »Sie ist auf dem Stützpunkt vergewaltigt worden.«

Ich sagte: »Denkbar.«

Deveraux sagte: »Sie sind ein ehrlicher Mann, Reacher. Der Sohn eines Marineinfanteristen.«

»Die Marines haben nichts damit zu tun. Ich bin Offizier der U.S. Army. Auch wir haben Normen.«

Ich begann zu essen, als Deveraux eben mit ihrem Frühstück fertig war. Sie sagte: »Die zweite Sache ist allerdings problematischer. Ich kann mir keinen Reim darauf machen.«

»Wirklich nicht?«, fragte ich. »Ist sie im Prinzip nicht mit der ersten identisch?«

Sie sah mich verständnislos an.

»Das sehe ich nicht«, antwortete sie.

Ich hörte zu essen auf und sah sie an.

Ich sagte: »Erzählen Sie mir, worauf Sie sich keinen Reim machen können.«

»Es geht um eine einfache Frage«, sagte Deveraux. »Wie ist sie dort hingekommen? Sie hat ihr Auto zu Hause gelassen, ist aber auch nicht zu Fuß gegangen. Erstens hat sie zehn Zentimeter hohe Absätze getragen, und zweitens geht kein Mensch mehr längere Wege zu Fuß. Aber sie ist auch nicht abgeholt worden. Ihre Nachbarinnen sind die schlimmsten Klatschtanten der Welt, und sie schwören beide, dass niemand bei ihr war. Ich glaube ihnen. Und niemand hat sie mit einem Soldaten in die Stadt kommen sehen. Vielleicht mit einem Zivilisten. Oder etwa allein. Sie wäre von irgendeinem Barkeeper bemerkt worden. Alle diese Leute beobachten ihre Gäste sehr genau. Das ist ihnen zur Gewohnheit geworden. Sie interessiert, ob sie das Geld haben werden, um morgen zu essen. Also hat sie sich auf unerklärliche Weise in dieser Gasse materialisiert.«

Ich schwieg eine Weile.

Dann sagte ich: »Das war nicht meine zweite Sache.«

»Wirklich nicht?«

»Ihre zwei Dinge und meine zwei Dinge sind nicht dieselben zwei Dinge. Was bedeutet, dass es insgesamt drei Dinge gibt.«

»Was ist also Ihre zweite Sache?«

Ich sagte: »Sie ist auch nicht in dieser Gasse ermordet worden.«

17

Ich frühstückte zu Ende, bevor ich weitersprach. Toast, Ahornsirup, Kaffee. Proteine, Ballaststoffe, Kohlenhydrate. Und Koffein. Alle notwendigen Lebensmittelgruppen außer Nikotin, aber ich rauchte schon lange nicht mehr. Ich legte mein Besteck weg und sagte: »Eigentlich gibt es nur eine brauchbare Methode, einer Frau die Kehle durchzuschneiden. Man steht hinter ihr und packt mit einer Hand ihr Haar, um den Kopf zurückzuziehen. Oder man hakt zwei Finger in ihre Augenhöhlen. Und wer sicher weiß, dass seine Hände nicht zittern, könnte ihr auch mit einer Hand unters Kinn fassen. Jedenfalls legt man die Kehle frei und bringt die Sehnen und Gefäße unter Spannung. Dann macht man sich mit der Klinge an die Arbeit. Man hat gelernt, dass der Schnitt schwer zu führen sein wird, weil die Sehnen zäh sind. Und man hat gelernt, dass man drei Zentimeter früher anfangen und drei Zentimeter später aufhören soll, als nötig zu sein scheint. Nur um ganz sicherzugehen.«

Deveraux sagte: »Ich vermute, dass genau das in der Gasse passiert ist. Und hoffentlich sehr rasch. Sodass es vorbei war, bevor sie richtig mitbekommen hat, was ihr geschieht.«

Ich sagte: »Es kann nicht dort passiert sein.«

»Warum nicht?«

»Ein von hinten geführter Schnitt hat zudem den Vorteil, dass man nicht mit Blut bespritzt wird. Und Blut gibt es reichlich. Wir reden hier von Arterien und weiteren großen Blutgefäßen, von einem gesunden jungen Menschen, der panisch zappelt und strampelt, sich wahrscheinlich sogar wehrt. Ihr Blutdruck muss enorm gewesen sein.«

»Ich weiß, dass es viel Blut gegeben hat. Ich habe die riesige Lache gesehen. Die Frau war ganz ausgeblutet. Kreidebleich. Haben Sie den Sand gesehen? So groß war die Lache. Mindestens vier bis fünf Liter Blut.«

»Haben Sie mal jemandem die Kehle durchgeschnitten?«

»Nein.«

»Sind Sie mal dabei gewesen?«

Sie schüttelte den Kopf. »Nein!«

»Das Blut quillt nicht nur hervor, als säße man in der Badewanne und schnitte sich die Pulsadern auf. Es schießt wie aus einem Feuerwehrschlauch heraus. Es sprüht in großem Schwall zwei bis drei Meter weit nach allen Richtungen. Ich habe es sogar schon an Zimmerdecken gesehen. In verrückten Mustern, als hätte jemand eine Farbdose herumgeschleudert. Wie dieser Jackson Pollock, der Maler.«

Deveraux schwieg.

Ich sagte: »Das Blut wäre in der ganzen Gasse verteilt gewesen. Bestimmt an der Rückwand des Pfandhauses. Natürlich auch an der Wand der Bar und weit übers Pflaster verteilt. In verrückten dünnen Mustern. Nicht in einer einzigen Lache unter ihr. Das ist ganz unmöglich.«

Deveraux faltete die Hände vor sich auf dem Tisch und saß mit gesenktem Kopf da. Sie tat etwas, das ich noch bei keinem Menschen gesehen hatte. Nicht buchstäblich. Sie ließ den Kopf hängen. Sie atmete ein, sie atmete aus, und fünf Sekunden später blickte sie wieder auf und sagte: »Ich bin eine Idiotin. Eigentlich weiß ich das alles, aber ich habe mich nicht daran erinnert. Ich hab's einfach nicht gesehen.«

»Machen Sie sich deshalb keine Vorwürfe«, sagte ich. »Sie haben's nie gesehen, also konnten Sie keine Erinnerung daran haben.«

»Nein, das ist eine grundlegende Sache«, erklärte sie. »Ich bin eine Idiotin. Ich habe Tage vergeudet.«

»Es wird noch schlimmer«, sagte ich. »Es gibt noch viel mehr.«

Deveraux wollte nicht hören, in welcher Beziehung es noch schlimmer wurde. Jedenfalls nicht gleich. Nicht in diesem Augenblick. Sie machte sich noch immer Vorwürfe, weil sie das mit dem Blut übersehen hatte. Diese Reaktion hatte ich schon oft gesehen. Teufel, ich hatte sie oft genug selbst erlebt. Clevere, gewissenhafte Menschen hassen es, Fehler zu machen. Nicht nur wegen ihres Egos, sondern weil bestimmte Fehler Folgen haben können, mit denen gewissenhafte Menschen nicht leben wollen.

Sie runzelte die Stirn, knirschte mit den Zähnen, knurrte eine Minute lang etwas vor sich hin; dann schüttelte sie den Kopf und riss sich zusammen und erwiderte meinen Blick mit grimmigem Lächeln. Sie sagte: »Okay, erzählen Sie mir mehr. Erzählen Sie mir, wie alles noch schlimmer wird. Aber nicht hier drin. Ich komme täglich dreimal zum Essen her. Ich will keine Assoziationen.«

Also zahlten wir und traten auf den Gehsteig hinaus. Dort blieben wir ziemlich lange schweigend neben ihrem Wagen stehen. Ihre Körpersprache verriet mir, dass sie mich nicht in ihr Büro einladen wollte. Ich sollte nicht mal in die Nähe des Sheriff's Department kommen. Dies war keine Demokratie. Zuletzt sagte sie: »Kommen Sie, wir gehen ins Hotel und setzen uns in den Salon. Dort stört uns keiner. Schließlich sind wir die einzigen Gäste.«

Wir gingen die Straße entlang, stiegen die ausgetretenen Stufen hinauf und überquerten die alte Veranda. Wir traten ein und benutzten die linke Tür in der Hotelhalle. In dem Salon roch es so staubig und modrig wie am Abend zuvor. Die Klumpen, die ich im Halbdunkel gesehen hatte, erwiesen sich tatsächlich als Sessel: insgesamt ein Dutzend in Zweier- und Dreiergruppen. Wir setzten uns rechts und links vom offenen Kamin, in dem kein Feuer brannte.

Ich erkundigte mich: »Wieso wohnen Sie hier?«

»Gute Frage«, sagte sie. »Ich dachte, das wäre für ein bis zwei Monate. Aber es hat sich in die Länge gezogen.«

»Was ist mit dem Haus Ihres Vaters?«

»War gemietet«, sagte sie. »Der Mietvertrag ist bei seinem Tod erloschen.«

»Sie hätten ein anderes Haus mieten können. Oder sich eines kaufen. Ist das nicht, was normale Leute tun?«

Sie nickte. »Ich hab ein paar besichtigt. Konnte mich zu keinem entschließen. Haben Sie sich die hiesigen Häuser angesehen?«

Ich sagte: »Manche sehen ganz okay aus.«

»Nicht für mich«, entgegnete sie. »Ich war einfach noch nicht so weit und wusste nicht, wie lange ich bleiben wollte. In diesem Punkt bin ich noch immer unschlüssig. Wahrscheinlich bleibe ich mein Leben lang hier, aber das will ich mir noch nicht eingestehen. Ich warte lieber ab, bis diese Erkenntnis täglich mehr Besitz von mir ergreift, denke ich.«

Ich dachte an meinen alten Kumpel Stan Lowrey und seine Stellenanzeigen. Wer dem Militär den Rücken kehren wollte, brauchte mehr als nur einen Job. Dann ging es plötzlich um Häuser, Autos und Kleidung. Um hundert fremde, unbekannte Details wie die Sitten und Gebräuche eines fremden Stammes, die man nur en passant wahrgenommen und nie recht verstanden hatte.

Deveraux sagte: »Okay, raus mit der Sprache.«

Ich sagte: »Jemand *hat* ihr die Kehle durchgeschnitten, richtig? Sind wir uns darüber einig?«

»Eindeutig. Unverkennbar.«

»Und das war die einzige Verletzung?«

»Das sagt der Arzt.«

»Also ist am wahren Tatort alles voller Blut. Vielleicht in einem Zimmer, vielleicht draußen im Wald. Es ist nicht möglich, alles sauber zu machen. Buchstäblich unmöglich. Also wartet das Beweismaterial irgendwo auf Sie.«

»Ich kann den Stützpunkt nicht durchsuchen. Das erlauben sie nicht. Hier geht's um Zuständigkeiten.«

»Sie wissen nicht mit Sicherheit, dass es auf dem Stützpunkt passiert ist.«

»Sie ist dort vergewaltigt worden.«

»Es ist nicht auszuschließen, dass sie dort vergewaltigt wurde. Das ist nicht das Gleiche.«

»Ich kann aber auch nicht tausend Quadratkilometer von Mississippi absuchen lassen.«

»Dann konzentrieren Sie sich auf den Täter. Engen Sie das Feld ein.«

»Wie?«

»Keine Frau kann zweimal verbluten«, sagte ich. »Jemand hat ihr an einem unbekannten Ort die Kehle durchgeschnitten, sie ist verblutet, und das war's dann. Anschließend ist sie hinter der Bar abgelegt worden. Aber in wessen Blut hat sie dort gelegen? Nicht in ihrem eigenen, denn das ist alles an dem unbekannten Ort zurückgeblieben.«

»O Gott«, sagte Deveraux. »Erzählen Sie mir nicht, dass der Kerl es aufgefangen und mitgebracht hat.«

»Möglich«, sagte ich, »aber nicht sehr wahrscheinlich. Es wäre schwierig, jemandem die Kehle durchzuschneiden, während man mit einem Eimer herumhüpft und versucht, den Blutstrahl aufzufangen.«

»Es könnten zwei Kerle gewesen sein.«

»Möglich«, sagte ich wieder, »aber kaum wahrscheinlicher. Der Blutstrahl ist wirklich außer Kontrolle; er spritzt mal hierhin, mal dorthin. Der zweite Mann hätte Glück haben müssen, um auch nur einen Liter aufzufangen.«

»Worauf wollen Sie hinaus? Wessen Blut war das also?«

»Wahrscheinlich war es Tierblut. Ich tippe auf einen Hirsch. Frisch geschossen, aber doch nicht ganz frisch genug. Es muss eine Unterbrechung gegeben haben. Dieses Blut hatte schon angefangen zu gerinnen. Vier bis fünf Liter frisches Blut hätten sich über eine weit größere Fläche verteilt, als der Sand jetzt abdeckt.«

»Ein Jäger?«

»Das vermute ich.«

»Ohne viel zu wissen. Sie haben das Blut nicht gesehen. Sie haben es nicht untersucht. Es könnte Theaterblut gewesen sein. Oder vielleicht *doch* ihr eigenes. Vielleicht hat jemand eine Methode gefunden, es aufzufangen. Dass Sie sich keine Methode vorstellen können, beweist nicht, dass es keine gibt. Oder vielleicht hat jemand sie erst verbluten lassen und ihr danach die Kehle durchgeschnitten.«

»Trotzdem ein Jäger«, sagte ich.

»Weshalb?«

»Es gibt noch mehr«, antwortete ich. »Und es wird ständig schlimmer.«

18

In diesem Augenblick streckte die alte Lady, die ich drüben im Restaurant gesehen hatte, den Kopf zur Tür herein. Die Mitbesitzerin des Hotels. Sie fragte, ob sie uns etwas bringen könne. Elizabeth Deveraux schüttelte den Kopf. Ich bat um einen Kaffee. Die alte Lady sagte, sie habe leider keinen. Sie bot an, ihn aus dem Diner zu holen, wenn ich wirklich einen brauchte. Aber ich lehnte natürlich dankend ab. Die alte Lady verschwand wieder, und Deveraux fragte: »Warum sind Sie so auf Jäger fixiert?«

»Pellegrino hat mir erzählt, sie sei ausgehfein angezogen gewesen, alles sehr adrett, und habe in der Blutlache auf dem Rücken gelegen. Das waren seine Worte. Hat er die Szene richtig geschildert?«

Sie nickte. »Genau das habe ich auch gesehen. Pellegrino ist ein Idiot, aber ein zuverlässiger.«

»Auch das beweist, dass sie nicht dort ermordet worden ist. Sie wäre nach vorn aufs Gesicht, nicht auf den Rücken gefallen.«

»Ja, das habe ich auch übersehen. Reiben Sie's mir nur hin.«

»Was hatte sie an?«

»Ein dunkelblaues Etuikleid mit tief angesetztem weißem Kragen. Unterwäsche und Strumpfhose. Dunkelblaue Stilettos.«

»Kleidung in Unordnung?«

»Nein. Alles sehr adrett – genau wie Pellegrino Ihnen erzählt hat.«

»Also ist sie nicht nach ihrem Tod angezogen worden. Das fällt immer auf. Kleidung sitzt dann nie richtig. Vor allem Strumpfhosen nicht. Sie war also vollständig bekleidet, als sie ermordet wurde.«

»Einverstanden.«

»War der weiße Kragen blutig? Vorn, meine ich.«

Deveraux schloss die Augen, um sich besser an die Szene erinnern zu können. Sie sagte: »Nein, er war makellos weiß.«

»War ihr Kleid irgendwo vorn blutig?«

»Nein.«

»Okay«, sagte ich. »Jemand hat ihr an einem unbekannten Ort die Kehle durchgeschnitten, während sie so bekleidet war. Aber ihr Kleid ist erst blutig geworden, als sie in einer Lache aus Blut, das separat transportiert wurde, auf dem Rücken gelegen hat. Erzählen Sie mir, warum das kein Jäger gewesen sein soll.«

»Erzählen Sie mir, warum es einer gewesen sein soll, wenn Sie können. Ich verstehe, dass Sie der Army helfen wollen, aber dazu müssen Sie Ihren eigenen Scheiß glauben.«

»Damit helfe ich der Army nicht. Auch Soldaten können Jäger sein. Viele von ihnen gehen auf die Jagd.«

»Wieso *muss* es ein Jäger gewesen sein?«

»Okay, sagen Sie mir, wie man einer Frau die Kehle durchschneiden kann, ohne dass ihr Kleid einen Tropfen Blut abbekommt.«

»Keine Ahnung.«

»Man hängt sie an einem für Hirsche gebauten Holzgestell auf. An den Füßen. Mit dem Kopf nach unten. Die Hände hinter dem Rücken gefesselt. Man zieht ihr die Arme hoch, sodass sie ein Hohlkreuz macht und ihre Kehle den tiefsten Punkt bildet.«

Wir saßen eine Zeit lang im Halbdunkel zusammen, ohne ein Wort zu sprechen. Ich vermutete, Deveraux stellte sich die Szene vor. Ich tat es jedenfalls. Irgendeine Lichtung im Wald, abgelegen und einsam, ein spärlich möbliertes Zimmer, eine Hütte oder ein Schuppen mit sichtbaren Dachbalken. Darin Janice May Chapman an den Füßen aufgehängt, ihre auf dem Rücken gefesselten Hände hochgezogen, die Schultern angespannt, der Rücken schmerzhaft verkrümmt. Bestimmt mit einem Knebel im Mund, von dem aus ein dritter Strick zum oberen Querbalken des Holzgestells führte. Dieses straff gespannte Seil zog den Kopf zurück, sodass ihre Kehle freilag.

Ich fragte: »Wie hat sie die Haare getragen?«

»Kurz«, sagte Deveraux. »Die waren nicht im Weg.«

Ich schwieg.

Deveraux fragte: »Glauben Sie wirklich, dass die Tat so abgelaufen ist?«

Ich nickte. »Bei jeder anderen Methode wäre sie nicht so völlig ausgeblutet. Nicht so kreidebleich gewesen. Sie wäre gestorben, ihr Herz hätte zu schlagen aufgehört, und ein großer Teil des Bluts wäre in ihrem Körper geblieben. Bestimmt zwei bis drei

Liter. Aber weil sie an den Füßen aufgehängt war, hat die Schwerkraft den Rest erledigt.«

»Die Stricke hätten Spuren hinterlassen müssen, nicht wahr?«

»Was hat der Leichenbeschauer festgestellt? Haben Sie seinen Bericht gelesen?«

»Wir haben keinen Leichenbeschauer, nur den hiesigen Arzt. Etwas besser als der Bestattungsunternehmer von früher, aber nicht viel besser.«

Keine Demokratie. Ich sagte: »Sie sollten hinfahren und sie sich selbst ansehen.«

Sie fragte: »Begleiten Sie mich?«

Wir gingen zum Restaurant zurück, stiegen in Deveraux' Auto, wendeten und fuhren wieder die Main Street entlang: am Hotel, an der Apotheke und dem Eisenwarengeschäft vorbei, auf der Landstraße weiter. Der Arzt wohnte ungefähr eine halbe Meile südlich der Stadtgrenze in einem großen weißen Holzhaus auf einem leicht verwahrlosten Grundstück. Auf dem Praxisschild neben dem Briefkasten an der Einfahrt stand der Name *Merriam* in ordentlicher schwarzer Schrift auf einem weißem Rechteck, das den Namen seines Vorgängers verdeckte. Ein Zugezogener, noch nicht lange in der Stadt, mit den hiesigen Verhältnissen kaum vertraut.

Die Praxis nahm das Erdgeschoss des Hauses ein. Der nach vorn hinausführende ehemalige Salon diente als Wartezimmer, an das sich hinten ein Untersuchungs- und Behandlungszimmer anschloss. Dort trafen wir Merriam an seinem Schreibtisch arbeitend an. Er war ein dicklicher Endfünfziger mit gerötetem Gesicht. Vielleicht neu in der Stadt, aber kein Neuling auf seinem Gebiet. Er begrüßte uns träge, sprach langsam. Ich hatte den Eindruck, er betrachte seine Arbeit in Carter Crossing als eine Art Altersteilzeit, vielleicht nach hektischen Jahren in Großstadtpraxen. Ich fand ihn nicht sonderlich sympathisch. Das mochte ein vorschnelles Urteil sein, aber ich wusste aus Erfahrung, dass der erste Eindruck selten trog.

Als Deveraux dem Mann erklärte, was wir sehen wollten, stand er langsam auf und führte uns durchs Erdgeschoss in einen Raum, den ich für die ehemalige Küche hielt. Jetzt war er in kaltem Weiß gekachelt, wies zwei große rechteckige Waschbecken auf und war mit Glasschränken für Instrumente möbliert. Mitten im Raum stand eine fahrbare Krankentrage aus Edelstahl, auf der im Licht einer gleißend hellen OP-Leuchte eine Tote lag.

Die Tote war Janice May Chapman. An ihrem linken großen Zeh hing ein Etikett, auf dem in zittriger Schrift ihr Name stand. Sie war nackt. Deveraux hatte sie als kreidebleich beschrieben, aber jetzt war sie blassblau und mit purpurroten Flecken marmoriert – die charakteristische Färbung von wirklich Blutlosen. Sie war ungefähr einen Meter siebzig groß und hatte etwa fünfundfünfzig Kilo gewogen, war also weder dick noch sehr dünn gewesen. Ihr dunkles Haar hatte sie ziemlich kurz getragen. Es war dicht und schwer, modisch geschnitten und noch in gutem Zustand. Pellegrino hatte sie als hübsch bezeichnet, und man brauchte nicht viel Fantasie, um ihm zuzustimmen. Ihre Wangen wirkten eingefallen, aber die Knochenstruktur war gut. Die Zähne waren weiß und ebenmäßig.

Ihre Kehle sah schrecklich aus. Sie war von einer Seite bis zur anderen aufgeschlitzt. Die Wundränder waren zu einer gummiartigen Masse angetrocknet, Fleisch und Muskeln geschrumpft, Bänder und Sehnen hatten sich gekräuselt, leere Blutgefäße waren zurückgewichen. Ich sah etwas weißen Knochen mit einer deutlichen waagrechten Schnittspur.

Das schwere Messer war scharf gewesen, der Schnitt kraftvoll, geschickt und schnell geführt worden.

Deveraux sagte: »Wir müssen uns ihre Handgelenke und Fußknöchel ansehen.«

Der Arzt führte eine Handbewegung aus, die wohl *machen Sie nur* heißen sollte.

Deveraux griff nach Chapmans linkem Unterarm, ich nach dem rechten. Ihre Handgelenke wirkten schmal und zart. Die glatte Haut wies keine Abschürfungen wie von einem Seil auf. Aber etwas anderes hatte schwache Spuren hinterlassen. Auf einem fünf Zentimeter breiten Streifen sah die Haut etwas blauer aus. Kaum wahrnehmbar, aber doch merklich blauer. Und ganz leicht geschwollen, wenn man sie mit dem restlichen Unterarm verglich. Dies war eindeutig eine Schwellung. Das genaue Gegenteil einer Kompression.

Ich schaute zu Merriam hinüber und fragte: »Wie erklären Sie sich das hier?«

»Die Todesursache war Verbluten aus mehreren großen Blutgefäßen«, antwortete er. »Ich werde dafür bezahlt, dass ich das feststelle.«

»Wie viel bekommen Sie dafür?«

»Die Gebühren sind zwischen meinem Vorgänger und dem County ausgehandelt worden.«

»War's mehr als fünfzig Cent?«

»Wieso?«

»Weil Ihre Schlussfolgerung bloß fünfzig Cent wert ist. Schließlich liegt die Todesursache auf der Hand. Aber nun können Sie sich Ihr Honorar verdienen, indem Sie uns ein bisschen helfen.«

Deveraux blickte mich an. Ich zuckte mit den Schultern. Es war besser, wenn ich das an ihrer Stelle sagte. Sie würde in Zukunft mit diesem Mann leben müssen. Ich nicht.

Merriam sagte: »Ihre Art gefällt mir nicht.«

Ich sagte: »Und ich mag keine Siebenundzwanzigjährigen tot vor mir liegen sehen. Wollen Sie uns helfen oder nicht?«

Er sagte: »Ich bin kein Pathologe.«

Ich sagte: »Ich erst recht nicht.«

Der Mann zögerte einen Augenblick, dann trat er seufzend einen Schritt vor. Er nahm mir Janice May Chapmans leblos schlaffen Unterarm aus der Hand, betrachtete das Handgelenk genau und fuhr sanft mit den Fingerspitzen vom Handrücken in Richtung Ellbogen, um die Schwellung zu ertasten. Er fragte: »Haben Sie eine Hypothese?«

Ich sagte: »Ich glaube, dass sie straff gefesselt war. An Knöcheln und Handgelenken. Die Fesseln begannen einzuschneiden, aber sie hat nicht mehr lange genug gelebt, als dass starke Schwellungen entstehen konnten. Trotzdem trat etwas Blut ins Gewebe aus und ist dort zurückgeblieben, als sie verblutet ist. Deshalb sehen wir die Druckstellen als Schwellungen.«

»Womit gefesselt?«

»Nicht mit Stricken«, antwortete ich. »Vielleicht mit Riemen oder Gurten. Eindeutig breit und flach. Vielleicht auch Seidenschals. Oder etwas Gepolstertes. Weil keine Spuren zurückbleiben sollten.«

Merriam schwieg. Er ging ans Ende der Trage und untersuchte Chapmans Fußknöchel genauer. Er sagte: »Bei ihrer Einlieferung hat sie eine Strumpfhose getragen. Das Nylon war unbeschädigt. Keine Risse, keine Laufmaschen.«

»Wegen der Polsterung. Vielleicht mit Schaumstoff. Irgendwas in dieser Art. Aber sie *war* gefesselt.«

Merriam dachte nach.

Dann sagte er: »Nicht auszuschließen.«

Ich fragte: »Wie wahrscheinlich?«

»Untersuchungen nach dem Tod haben ihre Grenzen, wissen Sie. Um ganz sicherzugehen, braucht man einen Zeugen.«

»Wie erklären Sie sich das völlige Ausbluten?«

»Sie könnte Bluterin gewesen sein.«

»Und wenn sie keine war?«

»Dann wäre die Schwerkraft die einzig mögliche Erklärung. Sie ist an den Füßen aufgehängt worden.«

»An Gurten, Riemen oder gepolsterten Seilen?«

»Nicht auszuschließen«, wiederholte Merriam.

»Drehen Sie sie bitte um.«

»Wozu?«

»Ich möchte die vom Kies zurückgebliebenen kleinen Wunden sehen.«

»Dabei müssen Sie mir helfen«, sagte er, also half ich ihm.

19

Der menschliche Körper ist ein Organismus mit starken Selbstheilungskräften, der keine Zeit vergeudet. Wird die Haut an irgendeiner Stelle verletzt, ist sofort Blut zur Stelle, wobei die roten Blutkörperchen verschorfen und eine faserige Matrix bilden, um die Wundränder zusammenzuheften, während die weißen Blutkörperchen den Kampf gegen etwa eingedrungene Bakterien und Krankheitserreger aufnehmen. Dieser Vorgang beginnt binnen Minuten und dauert so viele Stunden oder Tage, wie notwendig sind, um den ursprünglichen Zustand der Haut wiederherzustellen. Seinen Höhepunkt erreicht der Kampf gegen die Infektion, wenn Blutzufuhr und Schorfbildung am stärksten sind.

Janice May Chapmans Kreuz war wie ihr Gesäß und ihre Oberarme mit sehr kleinen Schnittwunden übersät. Diese waren von Druckstellen umgeben, die wegen ihrer Blutleere farblos wirkten. Alle diese Schnitte verliefen in verschiedene Richtungen, als stammten sie von lose rollenden, ungefähr gleich großen Gegenständen, die klein und hart, aber weder sehr scharf noch völlig stumpf waren.

Klassische Schnittwunden von Kies.

Ich fragte Merriam: »Für wie alt halten Sie diese Verletzungen?«

Er sagte: »Keine Ahnung.«

»Kommen Sie, Doktor«, sagte ich. »Sie haben schon mal Schnitt- und Schürfwunden behandelt. Oder etwa nicht? Was waren Sie früher? Etwa Psychiater?«

»Ich war Kinderarzt«, sagte er. »Von diesem Zeug hier verstehe ich nichts. Überhaupt nichts. Einfach nicht mein Fachgebiet.«

»Kids haben dauernd Schnitt- und Schürfwunden. Sie müssen Hunderte gesehen haben.«

»Diese Sache hier ist ernst. Ich darf nicht riskieren, WÜSTE Spekulationen anzustellen.«

»Versuchen Sie's mit begründeten Vermutungen.«

»Vier Stunden«, sagte er.

Ich nickte. Vier Stunden vor dem Tod kam ungefähr hin, wenn man die Schorfbildung berücksichtigte, die zwar schon eingesetzt hatte, aber noch nicht sehr ausgeprägt war. Sie hatte abrupt geendet, als das Herz stillstand, das Gehirn abstarb und der Metabolismus zum Erliegen kam, weil jemand Chapman die Kehle durchgeschnitten hatte.

Ich fragte: »Haben Sie den Todeszeitpunkt festgestellt?«

Merriam antwortete: »Das ist sehr schwierig. Eigentlich sogar unmöglich. Das Ausbluten beeinträchtigt die normalen biologischen Prozesse.«

»Was schätzen Sie?«

»Einige Stunden, bevor sie hier eingeliefert wurde.«

»Wie viele Stunden?«

»Mehr als vier.«

»Das zeigen diese vielen kleinen Wunden. Wie viele mehr als vier?«

»Kann ich nicht sagen. Weniger als vierundzwanzig. Alles andere wäre geraten.«

Ich sagte: »Keine sonstigen Verletzungen. Keine blauen Flecken. Keine Anzeichen dafür, dass sie sich gewehrt hat.«

Merriam nickte wortlos.

Deveraux sagte: »Vielleicht konnte sie sich nicht wehren. Vielleicht hatte sie eine Pistole am Kopf. Oder ein Messer an der Kehle.«

»Möglich«, sagte ich. Ich sah Merriam an und fragte: »Haben Sie den Scheidenbereich untersucht?«

»Natürlich.«

»Und?«

»Sie muss am letzten Tag ihres Lebens Geschlechtsverkehr gehabt haben.«

»Irgendwelche Verletzungen in diesem Bereich?«

»Keine sichtbaren Spuren.«

»Wieso glauben Sie dann, sie sei vergewaltigt worden?«

»Halten Sie einvernehmlichen Sex für möglich? Würden Sie sich in Kies legen, um jemanden zu lieben?«

»Vielleicht«, sagte ich. »Hängt ganz davon ab, mit wem.«

»Sie besaß ein Haus«, erklärte Merriam. »Mit einem Bett darin. Und ein Auto mit einem Rücksitz. Auch jeder mögliche Freund hätte ein Bett und ein Auto gehabt. Und hier in der Stadt gibt's ein Hotel. Und es gibt weitere Kleinstädte mit weiteren Hotels. Niemand braucht sich zu einem Rendezvous im Freien zu verabreden.«

»Vor allem nicht im März«, warf Deveraux ein.

Danach herrschte Schweigen, bis Merriam fragte: »Sind wir hier fertig?«

»Ja, wir sind fertig«, antwortete Deveraux.

»Na, dann alles Gute, Chief«, sagte Merriam. »Hoffentlich haben Sie diesmal mehr Glück als mit den letzten beiden.«

Deveraux und ich gingen am Briefkasten und dem Praxisschild vorbei die Einfahrt entlang, erreichten den Gehsteig und blieben bei ihrem Streifenwagen stehen. Ich wusste, dass sie mich nicht mitnehmen würde. Dies war keine Demokratie. Noch nicht. Ich sagte: »Haben Sie jemals ein Vergewaltigungsopfer mit unbeschädigter Strumpfhose gesehen?«

»Halten Sie das für wichtig?«

»Natürlich. Sie ist auf Kies überfallen worden. Ihre Strumpfhose hätte zerfetzt sein müssen.«

»Vielleicht hat sie sich erst ausziehen müssen. Langsam und sorgfältig.«

»Die kleinen Verletzungen sind scharf begrenzt. Sie hat etwas getragen. Hochgeschoben, runtergezogen, irgendwas, aber sie war teilweise bekleidet. Und später hat sie sich umgezogen. Was durchaus im Bereich der Möglichkeiten liegt. Sie hatte vier Stunden Zeit.«

»Fangen Sie nicht damit an«, sagte Deveraux.

»Womit?«

»Sie versuchen, die Army nur für die Vergewaltigung verantwortlich zu machen. Sie wollen behaupten, Chapman sei später von einem ganz anderen Kerl ermordet worden.«

Ich schwieg.

»Aber mir können Sie das nicht weismachen«, fuhr Deveraux fort. »Sie läuft irgendwem über den Weg und wird vergewaltigt... und vier Stunden später begegnet sie einem völlig anderen Kerl und bekommt die Kehle durchgeschnitten? Ein richtiger Unglückstag, was? Schlimmer kann's nicht kommen. Aber ich glaube nicht an solche Zufälle. Nein, das war derselbe Typ. Aber er hat eine ganztägige Session daraus gemacht. Er hat sich stundenlang Zeit gelassen. Er hatte einen genauen Plan und die erforderliche Ausrüstung. Er hatte Zugang zu ihrer Kleidung. Er hat sie dazu gezwungen, sich umzuziehen. Dieser Mord war vorausgeplant.«

»Möglich«, sagte ich.

»Die Army lehrt effektive taktische Planung. Zumindest behauptet sie das.«

»Stimmt«, sagte ich. »Aber sie gibt einem nicht oft einen ganzen Tag Urlaub. Nicht in der Ausbildung. Das ist ziemlich ungewöhnlich.«

Elizabeth Deveraux sagte: »Aber in Kelham wird nicht nur ausgebildet, stimmt's? Soviel ich weiß, gibt es dort auch mehrere Kompanien Ranger, die abwechselnd im Einsatz sind. Und nach jedem Einsatz bekommen sie Urlaub. Nicht bloß einen Tag. Mehrere Tage. Hintereinander. Einen nach dem anderen.«

Ich schwieg.

Deveraux sagte: »Sie sollten Ihren Kommandeur anrufen. Ihm sagen, dass es schlecht aussieht.«

Ich sagte: »Das weiß er längst. Deswegen bin ich hier.«

Sie zögerte sekundenlang, dann sagte sie: »Sie müssen mir einen Gefallen tun.«

»Welchen denn?«

»Sehen Sie sich noch mal den vom Zug zertrümmerten Wagen an. Vielleicht können Sie ein Kennzeichen finden oder das Auto sonst wie identifizieren. Pellegrino ist damit nicht weitergekommen.«

»Wieso sollten Sie mir trauen?«

»Weil Sie der Sohn eines Marineinfanteristen sind. Und weil Sie wissen, dass ich Sie einsperre, wenn Sie versuchen, Beweise zu unterdrücken oder zu vernichten.«

Ich fragte: »Was hat Merriam gemeint, als er Ihnen mehr Glück als mit den letzten beiden gewünscht hat?«

Ihr schönes Gesicht nahm einen melancholischen Ausdruck an, als sie sagte: »Letztes Jahr sind bei uns zwei junge Frauen ermordet worden. Auf gleiche Weise. Kehle durchgeschnitten. Ich bin mit den Ermittlungen nicht weitergekommen. Jetzt sind die Fälle kalt. Janice May Chapman ist die dritte Ermordete in neun Monaten.«

20

Mehr sagte Elizabeth Deveraux nicht. Sie setzte sich einfach in ihren Streifenwagen, wendete vor mir auf der Straße und fuhr nach Norden in Richtung Stadt. Nach der ersten Kurve war sie bereits außer Sicht. Ich blieb noch eine Weile stehen, dann machte ich mich auf den Weg. Zehn Minuten später ließ ich die Landstraße hinter mir und stand am Anfang der schnurgeraden Main Street. Dort setzte um diese Zeit etwas Betrieb ein. Läden öffneten. Ich sah zwei Autos und zwei Fußgänger. Aber das war auch schon alles. Carter Crossing war keine geschäftige Metropole. Das stand absolut fest.

Ich kam an dem Eisenwarengeschäft, der Apotheke, dem Hotel, dem Diner und dem unbebauten Nachbargrundstück vorbei. Deveraux' Wagen stand nicht auf dem Parkplatz des Sheriff's Department. Dort standen gar keine Dienstwagen, sondern nur zwei Pick-ups, beide alt und verbeult. Wahrscheinlich die Dispatcherin und der Zivilist am Empfang. Hier rekrutiert, keine Gewerkschaft, kein Tariflohn. Ich dachte wieder an meinen Freund Stan Lowrey und seine Stellenanzeigen. Er würde nach Höherem streben, vermutete ich. Das musste er. Er hatte Freundinnen. Mehrere gleichzeitig. Er musste hungrige Mäuler stopfen.

An der T-förmigen Einmündung hielt ich mich rechts. Bei Tageslicht erstreckte sich die Straße schnurgerade vor mir. Schmale Bankette, tiefe Gräben. Die Fahrbahn stieg etwas an, um das Gleis zu überwinden, fiel dann ab und wurde wieder zu einer von Banketten und Gräben gesäumten schmalen Straße, die unter Bäumen weiterführte.

Auf meiner Seite des Bahnübergangs stand ein Pick-up mit der Motorhaube zu mir geparkt. Ein großer Truck mit stumpfer Schnauze. Nicht lackiert, sondern mit einem Pinsel dunkel gestrichen. Darin zwei Kerle, die mich anstarrten. Fettiges Haar, Tätowierungen. Schmutz.

Meine beiden Kumpel von letzter Nacht.

Ich ging weiter, nicht schnell, nicht langsam, einfach nur schlendernd. Bis auf etwa zwanzig Meter an den Pick-up heran. Nahe genug, um ihre Gesichter deutlich erkennen zu können. Nahe genug, dass sie meines sehen konnten.

Diesmal stiegen sie aus. Beide Türen wurden gleichzeitig aufgestoßen. Sie gingen nach vorn und verharrten vor der Motorhaube. Gleiche Größe, gleicher Körperbau. Wie Cousins. Beide waren ungefähr eins fünfundachtzig groß und neunzig bis hundert Kilo schwer. Sie hatten lange knorrige Arme und große Hände. Beide trugen abgewetzte Arbeitsstiefel.

Ich ging weiter. Drei Meter vor ihnen blieb ich stehen. Aus dieser Entfernung konnte ich sie riechen. Bier, Zigaretten, alter Schweiß, schmutzige Kleidung.

Der Kerl rechts vor mir sagte: »Noch mal hallo, Soldat.«

Er war der Alphahund. Er hatte gestern und heute am Steuer gesessen, jeweils als Erster gesprochen. Außer der andere Typ war irgendwie der schweigsame Chefdenker, was mir wenig wahrscheinlich erschien.

Ich sagte natürlich nichts.

Der Kerl fragte: »Wohin willst du?«

Ich gab keine Antwort.

Der Kerl sagte: »Du willst nach Kelham. Ich meine, wohin führt diese verdammte Straße sonst?«

Seine übertrieben weit ausholende Handbewegung galt der Straße, ihrer erbarmungslosen Geradlinigkeit und ihrem Mangel an Alternativzielen. Er wandte sich wieder mir zu und fuhr fort: »Gestern Abend hast du behauptet, dass du nicht aus Kelham bist. Du hast uns angelogen.«

Ich sagte: »Vielleicht wohne ich auf dieser Seite der Stadt.«

»Nein«, entgegnete der Kerl. »Wenn du versucht hättest, auf dieser Seite der Stadt zu leben, hätten wir schon früher mit dir geredet.«

»Wozu?«

»Um dir zu erklären, was Sache ist. Verschiedene Orte sind für verschiedene Leute.« Er kam etwas näher heran. Sein Kumpel hielt mit ihm Schritt. Der Geruch wurde stärker.

Ich sagte: »Jungs, ihr solltet mal duschen. Aber nicht unbedingt zusammen.«

Der Kerl rechts vor mir fragte: »Was hast du heute Morgen gemacht?«

Ich sagte: »Das wollt ihr nicht wissen.«

»Doch, wir wollen's wissen.«

»Nein, das wollt ihr wirklich nicht.«

»Du bist hier nicht willkommen. Nicht mehr. Keiner von euch.«

»Dies ist ein freies Land«, sagte ich.

»Nicht für Leute wie dich.« Dann machte er eine Pause, und sein Blick ging plötzlich an mir vorbei und über meine Schulter hinweg in die Ferne. Ein uralter Trick. Nur legte er's diesmal nicht darauf an, mich zu täuschen. Ich drehte mich nicht um, aber ich konnte auf der Straße hinter mir ein Auto hören. Noch weit entfernt. Ein großer Wagen, leise, auf Breitreifen rollend. Kein Streifenwagen, denn mein Gegenüber schien ihn nicht zu erkennen. Dies war ein Auto, das er noch nie gesehen, für das er keine Erklärung hatte.

Ich wartete, bis es ziemlich rasch an uns vorbeifuhr. Eine schwarze Limousine mit dunkel getönten Scheiben. Sie holperte die leichte Steigung hinauf, ratterte über die Schienen und wieder hinunter. Dann gab der Fahrer erneut Gas. Eine Minute später war sie nur noch ein dunkler Punkt in der Ferne. Praktisch unsichtbar.

Ein offizieller Besucher, der nach Kelham unterwegs war. Rang und Prestige.

Oder Panik.

Der Kerl rechts sagte: »Du musst auf den Stützpunkt zurück. Und dort bleiben.«

Ich schwieg.

»Aber vorher musst du uns sagen, was du gemacht hast. Und bei wem du warst. Vielleicht sollten wir nachsehen, ob sie noch lebt.«

Ich sagte: »Ich bin nicht aus Kelham.«

Der Kerl machte noch einen Schritt vorwärts und sagte: »Lügner.«

Ich holte Luft und tat so, als wollte ich sprechen. Dann traf ich das Gesicht des Typs mit einem Kopfstoß. Ohne Warnung. Ich stellte mich einfach breitbeinig hin, knickte den Oberkörper ab und knallte ihm die Stirn auf seine Nase. *Peng!* Perfekt ausgeführt. Und dazu das Überraschungsmoment. Einen Kopfstoß erwartet niemand. Menschen setzen den Kopf nicht als Waffe ein. Das sagt uns irgendein atavistischer Instinkt. Ein Kopfstoß verändert das ganze Spiel. Er führt etwas Wild-Primitives ein. Ein unprovozierter Kopfstoß ist ungefähr so, als brächte man zu einer Messerstecherei eine abgesägte Schrotflinte mit.

Der Kerl sackte zusammen. Sein Gehirn meldete den Knien, es stelle den Betrieb ein, und er klappte zusammen und fiel rückwärts. Er war bewusstlos, bevor er aufkam. Das zeigte die Art, wie sein Hinterkopf aufschlug. Er versuchte nicht mal, den Schlag abzumildern, sondern knallte dumpf auf die Fahrbahn. Vielleicht hatte er jetzt außer einer gebrochenen Nase auch einen Schädelbruch. Seine Nase blutete stark. Sie schwoll bereits an. Unser Körper ist ein Organismus mit Selbstheilungskräften, der keine Zeit vergeudet.

Der andere Typ stand einfach nur da. Der schweigsame Chefdenker. Oder der Alphahund. Er starrte mich an. Ich machte einen großen Schritt nach links und traf auch sein Gesicht mit einem Kopfstoß. *Peng!* Wie ein doppelter Bluff. Er war völlig unvorbereitet, weil er einen Boxhieb erwartet hatte. Er brach wie sein Kumpel zusammen. Ich ließ ihn zwei Meter von dem anderen entfernt liegen. Um Zeit und Mühe zu sparen, hätte ich ihren Pick-up genommen, aber ich konnte den Gestank im Fahrerhaus nicht ertragen. Deshalb ging ich bis zum Bahngleis, bog dort links ab und marschierte auf den Schwellen nach Norden weiter.

Ich verließ das Bahngleis etwas früher als am Abend zuvor und suchte das gesamte Gebiet, in dem die Autotrümmer verteilt lagen, ab. Die kleinen und leichten Trümmer hatten die geringsten Entfernungen zurückgelegt. Weniger Bewegungsenergie, vermutete ich. Oder mehr Luftwiderstand. Oder irgendwas. Aber die kleinsten Glas- und Metallsplitter fand ich zuerst. Sie waren zu Boden gesegelt – lange vor den schwereren Teilen, die weitergeflogen waren.

Das Auto musste ziemlich alt gewesen sein. Bei dem Aufprall hatte es sich wie auf einer Explosionszeichnung zerlegt, aber manche Teile hatten nicht viel Widerstand geleistet. Es gab kleine und große Rostflocken, die vom Unterboden des Wagens stammten. Sie hatten eine schuppenartige Struktur und waren mit einer Schmutzschicht bedeckt.

Ein alter Wagen, der längere Zeit in kalten Gegenden unterwegs gewesen war, in denen der Winterdienst Salz auf die Straßen streute. Ein Auto, das viel mitgemacht hatte, ein halbes Jahr hier, ein halbes Jahr dort, ständiger Wechsel, unberechenbar.

Vermutlich ein Soldatenauto.

Ich setzte meinen Weg fort, dann drehte ich mich um und versuchte, die Generalrichtung zu bestimmen. Die Trümmer hatten sich fächerförmig verteilt – anfangs auf sehr kleiner Fläche, die rasch größer wurde. Ich stellte mir ein Kennzeichen vor, ein kleines Rechteck aus dünnem, federleichtem Blech, das sich von seinen Schrauben losriss, durch die Nacht davonsegelte und sich dabei vielleicht mehrmals überschlug. Ich versuchte mir vorzustellen, wo es aufgekommen sein könnte. Aber ich konnte es nirgends entdecken, nicht innerhalb des Fächers, nicht an seinen Rändern, nicht außerhalb. Ich erinnerte mich an den heulenden Sturm, der den Zug begleitet hatte, und vergrößerte den Suchradius. Ich stellte mir vor, wie das Kennzeichen von diesem Miniaturtornado hochgewirbelt worden und in Spiralen durch die aufgewirbelte Luft geflogen war, vielleicht sogar rückwärts.

Letzten Endes fand ich es an der verchromten Stoßstange hängend, die ich schon nachts gesehen hatte. Das links neben dem Kennzeichen abgeknickte Metallteil hatte sich in die Erde gebohrt wie ein Speer. Ich rüttelte an der Stoßstange, zog sie heraus, drehte sie um und entdeckte das Kennzeichen an einer einzelnen schwarzen Schraube hängend.

Ich hielt ein Kennzeichen aus Oregon in der Hand. Hinter den Ziffern war ein Lachs abgebildet. Irgendeine Initiative zugunsten von Wildtieren. Schützt die Natur. Die Plaketten waren neu und gültig. Ich prägte mir das Kennzeichen ein und drückte die Stoßstange in ihr Loch zurück. Dann ging ich zu der Stelle weiter, wo die Masse des Wagens am Waldrand in Flammen aufgegangen war.

Bei Tageslicht musste ich Pellegrino zustimmen. Das Auto war blau gewesen: blassblau wie ein Winterhimmel. Das konnte die Originalfarbe sein, oder aber der Lack war im Laufe der Jahre etwas ausgebleicht. Jedenfalls fand ich genügend große lackierte Flächen – beispielsweise im Innern des demolierten Handschuhfachs –, um mir meiner Sache sicher zu sein. Ansonsten war nicht viel übriggeblieben. Kein Gegenstand aus persönlichem Besitz. Keine Papiere irgendwelcher Art. Keine Abfälle. Keine Haare, keine Fasern. Keine Stricke, keine Riemen, keine Gurte, keine Messer.

Ich wischte mir die Hände an der Hose ab und machte mich auf den Rückweg. Die beiden Kerle waren mit ihrem Pick-up verschwunden. Vermutlich war der Chefdenker als Erster aufgewacht. Das Betatier. Der Typ, den ich weniger fest getroffen hatte. Ich vermutete, dass er seinen Kumpel in den Wagen gezogen und langsam und zittrig davongefahren war. Weiter nichts passiert. Jedenfalls nichts Dramatisches. Nichts mit Dauerfolgen. Wenigstens in seinem Fall nicht. Der andere würde mindestens ein halbes Jahr lang Kopfschmerzen haben.

Ich stand an der Stelle, wo die beiden zusammengeklappt waren, und sah einen weiteren schwarzen Wagen aus Westen herankommen. Noch eine Limousine, schnell und zielstrebig, auf der unebenen Straße leicht schwankend. Sie war glänzend poliert und hatte dunkel getönte Scheiben. Sie raste an mir vorbei, holperte die leichte Steigung hinauf, ratterte über die Schienen, wieder hinunter und raste nach Kelham weiter. Ich blickte ihr nach, drehte mich wieder um und marschierte weiter. Ich hatte kein bestimmtes Ziel, aber weil mir der Magen knurrte, ging ich zu dem Diner in der Main Street. Das Restaurant war leer, ich der einzige Gast. Dienst hatte die Serviererin, die ich schon kannte. Sie kam mir entgegen, um mich zu fragen: »Heißen Sie Jack Reacher?«

Ich sagte: »Ja, Ma'am, das ist mein Name.«

Sie sagte: »Vor einer Stunde war eine Frau hier, die Sie gesucht hat.«

21

Die Bedienung war eine typische Augenzeugin. Sie war nicht imstande, die Frau zu beschreiben, die mich gesucht hatte. Groß, klein, dick, schlank, alt, jung… an nichts konnte sie sich zuverlässig erinnern. Sie hatte sich keinen Namen sagen lassen, hatte keine Vorstellung vom Status oder dem Beruf der Frau und wusste erst recht nicht, in welcher Beziehung sie zu mir stand. Sie hatte kein Auto oder sonst irgendein Transportmittel gesehen. Erinnern konnte sie sich nur an ein Lächeln und die Frage nach mir. War jemand neu nach Carter Crossing gekommen: ein großer, kräftiger Kerl namens Jack Reacher?

Ich bedankte mich für die Information und bekam wieder den gewohnten Tisch. Ich bestellte ein Stück Blaubeerkuchen und einen Becher Kaffee und bat sie um Münzen fürs Telefon. Sie öffnete die Registrierkasse und gab mir für einen Fünfer eine Rolle Quarter. Dann brachte sie mir meinen Kaffee und erklärte, der Kuchen komme sofort. Ich durchquerte den stillen Raum, trat ans Telefon, schlitzte das Rollenpapier mit dem Daumennagel auf und wählte Garbers Nummer. Er meldete sich nach dem ersten Klingeln.

Ich fragte: »Haben Sie noch jemanden hergeschickt?«

»Nein«, sagte er. »Wieso?«

»Hier fragt eine Frau, die meinen Namen kennt, nach mir.«

»Wer?«

»Keine Ahnung, wer sie ist. Sie hat mich noch nicht gefunden.«

»Niemand von mir«, sagte Garber.

»Und ich habe zwei Limousinen gesehen, die nach Kelham unterwegs waren. Verteidigungsministerium oder Politiker, glaube ich.«

»Was wäre der Unterschied?«

Ich fragte: »Haben Sie schon etwas aus Kelham gehört?«

»Nichts über das Ministerium oder Politiker«, entgegnete er. »Ich habe gehört, dass Munro etwas Medizinisches verfolgt.«

»Medizinisch? Wie zum Beispiel?«

»Keine Ahnung. Hat die Sache denn eine medizinische Komponente?«

»In Bezug auf den potenziellen Täter? Nicht, soviel ich weiß. Außer man denkt an kleine Schnittwunden durch Kies, die ich schon erwähnt habe. Der Körper der Ermordeten ist damit bedeckt. Auch der Täter könnte einige haben.«

»Die haben sie alle. Anscheinend gibt's dort eine mit Kies bedeckte Übungsstrecke. Auf der rennen sie, bis sie umfallen.«

»Auch die Kompanie Bravo gleich nach ihrer Rückkehr vom Einsatz?«

»Speziell die Kompanie Bravo gleich nach ihrer Rückkehr vom Einsatz. Hier geht's darum, sich selbst und anderen zu imponieren. Diese Männer sind echt harte Kerle. Oder halten sich zumindest dafür.«

»Ich habe das Kennzeichen des Autowracks. Ein hellblauer Wagen aus Oregon.« Ich nannte die Kombination, die ich mir gemerkt hatte, und hörte, wie er sie mitschrieb.

Er sagte: »Rufen Sie mich in zehn Minuten noch mal an. Aber reden Sie vorher mit niemandem. Mit keinem Menschen, okay? Kein Wort.«

Ich ignorierte diese Anweisung, indem ich mit der Bedienung sprach, um mich für den Kaffee und Kuchen zu bedanken. Sie blieb einen Augenblick länger bei mir stehen als unbedingt nötig. Sie hatte etwas auf dem Herzen. Wie sich zeigte, fürchtete sie, ich könnte Unannehmlichkeiten bekommen, weil sie einer Fremden gegenüber zugegeben hatte, mich zu kennen. Sie schien deswegen ein schlechtes Gewissen zu haben. Ich hatte den Eindruck, Carter Crossing sei ein Ort, an dem Privates noch privat blieb. Wo ein kleiner Prozentsatz der Einwohnerschaft nicht gefunden werden wollte.

Ich sagte, sie solle sich deswegen keine Sorgen machen. Inzwischen war ich mir ziemlich sicher, um wen es sich bei der Unbekannten handelte. Ein einfacher Eliminationsprozess. Wer sonst besaß die nötigen Informationen und genug Fantasie, um mich zu finden?

Der Kuchen war klasse. Heidelbeeren, Teig, Zucker und Schlagsahne. Nichts Gesundes. Kein Gemüse. Echt köstlich. Ich nahm mir ganze zehn Minuten Zeit, ihn mit kleinen Bissen genüsslich zu verzehren. Dann trank ich meinen Kaffee aus und ging wieder ans Telefon, um Garber anzurufen.

Er sagte: »Wir haben den Autobesitzer gefunden.«

Ich fragte: »Und?«

»Und was?«

»Wer ist er?«

Er sagte: »Das darf ich Ihnen nicht sagen.«

»Tatsächlich?«

»Diese Information ist geheim – seit fünf Minuten.«

»Auf Betreiben der Kompanie Bravo, stimmt's?«

»Das darf ich nicht sagen. Ich darf nichts bestätigen oder verneinen. Haben Sie sich die Nummer aufgeschrieben?«

»Nein.«

»Wo ist das Kennzeichen?«

»Wo ich's gefunden habe.«

»Wem haben Sie davon erzählt?«

»Niemandem.«

»Wissen Sie das bestimmt?«

»Absolut.«

»Okay«, sagte Garber. »Hier sind Ihre Befehle. Erstens: Sie geben die Nummer nicht, ich wiederhole, *nicht* an die dortige Polizei heraus. Unter keinen Umständen. Zweitens: Sie kehren sofort zu dem Autowrack zurück und vernichten das Kennzeichen.«

22

Garbers ersten Befehl führte ich aus, indem ich nicht gleich zum Sheriff's Department lief und alles brühwarm erzählte. Den zweiten Befehl verweigerte ich, indem ich nicht sofort wieder das Trümmerfeld am Bahngleis aufsuchte. Ich blieb einfach in dem Diner sitzen und trank Kaffee und überlegte. Ich wusste nicht mal genau, wie man ein Autokennzeichen vernichtet. Ich konnte versuchen, es zu verbrennen, aber selbst dann würden die eingeprägten Ziffern lesbar bleiben. Letztlich überlegte ich mir, es zweimal zu falten, flachzutrampeln und irgendwo zu vergraben.

Aber ich zog nicht los, um das zu tun. Ich saß einfach nur da. Hielt ich mich lange genug beim Kaffee in einem Diner auf, würde die geheimnisvolle Unbekannte mich bestimmt finden.

Was sie fünf Minuten später tat.

Ich entdeckte sie, bevor sie mich sah. Ich blickte auf die sonnige Straße hinaus, während sie versuchte, in einen eher düsteren Raum zu spähen. Sie kam zu Fuß. Zu schwarzen Jeans trug sie feste schwarze Schuhe, ein schwarzes T-Shirt und eine Lederjacke, die in Farbe und Struktur einem alten Baseballhandschuh glich. In der rechten Hand hielt sie einen Aktenkoffer aus ganz ähnlichem Material. Obwohl sie schlank, elegant und geschmeidig wirkte, schien sie sich wie viele Menschen, die fit und stark sind, langsamer zu bewegen als der Rest der Welt. Sie trug ihr dunkles Haar noch immer ziemlich kurz, und ihr attraktives Gesicht verriet wache Intelligenz und scharfe Beobachtungsgabe. Frances Neagley, First Sergeant. United States Army. Wir hatten schon oft zusammengearbeitet, schwierige Fälle gelöst und einfache, langwierige Ermittlungen geführt und kurze. Damals im Jahr 1997 war sie der einzige Mensch, mit dem ich gewissermaßen befreundet war, und ich hatte sie seit über einem Jahr nicht mehr gesehen.

Beim Hereinkommen schaute sie sich suchend nach der Bedienung um, als wollte sie erneut nach mir fragen. Dann entdeckte sie mich an meinem Tisch und änderte sofort ihren Kurs. Auf ihrem Gesicht lag keine Überraschung, nur sofortige Verarbeitung neuer Informationen und Befriedigung darüber, dass ihre Methode funktioniert hatte. Sie kannte den Bundesstaat, die Kleinstadt und wusste, dass ich viel Kaffee trank – also würde sie mich in einem Schnellrestaurant finden.

Ich benutzte einen Fuß, um einen Stuhl unter dem Tisch herauszuschieben, wie Deveraux es zweimal bei mir gemacht hatte. Neagley nahm mit einer geschmeidigen Bewegung darauf Platz. Ihren Aktenkoffer stellte sie neben sich auf den Boden. Kein Hallo, kein militärischer Gruß, kein Händedruck, kein Küsschen auf die Wange. Neagley hatte zwei Eigenheiten, die man beachten musste, wenn man mit ihr auskommen wollte. Trotz ihrer persönlichen Wärme konnte sie es nicht ertragen, angefasst zu werden, und trotz ihrer allseits anerkannten Fähigkeiten weigerte sie sich, Offizier zu werden. Beides hatte sie nie näher begründet. Manche Leute hielten Neagley für clever, andere für verrückt, aber alle waren sich darüber einig, dass man das bei Neagley nie genau wissen würde.

»Geisterstadt«, sagte sie.

»Der Stützpunkt ist geschlossen«, erklärte ich.

»Ja, ich weiß. Bin auf dem Laufenden. Die Schließung des Stützpunkts war ihr erster großer Fehler. So gut wie ein Geständnis.«

»Angeblich fürchten sie, es könnte Spannungen zwischen Stadt und Stützpunkt geben.«

Neagley nickte. »Die könnte es von beiden Seiten leicht geben. Ich habe die Straße parallel zur Main Street gesehen. Alle diese Bars und Geschäfte, die dem Stützpunkt wie gebleckte Zähne ge-

genüberliegen. Sehr raffgierig. Die Unseren müssen es satthaben, verspottet und ausgenommen zu werden.«

»Hast du sonst noch was gesehen?«

»Alles. Ich bin schon zwei Stunden hier.«

»Wie geht's dir übrigens?«

»Wir haben keine Zeit für Konversation.«

»Was brauchst du?«

»Nichts«, erwiderte sie. »Bedürftig bist du.«

»Was brauche ich?«

»Du brauchst eine verdammte Spur«, antwortete sie. »Dies hier ist ein Himmelfahrtskommando, Reacher. Stan Lowrey hat mich angerufen. Er macht sich Sorgen um dich. Also hab ich ein bisschen herumgefragt. Lowrey hat recht. Du hättest diesen Auftrag ablehnen sollen.«

»Ich bin in der Army«, sagte ich. »Ich gehe hin, wohin man mich schickt.«

»Ich bin auch in der Army«, sagte sie. »Aber ich stecke meinen Kopf nicht freiwillig in eine Schlinge.«

»Kelham ist die Schlinge. Munro riskiert seinen Hals. Ich stehe hier an der Seitenlinie.«

»Munro kenne ich nicht«, sagte sie. »Bin ihm nie über den Weg gelaufen. Hab nicht mal von ihm gehört. Aber ich gehe jede Wette ein, dass er tut, was ihm befohlen wird. Er vertuscht alles und schwört, dass Schwarz Weiß ist. Aber du tätest das nie.«

»Eine Frau ist ermordet worden. Das können wir nicht ignorieren.«

»Drei Frauen sind ermordet worden.«

»Das weißt du auch schon?«

»Ich hab dir gesagt, dass ich seit zwei Stunden hier bin. Ich bin auf dem Laufenden.«

»Wie hast du das erfahren?«

»Ich hab den Sheriff kennengelernt. Chief Deveraux in Person.«

»Wann?«

»Sie ist auf einen Kaffee reingekommen. Ich war zufällig hier. Ich hatte nach dir gefragt.«

»Und sie hat dir solche Sachen erzählt?«

»Ich hab sie mit dem Blick bedacht.«

»Mit welchem Blick?«

Neagley blinzelte kurz, dann konzentrierte sie sich, senkte leicht den Kopf und sah zu mir auf; ihr Blick war auf mich gerichtet, ihre Augen waren weit geöffnet, ernst und freimütig, mitfühlend, verständnisvoll und aufmunternd; ihre Lippen waren leicht geöffnet, als wollten sie etwas absolut Empathisches murmeln; aus ihrer ganzen Haltung sprach Staunen und Verwunderung darüber, wie tapfer ich die vielen schweren Lasten schulterte, die das Leben mir aufgebürdet hatte. Sie sagte: »Das ist der Blick. Kommt bei Frauen großartig an. Ein bisschen verschwörerisch, stimmt's. Als säßen wir im selben Boot?«

Ich nickte. Ein verdammt wirkungsvoller Blick. Aber ich stellte fest, dass ich ein wenig enttäuscht war, weil Deveraux darauf reingefallen war. Eben doch nur eine Marineinfanteristin. Ich fragte: »Was hat sie dir noch alles erzählt?«

»Irgendwas von einem Auto. Sie vermutet, dass es für die Ermittlungen entscheidend wichtig ist … und dass es einem Kerl aus Kelham gehört hat.«

»Das stimmt. Ich habe gerade das Kennzeichen gefunden. Garber hat es überprüfen lassen und mir befohlen, meinen Fund zu verschweigen.«

»Und, tust du's?«

»Weiß ich nicht. Vielleicht war der Befehl illegal.«

»Siehst du, was ich meine? So begehst du Selbstmord. Ich hab's gewusst! Aber ich bleibe hier und sorge dafür, dass dir nichts passiert. Deswegen bin ich gekommen.«

»Musst du nicht arbeiten?«

»Ich sitze in Washington an einem Schreibtisch. Dort vermisst mich zwei, drei Tage niemand.«

Ich schüttelte den Kopf. »Nein«, sagte ich. »Ich brauche keine Hilfe. Ich weiß, was ich tue. Ich weiß, wie das Spiel läuft. Ich verkaufe mich nicht unter Wert. Aber ich will dich nicht mit in den Strudel reißen. Falls die Sache letztlich so ausgeht.«

»Nichts *muss* irgendwie ausgehen, Reacher. Man hat immer die Wahl.«

»Das glaubst du doch selbst nicht.«

Sie verzog das Gesicht. »Überleg dir wenigstens, welche Schlacht du schlagen willst.«

»Das tue ich immer. Und diese ist so gut wie jede andere.«

Im nächsten Augenblick kam die Bedienung aus der Küche. Sie sah mich, sah Neagley, erkannte sie wieder und konstatierte erleichtert, dass wir uns nicht am Boden wälzten und uns die Augen auskratzten. Ihr schlechtes Gewissen verflüchtigte sich. Sie schenkte mir Kaffee nach. Neagley bestellte Tee, die Frühstücksmischung von Lipton's Tea, vorschriftsmäßig mit kochendem Wasser aufgegossen. Wir saßen uns schweigend gegenüber, bis der Tee serviert wurde. Als die Bedienung wieder gegangen war, sagte Neagley: »Chief Deveraux ist eine sehr schöne Frau.«

»Das ist sie«, sagte ich.

»Hast du schon mit ihr geschlafen?«

»Natürlich nicht.«

»Hast du's vor?«

»Träumen wird man wohl noch dürfen. Die Hoffnung stirbt zuletzt, richtig?«

»Tu's nicht. Mit ihr ist irgendwas nicht in Ordnung.«

»In welcher Beziehung?«

»Ihr ist alles egal. Sie hat drei Morde aufzuklären, aber ihr Puls ist langsam wie der eines Bären im Winter.«

»Sie war im Marine Corps bei der Militärpolizei und hat ihr Leben lang wie wir ermittelt. Wie sehr erregen dich drei tote Leute?«

»Sie erregen mich professionell.«

»Sie glaubt, dass der Täter aus Kelham kommt. Daher ist sie für ihn nicht zuständig. Daher hat sie keine Rolle zu spielen. Daher hat sie keinen Grund, professionell erregt zu sein.«

»Jedenfalls spüre ich eine ungute Ausstrahlung. Mehr sage ich nicht. Verlass dich auf mich.«

»Mach dir keine Sorgen um mich.«

»Als ich nebenbei deinen Namen erwähnt habe, hat sie mich angesehen, als wärst du ihr Geld schuldig.«

»Ich schulde ihr nichts.«

»Dann ist sie verrückt nach dir. Ich hab's gespürt.«

»Das sagst du von jeder Frau, die ich kennenlerne.«

»Aber diesmal stimmt es. Das ist mein Ernst. Ihr kaltes kleines Herz hat aufgeregt geschlagen. Sei gewarnt!«

»Trotzdem vielen Dank«, sagte ich. »Aber ich glaube nicht, dass ich diesmal eine große Schwester brauche.«

»Übrigens noch was«, sagte sie. »Garber interessiert sich für deinen Bruder.«

»Meinen Bruder?«

»Ich hab's im Sergeanten-Netzwerk gehört. Garber lässt überwachen, ob du Briefe oder Anrufe von deinem Bruder bekommst. Er will wissen, ob du regelmäßig Kontakt zu ihm hast.«

»Warum sollte ich den haben?«

»Geld«, sagte Neagley. »Mir fällt nichts anderes ein. Dein Bruder arbeitet weiter im Finanzministerium, richtig? Vielleicht geht's um finanzielle Dinge im Kosovo. Dort drüben muss es Kriegsherrn und Gangster geben. Vielleicht schmuggelt die Kompanie Bravo für sie Geld nach Amerika, wäscht es hier für sie oder stiehlt es ihnen.«

»Wie könnte das mit einer Frau namens Janice May Chapman aus einem Nest im hintersten Mississippi zusammenhängen?«

»Vielleicht hat sie irgendwie davon erfahren. Vielleicht hat sie verlangt, daran beteiligt zu werden. Vielleicht war sie die Freundin eines Soldaten aus der Kompanie Bravo.«

Ich äußerte mich nicht dazu.

»Letzte Chance«, sagte Neagley. »Soll ich bleiben oder gehen?«

»Geh«, sagte ich. »Lebe lange und in Freuden.«

»Abschiedsgeschenk«, sagte sie. Sie beugte sich zu ihrem Aktenkoffer hinunter, öffnete ihn und zog ein dünnes grünes Dossier heraus. Es trug den Aufdruck *Carter County Sheriff's Department.* Sie legte es auf den Tisch, ließ ihre Hand flach darauf ruhen und sagte: »Es wird dich interessieren.«

Ich fragte: »Was hast du da?«

»Fotos der drei ermordeten Frauen. Sie haben alle etwas gemeinsam.«

»Deveraux hat sie dir gegeben?«

»Nicht direkt. Sie hat ihre Unterlagen für kurze Zeit unbeaufsichtigt gelassen.«

»Und du hast sie gestohlen?«

»Entliehen. Du kannst sie ihr zurückgeben, wenn du sie nicht mehr brauchst. Dir fällt bestimmt eine Methode ein.« Sie schob mir das Dossier über den Tisch zu, stand auf und ging. Kein Händedruck, kein Küsschen, keine Berührung. Ich beobachtete, wie sie das Restaurant verließ, sich nach rechts wandte und verschwand.

Die Servierin hörte, wie Neagley hinausging. Vielleicht gab es in der Küche eine Türklingel. Sie kam heraus, um nachzusehen, ob ein neuer Gast gekommen war. Als sie feststellte, dass das nicht der Fall war, begnügte sie sich damit, mir noch einmal Kaffee nachzuschenken, bevor sie wieder die Küche aufsuchte. Ich legte das grüne Dossier ordentlich vor mich hin und schlug es auf.

Drei Frauen. Drei Mordopfer. Drei Fotos, alle in den letzten Wochen oder Monaten ihres Lebens aufgenommen. Nichts konnte trauriger sein. Cops fragen nach neueren Aufnahmen, und die trauernden Hinterbliebenen beeilen sich, ihre Fotos durchzusehen. Meistens sind das heitere Bilder von Abschlussfeiern oder Porträtaufnahmen oder Urlaubsfotos, weil die Angehörigen sich an Heiterkeit und Lachen erinnern wollen. Die oft schmerzhaft langen Ermittlungen sollen mit Freude und Elan beginnen.

Beides hatte Janice May Chapman reichlich besessen. Das farbige Foto, das sie von der Taille aufwärts zeigte, hatte man offenbar bei einer Party aufgenommen. Sie war der Kamera halb zugewandt, blickte direkt ins Objektiv, lächelte in der ersten Sekunde spontan. Ein gelungener Schnappschuss. Der Fotograf hatte sie nicht überrumpelt, sie aber auch nicht zu lange posieren lassen.

Pellegrinos Beschreibung von ihr war nicht zutreffend. Er hatte sie »echt hübsch« genannt, aber das war ungefähr so, als bezeichnete man Amerika als ziemlich groß. Echt hübsch war echt untertrieben. Im richtigen Leben war Janice May Chapman eine Schönheit gewesen. Sich eine schönere Frau vorzustellen wäre schwierig gewesen; Haare, Augen, Gesicht, Lächeln, Schultern, Figur, einfach alles war nahezu perfekt gewesen, das stand fest.

Ich schob ihr Bild nach unten und sah mir die zweite junge Frau an. Sie war im November 1996 ermordet worden. Vor vier Monaten. Das stand auf einer Haftnotiz in der rechten unteren Ecke des Fotos. Die Aufnahme war eines der hastig gemachten, halb förmlichen Farbporträts, die man zu Beginn des Studienjahrs von einem College Service oder einem schlecht bezahlten Berufsfotografen an Bord eines Kreuzfahrtschiffs bekommt. Ein undeutlich gemalter Hintergrund, ein Hocker, mehrere Studioblitze mit Schirmreflektoren, drei, zwo, eins, vielen Dank. Das Foto zeigte eine junge Schwarze, vermutlich Mitte zwanzig, die es ohne Weiteres mit Janice May Chapman hätte aufnehmen können. Ihr vielleicht sogar überlegen gewesen wäre. Sie besaß einen makellosen Teint und ein Lächeln, das einen elektrisierte. Dazu Augen, die einen Krieg auslösen können. Dunkel, ausdrucksvoll, strahlend. Sie blickte nicht in die Kamera. Sie sah geradewegs durch sie hindurch. Sah mich an, als säße sie mir gegenüber.

Die dritte junge Frau war im Juni 1996 ermordet worden – vor einem Dreivierteljahr. Auch sie war schwarz, jung und schön, wirklich spektakulär schön. Man hatte im Freien fotografiert, im Halbschatten in einem Garten, in dem die weiße Wand eines Holzhauses die bereits tief stehende Nachmittagssonne zurückwarf. Sie trug das Haar jungenhaft kurz und hatte die oberen drei Knöpfe ihrer Bluse geöffnet. Sie hatte ausdrucksvolle Augen, ein schüchternes Lächeln und schön geformte Wangenknochen. Ich konnte sie nur anstarren. Hätte ein Wissenschaftler einen IBM-Supercomputer mit allem gefüttert, was wir seit Kleopatra über Schönheit wussten, hätte der Rechner exakt dieses Bild gedruckt.

Ich schob den Kaffeebecher beiseite und legte die drei Fotos vor mir auf dem Tisch aus. *Sie haben alle etwas gemeinsam,* hatte Neagley gesagt. Als Erstes fiel auf, dass sie ungefähr gleich alt waren. Der Altersunterschied betrug nicht mehr als zwei bis drei Jahre. Aber Chapman war weiß, die beiden anderen waren schwarz. Wie ihre Kleidung und ihr Schmuck zeigten, kannte Chapman zumindest keine finanziellen Sorgen; bei der ersten Schwarzen war das schon weniger der Fall, und die zweite junge Frau schien in fast ärmlichen Verhältnissen zu leben, wenn man ihre einfache Kleidung, das Fehlen jeglichen Schmucks und das schlichte Holzhaus hinter ihr berücksichtigte.

Drei in enger Nachbarschaft verbrachte Leben, zwischen denen jedoch Abgründe klafften. Vielleicht hatten die drei sich nie kennengelernt, hatten nie miteinander gesprochen, kannten sich nicht einmal vom Sehen her. Sie hatten absolut nichts gemeinsam.

Außer dass sie alle drei bildschön waren.

23

Ich packte das Dossier wieder zusammen und steckte es unter dem Hemd hinten in meine Hose. Dann zahlte ich meine Rechnung, ließ ein Trinkgeld auf dem Tisch liegen und machte mich auf den Weg zum Sheriff's Department. Ich dachte mir, dass es Zeit für eine Erkundung wurde. Zeit für einen Aufklärungsvorstoß. Keine Demokratie, aber Deveraux' Dienstsitz war ein öffentliches Gebäude, und ich hatte einen legitimen Grund, es zu betreten. Ich wollte eine Fundsache abliefern. War Deveraux nicht da, konnte ich das Dossier bei dem Zivilisten am Empfang zurücklassen. War sie da, konnte ich improvisieren.

Sie war da.

Auf dem Parkplatz neben dem Dienstgebäude stand ihr alter Caprice gleich neben dem Eingang. Vermutlich das Vorrecht des Chiefs. Solche Regeln galten in allen Organisationen. Ich ging daran vorbei, zog eine schwere Glastür auf und betrat eine unansehnliche, leicht heruntergekommene Eingangshalle. PVC-Fliesen auf dem Boden, abblätternde Farbe an den Wänden und eine Empfangstheke mit einem alten Mann dahinter. Er hatte eine Glatze und nur noch wenige Zähne und trug wie ein Zeitungsmann aus früheren Zeiten eine Weste ohne Jackett. Als er mich sah, nahm er den Telefonhörer ab, drückte einen Knopf und sagte: »Er ist da.« Er hörte kurz zu, dann benutzte er den Hörer wie einen Zeigestab, um mir die Richtung zu weisen. »Letzte Tür rechts. Sie werden erwartet.«

Ich ging den Korridor entlang, sah durch eine halb offene Tür eine stämmige Frau an einer Telefonvermittlung sitzen und erreichte Deveraux' Büro. Die Tür stand offen. Trotzdem klopfte ich aus Höflichkeit an, bevor ich eintrat.

Ihr Dienstzimmer war ein schlichter quadratischer Raum, der

nicht viel besser aussah als der Empfangsbereich. Auch hier Unansehnlichkeit, PVC-Fliesen, abblätternde Farbe. Die schlichte Einrichtung – Schreibtisch, Stühle, Aktenschränke – schien gebraucht zusammengekauft zu sein. An den Wänden hingen gerahmte Fotos, auf denen ein alter Mann in Uniform, den ich für Deveraux' Vater hielt, irgendwelchen Lokalgrößen die Hand schüttelte. An einem Kleiderständer sah ich eine alte Wolljacke; sie hing dort schon so lange, dass sie wie versteinert wirkte.

Auf den ersten Blick kein schöner Raum.

Aber er enthielt Elizabeth Deveraux. In dem Dossier in meinem Kreuz steckten Fotos von drei Schönheiten, aber sie konnte mit allen dreien mithalten. Ganz leicht. Vielleicht übertraf sie sie sogar alle. *Eine sehr schöne Frau,* hatte Neagley gesagt, und ich war froh, dass mein subjektiver Eindruck von anderer Seite objektiv bestätigt worden war. Sie wirkte in ihrem Drehsessel fast klein, mit schmalen Schultern, entspannt und geschmeidig. Auch diesmal begrüßte sie mich lächelnd.

Sie fragte: »Haben Sie das Auto für mich identifiziert?«

Bevor ich ausweichend antworten konnte, klingelte ihr Telefon. Sie nahm den Hörer ab, hörte kurz zu und sagte dann: »Okay, trotzdem bleibt es schwere Körperverletzung. Wir ermitteln weiter, okay?« Dann legte sie auf und sagte dabei erklärend: »Pellegrino.«

Ich fragte: »Viel los heute?«

»Heute Morgen sind zwei Kerle von jemandem verprügelt worden, der ein Soldat aus Kelham gewesen sein soll. Aber die Army sagt, der Stützpunkt sei nach wie vor geschlossen. Weiß der Teufel, was wirklich passiert ist. Der Arzt macht Überstunden. Gehirnerschütterung, sagt er. Aber den größten Schaden trägt mein Budget davon.«

Ich schwieg.

Deveraux lächelte erneut. »Aber lassen wir das. Erzählen Sie mir erst von Ihrer Freundin.«

»Von meiner Freundin?«

»Ich habe sie kennengelernt. Frances Neagley. Vermutlich Ihre Sergeantin. Man merkt gleich, dass sie aus der Army kommt.«

»Sie war mal meine Sergeantin. Viele Jahre lang, aber mit längeren Pausen.«

»Ich habe mich gefragt, was sie hergeführt hat.«

»Vielleicht habe ich sie angefordert.«

»Nein, dann hätte sie gewusst, wo und wann sie sich mit Ihnen treffen sollte. Das wäre im Voraus vereinbart gewesen. Sie hätte nicht in der ganzen Stadt herumfragen müssen.«

Ich nickte. »Sie ist gekommen, um mich zu warnen. In dieser Situation kann ich anscheinend nur verlieren. Sie hat sie als Selbstmordkommando bezeichnet.«

»Sie hat recht«, sagte Deveraux. »Sie ist eine clevere Frau. Ich hab sie gleich gemocht. Sie ist gut. Und dieser Gesichtsausdruck! Ein ganz spezieller Look, sehr kollegial und vertraulich. Ich wette, dass sie eine klasse Vernehmerin ist. Hat sie Ihnen die Fotos gegeben?«

»Sie wollten, dass Neagley sie entwendet?«

»Ich habe gehofft, dass sie's tun würde. Ich habe sie leicht zugänglich liegen lassen und bin für einen Augenblick rausgegangen.«

»Wieso?«

»Das ist kompliziert«, antwortete Deveraux. »Ich wollte, dass Sie sie sehen – allein und ohne Hast. Ein kontrollierter Versuch. Kein Druck von mir, vor allem keine Beeinflussung von meiner Seite. Keine Erläuterungen. Ich wollte eine völlig authentische erste Reaktion.«

»Von mir?«

»Ja.«

»Ist dies jetzt eine Demokratie?«

»Noch nicht. Aber Not kennt kein Gebot, wie's so richtig heißt.«

»Okay«, sagte ich.

»Also? Ihre erste Reaktion?«

»Alle drei waren erstaunlich schön.«

»Ist das alles, was sie gemeinsam hatten?«

»Ich denke schon. Außer dass sie alle Frauen sind.«

Elizabeth Deveraux nickte.

»Gut«, sagte sie. »Ich bin ganz Ihrer Meinung. Alles drei waren erstaunlich schön. Ich bin sehr froh darüber, das von unabhängiger Seite bestätigt zu bekommen. Ich hatte fast Schwierigkeiten damit, es mir selbst einzugestehen. Und ich würde es bestimmt nie laut sagen. Das würde sehr merkwürdig klingen, fast mit lesbischen Untertönen.«

»Ist das für Sie ein Problem?«

»Ich lebe in Mississippi«, erklärte sie. »Ich war im Marine Corps und bin unverheiratet.«

»Okay«, sagte ich.

»Und ich habe im Augenblick keinen Freund.«

»Okay«, sagte ich.

»Ich bin keine Lesbe«, sagte sie.

»Verstanden.«

»Trotzdem kommt es nie gut an, wenn eine Polizeibeamtin sich zu intensiv mit einem weiblichen Mordopfer befasst.«

»Verstanden«, sagte ich noch mal. Ich rutschte ein wenig nach vorn, um hinter mich greifen zu können, zog das Dossier aus meinem Hosenbund und legte es auf den Schreibtisch.

»Auftrag ausgeführt«, sagte ich dabei. »Übrigens mein Kompliment. Es gibt nicht viele Leute, die es schaffen, Neagley zu überlisten.«

»Vielleicht sind wir uns doch ein bisschen ähnlich«, meinte sie und strich das Dossier, das in meinem Hosenbund etwas gelitten hatte, wieder glatt.

Sie fragte: »Haben Sie das Auto für mich identifiziert?«

24

Deveraux ließ ihre Hand auf dem Dossier ruhen und sah mich unverwandt an. Ihre Frage hing zwischen uns in der Luft. *Haben Sie den Wagen identifiziert?* Ich hatte noch Garbers nachdrückliches Quäken im Ohr, als er mir am Telefon in dem Restaurant befohlen hatte: »*Erstens: Sie geben die Nummer nicht, ich wiederhole, nicht an die dortige Polizei heraus. Unter keinen Umständen. Zweitens: Sie kehren sofort zu dem Autowrack zurück und vernichten das Kennzeichen.*«

Mein direkter Vorgesetzter.

Befehl ist Befehl.

Deveraux fragte: »Haben Sie's getan?«

Ich sagte: »Ja.«

»Und?«

»Ich kann's Ihnen nicht sagen.«

»Sie können oder wollen nicht?«

»Ich darf nicht. Diese Information ist binnen Minuten nach meinem Anruf für geheim erklärt worden.«

Sie äußerte sich nicht dazu.

Ich fragte: »Nun, was würden Sie unter diesen Umständen tun?«

»Jetzt?«

»Nicht jetzt. Damals. Als Sie im Marine Corps waren.«

»Da hätte ich genau so gehandelt wie Sie jetzt.«

»Freut mich, dass Sie das verstehen.«

Sie nickte. Ihre Hand lag weiter auf dem Dossier, als sie erklärte: »Ich habe Ihnen in einem Punkt nicht die Wahrheit gesagt. Zumindest nicht die ganze Wahrheit. In Bezug auf das Haus meines Vaters. Es war nicht immer gemietet und hat seit seiner Eheschließung ihm gehört. Aber als meine Mutter erkrankte, hat sich gezeigt, dass sie nicht versichert war. Das hätte sie sein sollen. Das gehörte zu den vereinbarten Sozialleistungen. Aber der Kämmerer des Countys war in finanzielle Schwierigkeiten geraten und hatte die Prämien unterschlagen. Nur zwei Jahre lang, aber das war leider die Zeit, in der meine Mutter krank wurde. Als sie dann erneut versichert werden sollte, galt ihr Krebs als Vorerkrankung. Mein Vater hat das Haus beliehen, das war ein Teufelskreis, er musste zuletzt Insolvenz anmelden. Die Bank hat sich das Haus gesichert, ihn aber weiter zur Miete darin wohnen lassen. Mir haben beide Seiten imponiert. Die Bank hat das Rechte getan, soweit sie konnte, und mein Dad hat dem County weiter gedient, obwohl es ihn ruiniert hatte. Ehrgefühl und Pflichtbewusstsein sind Dinge, die ich achte.«

»*Semper fidelis*«, sagte ich.

»Darauf können Sie Ihren Arsch verwetten. Und Sie haben meine Frage trotzdem beantwortet, was sicher Ihre Absicht war. Ist diese Information geheim, stammt der Wagen aus Kelham. Mehr brauche ich gar nicht zu wissen.«

»Nur wenn's eine Verbindung gibt«, sagte ich. »Zwischen dem Auto und dem Mord.«

»Zufall kann's kaum gewesen sein.«

Ich sagte: »Das mit Ihrem Vater tut mir leid.«

»Mir auch. Er war ein netter, anständiger Kerl und hatte Besseres verdient.«

»Die beiden Zivilisten habe ich verprügelt«, sagte ich.

Deveraux fragte: »Tatsächlich? Aber wie sind Sie dort hingekommen?«

»Zu Fuß.«

»Ausgeschlossen! Dafür hätte die Zeit nie gereicht. Das sind über zwölf Meilen. Fast jenseits der Nordgrenze von Kelham. Praktisch in Tennessee.«

»Was ist dort passiert?«

»Zwei Männer waren auf einer Wanderung unterwegs. Sie

konnten den Wald sehen, der den Zaun von Kelham säumt, aber sie waren ihm nicht besonders nahe. Ein Kerl ist aus dem Wald gekommen und hat die beiden Wanderer angehalten. Es gab Streit, die beiden haben Schläge bekommen. Sie behaupten, der Typ sei ein Soldat gewesen.«

»War er in Uniform?«

»Nein, aber er hat wie ein Soldat ausgesehen und hatte ein M-16.«

»Das ist bizarr.«

»Ja, ich weiß. Also wollten sie dort ein Sperrgebiet einrichten.«

»Aber wozu? Sie haben doch schon über vierhunderttausend Hektar für sich allein.«

»Wozu weiß ich auch nicht. Aber was tun sie sonst noch? Sie vertreiben jeden, der in die Nähe ihres Zauns kommt.«

Ich schwieg.

Deveraux sagte: »Moment mal! Wen haben *Sie* verprügelt?«

»Zwei Kerle mit einem Pick-up. Sie haben mich gestern Abend belästigt – und heute Vormittag noch mal. Einmal zu viel.«

»Beschreibung?«

»Schmutz, Fett, Haare und Tätowierungen.«

»Mit einem alten Truck, der nicht lackiert, sondern nur dunkel angestrichen ist?«

»Ja.«

»Das sind die Cousins McKinney. In einer idealen Welt würden sie regelmäßig einmal in der Woche Prügel beziehen. Ich danke Ihnen für Ihre Offenheit, aber ich werde in dieser Sache nichts unternehmen.«

»Aber?«

»Tun Sie's nicht wieder. Und nehmen Sie sich in Acht. Die beiden überlegen bestimmt schon, wie sie die ganze Familie zusammentrommeln können, um Sie zu überfallen.«

»Gibt es mehr als die beiden?«

»Oh, sogar Dutzende von McKinneys. Aber machen Sie sich ihretwegen keine Sorgen. Wenigstens nicht schon jetzt. Sie werden einige Zeit brauchen, um sich zu sammeln. Keiner von den Kerlen hat ein Telefon. Keiner von ihnen weiß, wie man telefoniert.«

Genau in diesem Augenblick begannen überall im Gebäude Telefone zu klingeln, und ich hörte eine aufgeregte Stimme, die aus dem Funkgerät in dem kleinen Raum der Dispatcherin kam. Zehn Sekunden später erschien die stämmige Frau auf der Schwelle, hielt sich mit den Händen am Türrahmen fest und berichtete: »Pellegrino hat sich von Clancys Farm gemeldet. Draußen bei der gespaltenen Eiche. Er sagt, dass es einen weiteren Mord gegeben hat.«

25

Deveraux und ich schauten instinktiv auf das grüne Dossier auf ihrem Schreibtisch. Drei Fotos. Nun bald vier. Ein weiterer Kondolenzbesuch bei trauernden Hinterbliebenen. Eine weitere Bitte um ein gutes Foto. Der schlimmste Teil dieses Jobs.

Dann blickte Deveraux zu mir und zögerte. *Keine Demokratie.* Ich sagte: »Das sind Sie mir schuldig. Ich muss den Tatort sehen. Ich muss wissen, wofür ich Selbstmord verübe.«

Sie zögerte noch eine Sekunde, dann sagte sie: »Okay«, und wir eilten zu ihrem Wagen hinaus.

Wie sich zeigte, lag die Farm der Clancys über zehn Meilen nordöstlich der Stadt. Wir ratterten über die Bahnlinie und fuhren eine Meile weit durch die verborgene Hälfte von Carter Crossing in Richtung Kelham. Auf der falschen Seite der Eisenbahn. Hier draußen gab es kein Straßenbankett, keinen Graben. Ich vermutete, dass die Gräben zugeweht und die Bankette untergepflügt waren. Endlos weite ebene Felder reichten bis unmittelbar an die Fahrbahn. Ich sah alte Holzhäuser in ungepflegten Gärten, niedrige Scheunen, Hütten mit durchhängenden Dachfirsten und baufällige Schuppen. Ich sah alte Frauen auf Veranden und zerlumpte Kids auf Rädern. Ich sah klapprige, langsam fahrende Pick-ups und eine einzige Frau, die mit Strohhut und Strohkorb zum Einkaufen ging. Ich sah überall nur schwarze Gesichter. *Verschiedene Orte für verschiedene Leute,* hatten die Cousins McKinney mir erklärt. Ländliches Mississippi im Jahr 1997.

Dann bog Deveraux auf einer waschbrettartigen Straße nach Norden ab, und wir ließen das bebaute Gebiet hinter uns. Sie gab Gas. Der Wagen reagierte sofort. Dass der Chevy Caprice bei Cops sehr beliebt war, hatte einen Grund: Er war ein perfektes Waswäre-wenn-Fahrzeug. Was wäre, wenn wir in eine geräumige Limousine einen Corvette-Motor einbauen würden? Was wäre, wenn wir das Fahrwerk optimieren würden? Was wäre, wenn wir ihr vier Scheibenbremsen spendieren würden? Was wäre, wenn wir sie über zweihundert Stundenkilometer schnell machen würden? Deveraux' Wagen war schon einige Jahre alt, aber er beschleunigte trotzdem noch gut. Die Reifen flatterten auf der unebenen Fahrbahn, und die ganze Karosserie zitterte und bebte, aber wir erreichten unser Ziel ziemlich schnell.

Das Fahrtziel erwies sich als ein fast baufälliges Haus, das von weiten, kargen Ackerflächen umgeben war. Wir bogen von der Straße auf eine Zufahrt ab, die bald nur noch aus zwei Fahrspuren bestand. Aus Höflichkeit ließ Deveraux ihre Sirene im Vorbeifahren einmal kurz aufheulen. Als Antwort darauf winkte jemand hinter einem der Fenster. Ein alter Mann. Ein schwarzes Gesicht. Wir blieben auf den Fahrspuren. Ziemlich weit vor uns konnte ich einen riesigen Baum sehen, den ein Blitz so gespalten hatte, dass die beiden Hälften, die hellgrün austrieben, ein dramatisches Y bildeten. Das musste die gespaltene Eiche sein. Weiterhin lebend, weiter austreibend. In ihrer Nähe stand Pellegrinos Streifenwagen auf dem Feld.

Deveraux parkte dort, und wir stiegen aus. Pellegrino war ungefähr fünfzig Meter von uns entfernt: Er stand mit auf den Rücken gelegten Händen da und wartete auf uns.

Wie ein Wachposten.

Zehn Meter weiter lag eine Gestalt auf dem Boden.

Wir marschierten die fünfzig Meter übers Feld. Hoch über uns kreisten fast ohne Flügelschlag drei Truthahngeier, die nur darauf warteten, dass wir wieder verschwanden. Weit rechts von mir konnte ich einen Waldgürtel sehen, der teilweise dicht, teilweise ziemlich ausgedünnt war. Wo er spärlicher wirkte, zog sich ein Drahtzaun entlang. Die Nordwestgrenze von Fort Kelham, vermutete ich. Die linke Flanke des riesigen Geländes, das das Verteidigungsministerium vor fünfzig Jahren aufgekauft hatte, und ein winziger Teil dessen, was eine gut eingeführte Firma für Zaunbau zu überhöhten Preisen hatte errichten dürfen.

Auf halber Strecke zu Pellegrino konnte ich erste Details der Gestalt hinter ihm ausmachen. Ein mir zugekehrter Rücken. Eine kurze braune Jacke. Eine Andeutung von dunklem Haar und weißer Haut. Die Schlaffheit einer Leiche. Die absolute Stille eines vor Kurzem gestorbenen Menschen. Die unnatürliche Entspanntheit. Unverkennbar.

Deveraux blieb nicht stehen, um sich Bericht erstatten zu lassen. Sie marschierte an Pellegrino vorbei weiter, beschrieb einen weiten Bogen und näherte sich der schlaffen Gestalt von der anderen Seite. Ich machte zehn Meter hinter ihr halt. Ihr Fall. Keine Demokratie.

Sie achtete darauf, wohin sie trat, und näherte sich der Leiche mit kleinen Schritten, langsam und vorsichtig. Sie kam nahe genug heran, um sie berühren zu können, ging aber nur in die Hocke und ließ die Hände gefaltet. Sie schaute von links nach rechts, betrachtete Kopf, Rumpf, Arme und Beine. Dann blickte sie von rechts nach links und wiederholte alles in umgekehrter Reihenfolge.

Dann sah sie auf und fragte: »Wie erklären Sie sich das, verdammt noch mal?«

26

Ich beschrieb denselben weiten Bogen wie Deveraux, kam auf Zehenspitzen von Norden heran und ging neben ihr in die Hocke. Ich stützte meine Ellbogen auf die Knie, faltete die Hände.

Ich sah von rechts nach links, von links nach rechts.

Vor uns lag ein Mann.

Ein Weißer.

Mitte vierzig, vielleicht etwas jünger, vielleicht etwas älter.

Knapp einen Meter achtzig, um die achtzig Kilo. Dunkles, schütter werdendes Haar. Zwei- bis Dreitagebart, der weiß zu werden begann. Jeans, grünes Arbeitshemd, dazu eine braune Windjacke. Derbe braune Arbeitsstiefel, stark verkratzt und rissig, lange nicht mehr geputzt, vor Schmutz starrend.

Ich fragte Deveraux: »Kennen Sie ihn?«

Sie schüttelte den Kopf. »Nie gesehen.«

Er musste nach einem Oberschenkeldurchschuss verblutet sein, vermutete ich. Seine Jeans waren getränkt von Blut. Das Hochgeschwindigkeitsgeschoss musste die Oberschenkelarterie zerrissen haben. Diese Schlagader transportiert große Mengen Blut. Jede größere Verletzung ist binnen Minuten tödlich, wenn nicht umgehend Erste Hilfe geleistet wird.

Das Außergewöhnliche an der Szene vor uns war jedoch, dass hier genau das versucht worden war. Das Hosenbein des Mannes war mit einem Messer aufgeschlitzt worden. Jemand hatte angefangen, die Wunde mit einem Verbandspäckchen zu versorgen.

Dieses olivgrüne Verbandspäckchen stammte eindeutig aus Militärbeständen.

Deveraux richtete sich auf und wich zögernd zurück, ohne die Leiche aus den Augen zu lassen, bis sie drei, vier Meter von ihr entfernt war. Ich tat das Gleiche und blieb neben ihr stehen. Sie sprach leise, als wären laute Stimmen respektlos. Als könnte der Tote uns hören. Sie fragte: »Was halten Sie davon?«

»Es hat Streit gegeben«, sagte ich. »Dabei ist ein Schuss gefallen. Vermutlich ein Warnschuss, der versehentlich getroffen hat. Oder ein Schuss, der jemandem Beine machen sollte.«

»Weshalb kein tödlicher Schuss, der danebengegangen ist?«

»Weil der Schütze sofort noch mal geschossen hätte. Er wäre herangekommen und hätte den Mann mit einem Kopfschuss erledigt. Aber das hat er nicht getan. Stattdessen hat er versucht, dem Kerl zu helfen.«

»Und?«

»Und er hat festgestellt, dass er das nicht schaffen würde. Also ist er in Panik geraten und weggelaufen. Er hat den Verletzten sterbend zurückgelassen. Das dürfte nicht lange gedauert haben.«

»Der Schütze war ein Soldat.«

»Nicht unbedingt.«

»Wer sonst hätte ein militärisches Verbandspäckchen in der Tasche?«

»Jeder, der in Militärläden einkauft.«

Deveraux wandte sich ab. Kehrte dem Toten den Rücken zu. Sie hob einen Arm und deutete auf den Horizont rechts vor uns. Machte eine knappe Handbewegung.

Sie fragte: »Was sehen Sie dort?«

Ich antwortete: »Den Zaun von Kelham.«

»Da haben Sie's«, sagte sie. »Hier draußen gibt es ein Sperrgebiet, das überwacht wird.«

Während Deveraux zu ihrem Wagen zurückging, um irgendwas zu holen, blieb ich stehen und betrachtete den Boden vor meinen Füßen. In der weichen Erde waren zahlreiche Fußabdrücke zu erkennen. Die des Verletzten bildeten ein bogenförmiges konfuses Muster, das an der Stelle endete, wo er jetzt tot lag. Um Beine und Unterleib herum waren Zehenspuren und runde Mulden von Knien zu sehen, wo der Schütze neben ihm kniend versucht hatte, die Blutung zu stillen. Diese Spuren befanden sich am Ende einer langen geraden Reihe weit auseinandergezogener Fußabdrücke – fast nur von Zehen, nicht viele Absatzspuren. Der Schütze war zu dem Verletzten gerannt. Ziemlich groß, aber kein Riese. Nicht besonders schwer. Jenseits des Toten führten ähnliche Spuren wieder weg. Das Sohlenprofil war mir unbekannt. Es passte zu keinem Militärstiefel, den ich jemals gesehen hatte.

Deveraux kam mit einer mattsilbernen Spiegelreflex aus dem Streifenwagen zurück. Während sie sich daranmachte, ihre Tatortfotos zu schießen, ging ich der Fährte nach, die der panikartig flüchtende Täter hinterlassen hatte. Ich behielt sie einen Meter rechts von mir und folgte ihr gut hundert Meter weit, bis sie sich an einer Stelle verlor, wo die Erde steinhart wurde. Das konnte geologische Gründe haben oder mit der Bewässerung zusammenhängen – oder ich hatte einfach die Grenze des Gebiets erreicht, das der alte Clancy pflügen mochte. Weil ich keinen Grund sah, weshalb ein Flüchtender seine Richtung ändern sollte, marschierte ich geradeaus weiter und hoffte, die Fährte wiederfinden zu können, aber das gelang mir nicht. Fünfzig Meter weiter war der Boden mit ginsterartigem Unkraut überwuchert. Vor mir wurde es dichter und ging in das Buschwerk über, das am Zaun von Kelham wuchs. Ich konnte keine geknickten Stängel ausmachen, aber die Pflanzen waren so hart und zäh, dass ich auch keine zu finden erwartete.

Ich kehrte um, machte einen Schritt und sah ungefähr drei Meter rechts von mir etwas aufblitzen. Etwas Metallisches. Aus Messing. Ich machte einen kleinen Umweg, bückte mich und entdeckte eine auf der Erde liegende Patronenhülse. Frisch und hell glänzend. Neu. Lang, aus einem Gewehr. Bestenfalls war dies eine Remington Kaliber .223 für Sportwaffen. Im schlimmsten Fall hatte die Patrone das beim Militär eingeführte NATO-Kaliber 5,56 mm. Aber mit bloßem Auge ist der Unterschied kaum zu erkennen. Die Messinghülse der Remington-Patrone ist dünner. Die NATO-Patrone ist schwerer.

Ich hob sie auf und wog sie prüfend in der Hand.

Eindeutig das Militärkaliber.

Ich schaute zu der Stelle hinüber, wo Deveraux und Pellegrino bei der Leiche standen. Sie waren ungefähr hundertzwanzig Meter von mir entfernt. Für einen Gewehrschützen praktisch zum Greifen nah. Das 5,56-mm-Geschoss der NATO war dafür ausgelegt, noch aus sechshundert Metern einen Stahlhelm zu durchschlagen. Hier hatte die Schussweite weniger als ein Viertel betragen. Ein leichter Schuss. Danebengehen konnte er praktisch nicht, was mein einziger Trost war. Männer, die aus Fort Benning nach Fort Kelham abkommandiert werden, um den letzten Schliff zu erhalten, sind keine Kerle, die aus solcher Nähe danebenschießen. Aber dieser Treffer war nicht beabsichtigt gewesen. Das bewies das Verbandspäckchen. Der Fehlschuss hatte den anderen Mann warnen oder ihm Beine machen sollen. Aber wer nach Kelham abkommandiert wird, hat seinen Testosteronspiegel längst unter Kontrolle. Seine Warnschüsse gehen hoch und weit vorbei. Ebenso Schüsse, die nur

Beine machen sollen. Die Zielperson braucht nur das Mündungs-feuer zu sehen und den Schussknall zu hören. Mehr ist nicht er-forderlich. Und kein Soldat tut mehr als nötig. Initiative im Mann-schaftsstand endet gewöhnlich mit Tränen. Vor allem dann, wenn scharfe Munition im Spiel ist.

Ich steckte die Messinghülse ein und machte mich auf den Rückweg. Unterwegs gab es nichts Bemerkenswertes zu sehen. Deveraux hatte einen ganzen Film verknipst. Sie spulte ihn zurück, nahm die Filmpatrone aus der Kamera und schickte Pellegrino damit in die Apotheke, um den Film entwickeln und Abzüge an-fertigen zu lassen. Sie trug ihm auf, den Express-Service zu ver-langen und den Arzt mit dem Leichenwagen mitzubringen. Er fuhr davon, und Deveraux und ich blieben auf fünfhundert Hek-tar Ackerland zurück – mit einer Leiche und einem gespaltenen Baum als einziger Gesellschaft.

Ich fragte: »Hat jemand einen Schuss gehört?«

Sie sagte: »Den hätte nur Mr. Clancy hören können. Pellegrino hat schon mit ihm gesprochen. Er behauptet, nichts gehört zu haben.«

»Oder einen Schrei? Ein Warnschuss setzt irgendeine Art Warn-ruf voraus.«

»Hat er den Schuss nicht gehört, hätte er auch keinen Schrei gehört.«

»Im Freien und aus einiger Entfernung ist ein einzelnes NATO-Geschoss nicht besonders laut. Das Schreien kann lauter gewesen sein. Vor allem wenn zwei Kerle sich angeschrien haben, was pas-siert sein kann. Falls eine Diskussion in Streit ausgeartet ist.«

»Glauben Sie jetzt auch, dass es ein NATO-Kaliber war?«

Ich holte die Messinghülse aus der Tasche, hielt sie Deveraux auf der flachen Hand hin und sagte: »Die habe ich hundertzwan-zig Meter von hier drei Meter rechts neben der geraden Linie ge-funden. Also genau dort, wohin ein M-16 sie ausgeworfen hätte.«

Deveraux sagte: »Das könnte eine Remington Kaliber .223 sein«, was freundlich von ihr war. Dann nahm sie mir die Patronenhülse ab. Ihre Fingernägel schienen sich leicht in meine Handfläche zu bohren. Dies war unsere erste Berührung. Der erste Körperkontakt. Beim Kennenlernen hatten wir uns nicht die Hand gegeben.

Sie tat, was ich gemacht hatte: Sie wog die Messinghülse in der Hand. Unwissenschaftlich, aber bei langer Erfahrung so präzise wie jede Waage. »Eindeutig das NATO-Kaliber«, erklärte sie. »Ich habe schon Unmengen davon verschossen und wieder aufgeklaubt.«

»Ebenso«, sagte ich.

»Jetzt schlage ich echt Krach«, schimpfte sie. »Soldaten auf amerikanischem Boden gegen Zivilisten! Damit gehe ich bis ins Pentagon. Bis ins Weiße Haus, wenn's sein muss.«

»Lieber nicht«, sagte ich.

»Warum nicht, verdammt noch mal?«

»Sie sind ein County Sheriff. Sie würden zerquetscht wie ein lästiges Insekt.«

Sie schwieg.

»Glauben Sie mir«, sagte ich. »Schrecken sie nicht mehr davor zurück, Soldaten gegen Zivilisten einzusetzen, haben sie auch einen Plan dafür, wie man die örtliche Polizei ausschaltet.«

27

Definitiv für tot erklärt wurde der Mann eine halbe Stunde später, als der Arzt gegen dreizehn Uhr mit Pellegrino zurückkam. Pellegrino fuhr seinen Streifenwagen, und Merriam folgte ihm mit einem museumsreifen Leichenwagen aus dritter oder gar vierter Hand. Der Wagen schien aus den sechziger Jahren zu stammen; er basierte auf einem Chevrolet, nicht auf einem Cadillac, und kam ohne hintere Seitenfenster oder sonstigen Schnickschnack aus. Er glich einem Kastenwagen in Schwarz mit gekreuzten Palmwedeln auf der Heckscheibe.

Merriam kontrollierte Puls und Atmung, dann untersuchte er flüchtig die Schusswunde und erklärte: »Dieser Mann ist aus der Oberschenkelschlagader verblutet. Schussverletzung mit Todesfolge.« Das lag auf der Hand, aber der Arzt fügte etwas Interessantes hinzu. Er hob die aufgeschnittene Jeans leicht hoch und sagte: »Nasser Jeansstoff ist schwer zu schneiden. Jemand hat ein verdammt scharfes Messer benutzt.«

Ich half Merriam, den Mann auf eine mit Segeltuch bespannte Tragbahre zu wälzen, und dann luden wir ihn hinten in den Leichenwagen. Der Arzt fuhr mit ihm weg, und Deveraux verbrachte fünf Minuten in ihrem Streifenwagen sitzend am Funkgerät. Ich stand mit Pellegrino zusammen. Er schwieg, und auch ich sagte nichts. Dann stieg Deveraux wieder aus und schickte ihn fort, sodass Deveraux und ich wieder allein waren – bis auf die gespaltene Eiche und den länglichen dunklen Fleck, wo das Blut des Erschossenen das Erdreich verfärbt hatte.

Deveraux sagte: »Butler behauptet, dass heute Vormittag garantiert niemand Kelham durchs Haupttor verlassen hat.«

Ich fragte: »Wer ist Butler?«

»Mein zweiter Deputy. Pellegrinos Kollege. Ich lasse ihn den Stützpunkt überwachen, um gewarnt zu sein, falls die Ausgangssperre plötzlich aufgehoben wird. Dann könnte es zu allen möglichen Spannungen kommen. Die Leute sind wegen des Falls Chapman sehr aufgebracht.«

»Aber nicht wegen der beiden ersten Morde, oder?«

»Kommt darauf an, wo und wen man fragt. Aber die Soldaten machen nie vor dem Bahngleis halt. Die Bars liegen alle auf der anderen Seite.«

Ich schwieg.

Sie sagte: »Es muss weitere Tore geben. Oder Löcher im Zaun. Er ist mindestens... wie lang? Dreißig Meilen? Und er ist fünfzig Jahre alt. Also muss er Schwachstellen aufweisen. Irgendjemand ist dort rausgekommen, das steht fest.«

»Und wieder reingeschlüpft«, sagte ich. »Das heißt, wenn Sie recht haben. Jemand ist wieder reingeschlüpft: bis zu den Ellbogen blutig, das Messer schmutzig und mit mindestens einer Patrone weniger in seinem Magazin.«

»Ich habe recht«, entgegnete sie.

»Ich habe noch nie von einem Sperrgebiet gehört«, sagte ich. »Zumindest nicht im Inland. Das kann ich einfach nicht glauben.«

»Ich schon«, sagte sie.

Etwas lag in ihrem Tonfall, etwas in ihrer Miene.

Ich fragte: »Was? Haben die Marines das mal gemacht?«

»Es war keine große Sache.«

»Erzählen Sie mir davon.«

»Geheim«, sagte sie nur.

»Wo war das?«

»Darf ich nicht sagen.«

»Wann war das?«

»Das darf ich auch nicht sagen.«

Ich machte eine kurze Pause, dann fragte ich: »Haben Sie schon mit Munro gesprochen? Mit dem Kerl, den sie auf den Stützpunkt entsandt haben?«

Sie nickte. »Er hat angerufen und eine Nachricht für mich hinterlassen. Gleich nach seiner Ankunft. Aus Höflichkeit. Er hat mir eine Nummer gegeben, unter der er zu erreichen ist.«

»Gut«, sagte ich. »Denn jetzt muss ich mit ihm reden.«

Wir fuhren gemeinsam zurück: über Clancys Land, aus seinem Tor hinaus, auf der Waschbrettstraße nach Süden, dann durch die schwarze Hälfte der Stadt nach Westen, von Kelham weg, in Richtung Bahnstrecke. Ich sah dieselben alten Frauen auf denselben Veranden, dieselben Kids auf Fahrrädern und Männer unterschiedlichen Alters, die mit klapprigen Pick-ups zu unbekannten Zielen unterwegs waren. Viele Häuser waren windschief und baufällig. Verlassene Baustellen gab es häufig. Fundamentplatten, auf denen dann doch kein Haus errichtet worden war. Wirre Knäuel aus Baustahl. Mit Unkraut überwucherte Sandhaufen und Ziegelstapel. In weitem Umkreis nur flaches Land mit vereinzelten Bäumen. In der Luft lag eine Art hoffnungsloser Apathie, an der sich vermutlich in den letzten hundert Jahren nichts geändert hatte.

»Meine Leute«, sagte Deveraux. »Mein Rückhalt. Sie haben alle für mich gestimmt. Wirklich zu fast hundert Prozent. Wegen meines Vaters. Er hat sie fair behandelt. Sie haben eigentlich ihn gewählt.«

Ich fragte: »Wie haben Sie bei der weißen Einwohnerschaft abgeschnitten?«

»Bei der bin ich auch auf fast hundert Prozent gekommen. Aber das dürfte sich beides ändern, wenn ich den oder die Täter nicht bald fasse.«

»Erzählen Sie mir von den beiden ersten Frauen.«

Als Reaktion darauf bremste sie scharf, drehte sich auf dem Fahrersitz nach rechts und stieß zwanzig Meter zurück. Dann bog sie auf den Weg ab, an dem wir soeben vorbeigefahren waren. Er war unbefestigt, leicht gewölbt und mit flachen Straßengräben gut instand gehalten. Er führte genau nach Süden und war auf beiden Seiten von kleinen Häusern gesäumt, die ehemalige Sklavenhütten sein konnten. Deveraux fuhr an einem halben Dutzend vorbei, passierte eine Lücke, wo ein Haus abgebrannt war, und bog auf ein Grundstück ab, das ich von dem dritten Foto wiedererkannte. Hier hatte das arme Mädchen gewohnt. Die junge Schönheit, die auf dem Foto keinen Schmuck trug. Ich erkannte den Baum, in dessen Schatten sie gesessen hatte, ebenso wieder wie die weiße Holzwand, die das sanfte Licht der untergehenden Sonne reflektierte.

Wir parkten im Gras und stiegen aus. Irgendwo kläffte ein Hund, dessen Kette rasselte. Wir gingen unter den Zweigen des Baums hindurch und klopften an die Hintertür. Das Haus war klein, nicht viel größer als ein Blockhaus, aber gut erhalten. Die weiße Holzschalung wirkte nicht neu, aber sie war regelmäßig gestrichen worden. Unten sah sie hellbraun aus, weil starke Regenfälle schlammiges Erdreich hatten hochspritzen lassen.

Die Tür wurde von einer Schwarzen geöffnet, die nicht viel älter war als Deveraux und ich. Sie war groß und hager, bewegte sich mit einer Art tropischem Phlegma und ließ eisernen Stoizismus erkennen, der vermutlich auch für ihre Nachbarn typisch war. Sie bedachte Deveraux mit resigniertem Lächeln, schüttelte ihr die Hand und fragte: »Gibt's im Fall meines Babys was Neues?«

Deveraux sagte: »Wir arbeiten noch daran. Keine Sorge, wir klären den Fall auf.«

Die trauernde Mutter war zu höflich, um darauf zu antworten. Sie lächelte nur wieder ihr mattes Lächeln und wandte sich dann zu mir. Sie sagte: »Wir kennen uns nicht, glaub ich.«

Ich sagte: »Ich bin Jack Reacher, Ma'am«, und schüttelte ihr die Hand.

Sie sagte: »Ich bin Emmeline McClatchy. Freut mich, Sie kennenzulernen, Sir. Sind Sie beim Sheriff's Department?«

»Die Army schickt mich, damit ich helfe.«

»Jetzt tut sie's«, sagte sie. »Nicht vor neun Monaten.«

Ich äußerte mich nicht dazu.

Die Frau sagte: »Ich habe ein Stück Hirschfleisch im Schmortopf und einen Krug Eistee im Kühlschrank. Möchten Sie mir beim Mittagessen Gesellschaft leisten?«

Deveraux erwiderte: »Emmeline, das ist bestimmt nicht Ihr Mittag-, sondern Ihr Abendessen. Wir kommen schon zurecht. Wir essen in der Stadt. Aber trotzdem vielen Dank.«

Das war die Antwort, mit der die Frau gerechnet zu haben schien. Sie lächelte und wich ins Halbdunkel ihres Hauses zurück. Wir gingen wieder zu dem Streifenwagen und fuhren davon. Weiter die Straße entlang stand eine Hütte mit blinkender Bierreklame in den Fenstern. Irgendeine Art Bar. Vielleicht mit Musik. Wir schlängelten uns durch ein Labyrinth aus unbefestigten Straßen. Ich sah eine weitere verlassene Baustelle; kniehohe Grundmauern aus Hohlblocksteinen, die vier Ecken durch Stehbalken markiert. Aber das war schon alles. Baumaterial lag in unordentlichen Haufen auf dem Grundstück herum: übriggebliebene Hohlblocksteine, ein Stapel Ziegel, ein Sandhaufen und aufgestapelte Zementsäcke, die im Regen längst steinhart geworden waren.

Und ein Kieshaufen.

Ich drehte den Kopf zur Seite und begutachtete ihn im Vorbeifahren. Dort lagen ungefähr zwei Kubikmeter grauer scharfkantiger Betonkies. Der Haufen hatte sich verbreitert und bedeckte nun eine von Unkraut eingefasste Fläche von der Größe eines Doppelbetts. Seine Oberfläche wies Abschürfungen und flache Vertiefungen auf, als wären Kids darübergelaufen.

Ich sagte nichts. Deveraux' Meinung stand bereits fest. Sie bog nach links auf eine breitere Straße ab. Größere Häuser, größere Grundstücke. Holzzäune statt Maschendraht. Betonwege zu den Haustüren, nicht nur festgetrampelte Erde. Sie wurde langsamer und hielt dann vor einem Haus, das etwa doppelt so groß wie Emmelines Hütte war. In Kalifornien wäre es teuer gewesen. Aber es wirkte heruntergekommen. Der Anstrich blätterte ab, die Regenrinnen hatten Löcher, auf dem Dach waren mehrere Ziegel verrutscht. Vor dem Haus sahen wir einen schwarzen Jungen von etwa sechzehn Jahren. Er stand einfach nur da und beobachtete uns.

Deveraux erklärte: »Hier hat die andere gewohnt. Shawna Lindsay hat sie geheißen. Das dort drüben ist ihr kleiner Bruder, der uns anstarrt.«

Der kleine Bruder gab kein hübsches Bild ab. Er hatte bei der genetischen Lotterie Pech gehabt, das stand verdammt fest. Er sah seiner Schwester gar nicht ähnlich. Nicht im Geringsten. Er war potthässlich. Er hatte einen Kopf wie eine Kegelkugel, und seine Augen glichen den Fingerlöchern darin – in ebenso geringem Abstand.

Ich fragte: »Gehen wir rein?«

Deveraux schüttelte den Kopf. »Shawnas Mom will, dass ich mich erst wieder blicken lasse, wenn ich weiß, wer ihrer Erstgeborenen die Kehle durchgeschnitten hat. Das hat sie mir selbst erklärt. Und ich kann's ihr nicht verübeln. Ein Kind zu verlieren ist eine schlimme Sache, vor allem für solche Leute. Nicht dass sie geglaubt haben, ihre Töchter würden als Models Karriere machen und ihnen ein Haus in Beverley Hills schenken. Aber etwas wirklich Besonderes zu besitzen hat ihnen viel bedeutet. Weil sie bis dahin nie etwas hatten, wissen Sie.«

Der Junge starrte uns weiter an. Stumm, vorwurfsvoll und beharrlich.

»Bitte weiter«, sagte ich. »Ich muss telefonieren.«

28

Elizabeth Deveraux ließ mich von ihrem Dienstzimmer aus telefonieren. Keine Demokratie, noch nicht, aber wir waren auf dem Weg dorthin. Sie fand die von Munro angegebene Nummer, wählte sie für mich und erklärte einer Telefonistin oder Sekretärin, Sheriff Elizabeth Deveraux wolle Major Duncan Munro sprechen. Dann übergab sie den Hörer mir, stand auf und verließ den Raum.

Ich saß mit einem leisen Summen im Ohr und einem Rest ihrer Körperwärme im Rücken am Schreibtisch. Ich wartete. Die Stille knisterte und knackte. Die Army spielte keine Warteschleifenmusik. Nicht im Jahr 1997. Nach ungefähr einer Minute klapperte Kunststoff, als ein Hörer in die Hand genommen wurde, und eine Stimme sagte: »Sergeant Deveraux? Hier ist Major Munro. Wie geht es Ihnen?«

Die Stimme klang hart, energisch und hyperkompetent, aber sie hatte auch einen fröhlichen Unterton. Ich war mir sicher, dass jeder Mann sich über einen Anruf von Elizabeth Deveraux freuen würde.

Ich fragte: »Munro?«

Er sagte: »Entschuldigung, ich dachte, Elizabeth Deveraux sei am Apparat.«

»Nun, das ist sie leider nicht«, entgegnete ich. »Mein Name ist Reacher. Ich telefoniere vom Apparat des Sheriffs aus. Ich bin vom 396th zum Hundertzehnten abkommandiert. Wir haben denselben Dienstgrad.«

Munro sagte: »Jack Reacher? Ich habe natürlich schon von Ihnen gehört. Was kann ich für Sie tun?«

»Hat Garber Ihnen mitgeteilt, dass er einen verdeckten Ermittler in die Stadt schicken würde?«

»Nein, aber ich habe vermutet, dass er das tun würde. Das sind Sie, stimmt's? Mit dem Auftrag, die Einheimischen zu überwachen? Das scheint gut zu klappen, da Sie aus dem Büro des Sheriffs telefonieren. Was bestimmt auch Spaß macht. Die Leute hier sind der Ansicht, dass sie 'ne echte Schönheit ist, aber auch, dass sie lesbisch ist. Haben Sie dazu schon eine Meinung?«

»Solche Dinge gehen Sie nichts an, Munro.«

»Nennen Sie mich Duncan, okay?«

»Nein, danke. Ich werde Sie weiter Munro nennen.«

»Wie Sie wollen. Was kann ich für Sie tun?«

»Hier draußen passiert aller möglicher Scheiß. Heute Morgen ist ein Mann in der Nähe Ihres Zauns, im Nordwestquadranten, erschossen worden. Unbekannter Angreifer, aber vermutlich eine NATO-Patrone und eindeutig ein ungeschickter Versuch, die tödliche Wunde mit einem Verbandspäckchen zu versorgen.«

»Was, jemand hat auf den Kerl geschossen und ihn dann zu verbinden versucht? Das klingt nach einem zivilen Vorfall, finde ich.«

»Ich hatte gehofft, dass Sie auf eine weniger schlichte Lösung kommen würden. Wie erklären Sie die Patrone und das Verbandspäckchen?«

»Remington .223 und ein Militärladen.«

»Und davor sind zwei Männer verprügelt worden – von einem Soldaten, wie sie beide schwören.«

»Nicht von einem Soldaten aus Kelham.«

»Wirklich nicht? Für wie viele der dortigen Garnison können Sie sich verbürgen? Was ihren Aufenthaltsort heute Morgen betrifft?«

»Für alle«, sagte Munro.

»Buchstäblich?«

»Ja, buchstäblich«, sagte Munro. »Die Kompanie Alpha ist seit fünf Tagen in Übersee im Einsatz, und alle anderen dürfen ihre Unterkunft nicht verlassen oder sitzen in der Mannschaftsmesse oder im Offiziersklub. Die Jungs von der hiesigen Militärpolizei sind auf Zack und überwachen alle, während sie sich gegenseitig selbst kontrollieren. Ich kann dafür garantieren, dass heute Morgen niemand den Stützpunkt verlassen hat. Seit meiner Ankunft überhaupt niemand mehr.«

»Ist das Ihr Standardverfahren?«

»Das ist meine Geheimwaffe. Den ganzen Tag herumhocken, ohne lesen oder fernsehen zu dürfen, zum Nichtstun verdammt sein. Früher oder später packt irgendjemand aus reiner Langeweile aus. Eine unfehlbare Methode. Ich brauche keinem mehr den Arm zu brechen. Ich habe gelernt, dass die Zeit mein Verbündeter ist.«

»Noch mal von vorn«, sagte ich. »Dieser Punkt ist sehr wichtig. Sie sind sich absolut sicher, dass heute Morgen niemand den Stützpunkt verlassen hat? Oder letzte Nacht? Auch nicht auf geheimen Befehl, der lokal erteilt werden oder aus Benning oder sogar dem Pentagon kommen kann? Das ist mein völliger Ernst. Und versuchen Sie nicht, einen Schwindler zu beschwindeln.«

»Ich bin mir ganz sicher«, sagte Munro. »Dafür garantiere ich. Ehrenwort! Glauben Sie mir, ich weiß, wie man so was macht. Gestehen Sie mir wenigstens das zu.«

»Okay«, sagte ich.

Munro fragte: »Wer war der Erschossene?«

»Noch nicht identifiziert. Wahrscheinlich ein Zivilist.«

»In der Nähe des Zauns?«

»Genau wie die beiden Männer, die Prügel bezogen haben. Als gäbe es ein Sperrgebiet.«

»Lächerlich! Es gibt keines. Das weiß ich ganz sicher.«

Wir schwiegen eine ganze Weile, dann fragte ich: »Was wissen Sie noch ganz sicher?«

»Das darf ich Ihnen nicht sagen. Für diesen Auftrag ist strikte Geheimhaltung befohlen.«

»Kommen Sie, wir spielen Zwanzig Fragen.«

»Lieber nicht.«

»Gut, dann die Kurzversion. Drei Fragen. Sie brauchen nur mit Ja oder Nein zu antworten.«

»Bringen Sie mich nicht in Schwierigkeiten, okay?«

»Die haben Sie längst. Sehen Sie das nicht? Wir stecken hier echt in der Scheiße. Und der Täter ist entweder dort drinnen bei Ihnen oder bei mir hier draußen. Folglich wird bald einer von uns dem anderen helfen müssen. Da können wir genauso gut schon anfangen.«

Schweigen. Dann: »Jesus. Okay, drei Fragen.«

»Hat man Ihnen von dem zertrümmerten Auto erzählt?«

»Ja.«

»Hat jemand Geld aus dem Kosovo als mögliches Tatmotiv genannt?«

»Ja.«

»Hat man Ihnen von den beiden anderen ermordeten Frauen erzählt?«

»Nein. Welche ermordeten Frauen?«

»Letztes Jahr. Auch hier. Gleiche Methode. Kehle durchgeschnitten.«

»Besteht eine Verbindung?«

»Wahrscheinlich.«

»Jesus. Nein, davon hat niemand ein Wort gesagt.«

»Haben Sie schriftliche Unterlagen über die Bewegungen der Kompanie Bravo? Im Juni und November letzten Jahres?«

»Das ist Ihre vierte Frage.«

»Wir plaudern nur miteinander. Zwei Offiziere, gleicher Dienstgrad, die ein bisschen quatschen. Das Spiel ist vorbei.«

»Hier gibt es keine Unterlagen über die Bewegungen der Kompanie Bravo. Sie wird nach den Vorschriften über Special Operations eingesetzt. Daher liegen sämtliche Unterlagen in Fort Bragg. Um nur einen Blick auf den Aktenschrank werfen zu dürfen, bräuchte man den größten Durchsuchungsbeschluss aller Zeiten.«

Ich fragte: »Machen Sie mit Ihren Ermittlungen allgemeine Fortschritte?«

Keine Antwort.

Ich fragte: »Wie lange dauert es normalerweise, bis Ihre Geheimwaffe funktioniert?«

Er sagte: »Meistens geht's viel schneller.«

Ich äußerte mich nicht dazu, und dann waren wieder nur das Summen und gleichmäßige Atemzüge zu hören, bis Munro fortfuhr: »Hören Sie, Reacher, was ich jetzt sagen möchte, ist vielleicht kaum der Rede wert, weil Sie denken werden: Na ja, was soll er schließlich sonst sagen, nachdem wir beide wissen, dass er hingeschickt worden ist, um jemands Arsch zu retten. Aber für diese Rolle bin ich nicht geeignet. Das bin ich nie gewesen.«

»Und?«

»Nach meinem heutigen Wissensstand hat keiner unserer Leute irgendeine Frau ermordet. Weder in diesem Monat noch im November oder Juni. So sieht's gegenwärtig aus.«

29

Als ich nach dem Gespräch mit Munro den Hörer auflegte, kam Deveraux sofort in ihr Dienstzimmer zurück. Vielleicht hatte sie in der Vermittlung eine Signalleuchte beobachtet. Sie sagte: »Nun?«

»Es gibt kein überwachtes Sperrgebiet. Und seit Munros Ankunft hat niemand mehr Kelham verlassen.«

»Dass er das sagen würde, war zu erwarten, oder?«

»Und er hegt keinen Verdacht. Er glaubt, dass der Täter nicht auf dem Stützpunkt ist.«

»Dito.«

Ich nickte. Täuschungsmanöver und Nebelkerzen. Politik und das richtige Leben. Völliges Durcheinander. Ich fragte: »Gehen wir zum Lunch?«

Sie sagte: »Danach.«

»Wonach?«

»Erst müssen Sie ein kleines Problem lösen. Unten auf der Straße warten die Cousins McKinney auf Sie. Und sie haben Verstärkung mitgebracht.«

Deveraux führte mich über den Korridor in ein Eckzimmer mit Fenstern in zwei Wänden. Der erste Blick auf die Main Street zeigte mir eine menschenleere Straße. Aber im Norden, wo die T-förmige Einmündung lag, waren vier Männer zu erkennen. Meine beiden alten Freunde mit zwei weiteren ähnlichen Typen. Ungewaschen, langhaarig, tätowiert. Sie lungerten mit den Händen in den Hosentaschen im Bereich der Einmündung herum, kickten ab und zu einen Erdklumpen weg und taten ansonsten nichts.

Meine erste Reaktion war eine Mischung aus Staunen und Bewunderung. Ein Kopfstoß ist ein schwerer Treffer, vor allem einer von meinen. Dass die Kerle schon nach wenigen Stunden wieder gehen und reden konnten, war beeindruckend. Meine zweite Reaktion war Verärgerung. Über mich selbst. Ich war zu sanft gewesen. Zu neu in der Stadt, zu zögerlich, zu anständig, zu rasch bereit, reine Dummheit als mildernden Umstand gelten zu lassen. Ich sah zu Deveraux und fragte: »Was soll ich mit ihnen machen?«

Sie sagte: »Sie könnten sich entschuldigen, damit sie abhauen.«

»Oder?«

»Sie könnten sich zuerst von ihnen schlagen lassen. Dann könnte ich sie wegen Körperverletzung festnehmen. Das täte ich liebend gern.«

»Sie schlagen nicht zu, wenn Sie dabei sind.«

»Ich bleibe außer Sicht.«

»Ich weiß nicht recht, ob ich das eine oder das andere tun möchte.«

»Eins oder das andere, Reacher. Sie haben die Wahl.«

Ich trat auf die Main Street hinaus wie irgendein Kerl in einem alten Westernfilm. Nur die Filmmusik dazu fehlte. Ich wandte mich nach rechts, nach Norden, stand still. Die vier Typen entdeckten mich. Sie wirkten einen Augenblick lang erstaunt, anschließend freudig überrascht. Dann bildeten sie eine Kette, in der alle vier Mann mit eineinviertel Meter Abstand von West nach Ost aufgereiht waren. Alle machten einen Schritt auf mich zu und blieben dann wieder stehen. Hinter ihnen auf der Straße nach Kelham standen zwei Pick-ups auf dem Bankett geparkt. Einer war der klapprige Truck, den ich bereits kannte, und der andere davor war auch nicht besser.

Ich ging wie ein Lamm zur Schlachtbank weiter. Die Sonne stand ungefähr so hoch, wie sie im März überhaupt stehen konnte. Die Luft war warm. Ich spürte die Sonnenwärme auf der Haut und den harten Straßenbelag unter den Stiefeln. Ich steckte die Hände in die Hosentaschen. Die waren leer bis auf die angebrochene Münzrolle, die ich in dem Diner erhalten hatte. Meine Faust schloss sich um die Papierrolle. Ein Fünfdollarschlag – minus dem, was ich vertelefoniert hatte.

Ich schlenderte weiter und machte etwa drei Meter vor der Schützenkette halt. Die beiden Kerle, die ich schon kannte, standen auf der linken Seite: der schweigsame Chefdenker außen, der Alphahund innen neben ihm. Beide hatten Nasen wie verdorbene Auberginen, außerdem je ein blaues Auge und Spuren von geronnenem Blut an den Lippen. Keiner der beiden schien besonders sicher auf den Beinen zu stehen oder scharf zu sehen. Rechts neben dem Alphahund stand ein etwas kleinerer Typ, dessen Nachbar ein großer Kerl in einer Bikerweste war.

Ich starrte den Alphahund an und fragte: »Ist das Ihr Plan?«

Er gab keine Antwort.

Ich sagte: »Vier Kerle? Ist das alles?«

Keine Antwort.

Ich sagte: »Mir ist gesagt worden, es gäbe Dutzende von euch.«

Keine Antwort.

»Aber Logistik und Kommunikation waren schwierig, nehme ich an. Deshalb habt ihr euch für einen leichten Verband entschieden, der rasch aufgestellt und schnell eingesetzt werden kann. Übrigens eine gerade sehr moderne Taktik. Sie sollten mal an ein paar Seminaren im Pentagon teilnehmen. Die dort angestellten Überlegungen würden Ihnen sehr bekannt vorkommen.«

Der kleinere Typ rechts von der Mitte wirkte betrunken. Nicht sturzbetrunken, aber doch unübersehbar. Ich konnte seine Fahne riechen. Bier zum Frühstück. Vielleicht mit jeweils einem Bourbon hinterher. So wie er aussah, lebte er seit Jahren von dieser Diät. Also würde er langsam reagieren, dann wild und planlos um sich schlagen. Kein großes Problem. Der neue Mann mit der Bikerweste hatte irgendein Rückenproblem. Das sah ich ihm an, weil er mit vorgeschobenem Becken dastand, um den Druck abzumildern. Seine Schmerzen konnten ein Dutzend Ursachen haben. Er war ein Bursche vom Land, konnte einen Heuballen gehoben haben oder vom Pferd gefallen sein. Auch keine wirkliche Gefahr. Er würde sich verteidigen. Aber beim ersten enthusiastischen Schlag würde in seinem Inneren alles Mögliche reißen. Er würde wie ein Krüppel davonhumpeln und sein betrunkener Freund bis dahin bereits flachliegen. Und die beiden anderen waren ohnehin in keiner guten Verfassung. Die beiden, die ich kannte. Und die mich kannten. Der Alphahund stand leicht links vor mir, und ich bin Rechtshänder. Er bot sich praktisch freiwillig an.

Insgesamt ein ermutigendes Bild.

Ich sagte: »Nur schade, dass nicht einer von euch größer ist. Oder zwei oder drei von euch. Oder alle.«

Keine Antwort.

Ich sagte: »Aber hey, ein Plan ist ein Plan. Hat's lange gedauert, ihn auszuarbeiten?«

Keine Antwort.

Ich sagte: »Wisst ihr, was wir in West Point über Pläne gesagt haben?«

»Was?«

»Jeder hat einen Plan, bis er eine aufs Maul kriegt.«

Keine Antwort. Keine Bewegung. Ich ließ die Münzrolle in meiner Hosentasche los. Die würde ich nicht brauchen. Ich sagte: »Das Problem mit leichten Verbänden ist, dass sie ohne Weiteres in ernstliche Schwierigkeiten kommen können. Seht euch an, was in Somalia passiert ist. Deshalb solltet ihr euch diese Sache noch mal gründlich überlegen. Ihr steht hier an einer Weggabelung. Ihr müsst entscheiden, welchen Weg ihr gehen wollt. Ihr könntet jetzt angreifen, nur ihr vier. Aber dann würdet ihr im Krankenhaus landen. Das ist ein Versprechen. Eine gusseiserne Garantie. Ihr werdet übler zugerichtet als je zuvor. Ich rede von gebrochenen Knochen. Gehirnschäden kann ich nicht versprechen. Da scheinen mir einige bereits zuvorgekommen zu sein.«

Keine Reaktion.

Ich sagte: »Oder ihr tretet einen taktischen Rückzug an, um dann in aller Ruhe eine größere Streitmacht zusammenziehen zu können. Ihr könntet in ein paar Tagen zurückkommen. Dutzende von euch. Ihr könntet das alte Gewehr finden, mit dem euer Granddaddy auf Ratten geschossen hat. Und ihr könntet schon mal damit anfangen, Schmerzmittel einzuwerfen.«

Keine Reaktion. Jedenfalls keine verbale. Aber ich sah, dass sie die Schultern hängen ließen und mit den Füßen zu scharren begannen.

»Gute Entscheidung«, sagte ich. »Kampf in der Überzahl ist immer besser. Ihr solltet wirklich ins Pentagon gehen. Ihr solltet ihnen eure Überlegungen erläutern. Sie würden auf euch hören. Sie hören auf alle außer uns.«

Der Alphahund sagte: »Wir kommen wieder.«

»Ich bin hier«, sagte ich. »Kommt wieder, wenn ihr so weit seid.«

Sie trollten sich und versuchten, dabei lässig zu wirken, hochmütig dreinzuschauen und etwas Würde zu bewahren. Sie stiegen in ihre Trucks und machten eine große Show daraus, die Motoren aufheulen und die Reifen beim Wenden auf der Straße laut quietschen zu lassen. Dann fuhren sie auf der Waldstraße nach Westen davon – in Richtung Memphis, in Richtung Rest der Welt. Ich sah ihnen nach, dann ging ich ins Sheriff's Department zurück.

Deveraux hatte das Ganze von einem Fenster des Eckzimmers aus beobachtet. Wie einen Stummfilm. Ohne Dialog. Sie sagte: »Sie haben erreicht, dass die Kerle gehen. Sie haben sich entschuldigt. Ich kann's kaum glauben!«

»Irrtum«, entgegnete ich. »Der Showdown ist nur verschoben. Sie kommen später zu Dutzenden zurück.«

»Was bezwecken Sie damit?«

»Weitere Verhaftungen für Sie. Das macht sich gut, wenn Sie erneut kandidieren.«

»Sie sind verrückt!«

»Gehen wir jetzt essen?«

»Ich bin schon zum Lunch eingeladen«, sagte sie.

»Seit wann?«

»Seit fünf Minuten. Major Duncan Munro hat noch mal angerufen und mich eingeladen, mit ihm im Kelham Officers' Club zu essen.«

30

Deveraux fuhr mit ihrem Streifenwagen in Richtung Kelham davon und ließ mich allein auf dem Gehsteig zurück. Ich ging an dem unbebauten Grundstück vorbei ins Restaurant. *Lunch for one.* Ich bestellte wieder den Cheeseburger, dann trat ich ans Telefon im Vorraum und rief das Pentagon an. Colonel John James Frazer,

Verbindungsoffizier beim Senat. Er meldete sich nach dem ersten Klingeln. Ich fragte ihn: »Welches Genie hat beschlossen, das Autokennzeichen für geheim zu erklären?«

Er sagte: »Das darf ich Ihnen nicht sagen.«

»Jedenfalls war das ein schlimmer Fehler. Es hat nur bestätigt, dass der Wagen jemandem aus Kelham gehört hat. Das ist jetzt quasi amtlich.«

»Wir hatten keine andere Wahl. Wir konnten die Sache nicht öffentlich abhandeln. Die dortige Polizei hätte binnen fünf Minuten die Medien informiert. Das durften wir nicht zulassen.«

»Das klingt so, als wollten Sie mir erzählen, das Auto habe jemandem aus der Kompanie Bravo gehört.«

»Ich erzähle Ihnen gar nichts. Aber glauben Sie mir, wir hatten keine andere Wahl. Die Folgen wären katastrophal gewesen.«

Ein seltsamer Unterton in seiner Stimme.

»Sagen Sie mir bitte, dass das nur ein Scherz ist«, entgegnete ich. »Wer Sie so reden hört, könnte glauben, das sei Reed Rileys Privatwagen gewesen.«

Keine Reaktion.

Ich fragte: »Stimmt das?«

Keine Antwort.

»Stimmt das?«

»Ich kann nichts bestätigen oder dementieren«, sagte Frazer. »Fragen Sie nicht mehr. Und nennen Sie den Namen nicht noch mal. Nicht an einem nicht abhörsicheren Telefon.«

»Hat der bewusste Offizier eine Erklärung?«

»Kein Kommentar.«

Ich sagte: »Diese Sache läuft aus dem Ruder, Frazer. Sie müssen umdenken. Vertuschung macht jedes Verbrechen nur noch schlimmer. Sie müssen dafür sorgen, dass damit Schluss ist.«

»Negativ, Reacher. Es gibt einen Plan, und daran haben wir uns zu halten.«

»Sieht der Plan ein Sperrgebiet um Kelham vor? Vielleicht speziell für Journalisten?«

»Was, zum Teufel, reden Sie da?«

»Ich habe Indizienbeweise dafür, dass jemand außerhalb des Zauns von Kelham unterwegs war. Zu diesen Beweisen gehört auch ein Toter. Ich sage Ihnen, dass diese Sache aus dem Ruder läuft.«

»Wer ist der Tote?«

»Ein einfach gekleideter Mann mittleren Alters.«

»Ein Journalist?«

»Ich traue mir nicht zu, einen Journalisten auf den ersten Blick zu erkennen. Vielleicht lernt man das bei der Infanterie, aber bestimmt nicht bei der Militärpolizei.«

»Kein Ausweis?«

»Wir haben nicht nachgesehen, weil der Arzt noch nicht mit ihm fertig ist.«

Frazer sagte: »Es gibt kein Sperrgebiet um Fort Kelham. Das wäre eine radikale Abkehr von der bisherigen politischen Linie.«

»Und illegal.«

»Einverstanden. Und dumm. Und kontraproduktiv. So etwas gibt es nicht. Hat es nie gegeben.«

»Das Marine Corps hat mal eines eingerichtet, glaube ich.«

»Wann?«

»Innerhalb der letzten zwanzig Jahre.«

»Na ja, Marines. Die machen alles Mögliche.«

»Sie sollten das überprüfen.«

»Wie? Glauben Sie, dass das in deren offizieller Chronik steht?«

»Tun Sie's indirekt. Suchen Sie einen Offizier, der über Nacht ohne Angabe zwangspensioniert worden ist. Vielleicht ein Colonel.«

Ich beendete das Gespräch mit Frazer, verspeiste meinen Burger, trank etwas Kaffee und machte mich dann auf den Weg, um Garbers morgendlichen Befehl auszuführen, indem ich an den Unfallort zurückkehrte und das Autokennzeichen vernichtete. Ich marschierte auf der Straße nach Kelham gen Osten und bog am Bahngleis nach Norden ab. Dabei kam ich an dem alten Wasserkran vorbei. Sein Elefantenrüssel bestand aus oft geflicktem gummiertem Segeltuch, das im Alter weich geworden war. Er schwankte in der leichten Brise. Ich ging fünfzig Meter weiter, dann verließ ich das Gleis und hielt auf die Stelle zu, wo ich die halb vergrabene Stoßstange entdeckt hatte.

Die halb vergrabene Stoßstange war weg.

Sie war nirgends zu sehen. Jemand hatte sie ausgegraben und mitgenommen. Das Loch, das ihr im Boden steckendes Ende zurückgelassen hatte, war mit Erde aufgefüllt, dann mit Stiefelsohlen festgestampft und mit Schaufeln planiert worden.

Die Abdrücke glichen keinem Stiefel, den ich jemals beim Militär gesehen hatte. Aber die Schaufelspuren hätten von Schanzzeug stammen können. Das ließ sich weder eindeutig bestätigen noch eindeutig ausschließen.

Ich lief weiter, tiefer in das Trümmerfeld hinein. Jemand hatte sich für die Trümmer interessiert. Sie waren gesiebt, untersucht, umgedreht, geprüft und bewertet worden. Auf einer Strecke von über hundertfünfzig Metern. Vermutlich waren tausend einzelne Fragmente aufgehoben worden. Die Zahl der kleineren Teile, die nur begutachtet worden waren, lag bestimmt zehnmal höher. Ein weites Gebiet. Eine riesige Aufgabe. Eine Menge Arbeit. Langsam und mühsam. Ich tippte auf sechs Soldaten. Ich stellte sie mir vor, wie sie unter striktem Befehl in einer Linie vorrückten und sehr präzise arbeiteten.

Mit militärischer Präzision.

Ich ging denselben Weg zurück, den ich gekommen war. Als ich den Bahnübergang erreicht hatte, sah ich ein Auto von Osten, aus Richtung Kelham, auf mich zukommen. Es war auf der geraden Straße noch ziemlich weit entfernt. Scheinbar klein, aber bestimmt kein Kleinwagen. Zuerst dachte ich, Deveraux komme von ihrem Lunch zurück, aber dies war kein Streifenwagen. Dort fuhr ein schwarzes Auto: groß, leise und schnell. Eine schwere Limousine. Sie bretterte mitten auf der Straße dahin, behielt den Mittelstrich zwischen den Rädern und hielt sich so von den ausgefransten Straßenrändern fern.

Ich verließ das Gleis in Richtung Kelham und baute mich mit ausgebreiteten Armen unübersehbar groß mitten auf der Fahrbahn auf. Als der Wagen bis auf ungefähr hundert Meter heran war, kreuzte ich die Arme über dem Kopf und gab das internationale Notsignal. Ich wusste, dass der Fahrer halten würde. Wir schrieben das Jahr 1997. Viereinhalb Jahre vor dem »Krieg gegen den Terrorismus«. Vor endlos langer Zeit. In einer weit weniger misstrauischen Welt.

Die Limousine wurde langsamer, dann stoppte sie vor mir. Ich ging nach rechts um die Motorhaube herum und an der Seite des Wagens entlang zum Fahrerfenster. Unterwegs zögerte ich etwas, um meinen Blickwinkel zu optimieren. Ich wollte den Passagier sehen, weil ich vermutete, dass er hinten rechts saß, wo er mit nach vorn gefahrenem Beifahrersitz reichlich Fußraum hatte. Ich wusste, wie so was funktionierte. Auch ich war schon in Limousinen mit Chauffeur unterwegs gewesen. Mehr als einmal.

Das Fahrerfenster wurde heruntergefahren. Ich beugte mich nach vorn, um in den Wagen blicken zu können. Der Chauffeur war ein großer dicker Mann, dessen Wanst zwischen seinen Knien hing. Zu seiner schwarzen Schirmmütze trug er ein schwarzes Jackett mit schwarzer Krawatte. Er hatte wässrige Augen. Er fragte: »Können wir Ihnen helfen?«

Ich antwortete: »Tut mir leid, ich hab mich getäuscht. Ich hab Sie mit jemandem verwechselt. Trotzdem vielen Dank, dass Sie gehalten haben.«

»Klar«, sagte der Kerl. »Kein Problem.« Das Fenster ging wieder surrend nach oben. Ich trat einen Schritt zur Seite, um der Limousine den Weg frei zu machen.

Der Passagier war älter als ich gewesen: grauhaarig, wohlhabend, in einem modischen Anzug aus Schurwolle. Auf dem Rücksitz neben ihm hatte ein lederner schwarzer Aktenkoffer gelegen.

Ein hochkarätiger Anwalt, vermutete ich.

31

Ich stand mit Blick nach Osten da, wo das Schwarzenviertel lag, und weil es dort ein paar Dinge gab, die ich mir noch mal ansehen wollte, ging ich in diese Richtung weiter. Die Straße unter meinen Stiefeln fühlte sich gut an. Während der Blütezeit der Eisenbahn war sie vermutlich unbefestigt gewesen, aber seither hatte man sie ausgebaut – bestimmt in den fünfziger Jahren und auf Kosten des Verteidigungsministeriums. Der Unterbau war für gepanzerte Fahrzeuge auf Tiefladern verstärkt und der Straßenverlauf begradigt worden, denn wo ein Heerespionier einen geraden Strich auf der Karte sieht, legt er eine schnurgerade Straße an. Ich war schon auf vielen solcher Straßen unterwegs gewesen. Man konnte sie in allen Teilen der Welt finden, auf dem spektakulären Höhepunkt amerikanischer Militärmacht und amerikanischen Selbstbewusstseins angelegt. Ich war ein Produkt jener Ära, aber ich hatte nie daran teilgehabt. Ich sehnte mich nach etwas, das ich nie selbst erlebt hatte.

Dann dachte ich an meinen alten Kumpel Stan Lowrey, der in dem Diner in der Nähe unseres Stützpunkts von Stellenanzeigen gesprochen hatte. Es würde Veränderungen geben, das stand fest, aber ich war nicht unglücklich darüber. Diese gerade Straße durch den für Mississippi typischen niedrigen Wald half mir dabei. Die Sonne schien, und die Luft war warm. Ich hatte Meilen hinter mir und Meilen vor mir und reichlich Zeit dafür. Ich hatte keinen Ehrgeiz und sehr wenige Bedürfnisse. Ich würde mich damit abfinden, was als Nächstes kam. Was blieb mir anderes übrig? Ich würde mich damit abfinden müssen.

Ich bog dort ab, wo Deveraux mit dem Streifenwagen abgebogen war: nach Süden auf die unbefestigte Straße zwischen flachen Straßengräben und ehemaligen Sklavenhütten. Unterwegs zu Emmeline McClatchys Haus. Als Fußgänger sah ich andere Dinge als vom Auto aus. Vor allem Armut – und die aus nächster Nähe. An Wäscheleinen hing geflickte Kleidung, die durch häufiges Waschen fast durchsichtig war. Es gab keine neuen Autos. Hinter manchen Häusern wurden Hühner und Ziegen, manchmal auch ein Schwein gehalten. Es gab viele räudige Kettenhunde. Überall waren Reparaturen mit Bindedraht und Gewebeband zu sehen: an Elektroleitungen, an Regenrinnen, an Wasseranschlüssen. Ich stellte auch fest, dass ich mit gewissem Misstrauen bedacht wurde. Immer wieder entdeckte ich barfüßige Kinder, die mich musterten, bis sie von Müttern, die sich mir nicht zeigten, weggezerrt wurden.

Ich marschierte weiter und kam an Emmeline McClatchys Haus vorbei, ohne sie zu sehen. Auf diesem Straßenstück sah ich überhaupt niemanden. Keine Kids, keine Erwachsenen. Niemanden. Ich passierte das Haus mit den Bierreklamen in den Fenstern, folgte genau der Route, die Deveraux genommen hatte – links, rechts und noch mal links –, bis ich die aufgegebene Baustelle mit ihrem Kieshaufen wiederfand.

Das auf dem Grundstück geplante Haus wäre klein gewesen, und sein Fundament war nach alter Tradition zweckmäßig schräg zur Straße angelegt, um im Sommer von der vorherrschenden Brise zu profitieren und nicht der vollen Sonneneinstrahlung ausgesetzt zu sein. Das Fundament war aus Hohlblocksteinen und Mörtel mit hohem Sandanteil gemauert. Die Wasserleitung und ein Abwasserrohr waren grob installiert worden. Die hölzernen Eckpfosten begannen bereits zu verfaulen. Zu mehr hatte es nicht gereicht. Den Leuten war wohl das Geld ausgegangen.

Der Kieshaufen wartete darauf, zu Beton verarbeitet zu werden, nahm ich an. Vielleicht sollte der Fußboden des neuen Hauses nicht aus Holz, sondern aus einer massiven Stahlbetondecke bestehen. Vielleicht hatte diese Bauweise Vorteile, möglicherweise in Bezug auf Termiten. Ich hatte noch nie ein Haus gebaut, hatte mich mein ganzes Leben lang nie mit Haus- oder Wohnungsproblemen befassen müssen.

Seit der Baueinstellung vor langer Zeit war der Kieshaufen zusammengesackt und breiter geworden. An den Rändern, wo er am dünnsten war, wuchs Unkraut hindurch. Es wucherte dort kniehoch, und die freie Fläche war ungefähr so groß wie ein Doppelbett. Die Mulden und Vertiefungen darin glichen einem Rorschachtest. Es war durchaus möglich, sie als das Ergebnis harmloser Spiele rennender, springender und stampfender Kinder zu sehen. Genauso gut konnten sie dadurch entstanden sein, dass hier eine erwachsene Frau zu Boden geworfen und vergewaltigt worden war.

Ich ging in die Hocke und fuhr mit dem Zeigefinger über die scharfkantigen kleinen Steine, die eine überraschend feste Oberfläche bildeten. Sie waren dicht zusammengepresst, und anhaftender Staub schien sich mit Tau oder Regen zu einem schwachen Klebstoff verbunden zu haben. Ich zog eine ungefähr zwei Zentimeter breite und zwei Zentimeter tiefe Furche, bevor ich die Hand umdrehte.

Ich drückte den Handrücken fest in den Kies und hielt den Druck eine Minute lang aufrecht. Dann begutachtete ich das Ergebnis. Kleine weiße Abdrücke, aber keine Vertiefungen, weil mein Handrücken nicht fleischig genug war. Deshalb zog ich einen Ärmel hoch und presste die Innenseite meines Unterarms auf den Kies. Um den Druck zu verstärken, legte ich sogar die andere Hand darauf, wippte mehrmals und zog meinen Arm zuletzt durch den Kies. Dann inspizierte ich ihn wieder.

Das Ergebnis bestand aus einigen kleinen roten und einigen kleinen weißen Malen sowie einer Menge Staub und Dreck. Ich spuckte darauf, wischte den Arm an meinem Hemd ab und hatte nun einen sauberen Streifen vor mir, der Janice May Chapmans Kreuz sehr ähnlich und zugleich sehr unähnlich sah. Ein weiterer Rorschachtest. Nicht schlüssig.

Aber ich gelangte zu einem eher nebensächlichen Schluss. Ich säuberte meinen Arm, so gut ich konnte, was nicht sehr gut war, und überlegte mir, dass Chapman – unabhängig davon, auf welchem Kiesbett sie vergewaltigt worden war – geduscht haben musste, bevor sie sich umgezogen hatte.

Ich ging weiter und fand die breitere Straße, in der Shawna Lindsay gewohnt hatte. Die zweite Ermordete. Das Mädchen aus der hiesigen Mittelschicht. Ihr jüngerer Bruder lungerte wieder vor dem Haus herum. Sechzehn Jahre alt. Der hässliche Junge. Er stand einfach nur da. Tat nichts. Beobachtete, wie ich mich ihm näherte. Sein Blick folgte mir die ganze Zeit. Ich trat auf den Seitenstreifen und blieb vor ihm stehen, sodass nur noch der niedrige Holzzaun zwischen uns aufragte.

Ich fragte: »Na, wie ist das Leben, Kid?«

Er sagte: »Meine Mom ist nicht da.«

»Gut zu wissen«, sagte ich. »Aber danach habe ich nicht gefragt.«

»Das Leben ist scheiße«, meinte er.

»Und dann stirbt man«, sagte ich. Eine Antwort, die ich sofort bedauerte. Gefühllos, wenn man an seine ermordete Schwester dachte. Aber er achtete nicht darauf, worüber ich froh war. Ich sagte: »Ich muss mit dir reden.«

»Wozu? Sammeln Sie Bonuspunkte für Weiße? Müssen Sie dazu heute einen Schwarzen finden, mit dem Sie reden können?«

»Ich bin in der Army«, erklärte ich. »Das bedeutet, dass die Hälfte meiner Freunde Schwarze sind – genauso, was noch wichtiger ist, wie die Hälfte meiner Vorgesetzten. Ich rede dauernd mit Schwarzen, und sie reden mit mir. Verschon mich also mit diesem Gettoscheiß.«

Der Junge schwieg einige Sekunden lang. Dann fragte er: »In welcher Einheit sind Sie bei der Army?«

»Militärpolizei.«

»Ist das ein schwieriger Job?«

»Schwieriger als schwierig. Aber das ist nur logisch. Jeder Soldat könnte dich in den Hintern treten, und ich könnte jeden Soldaten in den Hintern treten.«

»Echt?«

»Todsicher«, sagte ich. »Echt ist für andere Leute. Nicht für uns.«

Er fragte: »Worüber woll'n Sie reden?«

»Über eine Vermutung.«

»Welche denn?«

Ich sagte: »Ich vermute, dass nie jemand mit dir über den Tod deiner Schwester gesprochen hat.«

Er blickte zu Boden.

Ich sagte: »Ermittler reden normalerweise mit allen, die die Ermordete gekannt haben. Sie wollen wissen, was sie getan hat, wo sie gewesen ist, mit wem sie rumgehangen hat. Haben sie jemals mit dir über solche Dinge geredet?«

»Nein«, entgegnete er. »Mit mir hat nie jemand geredet.«

»Das hätten sie aber tun sollen«, sagte ich. »Ich hätt's getan. Weil Brüder alles Mögliche über Schwestern wissen. Vor allem in eurem Alter. Ich wette, dass du Dinge über Shawna weißt, von denen niemand etwas ahnt. Ich wette, dass sie dir manches anvertraut hat, was sie eurer Mom nicht erzählen konnte. Und ich wette, dass du auf anderes Zeug selbst gekommen bist.«

Der Junge trat von einem Bein aufs andere. Verlegen, aber auch ein wenig stolz, als wollte er sagen: *Yeah, auf manches Zeug bin ich selbst gekommen.* Laut sagte er jedoch: »Niemand redet über irgendwas mit mir.«

»Warum nicht?«

»Weil ich verkrüppelt bin. Die Leute halten mich auch für dumm.«

»Wer sagt, dass du verkrüppelt bist?«

»Alle.«

»Sogar deine Mom?«

»Sie sagt es nicht, aber sie denkt es.«

»Sogar deine Freunde?«

»Ich hab keine Freunde. Wer würde mit mir befreundet sein wollen?«

»Die Leute haben unrecht«, sagte ich. »Du bist nicht verkrüppelt. Du bist hässlich, aber nicht verkrüppelt. Das ist etwas anderes.«

Er lächelte. »Das hat Shawna auch immer gesagt.«

Ich stellte mir die beiden zusammen vor. Die Schöne und das Biest. Für beide eine schwierige Kombination. Taff für ihn wegen der endlosen angedeuteten Vergleiche. Taff für sie, weil sie stets taktvoll und geduldig hatte sein müssen. Ich sagte: »Du solltest zur Army gehen. Im Vergleich zur Hälfte aller Leute, die ich dort kenne, würdest du wie ein Filmstar rüberkommen. Du solltest den Kerl sehen, der mich hergeschickt hat.«

»Ich will zur Army«, sagte er. »Ich hab schon mit jemandem darüber gesprochen.«

»Mit wem hast du darüber gesprochen?«

»Mit Shawnas letztem Freund«, sagte er. »Er war Soldat.«

32

Der Junge lud mich ins Haus ein. Seine Mom war nicht da, und im Kühlschrank stand ein Krug Eistee. Bei heruntergelassenen Jalousien machte das Haus einen düsteren Eindruck. Die Luft roch abgestanden. Innen war das Haus beengt und spartanisch möbliert, aber es verfügte über reichlich Zimmer. Eine Wohnküche, ein Wohnzimmer und nach hinten hinaus vermutlich drei Schlafzimmer. Platz genug für ein Ehepaar mit zwei Kindern, nur schien es hier keinen Vater zu geben, und Shawna würde nie mehr heimkommen.

Bruce, so hieß der Junge, goss uns zwei Gläser Tee ein, mit denen wir uns an den Küchentisch setzten. Neben dem Kühlschrank hing ein altmodisches Wandtelefon. Blassgelber Kunststoff. Sein Spiralkabel war auf über drei Meter Länge gedehnt. Auf der Arbeitsfläche stand ein alter Fernseher. Klein, aber ein Farbfernseher mit Chromapplikationen am Gehäuse. Praktisch eine Antiquität, vermutlich vom Sperrmüll geholt und wie ein alter Cadillac aufpoliert.

Aus der Nähe betrachtet, sah der Junge nicht besser aus als im Freien. Aber wenn man seinen Kopf ignorierte, war der restliche Körper ziemlich gut in Form. Er bestand ganz aus Knochen und Muskeln, war breitschultrig und hatte kräftige Arme. Und er schien im Innersten geduldig und fröhlich zu sein. Im Prinzip mochte ich ihn.

Er fragte mich: »Würden die mich wirklich Soldat werden lassen?«

»Wer sind ›die‹?«

»Die Army, mein ich. Die Army selbst. Würden die mich nehmen?«

»Bist du vorbestraft?«

»Nein, Sir.«

»Schon mal festgenommen worden?«

»Nein, Sir.«

»Dann würdest du natürlich genommen. Sie würden dich auf der Stelle nehmen, wenn du schon alt genug wärst.«

»Die anderen würden mich auslachen.«

»Wahrscheinlich«, sagte ich. »Aber nicht aus dem Grund, den du vermutest. Soldaten sind anders. Sie würden irgendwas anderes finden. Etwas, woran du nie gedacht hast.«

»Ich könnte die ganze Zeit meinen Helm tragen.«

»Aber nur, wenn sie einen finden, der groß genug ist.«

»Und eine Nachtsichtbrille.«

»Vielleicht gleich eine Kapuzenjacke wie Bombenräumer«, sagte ich. Meiner Überzeugung nach hatte das Bombenräumen Zukunft. Guerillakriege und Sprengfallen. Aber das sagte ich lieber nicht. Nachrichten dieser Art wollten potenzielle Rekruten nicht hören.

Ich trank einen kleinen Schluck Tee.

Der Junge fragte mich: »Sehen Sie fern?«

»Nicht viel«, sagte ich. »Warum?«

»Die bringen Werbung«, sagte er. »Das heißt, dass sie eine einstündige Story in eine Dreiviertelstunde quetschen müssen. Daher kommen sie gleich zur Sache.«

»Und ich sollte das auch tun, glaubst du?«

»Genau.«

»Also, wer hat deiner Überzeugung nach deine Schwester ermordet?«

Der Junge nahm einen Schluck Tee, atmete einmal tief durch und begann dann alles zu erzählen, worüber er jemals nachgedacht und was ihn nie jemand gefragt hatte. Die Worte sprudelten nur so aus ihm heraus: rasch, stimmig, wohlüberlegt und nachdenklich. »Nun, ihr ist die Kehle durchgeschnitten worden, deshalb müssen wir über jemanden nachdenken, der für so was ausgebildet ist oder mit so was Erfahrung hat – oder beides.«

So was. Der Mord an seiner Schwester.

Ich fragte: »Und wer erfüllt diese Voraussetzung?«

»Soldaten«, antwortete Bruce. »Speziell hier. Und ehemalige Soldaten, speziell hier. In Fort Kelham werden Kerle für Sondereinsätze ausgebildet. Die wissen, wie man das macht. Und Jäger. Und ehrlich gesagt die meisten Leute in Carter Crossing. Ich zum Beispiel auch.«

»Du? Bist du Jäger?«

»Nein, aber ich muss essen. Viele Leute halten Schweine.«

»Und?«

»Glauben Sie, dass Schweine Selbstmord begehen? Wir schneiden ihnen die Kehle durch.«

»Hast du das schon mal gemacht?«

»Dutzende von Malen. Manchmal bekomme ich einen Dollar.«

Ich fragte: »Wo und wann hast du Shawna zum letzten Mal lebend gesehen?«

»An dem Tag, an dem sie ermordet wurde. An einem Freitag im November. Sie ist gegen sieben Uhr abends weggegangen. Jedenfalls, als es schon dunkel war. Sie hatte sich richtig aufgedonnert.«

»Wohin wollte sie?«

»Übers Bahngleis. Wahrscheinlich in Brannan's Bar. Dort ist sie meistens hingegangen.«

»Ist das Brannan's die beliebteste Bar?«

»Beliebt sind sie alle. Aber ins Brannan's gehen die meisten Leute als Erstes und dann wieder zuletzt.«

»Wer hat Shawna an diesem Abend abgeholt?«

»Sie ist allein weggegangen. Wahrscheinlich wollte sie sich mit ihrem Freund in der Bar treffen.«

»Ist sie jemals dort angekommen?«

»Nein. Sie ist zwei Straßen von hier entfernt aufgefunden worden. Wo jemand angefangen hat, ein Haus zu bauen.«

»Auf dem Bauplatz mit dem Kieshaufen?«

Der Junge nickte. »Sie ist darauf abgelegt worden. Wie ein Menschenopfer in einem Geschichtsbuch.«

Ich wusste nicht, was ich dazu sagen sollte. Bruce stand auf, um mir Tee nachzuschenken, und setzte sich wieder. Ich sagte: »Erzähl mir von Shawnas letztem Freund.«

»Der erste weiße Freund, den sie jemals hatte.«

»Hat sie ihn gemocht?«

»Ziemlich sehr.«

»Haben sie sich vertragen?«

»Ziemlich gut.«

»Keine Probleme?«

»Hab keine bemerkt.«

»Hat er sie umgebracht?«

»Schon möglich.«

»Wie kommst du darauf?«

»Kein Grund, ihn auszuschließen.«

»Bauchgefühl?«

»Ich möchte Nein sagen, aber irgendjemand hat Shawna umgebracht. Er könnte's gewesen sein.«

»Wie hat er geheißen?«

»Reed. Anders hat sie ihn nie genannt. Reed dies, Reed jenes. Reed, Reed, Reed.«

»Nachname?«

»Weiß ich nicht.«

»Wir tragen Namensbänder«, sagte ich. »Über der rechten Brusttasche des Kampfanzugs.«

»Ich hab ihn nie in Uniform gesehen. Alle tragen Jeans und T-Shirts, wenn sie Ausgang haben. Manchmal eine Jacke drüber.«

»Offizier, Unteroffizier oder Mannschaftsdienstgrad?«

»Weiß ich nicht.«

»Du hast mit ihm gesprochen. Hat er das nicht gesagt?«

Der Junge schüttelte den Kopf. »Er hat gesagt, dass er Reed heißt. Das war alles.«

»War er ein Arschloch?«

»Ein bisschen.«

»Hat er wie jemand ausgesehen, der sich sein Geld schwer verdienen muss?«

»Eigentlich nicht. Er hat immer alles ziemlich locker gesehen.«

»Also wahrscheinlich ein Offizier«, sagte ich. »Was hat er dir über die Army erzählt?«

»Er hat gesagt, seinem Land zu dienen sei eine edle Tat.«

»Eindeutig ein Offizier.«

»Er hat gesagt, ich könnte eine gute Ausbildung bekommen. Er hat gesagt, ich könnte Spezialist werden.«

»Du könntest sogar mehr werden.«

»Reed hat gesagt, das würden sie mir alles in der Rekrutierungsstelle erklären. In Memphis gäb's eine gute, hat er gesagt.«

»Geh nicht dorthin«, sagte ich. »Viel zu gefährlich. Rekrutierungsstellen sind zwischen den vier Teilstreitkräften aufgeteilt. Wenn du Pech hast, fällst du den Marines in die Hände. Ein Schicksal schlimmer als der Tod.«

»Wohin soll ich dann gehen?«

»Gleich nach Kelham. Auf jedem Stützpunkt gibt es eine Rekrutierungsstelle.«

»Klappt das auch?«

»Klar doch. Sobald du nachweisen kannst, dass du achtzehn bist, lassen sie dich rein und nie mehr raus.«

»Aber soll die Army nicht verkleinert werden?«

»Danke für den Hinweis, Kid.«

»Wieso sollten sie mich also wollen?«

»Die Army besteht auch in Zukunft aus Hunderttausenden von Soldaten. Und auch in Zukunft scheiden jedes Jahr Zehntausende aus. Die müssen immer ersetzt werden.«

»Was ist an den Marines verkehrt?«

»Eigentlich nichts. Das ist eine traditionelle Rivalität. Sie sagen Zeug, wir sagen Zeug.«

»Sie führen Landungsmanöver durch.«

»Die Geschichte beweist, dass die Army noch viel mehr ganz allein durchgeführt hat.«

»Sheriff Deveraux war bei den Marines.«

»Sie *ist* bei ihnen«, sagte ich. »Man hört nie auf, zu ihnen zu gehören, auch wenn man längst ausgeschieden ist. Das ist eine ihrer Besonderheiten.«

»Sie mögen sie«, sagte der Junge. »Das merkt man. Ich hab Sie in ihrem Wagen gesehen.«

»Sie ist okay«, sagte ich. »Hatte Reed ein Auto? Shawnas Freund?«

Der Junge nickte. »Sie haben alle Autos. Wenn ich Soldat bin, kriege ich auch eins.«

»Was für ein Auto hatte Reed?«

»Einen Chevy Bel Air, ein zweitüriges Coupé von 1957. Kein echter Klassiker. Dafür war er zu schlecht gepflegt.«

»In welcher Farbe?«

Bruce sagte: »Der Wagen war blau.«

33

Der Junge zeigte mir das Zimmer seiner Schwester. Es war sauber und ordentlich. Nicht als Schrein konserviert, aber auch noch nicht ausgeräumt. Es kündete von Trauer und Verwirrung. Das Bett war gemacht, und auf der Kommode lagen ordentlich zusammengelegt einige Wäschestücke. Über die zukünftige Nutzung dieses Raums war noch nicht entschieden.

Von Shawna Lindsays Persönlichkeit war hier nicht das Geringste zu erkennen. Dabei war sie eine erwachsene Frau, kein Teenager mehr gewesen. Es gab keine Poster an den Wänden, keine Souvenirs irgendwelcher Art, kein penibel geführtes Tagebuch. Keine Andenken. Sie hatte einiges an Kleidung, mehrere Paar Schuhe und zwei Bücher besessen. Das eine war ein dünner Band, der die Ausbildung zum Notar erläuterte, das andere ein veralteter Stadtführer für Los Angeles.

»Wollte sie zum Film?«, fragte ich.

»Nein«, sagte der Junge. »Sie wollte reisen, das ist alles.«

»Speziell nach L.A.?«

»Irgendwohin.«

»Hatte sie einen Job?«

»Sie hat Teilzeit im Pfandhaus gearbeitet. Gleich neben Brannan's Bar. Mit Zahlen war sie ziemlich gut.«

»Was hat sie dir erzählt, Bruce, was sie eurer Mom nicht erzählen konnte?«

»Dass sie's hier gehasst hat. Dass sie wegwollte.«

»Solche Sachen wollte eure Mom nicht hören?«

»Sie wollte Shawna immer behüten. Meine Mom fürchtet sich vor der Welt.«

»Wo arbeitet deine Mom?«

»Sie ist Putzfrau. Sie macht die Bars vor der Happy Hour sauber.«

»Was weißt du noch über Shawna?«

Bruce wollte etwas sagen, verstummte aber gleich wieder. Zuletzt zuckte er nur mit den Schultern und schwieg. Er trat in die Mitte des einfach möblierten Zimmers und blieb dort stehen, als nähme er irgendwas in sich auf. Etwas, das in der stillen Luft hing. Ich hatte den Eindruck, er sei nur selten hier drinnen gewesen. Nicht oft vor Shawnas Tod, aber auch seither nicht oft.

Er sagte: »Ich weiß nur, dass sie mir echt fehlt.«

Wir kehrten in die Küche zurück, und ich fragte: »Glaubst du, dass deine Mom was dagegen hätte, wenn ich ihr Telefon benutze und das Geld dafür hinlege?«

»Sie müssen telefonieren?«, fragte der Junge seinerseits, als wäre das etwas ganz Ungewöhnliches.

»Zwei Anrufe«, sagte ich. »Mit einem Mann muss ich reden, mit dem anderen will ich reden.«

»Ich weiß nicht, wie viel das kostet.«

»Münztelefone kosten einen Quarter«, sagte ich. »Wie wär's, wenn ich 'nen Dollar pro Anruf hinlege?«

»Das wär zu viel.«

»Ferngespräche«, sagte ich.

»Was Sie für richtig halten. Ich geh wieder raus.«

Ich wartete, bis ich ihn vor dem Haus auftauchen sah. Er nahm seinen Posten in der Nähe des Zauns ein, stand einfach nur dort und beobachtete unendlich geduldig die Straße. Als hielte er irgendeine Art ewiger Wache. Ich klemmte einen Dollarschein hinter das gelbe Kunststoffgehäuse des Telefons und nahm den Hörer ab. Als Erstes wählte ich die Nummer des Mannes, den ich sprechen musste: Stan Lowrey in unserer Dienststelle. Ich sprach mit seinem Sergeant, der mich zu ihm durchstellte.

Ich sagte: »Na, das ist aber eine Überraschung. Du bist noch da? Du hast noch einen Job?«

Er sagte: »Ich denke, dass ich jetzt weniger gefährdet bin als du. Francis Neagley hat sich eben zurückgemeldet.«

»Sie macht sich zu viel Sorgen.«

»Und du nicht genug.«

»Arbeitet Karla Dixon noch immer als Finanzexpertin?«

»Ich könnte mich erkundigen.«

»Stell ihr in meinem Auftrag eine Frage. Ich möchte wissen, ob ich mir Sorgen wegen Geldern aus dem Kosovo machen sollte. Zum Beispiel, weil Gangster Berge von Geld waschen. Etwas in dieser Art.«

»Kommt mir nicht sehr wahrscheinlich vor. Das liegt auf dem Balkan, stimmt's? Dort gehört man zum Mittelstand, wenn man eine Ziege hat. Und ist reich, wenn man zwei besitzt. Mit Amerika nicht zu vergleichen.«

Ich sah aus dem Fenster und sagte: »In manchen Teilen gar nicht so unterschiedlich.«

Lowrey sagte: »Ich wollte, ich wäre Finanzexperte. Dann verstünde ich vielleicht mehr von Geld. Zum Beispiel davon, wie man Ersparnisse hat.«

»Keine Sorge«, beruhigte ich ihn. »Du kriegst Arbeitslosengeld. Zumindest für gewisse Zeit.«

»Du klingst so fröhlich.«

»Ich habe allen Grund dazu.«

»Wieso? Was geht dort unten vor?«

»Alle möglichen wunderbaren Dinge«, sagte ich und legte auf. Dann klemmte ich einen zweiten Dollarschein hinters Telefon und wählte die Nummer des Mannes, den ich sprechen wollte. Ich rief die Vermittlung des Finanzministeriums an und bekam eine Frau an den Apparat, die ich mir der Stimme nach als elegante Mittvierzigerin vorstellte. Sie fragte: »Wen möchten Sie sprechen?«

Ich sagte: »Geben Sie mir bitte Joe Reacher.«

Danach hörte ich ein Summen, ein Klicken und eine Minute

lang nichts mehr. Auch im Finanzministerium gab es 1997 noch keine Warteschleifenmusik. Schließlich meldete sich eine Frau und sagte: »Mr. Reachers Büro.« Sie klang jung und clever. Vermutlich eine Magna-cum-laude-Absolventin eines guten Colleges mit leuchtenden Augen und viel Idealismus. Vermutlich auch hübsch. Vermutlich trug sie einen weißen Pullover mit Rundhalsausschnitt zu einem schottisch karierten Minirock. Mein Bruder verstand sich darauf, Assistentinnen auszuwählen.

Ich fragte: »Ist Mr. Reacher da?«

»Tut mir leid, er ist für einige Tage verreist. Er befindet sich in Georgia.« Das sagte sie, wie sie Saturn oder Neptun gesagt hätte. Eine unvorstellbar große Entfernung und öde, wenn man hinkam. Sie fragte: »Kann ich etwas ausrichten?«

»Sagen Sie ihm, dass sein Bruder angerufen hat.«

»Wie aufregend! Er hat nie erwähnt, dass er Brüder hat. Aber tatsächlich reden Sie genau wie er, wissen Sie das?«

»Das haben schon viele gesagt. Auszurichten brauchen Sie nichts. Sagen Sie ihm, dass ich bloß Hallo sagen wollte. Um in Verbindung zu bleiben. Um zu hören, wie's ihm geht.«

»Weiß er, welcher Bruder angerufen hat?«

»Hoffentlich«, sagte ich. »Er hat nur einen.«

Gleich danach verließ ich das Haus der Lindsays. Shawnas Bruder unterbrach seine einsame Wache nicht. Ich winkte ihm zu, und er winkte zurück, aber er blieb auf seinem Posten. Er beobachtete weiter den fernen Horizont. Ich marschierte zur Straße nach Kelham zurück und bog nach links in Richtung Stadt ab. Ich war schon zum Bahnübergang unterwegs, als ich ein Auto hinter mir hörte; dann heulte als höfliche Warnung ganz kurz eine Sirene auf. Ich drehte mich um, und Deveraux hielt neben mir. Im nächsten Augenblick saß ich auf dem Beifahrersitz mit nichts als der Schrotflinte in ihrer Halterung zwischen uns.

34

Als Erstes sagte ich: »Langer Lunch.« Das war lediglich als beschreibender Kommentar gemeint, aber sie fasste ihn anders auf und fragte: »Eifersüchtig?«

»Kommt darauf an, was Sie gegessen haben. Ich hatte einen Cheeseburger.«

»Wir hatten kaltes Roastbeef mit Meerrettichsauce. Dazu Bratkartoffeln. Wirklich gut. Aber das wissen Sie natürlich. Schließlich essen Sie dauernd im Officers' Club.«

»Wie war die Unterhaltung?«

»Anstrengend.«

»In welcher Beziehung?«

»Erzählen Sie mir erst, was Sie gemacht haben.«

»Ich? Ich habe klein beigeben müssen. Wenigstens bildlich gesprochen.«

»Wie das?«

»Ich bin zu dem Autowrack zurückgegangen, weil ich Befehl hatte, das Kennzeichen zu vernichten. Aber es war nicht mehr da. Das Trümmerfeld war methodisch abgesucht worden. Irgendwann heute Morgen war dort ein Arbeitskommando. Deshalb glaube ich, dass Sie recht haben. Außerhalb der Umzäunung sind Soldaten eingesetzt. Sie überwachen ein Sperrgebiet. Sie sind zu einer Säuberungsaktion abkommandiert worden, weil irgendjemand im Pentagon mir nicht zugetraut hat, diese Sache zu erledigen.«

Deveraux äußerte sich nicht dazu.

»Anschließend habe ich einen langen Spaziergang gemacht«, sagte ich.

Deveraux fragte: »Haben Sie den Kieshaufen gesehen?«

»Schon heute Morgen«, antwortete ich. »Jetzt habe ich ihn mir näher angesehen.«

»Mit dem Gedanken an Janice May Chapman?«

»Logischerweise.«

»Zufall«, sagte sie. »Vergewaltigungen von Weißen durch Schwarze sind in Mississippi unglaublich selten. Auch wenn manche Leute das Gegenteil behaupten.«

»Ein Weißer könnte sie dort hingebracht haben.«

»Unwahrscheinlich. Er wäre sofort aufgefallen. Er hätte riskiert, von hundert Zeugen gesehen zu werden.«

»Wo hätte sie sonst aufgefunden werden sollen? Dieses Grundstück ist unbebaut. Dort werden Leichen abgelegt.«

»Ist sie dort ermordet worden?«

»Das glaube ich nicht. Es hat kein Blut gegeben.«

»Am Tatort oder in ihr?«

»Weder noch.«

»Was schließen Sie daraus?«

»Derselbe Täter.«

»Und?«

»Zunehmend risikofreudig«, sagte sie. »Juni, November, März; anfangs Unterschicht, dann Mittelschicht, zum Schluss Oberschicht. Wenigstens nach hiesigen Maßstäben. Er hat fast ungefährdet begonnen und dann immer mehr riskiert. Niemand macht sich etwas aus armen schwarzen Mädchen. Chapman war das erste wirklich sichtbare Opfer.«

»Sie machen sich etwas aus armen schwarzen Mädchen.«

»Aber Sie wissen ja, wie das ist. Ermittlungen schlafen ein, wenn sie nicht von außen befeuert werden. Sie brauchen eine externe Energiequelle. Sie sind auf die Empörung der Öffentlichkeit angewiesen.«

»Und hier hat es keine gegeben?«

»Es hat natürlich Schmerz gegeben. Und Trauer und Leid. Aber vor allem Resignation. Und Vertrautheit. In Mississippi nichts Neues. Würden alle in diesem Staat ermordeten Frauen heute

Nacht auferstehen und durch die Stadt ziehen, würden Ihnen zwei Dinge auffallen: Dieser Zug wäre sehr lang, und die Marschiererinnen wären zum größten Teil Schwarze. Arme schwarze Mädchen sind bei uns schon immer ermordet worden. Weiße Frauen mit Geld eher weniger.«

»Wie hat die kleine McClatchy geheißen?«

»Rosemary.«

»Wo ist ihre Leiche aufgefunden worden?«

»Im Straßengraben in der Nähe des Bahnübergangs. Westlich davon.«

»Blutspuren?«

»Keine.«

»Ist sie vergewaltigt worden?«

»Nein.«

»Und Shawna Lindsay?«

»Nein.«

»Also stellt der Fall Janice May Chapman eine weitere Eskalation dar.«

»Offenbar.«

»Hatte Rosemary McClatchy irgendeine Verbindung mit Fort Kelham?«

»Natürlich hatte sie die. Sie haben ihr Foto gesehen. Kerle aus Kelham haben hechelnd ihr Haus umlagert. Sie ist mit vielen von ihnen ausgegangen.«

»Mit Weißen oder Schwarzen?«

»Mit beiden.«

»Offizieren oder Mannschaften?«

»Mit beiden.«

»Irgendwelche Verdächtigen?«

»Ich hatte nicht mal einen begründeten Verdacht, der mich berechtigt hätte, Fragen zu stellen. In den beiden letzten Wochen vor ihrem Tod ist Rosemary mit keinem Soldaten mehr gesehen worden. Meine Zuständigkeit endet am Zaun von Kelham. Sie würden mich nicht mal durchs Tor aufs Gelände lassen.«

»Heute sind Sie eingelassen worden.«

»Ja«, sagte sie. »Das stimmt.«

»Was ist Munro für ein Kerl?«

»Anstrengend«, wiederholte sie.

Wir rumpelten über das Gleis und stellten den Streifenwagen unmittelbar danach ab, sodass wir die gerade Straße westlich vor uns, den Straßengraben, in dem Rosemary McClatchy tot aufgefunden wurde, rechts von uns und die T-förmige Einmündung der Main Street links vor uns hatten. Ein Standardinstinkt aller Cops. Im Zweifelsfall so parken, dass die Leute einen sehen können. So hat man das Gefühl, etwas zu tun, obwohl man eigentlich untätig bleibt.

Deveraux sagte: »Ich habe natürlich vorausgesetzt, dass Munro das Blaue vom Himmel lügen würde. Er hat den Auftrag, die Army um jeden Preis aus dieser Sache rauszuhalten. Das verstehe ich, und ich mache ihm keinen Vorwurf daraus. Er hat seine Befehle – genau wie Sie.«

»Und?«

»Ich habe ihn nach dem Sperrgebiet gefragt. Natürlich hat er geleugnet, dass es eines gibt.«

»Das musste er«, sagte ich.

Sie nickte. »Aber dann hat er sogar versucht, mir das zu beweisen. Er hat mich überall herumgeführt. Deswegen war ich so lange fort. Er achtet auf strikte Disziplin. Die gesamte Garnison steht unter Hausarrest. Überall wimmelt es von Militärpolizisten, die sich gegenseitig und alle anderen im Auge behalten. Die Waffenkammer wird bewacht. Die Eintragungen zeigen, dass zwei volle Tage lang keine Waffen aus- oder zurückgegeben worden sind.«

»Und?«

»Nun, ich habe natürlich angenommen, das sei ein einziges großes Täuschungsmanöver. Und tatsächlich habe ich rund zweihundert leere Betten gezählt. Damit war für mich klar, dass es eine Geheimtruppe geben muss, die irgendwo in den Wäldern biwakiert. Aber Munro hat mir erklärt, das seien die Betten einer Kompanie, die gegenwärtig in Übersee im Einsatz ist. Er hat Stein und Bein geschworen, und ich habe ihm zuletzt geglaubt, weil ich wie jeder andere die Flugzeuge landen und starten, die Gesichter kommen und gehen gesehen habe.«

Ich nickte. *Kompanie Alpha,* dachte ich. *Kosovo.*

Sie sagte: »Letztlich hat alles zusammengepasst. Munro hat mir viele Beweise vorgeführt, die alle sehr folgerichtig waren. Und ein so perfektes Täuschungsmanöver gelingt niemandem. Folglich gibt es keine Sperrzone. Ich habe mich geirrt. Und Sie sehen die Sache mit dem Trümmerfeld falsch. Das müssen Jugendliche aus der Stadt auf der Suche nach Beute gewesen sein.«

»Das glaube ich nicht«, sagte ich. »Diese Suche war sehr gut organisiert, denke ich.«

Sie überlegte. »Dann schickt das 75th vielleicht Leute direkt aus Fort Benning her. Was durchaus möglich ist. Vielleicht biwakieren sie in den Wäldern rings um den Zaun. Munro hat mir nur bewiesen, dass niemand Kelham verlässt. Er könnte zu den Leuten gehören, die einem eine kleine Wahrheit erzählen, um eine größere Lüge zu kaschieren.«

»Sie scheinen ihn nicht sehr gemocht zu haben.«

»Oh, ich habe ihn durchaus gemocht. Er ist clever und vorbildlich loyal. Aber wenn er bei der Militärpolizei mein Kollege gewesen wäre, hätte ich mir Sorgen gemacht. Ich hätte ihn als ernsthaften Konkurrenten betrachtet. Er hat etwas Besonderes an sich. Er ist ein Typ, von dem man nicht möchte, dass er zur eigenen Dienststelle versetzt wird. Er ist zu ehrgeizig. Und zu gut.«

»Was hat er über Janice May Chapman gesagt?«

»Er hat mir einen äußerst fachmännisch klingenden Vortrag über anscheinend sehr profihaft durchgeführte Ermittlungen gehalten, die zu beweisen scheinen, dass niemand aus Kelham jemals in irgendetwas verwickelt war.«

»Aber haben Sie ihm das geglaubt?«

»Beinahe«, sagte sie.

»Aber?«

»Er konnte die Rivalität nicht verbergen. Er hat deutlich gemacht, dass wir gegeneinander antreten. Die Army gegen den örtlichen Sheriff. Das ist die Herausforderung. Er will der Welt einreden, der böse Kerl befinde sich außerhalb des Zauns. Aber ich bin auch nicht von gestern. Was, zum Teufel, würde er der Welt sonst einreden wollen?«

»Was haben Sie also vor?«

»Weiß ich noch nicht.«

»Was soll ich tun?«

»Er hat auch keinen Respekt vor den Marines. Er gegen mich bedeutet auch Army gegen Marine Corps. Auf diesen Kampf sollte er sich nicht einlassen. Will er also Rivalität, soll er sie haben. Ich habe Lust, es mit ihm aufzunehmen. Ich will ihn mit blutiger Nase heimschicken. Ich will irgendwie die Wahrheit rauskriegen und sie ihm in den Hintern rammen.«

»Glauben Sie, dass Sie das können?«

»Das kann ich, wenn Sie mir helfen.«

35

Wir saßen einige Minuten lang schweigend in dem Caprice, dessen Motor im Leerlauf lief. Der Wagen musste zehntausend Stunden im Patrouillendienst hinter sich haben. In seinem vorigen Leben, in

Chicago oder New Orleans oder sonst wo. Jede Pore seines Inneren dünstete Schweiß, schlechte Gerüche und Erschöpfung aus. In sämtlichen Winkeln saß alter Schmutz. Die zerschlissenen schwarzen Fußmatten hatten sich längst in harte Faserstreifen aufgelöst.

Deveraux sagte: »Ich muss mich bei Ihnen entschuldigen.«

Ich fragte: »Wofür?«

»Dass ich Sie gebeten habe, mir zu helfen. Das war nicht fair. Vergessen Sie's einfach.«

»Okay.«

»Kann ich Sie irgendwo absetzen?«

»Ich schlage vor, dass wir mit Janice May Chapmans neugierigen Nachbarn reden.«

»Nein«, sagte sie. »Das darf ich nicht zulassen. Ich darf Sie nicht gegen Ihre eigenen Leute arbeiten lassen.«

»Vielleicht würde ich nicht gegen meine eigenen Leute arbeiten«, sagte ich. »Vielleicht würde ich genau das tun, wofür meine eigenen Leute mich hergeschickt haben. Weil ich vielleicht nicht Ihnen, sondern Munro helfen würde. Weil er nämlich recht haben könnte, wissen Sie. Wir haben noch immer keine Ahnung, wer hier was getan hat.«

Wir. Sie verbesserte mich nicht. Stattdessen fragte sie: »Aber auf wen tippen Sie?«

Ich dachte an die Limousinen, die mit teuren Anwälten in schnellem Tempo nach Fort Kelham fuhren oder von dort kamen. Ich dachte an das Sperrgebiet und die Panik in John James Frazers Stimme, als ich ihn im Pentagon angerufen habe. Verbindungsoffizier beim Senat. Ich sagte: »Ich tippe auf einen Kerl aus Kelham.«

»Wissen Sie bestimmt, dass Sie riskieren wollen, dass sich das beweisen lässt?«

»Mit einem Bewaffneten zu reden ist riskant. Fragen zu stellen, ist's nicht.«

Das glaubten wir damals im Jahr 1997 noch.

Janice May Chapmans Haus stand hundert Meter vom Bahngleis entfernt: eines der drei letzten Häuser in einer Sackgasse anderthalb Meilen südöstlich der Main Street. Es war ein kleines Haus auf einem keilförmigen Grundstück, das an der Schmalseite an einen runden Wendeplatz für Fahrzeuge stieß. Wäre der Platz ein Zifferblatt gewesen, hätte ihr Haus bei neun Uhr gestanden – die anderen bei zwei und vier Uhr. Es war bestimmt schon über sechzig Jahre alt, hatte aber eine neue Holzverkleidung und ein neues Dach bekommen und stand in einem geschmackvoll angelegten Garten. Die beiden Nachbarhäuser befanden sich in ähnlich gutem Zustand wie die übrigen Gebäude dieser Straße. Dies stellte dem Anschein nach die Mittelstandsenklave von Carter Crossing dar. Die Rasenflächen waren grün und unkrautfrei, die asphaltierten Einfahrten sauber gekehrt. Die Briefkastensäulen standen exakt senkrecht. Aus der Sicht eines Maklers wäre der einzige Nachteil dieser Wohnlage der Zug gewesen, aber der verkehrte nur einmal täglich. Eine Minute von vierzehnhundertvierzig. Kein schlechter Deal.

Chapmans Haus hatte zur Straße hin eine offene Veranda in ganzer Hausbreite, deren Dach von kunstvoll gedrechselten Holzsäulen getragen wurde. Möbliert war sie mit zwei weißen Schaukelstühlen und einem Flickenteppich in gedämpften Farben. Die Veranden der Nachbarhäuser sahen genau gleich aus – mit dem einzigen Unterschied, dass sie bevölkert waren: beide mit zwei weißhaarigen alten Ladys, die in Hauskleidern mit Blumenmuster stocksteif in ihren Schaukelstühlen saßen und uns anstarrten.

Wir blieben noch einen Augenblick im Wagen sitzen, dann fuhr Deveraux ein Stück weiter und parkte genau in der Mitte des runden Wendeplatzes. Wir stiegen aus und verweilten einen Moment in der milden Nachmittagssonne.

»Welche zuerst?«, fragte ich.

»Spielt keine Rolle«, sagte Deveraux. »Die jeweils andere kommt in spätestens einer halben Minute rüber.«

Genau so war es dann. Wir entschieden uns für das rechte Haus, das bei vier Uhr, und bevor wir drei Schritte auf der Veranda gemacht hatten, war uns die Nachbarin aus dem Haus bei zwei Uhr uns schon auf den Fersen. Deveraux machte uns miteinander bekannt. Sie nannte den Ladys meinen Namen und stellte mich als Ermittler der U.S. Army vor. Aus der Nähe betrachtet, unterschieden die beiden Ladys sich doch etwas voneinander. Eine war älter, die andere magerer. Aber vom Typ her waren sie gleich: dünne Hälse, geschürzte Lippen, Halos aus weißem Haar. Mich hießen sie respektvoll willkommen. Sie gehörten zu einer Generation, die die Army mochte, und wussten über sie Bescheid. Bestimmt hatten sie Ehemänner, Brüder oder Söhne in Uniform gehabt. Zweiter Weltkrieg, Korea, Vietnam.

Ich drehte mich um, weil mich interessierte, was von der Veranda aus zu sehen war. Chapmans Haus wurde von den beiden Nachbarhäusern exakt trianguliert. Es stand im Brennpunkt. Wie eine Zielscheibe. Die Veranden der beiden Nachbarinnen lagen genau dort, wo Infanterie MG-Nester für wirkungsvolles Kreuzfeuer angelegt hätte.

Ich drehte mich wieder um, und Deveraux ging nochmals die schon diskutierten Punkte durch. Sie bat bei jedem einzelnen Punkt um Bestätigung und erhielt sie auch. Stets negativ. Nein, keine der beiden Ladys hatte gesehen, wie Chapman am Tag ihrer Ermordung das Haus verlassen hatte. Nicht morgens, nicht nachmittags, nicht abends. Nicht zu Fuß, nicht in ihrem Auto, nicht in einem fremden Auto. Nein, ihnen war nichts Relevantes mehr eingefallen. Sie hatten ihrer ersten Aussage nichts hinzuzufügen.

Weil die nächste Frage taktisch schwierig war, überließ Deveraux sie mir. Ich fragte: »Hat es Intervalle gegeben, in denen etwas hätte passieren können, das Sie nicht gesehen haben?« Mit anderen Worten: *Wie neugierig sind Sie genau? Hat es Augenblicke gegeben, in denen Sie nicht zur Nachbarin hinübergestarrt haben?*

Beide Ladys erkannten natürlich, was ich damit andeuten wollte, und reagierten darauf, indem sie eine Minute lang zögerten und gluckten und sich räusperten, aber zuletzt siegte der Ernst der Lage doch über mögliche Gekränktheit, und sie rückten zögernd damit heraus, dass sie die Situation praktisch Tag und Nacht unter Kontrolle hatten. Beide saßen gern auf der Veranda, wenn sie nicht anderweitig beschäftigt waren, was zu unterschiedlichen Zeiten der Fall war. Beide hatten ihr Schlafzimmer nach vorn hinaus, und keine von ihnen versuchte zu schlafen, bevor der Mitternachtszug durch war. Danach hatten beide einen sehr leichten Schlaf, sodass ihnen in der bewussten Nacht nicht viel entgangen war.

Ich fragte: »Hat drüben normalerweise reges Kommen und Gehen geherrscht?«

Die Ladys steckten die Köpfe zusammen und begannen dann mit einer langen, komplizierten Schilderung, die bis zum Unabhängigkeitskrieg zurückzugehen drohte. Ich hörte gar nicht richtig hin, bis mir bewusst wurde, dass sie relativ lebhafte gesellschaftliche Aktivitäten schilderten, bei denen sich vor etwa einem halben Jahr ein seltsamer Monatsrhythmus etabliert hatte: Auf einen Monat mit hektischen Aktivitäten folgte ein gänzlich inaktiver Monat, dem dann wieder ein hektischer folgte. Feiern oder fasten. Chapman ging entweder nie oder immer aus; sie lebte erst vier bis fünf Wochen in dem einen Modus, dann vier bis fünf Wochen in dem anderen.

Kompanie Bravo im Kosovo.

Kompanie Bravo in Fort Kelham.

Nicht gut.

Ich fragte: »Hatte sie einen Freund?«

Sie habe mehrere gehabt, erzählten sie prüde erschauernd. Manchmal sogar gleichzeitig. Praktisch eine Parade. Sie berichteten von mehreren Besuchern nacheinander: lauter höfliche junge

Männer, die zu »Arbeitshosen«, wie die Ladys sie nannten, »Unterhemden« und manchmal »Motorradjacken« trugen.

Jeans, T-Shirts, Lederjacken.

Offenbar Soldaten, die Ausgang hatten.

Nicht gut.

Ich fragte: »Hatte sie einen speziellen Freund? Einen festen Freund?«

Sie besprachen sich nochmals und wurden sich darüber einig, vor drei bis vier Monaten habe eine Periode relativer Stabilität begonnen. Der Strom ihrer Verehrer war stetig zurückgegangen, zu einem Rinnsal geworden und schließlich ganz versiegt, um durch die Aufmerksamkeiten eines einzelnen Mannes ersetzt zu werden, der wieder als höflich, jung und kurzhaarig beschrieben wurde. Allerdings war auch er bei seinen vielen Besuchen unpassend gekleidet gewesen: Jeans, T-Shirt, Lederjacke. Zu ihrer Zeit hatte ein Gentleman seine Liebste in Anzug und Krawatte besucht.

Ich fragte: »Was haben sie zusammen gemacht?«

Sie seien ausgegangen, berichteten die Ladys. Manchmal schon nachmittags, aber meistens am Abend. Vermutlich in Bars. In dieser Ecke von Mississippi existierten nicht allzu viele Unterhaltungsmöglichkeiten. Das nächste Kino befand sich in der Kleinstadt Corinth. In Tupelo hatte es früher ein Varieté gegeben, das aber seit vielen Jahren geschlossen war. Das Paar kam meistens spät zurück, manchmal nach Mitternacht, wenn der Zug schon durch war. Hin und wieder blieb der Verehrer noch ein, zwei Stunden, aber die beiden konnten beschwören, dass er niemals übernachtet hatte.

Ich fragte: »Wann haben Sie sie zum letzten Mal gesehen?«

Am Tag vor ihrem Tod, sagten sie. Sie habe ihr Haus um fünfzehn Uhr verlassen. Ihr Verehrer habe sie abgeholt, pünktlich zur vollen Stunde, ganz förmlich.

»Was hat Janice an diesem Abend getragen?«, wollte ich wissen.

Ein gelbes Kleid, sagten sie, knielang, aber tief ausgeschnitten.

»Hatte ihr Freund ein Auto?«, fragte ich.

Ja, sagten sie, er sei mit dem Auto gekommen.

»Was für ein Auto war das?«

Ein blaues Auto, sagten sie.

36

Wir ließen die beiden Ladys auf der rechten Veranda zurück und überquerten den Platz, um uns Chapmans Haus genauer anzusehen. Es hatte viel Ähnlichkeit mit den Nachbarhäusern: ein klassisches Siedlungshaus, in neuen Wohngebieten rasch hingestellt, um nach dem Zweiten Weltkrieg Wohnraum für heimkehrende Soldaten und ihre Baby-Boomer-Familien zu schaffen. Im Lauf der Jahre waren dann alle diese Häuser individuell verändert worden, so wie sich eineiige Zwillinge im Lauf ihres Lebens weniger gleichen. Chapmans Haus wirkte bescheiden, aber durchaus angenehm. Irgendjemand hatte es im Zuckerbäckerstil geschmückt und die alte Haustür ersetzt.

Wir standen auf der Veranda und sahen bei einem Blick durchs Fenster ein kleines quadratisches Wohnzimmer, dessen Einrichtung ziemlich neu zu sein schien. Dazu gehörten ein rotes Sofa, zwei dazu passende Sessel und ein Fernseher auf einer niedrigen Kommode. Daneben stand ein Videorecorder mit mehreren Kassetten. Die Wohnzimmertür stand offen, sodass der schmale Flur dahinter zu erkennen war. Ich trat einen Schritt zur Seite und verrenkte mir den Hals, um mehr zu erspähen.

»Gehen Sie ruhig rein, wenn Sie wollen«, sagte Deveraux hinter mir.

»Kann ich das?«

»Die Haustür ist nicht abgesperrt. Sie war's auch bei unserem Eintreffen nicht.«

»Ist das üblich?«

»Nicht unüblich. Ihren Schlüssel haben wir nie gefunden.«

»Nicht in ihrer Handtasche?«

»Sie hatte keine Handtasche bei sich. Die scheint sie in der Küche liegen gelassen zu haben.«

»Ist *das* üblich?«

»Sie war Nichtraucherin«, erklärte Deveraux. »Ihre Drinks hat sie nie selbst bezahlt. Wozu hätte sie eine Handtasche gebraucht?«

»Make-up?«, sagte ich.

»Siebenundzwanzigjährige pudern sich nach der Hälfte des Abends nicht die Nase. Nicht mehr so wie früher. Überhaupt nicht mehr.«

Ich öffnete die Eingangstür und trat über die Schwelle. Das Haus war aufgeräumt und sauber, die Luft drückend. Fußböden und Teppiche, Anstriche und Möbel befanden sich in sehr gutem Zustand, waren aber nicht brandneu. Jenseits des Flurs, der vermutlich zum Bad und zwei Schlafzimmern führte, lag eine behagliche Wohnküche.

»Nettes Haus«, stellte ich fest. »Sie könnten es kaufen. Das wäre besser als das Toussaint's.«

Deveraux hob abwehrend die Hände. »Mit den beiden alten Hexen, die jeden meiner Schritte beobachten? Ich würde in einer Woche durchdrehen.«

Ich lächelte. Damit hatte sie natürlich recht.

Sie sagte: »Ich würd's auch ohne die Hexen nicht kaufen. So würde ich nicht wohnen wollen. Das ist nichts, woran ich gewöhnt bin.«

Ich nickte und schwieg.

Dann sagte sie: »Außerdem könnte ich's nicht kaufen, selbst

wenn ich wollte. Wir wissen nicht, wer die nächsten Angehörigen sind. Ich habe keine Ahnung, an wen ich mich wenden sollte.«

»Kein Testament?«

»Sie war siebenundzwanzig.«

»Keine Papiere? Keine schriftlichen Unterlagen?«

»Bisher haben wir keine gefunden.«

»Keine Hypothek?«

»Beim County ist keine eingetragen.«

»Keine Angehörigen?«

»Niemand kann sich daran erinnern, von welchen gehört zu haben.«

»Was haben Sie also vor?«

»Weiß ich nicht.«

Ich trat auf den Flur.

»Sehen Sie sich um!«, rief Deveraux mir nach. »Wo Sie wollen. Fühlen Sie sich wie zu Hause. Aber rufen Sie mich, wenn Sie etwas finden, das ich sehen sollte.«

Mit dem Gefühl, ein unbefugter Eindringling zu sein, das mich immer befällt, wenn ich durch das Haus eines Toten gehe, betrat ich ein Zimmer nach dem anderen. Hier und dort war etwas unordentlich: Kleinigkeiten, die rasch in Ordnung gebracht worden wären, wenn sich ein Gast angesagt hätte. Sie machten das Haus ein wenig gemütlicher, aber insgesamt war es ein nüchternes, seelenloses Heim. Es gab zu viel Einheitlichkeit. Die Möbel passten alle zueinander, sie schienen aus einer einzigen Modellreihe eines einzigen Herstellers zu stammen und zur selben Zeit gekauft worden zu sein. Alle Teppiche harmonierten miteinander. Alle Räume waren in derselben Farbe gestrichen. An den Wänden hingen keine Bilder, in den Regalen standen keine gerahmten Fotos. Keine Bücher. Keine Souvenirs, keine kostbaren kleinen Besitztümer.

Das Bad sah frisch geputzt aus. Wanne und Handtücher waren trocken. Der Spiegelschrank über dem Waschbecken enthielt

frei verkäufliche Schmerzmittel, Zahncreme und Tampons, Zahn-
seide und noch verpackte Seife sowie Shampoo. In dem größeren Schlafzimmer gab es nichts Interessantes außer einem fran-
zösischen Bett, das zwar gemacht, aber nicht gut gemacht war. Im
Schlafzimmer nebenan stand ein schmaleres Bett, das anscheinend
nie benutzt worden war.

Die Küche war gut und zweckmäßig eingerichtet, aber ich
konnte mir Chapman irgendwie nicht als Gourmetköchin vorstellen. Ihre Handtasche war so auf der Arbeitsfläche abgestellt, dass
sie am Kühlschrank lehnend aufrecht stand. Es war eigentlich nur
eine kleine dunkelblaue Ledertasche mit Magnetverschluss. Ihre
Farbe mochte der Grund dafür gewesen sein, dass sie nicht mitgenommen wurde. Ich war mir nicht sicher, ob man heutzutage zu
einem gelben Kleid eine blaue Tasche tragen durfte. Vielleicht war
das modetechnisch nicht zulässig. Andererseits wiesen die Bänder
vieler Orden die Farben Gelb und Blau auf, und die Soldatinnen,
die ich kannte, wären buchstäblich über Leichen gegangen, um
einen zu bekommen.

Ich öffnete die Tasche und schaute hinein. Sie enthielt eine
dünne Ledergeldbörse, burgunderrot, eine kleine Packung Papier-
taschentücher, ungeöffnet, einen Kugelschreiber, etwas Kleingeld,
ein paar Krümel und einen Autoschlüssel. Der Schlüssel war lang
und gezackt und hatte eine daumengerechte Griffplatte mit einem
großen H.

»Honda«, erklärte Deveraux neben mir. »Ein Honda Civic. Vor
drei Jahren als Neuwagen in Tupelo gekauft. Sehr gepflegt und
regelmäßig gewartet.«

»Wo ist er jetzt?«, fragte ich.

Deveraux deutete auf eine Tür. »In ihrer Garage.«

Ich nahm die Geldbörse aus der Handtasche. Ihr einziger Inhalt
waren ein paar Dollarscheine und ein vor drei Jahren in Mississippi ausgestellter Führerschein. Auf dem Foto sah Janice May

Chapman nur halb so hübsch aus, wie sie gewesen war, aber ich fand es trotzdem sehr interessant. Die Scheine ergaben keine dreißig Dollar.

Ich legte die Geldbörse zurück und stellte die Handtasche wieder so hin, dass sie am Kühlschrank lehnte. Als ich die Verbindungstür öffnete, auf die Deveraux gezeigt hatte, lag dahinter ein wirklich winziger Raum für Gummistiefel und Gartengeräte, dessen Türen links in den Garten und geradeaus in die Garage führten. Die Garage enthielt nichts als den Honda. Ein kleiner Importwagen, silbern, sauber und unbeschädigt, der leicht nach Öl und unverbrannten Kohlenwasserstoffen roch. Um ihn herum gab es nichts als sauber gekehrten Beton. Keine ungeöffneten Umzugskartons, keinen Sessel, aus dem die Polsterung hervorquoll, keine aufgegebenen Projekte, kein Müll, kein Gerümpel.

Überhaupt nichts.

Ungewöhnlich.

Ich öffnete die Tür zum Garten hinter dem Haus und trat ins Freie. Deveraux blieb bei mir und fragte: »Gibt's also etwas, das ich hätte sehen sollen?«

»Ja«, antwortete ich. »Dort drinnen gibt es Dinge, die jeder hätte sehen müssen.«

»Was habe ich also übersehen?«

»Nichts«, sagte ich. »Sie waren nicht da, um *gesehen* zu werden. Darauf will ich hinaus. Wir hätten bestimmte Dinge sehen müssen, aber das konnten wir nicht. Weil bestimmte Dinge gefehlt haben.«

»Welche Dinge?«, fragte sie.

»Später«, sagte ich, weil ich in diesem Augenblick etwas anderes entdeckt hatte.

37

Janice May Chapmans Garten hinter dem Haus war schlechter gepflegt als ihr Vorgarten. Er wirkte vernachlässigt und bestand größtenteils aus Rasen, der ein bisschen traurig und eingesunken aussah. Die Fläche war gemäht, aber dort wuchs weit mehr Unkraut als Gras. Die rückwärtige Grenze bildete ein weder gestrichener noch imprägnierter Holzzaun. Ein ungefähr in der Mitte herausgefallenes Zaunfeld war zur Seite gelegt worden.

Was ich von der Tür aus gesehen hatte, war ein schmaler, kaum auszumachender Trampelpfad durch das gemähte Unkraut. Fast nicht vorhanden. Nur die Spätnachmittagssonne hatte ihn sichtbar gemacht. Das seitlich schräg einfallende Licht ließ eine geisterhafte Spur erkennen, wo das Unkraut etwas niedergetrampelt, zerdrückt und geknickt war. Kaum merklich dunkler als die restliche Fläche. Der Trampelpfad führte in leichtem Bogen zu dem Loch im Zaun. Er war durch hin- und herlaufende Füße entstanden.

Ich folgte ihm zwei Schritte weit, dann blieb ich stehen. Der Boden unter meinen Stiefeln knirschte. Deveraux prallte leicht mit mir zusammen.

Das zweite Mal, dass wir uns berührt hatten.

»Was?«, fragte sie.

Ich schaute auf.

»Alles der Reihe nach«, sagte ich und setzte mich wieder in Bewegung.

Der Trampelpfad führte übers Unkraut, durch die Lücke im Zaun und auf ein etwa hundert Meter breites Brachfeld, das bis zum Bahngleis reichte. Ungefähr auf halber Länge lagen am rechten Feldrain zwei umgestürzte Torsäulen, hinter denen ein unbefestigter Weg in Ost-West-Richtung verlief. Nach Westen, wo bestimmt die Zufahrten zu weiteren Feldern lagen und eine Verbindung zur schmaleren Fortsetzung der Main Street bestand, und nach Osten zum Bahngleis, wo sie als Sackgasse endete.

Über das gesamte Brachfeld verliefen Reifenspuren. Sie führten zwischen den umgestürzten Torsäulen aufs Feld, bogen rechtwinklig ab und hielten auf die Lücke in Chapmans Zaun zu. Sie endeten in der Nähe der Stelle, an der ich stand: Dort hatten offenbar mehrfach Autos gewendet, um für die Rückfahrt bereitzustehen.

»Sie hatte die alten Hexen satt«, sagte ich. »Hat Spielchen mit ihnen getrieben. Manchmal ist sie vorn aus dem Haus gekommen, manchmal hat sie den Hinterausgang benutzt. Und ich wette, dass ihre Liebhaber manchmal gute Nacht gesagt haben und dann einmal um den Block gefahren sind, um weiterzumachen.«

Deveraux sagte: »Scheiße.«

»Kann ich ihr nicht verübeln. Oder den Liebhabern. Oder sogar den alten Hexen. Die Leute tun, was sie eben tun.«

»Aber das macht ihre Aussage wertlos.«

»Genau das wollte sie. Sie konnte nicht ahnen, dass ihre Aussage mal wichtig sein würde.«

»Jetzt wissen wir nicht, wann sie an diesem letzten Tag gekommen und gegangen ist.«

Ich blieb in der Stille stehen und blickte mich um. Zu sehen gab es eigentlich nichts. Keine Leute, keine anderen Häuser. Eine leere Landschaft. Völlige Ungestörtheit.

Dann drehte ich mich um und betrachtete noch einmal die verunkrautete Fläche, die ein Rasen sein sollte.

»Was?«, fragte Deveraux wieder.

»Sie hat dieses Haus vor drei Jahren gekauft, richtig?«

»Ja.«

»Damals war sie vierundzwanzig.«

»Ja.«

»Ist das üblich? Dass Vierundzwanzigjährige Immobilien besitzen?«

»Vielleicht nicht sehr häufig.«

»Ganz ohne Hypothek?«

»Bestimmt nicht sehr häufig. Aber was hat das mit ihrem Garten zu tun?«

»Sie war keine große Gärtnerin.«

»Das ist nicht strafbar.«

»Der Vorbesitzer war auch kein großer Gärtner. Haben Sie ihn gekannt? Oder war's eine Besitzerin?«

»Vor drei Jahren war ich noch im Corps.«

»Kein älterer Mitbürger, an den Sie sich aus Ihrer Jugend erinnern? Oder vielleicht eine dritte alte Hexe?«

»Warum?«

»Aus keinem bestimmten Grund. Nicht wichtig. Aber wer früher hier gewohnt hat, hatte das Rasenmähen satt. Deshalb hat er den Rasen abtragen und durch etwas anderes ersetzen lassen.«

»Wodurch?«

»Am besten sehen Sie selbst nach.«

Sie lief durch die Lücke im Zaun zurück, machte einige Schritte in den Garten hinein und ging dort in die Hocke. Sie teilte die dicht wachsenden Unkrautstängel, grub die Fingerspitzen in den Boden und bewegte sie darin. Dann sah sie zu mir auf und sagte: »Kies.«

Der Vorbesitzer hatte genug von der Rasenpflege gehabt und sich für Steine entschieden. Vielleicht nach Art eines japanischen Gartens oder der Wasser sparenden Gärten, die umweltbewusste Kalifornier anzulegen begannen. Möglicherweise hatten hier und dort Terrakottatröge mit blühenden Blumen gestanden. Oder auch nicht. Das ließ sich nicht mehr feststellen. Ganz offensichtlich war der Kies jedoch kein wirklicher Erfolg gewesen. Kein Arbeit sparendes Allheilmittel. Er war allzu dünn aufgebracht worden und der Untergrund voller Unkrautwurzeln gewesen. Also hatte der Hausbesitzer regelmäßig Herbizide spritzen müssen.

Janice May Chapman hatte den Kampf gegen das Unkraut nicht fortgeführt. Das war klar. Kein Gartenschlauch in ihrer Garage. Keine Gießkanne. Ländliches Mississippi. Altes Farmland. Regen und Sonne. Bald begann das Unkraut zu wuchern. Irgendein Freund hatte einen Rasenmäher mitgebracht und es kurz abgemäht. Irgendein netter Bursche mit viel Energie. Ein Kerl, der Unordnung nicht ausstehen konnte. Ziemlich sicher ein Soldat. Ein Kerl, der Dinge für andere Leute tut, der Ordnung schafft und Ordnung hält.

Deveraux fragte: »Was wollen Sie damit sagen? Dass sie hier vergewaltigt worden ist?«

»Vielleicht ist sie gar nicht vergewaltigt worden.«

Deveraux schwieg.

»Das ist durchaus möglich«, sagte ich. »Überlegen Sie doch selbst. Ein sonniger Nachmittag, völlig ungestört. Sie hocken auf der Treppe vor der Hintertür, weil sie nicht auf der Veranda sitzen und von den alten Hexen beobachtet werden wollen. Sie hocken auf der Treppe, sie fühlen sich gut, sie machen's einfach.«

»Auf dem Rasen?«

»Täten Sie das nicht?«

Sie erwiderte meinen Blick und sagte: »Wie Sie Merriam erklärt haben, käm's darauf an, mit wem ich zusammen wäre.«

In den folgenden Minuten redeten wir über Verletzungen. Ich machte wieder den Test mit meinem Unterarm. Ich drückte ihn in den Kies und bewegte ihn dabei heftig, um Leidenschaft zu simulieren. Das brachte mir viele Chlorophyllflecken und eine dünne Schlammspur ein. Als ich alles abgewischt hatte, entdeckten wir die kleinen roten Pusteln, die wir auf Janice May Chapmans Körper gesehen hatten. Meine waren nur oberflächlich, aber wir stimmten darin überein, dass Chapman mit mehr Kraft und Gewicht länger und heftiger Druck ausgeübt haben könnte.

»Wir müssen noch mal reingehen«, sagte ich.

Wir fanden Chapmans Wäschekorb – eine weiß lackierte Flechtwerktruhe mit Deckel – im Bad. Oben auf dem sehr kleinen Wäschestapel lag ein kurzes Sommerkleid. Es hatte ausgestellte Ärmel und war rot-weiß gestreift. Um die Taille herum war es zusammengeschoben und faltig. Auf dem Rücken hatte es im Schulterbereich grüne Flecken. Beim nächsten Wäschestück handelte es sich um ein Handtuch. Dann kam eine weiße Bluse.

»Keine Unterwäsche«, stellte Deveraux fest.

»Offenbar«, sagte ich.

»Der Vergewaltiger hat ein Souvenir mitgenommen.«

»Sie hat keine getragen.«

»Wir haben März.«

»Wie war das Wetter an dem bewussten Tag?«

»Warm«, erklärte Deveraux. »Und sonnig. Ein schöner Tag.«

»Rosemary McClatchy ist nicht vergewaltigt worden«, sagte ich. »Shawna Lindsay auch nicht. Eskalation ist eine Sache. Gravierend verändertes Täterverhalten eine andere.«

Deveraux äußerte sich nicht dazu. Sie trat aus dem Bad auf den Flur hinaus. Auf die Mittelachse des kleinen Hauses. Sie sah sich um und fragte: »Was habe ich hier übersehen? Was fehlt hier?«

»Irgendetwas, das älter ist als drei Jahre«, sagte ich. »Sie ist nach Carter Crossing umgezogen und hätte Sachen mitbringen müssen. Mindestens ein paar Dinge. Vielleicht Bücher. Oder Fotos. Einen Lieblingssessel oder etwas in dieser Art.«

»Vierundzwanzigjährige sind nicht sehr sentimental.«

»Trotzdem besitzen sie ein paar Dinge, an denen ihr Herz hängt.«

»Woran hat Ihr Herz gehangen, als Sie vierundzwanzig waren?«

»Ich bin anders. Sie sind anders.«

»Worauf wollen Sie also hinaus?«

»Ich will darauf hinaus, dass sie vor drei Jahren aus dem Nichts aufgetaucht ist und anscheinend nichts mitgebracht hat. Sie hat ein Haus und ein Auto gekauft und sich in Mississippi einen Führerschein ausstellen lassen. Sie hat das ganze Haus neu möbliert. Alles gegen Cash. Sie kann keinen reichen Daddy gehabt haben, sonst stünde sein Foto in einem Silberrahmen neben dem Fernseher. Ich will wissen, wer sie war.«

38

Ich folgte Deveraux von einem Zimmer zum anderen, während sie sich davon überzeugte, dass ich recht hatte. Die Wände wirkten noch wie frisch gestrichen. Sofa und Sessel im Wohnzimmer sahen noch wie neu aus. Der Fernseher war das neueste Modell. Ein erstklassiger VHS-Player. Selbst Töpfe, Pfannen und Besteck in der Küche wiesen kaum Kratzer wie von langem Gebrauch auf.

Im Kleiderschrank hingen lauter neue und verhältnismäßig neue Sachen. Kein altes Ballkleid aus der Highschool in einer Plastikhülle. Kein altes Cheerleaderkostüm. Aber auch keine Familienfotos. Keine Andenken, keine alten Briefe. Keine Softballpokale, keine Schmuckschatulle mit schrillem Modeschmuck. Keine ehemals heiß geliebten Plüschtiere aus Kindheitstagen.

»Ist das wichtig?«, fragte Deveraux. »Schließlich war sie nur ein zufälliges Opfer.«

»Sie gibt Rätsel auf«, sagte ich. »Ich mag keine Rätsel.«

»Sie war schon hier, als ich zurückgekommen bin. Ich habe nie über sie nachgedacht. Ich meine, Leute kommen und gehen doch ständig. Wir sind hier in Amerika.«

»Haben Sie jemals etwas über ihre Herkunft gehört?«

»Nichts.«

»Keine Gerüchte oder Vermutungen?«

»Absolut keine.«

»Hatte sie einen Job?«

»Nein.«

»Akzent?«

»Vielleicht aus dem Mittleren Westen. Oder knapp südlich davon. Jedenfalls aus dem Herzland. Ich habe nur einmal mit ihr gesprochen.«

»Haben Sie der Toten die Fingerabdrücke abgenommen?«

»Nein. Wozu auch? Wir wussten, wer sie war.«

»Wirklich?«

»Jetzt ist's zu spät.«

Ich nickte. Nach so langer Zeit würde Chapmans Haut sich wie ein weicher alter Handschuh von den Fingern lösen. Sie würde Falten bekommen und wie eine nasse Papiertüte reißen. Ich fragte: »Haben Sie ein Fingerabdruckbesteck im Wagen?«

Sie schüttelte den Kopf. »Für Fingerabdrücke ist bei uns Butler zuständig. Der andere Deputy. Er hat einen Kurs bei der Polizei in Jackson gemacht.«

»Sie sollten ihn herkommen lassen. Er kann hier im Haus Fingerabdrücke nehmen.«

»Die sind nicht alle von ihr.«

»Aber zu neunzig Prozent. Ich schlage vor, dass er mit der Tamponbox anfängt.«

»Sie sind bestimmt nirgends gespeichert. Wozu auch? Sie war eine normale junge Frau. Sie war nicht beim Militär und auch kein Cop.«

Ich sagte: »Nichts gewagt, nichts gewonnen.«

Deveraux benutzte das Funkgerät ihres Wagens, der mitten auf dem Wendeplatz stand. Sie musste Schachfiguren verschieben. Pellegrino sollte Butler als Überwacher des Tors von Fort Kelham ersetzen. Sie kam wieder herein und sagte: »Zwanzig Minuten. Ich muss ins Büro. Ich habe zu arbeiten. Sie warten hier. Aber machen Sie sich keine Sorgen. Butler versteht seine Sache. Er ist einigermaßen clever.«

»Cleverer als Pellegrino?«

»Jeder ist cleverer als Pellegrino. Sogar Caprice ist cleverer als Pellegrino.«

Ich fragte: »Essen Sie heute Abend mit mir?«

Sie sagte: »Ich muss ziemlich lange arbeiten.«

»Wie lange?«

»Vielleicht bis neun.«

»Neun Uhr wäre in Ordnung.«

»Laden Sie mich ein?«

»Na klar.«

Sie hielt einen Moment inne.

»Wie bei einem Date?«, fragte sie.

»Warum nicht?«, fragte ich. »Hier gibt's nur dieses eine Restaurant. Wir würden vermutlich ohnehin zusammen essen.«

»Okay«, sagte sie. »Abendessen. Neun Uhr. Danke.«

Dann fügte sie noch hinzu: »Aber nicht rasieren, okay?«

Ich fragte: »Warum nicht?«

Sie sagte: »Weil Sie mir so gefallen.«

Und dann ging sie.

Ich wartete auf Janice May Chapmans Veranda in einem ihrer Schaukelstühle sitzend. Die beiden alten Ladys beobachteten mich über den Platz hinweg. Deputy Butler traf kurz vor Ablauf der ihm zugestandenen zwanzig Minuten ein. Er fuhr einen Streifenwagen wie Pellegrino, parkte ihn dort, wo Deveraux den ihren abgestellt hatte, stieg aus und trat an den Kofferraum. Er war ein großer, muskulöser Mann, den ich auf Mitte zwanzig schätzte. Er trug die Haare für einen Cop ziemlich lang und hatte ein offenes, ehrliches

Gesicht. Vielleicht kein Kerl, der sich leicht führen ließ, aber bestimmt loyal und zuverlässig.

Er holte eine schwarze Kunststoffbox aus dem Kofferraum und kam damit auf Chapmans Haus zu. Ich stand auf, ging ihm ein paar Schritte entgegen und streckte ihm die Hand hin. Höflichkeit kommt immer gut an. Ich sagte: »Ich bin Jack Reacher. Freut mich, Sie kennenzulernen.«

Er sagte: »Geezer Butler.«

»Wirklich?«

»Ja, wirklich.«

»Spielen Sie Bassgitarre?«

»Wie oft ich das gefragt werde!«

»War Ihr Dad ein Black-Sabbath-Fan?«

»Meine Mom auch.«

»Und Sie?«

Er nickte. »Ich habe alle ihre Aufnahmen.«

Ich führte ihn hinein. Er blieb im Flur stehen und sah sich um. Ich sagte: »Die Herausforderung besteht darin, hier nur ihre Fingerabdrücke sicherzustellen.«

»Um Verwechslungen zu vermeiden?«, fragte er.

Nein, dachte ich. *Um zu vermeiden, dass das System auf jemanden aus der Kompanie Bravo anspricht. Sicher ist sicher.*

Ich sagte: »Ja, um Verwechslungen zu vermeiden.«

»Ich soll im Bad anfangen, meinte der Chief.«

»Gute Idee«, sagte ich. »Zahnbürste, Zahncreme, Tamponbox, persönliche Sachen. Artikel, die beim Verkauf verpackt waren, sodass kein anderer sie angefasst haben dürfte.«

Ich blieb im Hintergrund, damit er sich nicht bedrängt fühlte, aber ich beobachtete ihn ziemlich genau. Butler war sehr kompetent. Er brauchte eine halbe Stunde und sicherte in dieser Zeit zwanzig gute Fingerabdrücke, lauter saubere kleine Ovale, die von einer Frau stammen mussten. Als wir uns darüber einig waren, dass er genügend Abdrücke hatte, packte er sein Zeug zusammen und nahm mich in die Stadt mit.

Ich stieg vor dem Sheriff's Department aus Butlers Wagen und ging nach Süden zum Hotel weiter. Dort blieb ich auf dem Gehsteig stehen, während ich ein Dilemma zu lösen versuchte. Ich hatte das Bedürfnis, mir ein neues Hemd zu kaufen – aber ich wollte nicht, dass Deveraux glaubte, ein Abendessen solle mehr als nur ein Abendessen sein. Oder vielmehr sollte sie das glauben, ohne den Eindruck zu haben, ich wünschte es mir. Ich wollte sie nicht zu irgendwas drängen und vor allem nicht als übereifrig erscheinen.

Letztlich fand ich jedoch, ein Hemd sei nur ein Hemd, und wechselte auf die Main-Street-Seite hinüber, um die Geschäfte abzuklappern. Um diese Zeit – kurz vor siebzehn Uhr – wollten die meisten bereits schließen. Das dritte Geschäft, zu dem ich kam, war ein Herrenmodengeschäft. Es sah nicht sehr vielversprechend aus. Im Schaufenster lag ein Sakko aus synthetischem Jeansstoff, der im Licht mehrerer Strahler glitzerte und leuchtete. Der Stoff wirkte wie aus Atommüll hergestellt. Aber ich wollte beim Dinner anständig aussehen, deshalb ging ich hinein und schaute mich um.

Hier gab es viele Sachen aus zweifelhaften Kunststoffen, aber auch reichlich Einfacheres. Hinter der Theke stand ein älterer Mann, der mich ungestört herumkramen ließ. Er trug ein Maßband wie eine Amtskette um den Hals – wie ein Arzt ein Stethoskop. Er sagte nichts, aber er schien zu wissen, dass ich ein Hemd suchte. Er runzelte die Stirn und gab missbilligende kleine Laute von sich oder strahlte und nickte, als ich von Stapel zu Stapel ging, als spielten wir ein Gesellschaftsspiel, bei dem er mir »wärmer« und »kälter« signalisierte.

Zuletzt fand ich ein weißes Hemd mit Button-Down-Kragen

aus schwerer Baumwolle. Kragenweite 46, Ärmellänge 94, was ungefähr meine Größe war. Ich nahm das Hemd zur Theke mit und fragte: »Wäre das in Ordnung für einen Bürojob?«

Der Mann sagte: »Ja, Sir, das wäre es.«

»Würde es jemanden beim Abendessen beeindrucken?«

»Ich glaube, dafür bräuchten Sie etwas Feineres, Sir. Vielleicht ein gestreiftes Hemd.«

»Es ist also nicht irgendwie feierlich?«

»Nein, Sir. Ganz und gar nicht.«

»Okay, dann nehme ich's.«

Das Baumwollhemd kostete mich weniger als das scheußliche rosa Ding aus der PX. Der alte Mann verpackte es in braunes Papier, aus dem er mit Klebeband ein ordentliches kleines Päckchen machte. Ich trug es unter den Arm geklemmt über die Straße, um es in mein Zimmer zu bringen. Als ich die Hotelhalle betrat, sah ich gerade noch, wie der alte Besitzer die Treppe hinaufhasten wollte. Er drehte sich um, als er jemanden hereinkommen hörte, erkannte mich und blieb stehen. Er war außer Atem und sagte: »Ihr Onkel ist wieder am Telefon.«

39

Ich nahm den Anruf wie letztes Mal allein im Büro entgegen. Garber war von Anfang an zögerlich, was mich beunruhigte. Seine erste Frage war: »Wie geht es Ihnen?«

»Mir geht's gut«, sagte ich. »Und Ihnen?«

»Wie geht's dort unten?«

»Schlecht«, sagte ich.

»Mit dem Sheriff?«

»Nein, sie ist okay.«

»Elizabeth Deveraux, nicht wahr? Wir lassen sie gerade über-prüfen.«

»Wie?«

»Wir erkundigen uns unauffällig beim Marine Corps.«

»Wozu?«

»Vielleicht finden wir etwas, das Sie gegen sie verwenden kön-nen. Vielleicht müssen Sie irgendwann etwas gegen sie in der Hand haben.«

»Sparen Sie sich die Mühe. Sie ist nicht das Problem.«

»Wer dann?«

»Wir«, sagte ich. »Oder vielmehr Sie. Oder sonst jemand. Die Army, meine ich. Sie patrouilliert außerhalb des Zauns von Kel-ham und erschießt Leute.«

»Das schließe ich kategorisch aus.«

»Ich habe das Blut selbst gesehen. Und die Autotrümmer sind keimfrei gemacht worden.«

»Ausgeschlossen!«

»Es ist aber so. Und Sie müssen dafür sorgen, dass das aufhört. Im Augenblick haben Sie ein großes Problem, aber wenn's so wei-tergeht, wird daraus der Dritte Weltkrieg.«

»Sie irren sich.«

»Zwei Kerle sind zusammengeschlagen worden, ein dritter steht nicht wieder auf. Irrtum ausgeschlossen.«

»Tot?«

»Mausetot.«

»Wie?«

»Er ist an einem Oberschenkeldurchschuss verblutet Jemand hat noch versucht, die Blutung mit einem Verbandspäckchen zu stop-pen. Und ich habe am Tatort eine verschossene NATO-Patrone ge-funden.«

»Das waren wir nicht. Das wüsste ich.«

»Tatsächlich?«, fragte ich. »Müsste ich's nicht besser wissen? Sie sind dort oben und stellen Vermutungen an; ich bin hier unten und sehe, was Sache ist.«

»Das wäre illegal.«

»Was Sie nicht sagen! Schlimmstenfalls ist dies eine politische Entscheidung. Bestenfalls ist dort jemand durchgedreht. Sie müssen rauskriegen, worum es sich handelt, und es abstellen.«

»Wie denn?«, fragte Garber. »Soll ich vor willkürlich ausgewählte hohe Offiziere hintreten und ihnen gemeinsame Gesetzesverstöße vorwerfen? Vielleicht die schlimmsten in der US-Militärgeschichte? Ich würde vor dem Lunch eingelocht und am Morgen danach vors Kriegsgericht gestellt.«

Ich atmete langsam tief durch. Fragte dann: »Gibt es Namen, die ich am Telefon nicht erwähnen sollte?«

Garber erwiderte: »Es gibt Namen, die Sie nicht mal wissen sollten.«

»Diese ganze Sache ist aus dem Ruder gelaufen. Sie wird schlimmer und schlimmer. Ich habe schon drei Rechtsanwälte gesehen, die nach Kelham unterwegs waren oder von dort gekommen sind. Irgendjemand muss eine Entscheidung treffen. Der bewusste Offizier muss abgezogen und versetzt werden. Sofort.«

»Ausgeschlossen. Jedenfalls nicht, solange der Kosovo wichtig ist. Dieser Kerl könnte einen Krieg im Alleingang beenden.«

»Jesus, er ist nur einer von vierhundert Mann.«

»Nicht im Wahlkampf in zwei Jahren. Denken Sie mal darüber nach. Dann wird er als der Lone Ranger hingestellt.«

»Bis dahin sitzt er in Leavenworth ein.«

»Munro glaubt das nicht. Er hält den bewussten Offizier für wahrscheinlich unschuldig.«

»Dann sollten wir dementsprechend handeln, also aufhören, Rechtsanwälte zu konsultieren, und die Streifen außerhalb des Zauns einstellen.«

»Es gibt keine Streifen außerhalb des Zauns.«

Ich kapitulierte. »Sonst noch was?«

»Sie haben eine Ansichtskarte von Ihrem Bruder bekommen.«

»Wo?«

»In Ihrem Büro.«

»Und Sie haben sie gelesen?«

»Ein Army-Offizier kann vernünftigerweise nicht darauf hoffen, dass sein Privatleben geheim bleibt.«

»Steht das auch in den Vorschriften? Mit den Bestimmungen über vorschriftsmäßige Haarschnitte?«

»Sie müssen mir die Nachricht erklären.«

»Wieso? Wie lautet sie?«

»Das Bild auf der Vorderseite zeigt die Innenstadt von Atlanta. Die Karte wurde vor elf Tagen auf dem Flughafen Atlanta aufgegeben. Der Text lautet: *Muss geschäftlich nach Margrave, südlich von hier. Blind Blake soll dort gestorben sein. Halte dich auf dem Laufenden.* Unterschrieben ist sie mit Joe, seinem Namen.«

»Ich weiß, wie mein Bruder heißt.«

»Was bedeutet die Nachricht?«

»Das ist eine persönliche Mitteilung.«

»Ich befehle Ihnen, sie mir zu erklären. Tut mir leid, aber das muss ich.«

»Sie waren in der Grundschule. Sie können lesen.«

»Aber was *bedeutet* sie?«

»Sie bedeutet, was sie besagt. Er ist von Atlanta nach Süden, nach Margrave, unterwegs.«

»Wer war Blind Blake?«

»Ein Gitarrist in den zwanziger Jahren. Berühmter Blues-Spieler. Eine der ersten Legenden.«

»Wieso sollte Joe sich die Mühe machen, Sie darüber zu informieren?«

»Gemeinsames Interesse.«

»Was meint Joe damit, wenn er schreibt, dass er Sie auf dem Laufenden halten wird?«

»Er meint, was er schreibt.«

»Worüber auf dem Laufenden halten?«

»Über den legendären Blind Blake, versteht sich. Ob er wirklich dort gestorben ist.«

»Wieso ist's wichtig, wo dieser Mann gestorben ist?«

»Wichtig ist das nicht. Es ist nur eine Art Hobby. Wie andere Leute Baseballkarten sammeln.«

»In Wirklichkeit geht's also um Baseballkarten?«

»Wovon reden Sie überhaupt, verdammt noch mal?«

»Ist das ein Code für etwas anderes?«

»Ein Code? Warum, zum Teufel, sollte das ein Code sein?«

Garber sagte: »Sie haben heute sein Büro angerufen.«

»Woher wissen Sie das?«

»Kontakte werden von dort gemeldet.«

»Von dieser Kleinen? Von seiner Assistentin?«

»Darüber darf ich keine Auskunft geben. Aber ich muss wissen, wieso Sie ihn angerufen haben.«

»Er ist mein Bruder.«

»Aber wieso jetzt? Wollten Sie ihn irgendwas fragen?«

»Ja«, sagte ich. »Ich wollte ihn fragen, wie's ihm geht. Rein gesellschaftlich.«

»Wieso gerade jetzt? Hat etwas in Kelham diese Nachfrage provoziert?«

»Das geht Sie nichts an.«

»Falsch, mich geht alles etwas an. Ich verlange Auskunft, Reacher.«

»Vor Janice May Chapman sind hier zwei schwarze Frauen ermordet worden«, sagte ich. »Wussten Sie das überhaupt? Das sollten Sie nämlich berücksichtigen, wenn Sie an Wahlkämpfe denken. Wir haben sie ignoriert – und sind erst in hektische Betriebsamkeit verfallen, als eine Weiße ermordet wurde.«

»Welchen Zusammenhang hat das mit Joe?«

»Ich habe mit dem Bruder der zweiten Ermordeten gesprochen. Dabei musste ich an meinen denken. Das war alles.«

»Hat Joe Ihnen etwas von Geld aus dem Kosovo erzählt?«

»Ich habe ihn nicht erreicht. Er war nicht im Büro. Er war in Georgia.«

»Wieder in Atlanta? Oder in Margrave?«

»Keine Ahnung. Georgia ist ein großer Staat.«

»Okay«, sagte Garber. »Entschuldigen Sie meine Neugier.«

Ich fragte: »Wer macht sich eigentlich Sorgen um Geld aus dem Kosovo?«

Er sagte: »Darüber darf ich nicht sprechen.«

40

Ich verließ das Hotel, schlenderte durch die abknickende Gasse zwischen Apotheke und Eisenwarengeschäft und kam am anderen Ende zwischen dem Pfandhaus und Brannan's Bar heraus, wo Janice May Chapmans Leiche aufgefunden worden war. Die Sandschicht lag noch da: trocken, etwas verkrustet und vom Wind ein wenig verteilt. Ich machte einen Bogen um diese Fläche, um zu sehen, was auf der einseitig bebauten Straße vor sich ging. Dort war nicht allzu viel los. Einige der Bars hatten geschlossen, weil der Stützpunkt geschlossen war. Ohne Gäste brauchte man nicht geöffnet zu haben. Eine einfache betriebswirtschaftliche Rechnung.

Brannan's Bar hatte jedoch geöffnet. Trotzig optimistisch oder vielleicht nur, um eine alte Tradition fortzusetzen. Ich ging hinein und traf dort nur zwei Typen an, die hinter der Theke Gläser spülten. Sie sahen wie Brüder aus. Mitte dreißig, ungefähr zwei Jahre auseinander – wie Joe und ich. Mit viel Lebenserfahrung, was von

Vorteil sein würde. Ihre Bar glich tausend anderen Bars in der Nähe von Stützpunkten, die ich schon dienstlich aufgesucht hatte: ein komplexer geschlossener Kreislauf, der Langeweile in Cash verwandelte. Die Bar war ziemlich groß. Ich vermutete, dass sie früher ein kleines Restaurant gewesen war. Die Ausstattung wirkte etwas besser als sonst üblich. An den Wänden hingen riesige Poster mit Nachtaufnahmen der berühmtesten Städte der Welt. Kein hiesiges Zeug, was clever war. Wer sechs Monate im Jahr in der tiefsten Provinz festsitzt, will nicht auch noch daran erinnert werden.

»Habt ihr Kaffee?«, fragte ich.

Sie verneinten, was mich nicht sonderlich überraschte.

Ich sagte: »Mein Name ist Jack Reacher, und ich bin ein Militärpolizist, der heute zum Abendessen verabredet ist.«

Sie sahen mich verständnislos an.

Ich sagte: »Das bedeutet, dass ich mir normalerweise die Zeit nehme, den ganzen Abend lang zu bleiben und euch im Gespräch alle möglichen Informationen zu entlocken. Aber diesmal habe ich dafür keine Zeit, daher muss ein einfaches Frage-und-Antwort-Spiel reichen, okay?«

Sie verstanden die Message. Barbesitzer an Standorten machen sich Sorgen wegen der Militärpolizei. Es ist ganz leicht, eine Bar für eine Woche oder einen Monat für *off limits* zu erklären. Oder für immer. Sie stellten sich als die Brüder Jonathan und Hunter Brannan vor, Erben dieses Lokals, das ihre Großmutter zu Eisenbahnzeiten gegründet hatte. Sie hatte Tee und Törtchen verkauft und davon recht gut gelebt. Ihr Vater hatte auf Alkohol umgestellt, als der Bahnverkehr eingestellt wurde und die Army den Stützpunkt bezog. Die beiden waren ganz nette Typen. Und realistisch. Sie führten die beste Bar der Stadt, also konnten sie nicht leugnen, dass irgendwann jeder zu ihnen hereinschaute.

»Janice Chapman hat hier verkehrt«, sagte ich. »Die dann ermordet wurde.«

Sie bestätigten, ja, das habe sie getan. Sie versuchten nicht einmal, es zu leugnen. Jeder kommt zu Brannan's.

Ich fragte: »Aber in letzter Zeit nur noch mit demselben Kerl?«

Sie bestätigten, ja, so sei's gewesen.

Ich fragte: »Wer war er?«

Hunter Brannan sagte: »Er heißt Reed. Viel mehr weiß ich nicht über ihn. Aber er ist was Besseres. Das merkt man an der Reaktion der anderen.«

»War er ein regelmäßiger Gast?«

»Das sind sie alle.«

»War er in der Tatnacht hier?«

»Das ist eine schwierige Frage. Die Bar ist normalerweise gesteckt voll.«

»Versuchen Sie, sich zu erinnern.«

»Ich würde sagen, dass er hier war. Zumindest am frühen Abend. Später hab ich ihn nicht mehr gesehen, glaub ich.«

»Was für ein Auto fährt er?«

»Irgendeine alte Kiste. Blau, glaub ich.«

Ich fragte: »Wie lange ist er hier schon Gast?«

»Seit ungefähr einem Jahr, schätze ich. Aber er gehört zu den Kerlen, die öfter mal 'ne Zeit lang nicht da sind.«

»Was heißt das?«

»Na ja, dort drinnen gibt's mehrere Gruppen. Sie werden irgendwo eingesetzt, dann kommen sie wieder zurück. Einen Monat im Einsatz, einen Monat hier.«

»Haben Sie ihn auch mit früheren Freundinnen gesehen?«

Jonathan Brannan sagte: »Ein Kerl wie er hat immer ein Klassegirl am Arm.«

»Wen zum Beispiel?«

»Welche am hübschesten war. Welche bereit war, mit ihm ins Bett zu gehen, denk ich.«

»Schwarz oder weiß?«

»Beides. Rassendiskriminierung kennt er nicht.«

»Können Sie sich an irgendwelche Namen erinnern?«

»Nein«, sagte Hunter Brannan. »Aber ich weiß, dass ich manchmal ziemlich neidisch war.«

Ich ging ins Hotel Toussaint's zurück. Noch zwei Stunden bis zum Abendessen. In der ersten machte ich ein Nickerchen, weil ich müde war und mir ausrechnete, dass ich nicht so bald Schlaf finden würde. Jedenfalls hoffte ich das. Hoffen durfte ich schließlich. Ich weckte mich um zwanzig Uhr und packte mein neues Hemd aus. Ich putzte mir die Zähne mit Wasser und kaute ein Stück Kaugummi. Dann duschte ich lange und heiß, mit reichlich Seife, reichlich Shampoo.

Ich zog mein neues Hemd an und krempelte die Ärmel bis zu den Ellbogen auf. Im Schulterbereich spannte das Hemd etwas, daher ließ ich die beiden obersten Knöpfe offen. Ich steckte das Hemd in die Hose, zog meine Schuhe an und polierte sie nacheinander an der Rückseite meiner Waden.

Ich schaute in den Spiegel.

Ich sah genau wie ein Kerl aus, der vögeln wollte. Was natürlich stimmte. Dagegen war nichts zu machen.

Ich stopfte mein altes Hemd in den Abfall, verließ das Zimmer, ging die Treppe hinunter und trat auf die dunkle Straße hinaus. Im Schatten hinter mir sagte eine Stimme: »Noch mal hallo, Soldat.«

41

Vor mir auf der anderen Straßenseite standen drei Pick-ups am Randstein geparkt. Zwei, die ich wiedererkannte, und einer, der mir neu war. Alle Autotüren standen offen. Beine baumelten heraus. Zigaretten glühten. Rauchschwaden zogen über die Straße. Ich trat nach links, drehte mich halb zur Seite und sah den Alphahund, den McKinney-Cousin. Sein Gesicht sah noch immer schlimm aus. Er stand unter einem der defekten Halogenscheinwerfer des Hotels. Seine Arme hingen locker herab, und seine Hände waren leicht gespreizt. Er war voll motiviert und kampfbereit.

Auf der gegenüberliegenden Straßenseite glitten fünf Kerle aus den Pick-ups. Sie kamen langsam auf mich zu. Ich sah den Betahund, den Bier-zum-Frühstück-Kerl, den Biker mit Rückenschmerzen und zwei weitere Typen, die ich noch nicht kannte, die aber genau wie die anderen aussahen. Dieselbe Region, dieselbe Familie oder beides.

Ich blieb auf dem Gehsteig. Bei sechs Kerlen wollte ich keinen hinter mir haben, aber eine Mauer im Rücken. Der Alphahund trat vom Gehsteig in den Rinnstein und schloss sich den anderen als rechter Endpunkt eines aus sechs Mann bestehenden Bogens an. Alle blieben zweieinhalb bis drei Meter von mir entfernt auf der Straße. Außer Reichweite, aber ich konnte sie riechen. Alle sechs ließen affenartig die Arme hängen und spreizten die Hände wie Revolvermänner ohne Waffen.

»Zu sechst?«, fragte ich. »Ist das alles?«

Keine Antwort.

»Ist das nicht ein bisschen kümmerlich?«, fragte ich. »Ich hatte auf einen radikaleren Ansatz gehofft. Wie auf den Unterschied zwischen einer Luftlandekompanie und einer Panzerdivision. Aber anscheinend hatten wir voneinander abweichende Ideen. Leider muss ich sagen, dass ich ziemlich enttäuscht bin.«

Keine Antwort.

Ich sagte: »Übrigens, Jungs, tut mir leid, aber ich bin zum Abendessen verabredet.«

Sie traten gemeinsam einen Schritt vor, sodass sie mir näher waren und selbst enger zusammenrückten. Sechs blasse Gesichter, im Halbdunkel leicht gelblich.

Ich sagte: »Ich trage ein neu gekauftes Hemd.«

Keine Antwort.

Die Faustregel bei sechs Kerlen: Man muss schnell sein. Man darf sich nicht länger als unbedingt nötig mit jedem Einzelnen aufhalten. Das bedeutet wiederum, dass für jeden ein Schlag reichen muss, denn das ist das Minimum. Weniger als einmal kann man einen Kerl nicht treffen.

Ich überlegte, wie ich die Sache angehen wollte. Anfangen würde ich in der Mitte. Eins, zwo, drei, peng, peng, peng. Der dritte Kerl würde am schwierigsten sein, er würde sich bewegen. Die beiden ersten Kerle nicht. Sie würden vor Schreck und Überraschung wie gelähmt dastehen. Leicht flachzulegen. Aber der dritte Typ würde reagieren, wenn ich mich ihm zuwandte. Unberechenbar. Vielleicht hatte er sogar einen Plan, der aber noch nicht umgesetzt war. Also würde er sich vorerst mit einem unkontrollierbaren Panikreflex wehren.

Deshalb nahm ich mir vor, den dritten Kerl zu überspringen. Vielleicht würde ich mir gleich den vierten vorknöpfen. Dann flüchtete die Nummer drei vielleicht. Mindestens einer von ihnen würde das tun. Ich hatte noch nie erlebt, dass eine Meute zusammenblieb, wenn die ersten Köpfe auf den Asphalt knallten.

Ich sagte: »Bitte, Jungs, ich hab eben geduscht.«

Wieder keine Antwort, was ich natürlich erwartet hatte. Alle traten noch einen Schritt vor, was ich auch erwartet hatte. Also kam ich ihnen auf halbem Weg entgegen, was nur höflich war. Ich machte zwei große Schritte, stieß mich beim zweiten vom Randstein ab – hundertzehn Kilo in schneller Bewegung – und traf den dritten Kerl von links mit einer rechten Geraden, die ihn ein paar Zähne gekostet hätte, wenn er noch welche gehabt hätte. Sie ließ seinen Kopf nach hinten fliegen. Er konnte sich nicht mehr auf den

Beinen halten, klappte zusammen und geriet außer Sichtweite, weil ich mich bereits nach links warf und den Nasensattel des zweiten Kerls mit dem rechten Ellbogen traf. Das war ein wuchtiger Schlag aufgrund meiner Drehung aus der Taille heraus und der Tatsache, dass ich praktisch in ihn hineinfiel. Ich sah Blut spritzen, kehrte meine Bewegungsrichtung um und setzte denselben Ellbogen gegen den Kerl ein, den ich hinter mir spürte. Ich traf ihn am Ohr, und als der abgeschwächte Aufprall mir zeigte, dass er noch hatte ausweichen können, nahm ich mir vor, mich später erneut um ihn zu kümmern. Dann wandte ich mich dem vierten Kerl zu und änderte meine Taktik, indem ich ihm voll in den Unterleib trat – ein sehr befriedigendes *Knirschen* von Fleisch und Kochen, mit dem er fast hochgehoben wurde und gleichzeitig zusammenklappte.

Drei Sekunden, zwei ausgeknockt, einer angezählt.

Keiner rannte.

Eine neue Erfahrung: Schläger aus Mississippi sind aus härterem Holz geschnitzt als die meisten. Oder vielleicht sind sie einfach nur dümmer.

Dem fünften Kerl gelang es, meine Schulter zu berühren. Ich wusste nicht, ob er versucht hatte, einen Schlag zu landen oder mich an der Kehle zu packen und zu würgen. Vielleicht hatte er mich festhalten wollen, während der sechste Kerl mich mit den Fäusten traktierte. Jedenfalls wurde sein Vorhaben grausam durchkreuzt, als ich rückwärts gegen ihn explodierte, ihn mit dem Ellbogen an der Brust traf und den Abprall dazu benutzte, mich wieder nach vorn auf den letzten noch Stehenden zu stürzen. Den sechsten Mann. Er blieb mit dem Absatz am Randstein hängen und riss dabei die Hände hoch, sodass er wie eine Vogelscheuche aussah, was ich als Einladung auffasste, mit einer ansatzlos geschlagenen Geraden seine Brust, sein Sonnengeflecht zu treffen. Das wirkte sich so aus, als hätte ich ihn ans Stromnetz angeschlossen. Er hüpfte und tanzte und brach zuckend zusammen.

Der Kerl, den mein Ellbogenstoß am Ohr getroffen hatte, grapschte danach, als drohte es abzufallen. Seine Augen waren geschlossen, sodass von einem fairen Kampf keine Rede sein konnte. Aber diese Art war mir schon immer die liebste gewesen. Ich trat vor ihn hin und traf sein Kinn mit einem linken Haken.

Er klappte zusammen wie eine Marionette, der jemand die Schnüre abgeschnitten hat.

Ich atmete langsam aus.

Sechs von sechs.

Ende der Vorstellung.

Ich hustete zweimal und spuckte auf der Straße aus. Dann hastete ich nach Norden. Die Uhr in meinem Kopf sagte mir, dass ich schon eine Minute Verspätung hatte.

42

Ich betrat das Restaurant und fand es bis auf die Bedienung und das alte Ehepaar aus Toussaint's Hotel leer vor. Die beiden Alten schienen etwa bei der Hälfte ihres abendlichen Marathons angelangt zu sein. Die Frau las ein Buch, der Mann eine Zeitung. Deveraux war noch nicht da.

Der Serviererin teilte ich mit, dass ich jemanden erwartete. Ich bat sie um einen Vierertisch, weil ich mir ausrechnete, dass ein Zweiertisch für ein langes Gespräch zu beengt sei. Sie wies mir einen in der Nähe des Eingangs zu, und ich verschwand auf der Toilette.

Ich wusch mir Gesicht, Hände, Unterarme und Ellbogen mit Seife und heißem Wasser. Ich fuhr mir mit feuchten Fingern durchs Haar. Ich atmete langsam ein und aus. Adrenalin ist ein Teufelszeug. Es weiß nicht, wann es zu wirken aufhören soll. Ich wedelte mit den Händen und rollte die Schultern. Ich schaute in den Spiegel. Meine Haare waren in Ordnung. Mein Gesicht sah sauber aus.

Ich hatte Blut am Hemd.

Auf der Brusttasche. Und darüber. Und darunter. Nicht viel, aber dennoch etwas Blut. Mehrere Spritzer, die zusammen eine deutlich sichtbare kommaförmige Spur bildeten.

»Scheiße«, sagte ich halblaut zu mir selbst.

Mein altes Hemd steckte im Abfalleimer in meinem Zimmer.

Die Geschäfte hatten längst geschlossen.

Ich trat näher ans Waschbecken heran und warf nochmals einen Blick in den Spiegel. Die Blutspritzer trockneten bereits an, wurden braun. Vielleicht würden sie letzten Endes wie absichtlich aussehen. Wie ein Logo. Oder ein Muster. Wie ein einzelnes Element aus einem unruhigen Stoffmuster. Ich kannte welche, wusste aber nicht genau, wie sie hießen. Paisley?

Ich atmete langsam ein und aus.

Nicht zu ändern.

Ich ging ins Restaurant zurück, als Deveraux gerade hereinkam.

Sie war nicht in Uniform. Sie hatte sich umgezogen und trug zu einer silbernen Seidenbluse einen knielangen schwarzen Rock. High Heels. Silberne Halskette. Die Bluse war dünn und knapp und eng anliegend. Der Rock saß wie angegossen. Ihre Taille hätte ich mit meinen Händen umspannen können. Ihre Beine waren nackt. Und schlank. Und lang. Ihr Haar war vom Duschen noch etwas feucht. Sie trug es lose bis über die Schultern herabfallend. Kein Pferdeschwanz. Kein Gummiband. Und ihr Lächeln reichte bis zu den wundervollen Augen hinauf.

Ich begleitete sie zu unserem Tisch, und wir nahmen einander gegenüber Platz. Ich roch ihr Parfüm, einen leichten, blumigen Duft. Das gefiel mir.

Sie sagte: »Entschuldigen Sie, dass ich zu spät komme.«

Ich sagte: »Kein Problem.«

Sie sagte: »Sie haben Blut am Hemd.«

Ich sagte: »Ach, tatsächlich?«

»Wo haben Sie's her?«

»Aus einem Geschäft schräg gegenüber dem Hotel.«

»Nicht das Hemd«, sagte sie. »Ich meine das Blut. Beim Rasieren haben Sie sich jedenfalls nicht geschnitten.«

»Sie haben gesagt, dass ich's nicht tun soll.«

»Ich weiß«, sagte sie. »So gefallen Sie mir besser.«

»Sie sehen auch klasse aus.«

»Danke. Ich habe heute früher Schluss gemacht und bin nach Hause gefahren, um mich umzuziehen.«

»Das sehe ich.«

»Ich wohne im Hotel.«

»Ich weiß.«

»Zimmer siebzehn.«

»Ich weiß.«

»Das einen Balkon zur Straße hinaus hat.«

»Sie haben's gesehen?«

»Alles«, sagte sie.

»Dann wundert mich, dass Sie unsere Verabredung nicht abgesagt haben.«

»Ist dies eine Verabredung?«

»Eine Verabredung zum Abendessen.«

Sie sagte: »Aber Sie haben keinen der anderen als Ersten zuschlagen lassen.«

»Dann wäre ich jetzt nicht hier.«

»Stimmt«, sagte sie und lächelte. »Sie waren ziemlich gut.«

»Danke«, sagte ich.

»Aber Sie strapazieren mein Budget. Butler und Pellegrino machen Überstunden, um sie wegzuschaffen. Ich wollte, dass sie weg sind, bevor die Hotelbesitzer ihr Abendessen beendet haben. Wähler mögen kein Chaos auf den Straßen.«

Die Bedienung kam, aber sie brachte keine Speisekarten mit. Deveraux aß seit zwei Jahren dreimal täglich hier. Sie kannte das Angebot. Sie bestellte den Cheeseburger. Das tat ich auch – mit Kaffee als Getränk. Die Serviererin schrieb unsere Bestellung auf und ging wieder.

Ich sagte: »Den Cheeseburger haben Sie schon gestern gegessen.«

Deveraux sagte: »Den esse ich jeden Tag.«

»Wirklich?«

Sie nickte. »Ich tue jeden Tag das Gleiche und esse jeden Tag das Gleiche.«

»Wie bleiben Sie dann so schlank?«

»Mentale Energie«, antwortete sie. »Ich mache mir oft Sorgen.«

»Worüber?«

»Aktuell wegen eines Kerls aus Oxford, Mississippi. Das ist der Kerl mit dem Oberschenkeldurchschuss. Der Arzt hat mir seine persönliche Habe ins Büro gebracht. Geldbörse und Notizbuch. Der Kerl war Journalist.«

»Bei einer großen Zeitung?«

»Nein, freiberuflich. Anscheinend nicht sehr erfolgreich. Sein Presseausweis war vorletztes Jahr abgelaufen. Aber in Oxford erscheinen mehrere alternative Zeitungen. Vielleicht wollte er seine Story einer von denen verkaufen.«

»In Oxford gibt's eine Universität, richtig?«

Deveraux nickte wieder. »Die Ole Miss«, sagte sie. »So ziemlich das Radikalste, was in diesem Staat existiert.«

»Was hatte der Mann hier zu suchen?«

»Das hätte ich ihn gern selbst gefragt. Vielleicht hätte seine Antwort mir weitergeholfen.«

Die Bedienung brachte meinen Kaffee und ein Glas Wasser für

Deveraux. Ich konnte hören, wie der Alte aus dem Hotel sich hinter mir räusperte und die Zeitung umblätterte.

Ich sagte: »Mein Kommandeur bestreitet weiterhin, dass außerhalb des Zauns Soldaten im Einsatz sind.«

Deveraux fragte: »Welches Gefühl haben Sie dabei?«

»Weiß ich nicht. Belügt er mich, wäre das ein absolutes Novum.«

»Vielleicht wird er selbst belogen.«

»Solcher Zynismus bei einem so jungen Menschen.«

»Aber vermuten Sie das nicht auch?«

»Es ist sogar sehr wahrscheinlich.«

»Und wie fühlen Sie sich *dabei*?«

»Was sind Sie jetzt, eine Psychologin?«

Sie lächelte. »Es interessiert mich nur. Weil ich so was schon selbst erlebt habe. Macht Sie das nicht zornig?«

»Ich werde nie zornig. Ich bin ein sehr friedfertiger Mensch.«

»Vor zwanzig Minuten haben Sie zornig ausgesehen. Vor dem McKinney-Klan stehend.«

»Das war nur ein technisches Problem. Eine Frage von Raum und Zeit. Ich wollte nicht zu spät zum Abendessen kommen. Ich war nicht zornig... na ja, zuerst nicht. Das ist später gekommen. Mental, wissen Sie. Ich meine, die Kerle waren anfangs zu viert, und ich habe ihnen die Chance gegeben, mit Verstärkung zurückzukommen. Und was tun sie? Sie kreuzen mit zwei Mann mehr auf. Das war's schon. Die Kerle sind nur zu sechst angetreten. Was hat das zu bedeuten? Das ist bewusste Respektlosigkeit.«

Deveraux meinte: »Die meisten Leute würden sechs gegen einen für ziemlich respektvoll halten, glaube ich.«

»Aber ich habe sie gewarnt. Ich habe ihnen gesagt, dass sie viel mehr brauchen. Ich habe versucht, fair zu sein. Aber sie haben nicht zugehört. Ich bin mir vorgekommen, als redete ich mit dem Pentagon.«

»Wie klappt *das* übrigens?«

»Nicht gut. Diese Leute sind so schlimm wie der McKinney-Klan.«

»Macht Ihnen das Sorgen?«

»Manche Leute sorgen sich.«

»Völlig mit Recht. Die Army wird sich ändern.«

»Die Marines also auch.«

Sie lächelte. »Vielleicht ein bisschen. Aber nicht sehr. Die Army ist das große Ziel. Und das leichte. Weil die Army langweilig ist. Das sind die Marines nicht.«

»Denken Sie?«

»Ach kommen Sie«, sagte Deveraux. »Wir sind glanzvoll. Wir haben einen prächtigen Ausgehanzug. Wir marschieren bei Paraden in perfekter Formation. Wir gestalten eindrucksvolle Beerdigungen. Wissen Sie, woher das alles kommt? Weil wir Marines mehr Gespür für PR haben. Außerdem lassen wir uns professionell beraten. Im Prinzip sind unsere Berater besser als eure. Darauf kommt's letzten Endes an. Ihr werdet viel verlieren, und wir werden wenig einbüßen.«

»Ihr habt Berater?«, antwortete ich.

»Und Lobbyisten«, sagte sie. »Ihr nicht?«

»Das glaube ich nicht«, sagte ich. Ich musste an meinen alten Kumpel Stan Lowrey und seine Stellenanzeigen denken. Die Bedienung brachte unser Essen. So wie am Abend zuvor. Zwei große Cheeseburger, zwei große Ringe aus Pommes, genau wie am Mittag. Daran hatte ich nicht gedacht. Aber ich war hungrig, deshalb aß ich mit gutem Appetit. Und ich beobachtete Deveraux beim Essen. Was eine Art Grenzüberschreitung war. Es muss etwas bedeuten, wenn man's erträgt, einem anderen Menschen beim Essen zuzusehen.

Sie kaute und schluckte und fragte: »Also, was hat Ihr Kommandeur sonst noch gesagt?«

»Dass er Sie überprüfen lässt.«

Sie hörte zu essen auf. »Wozu sollte er das tun?«

»Um mir etwas gegen Sie an die Hand zu geben.«

Deveraux lächelte. »Da gibt's nicht viel, fürchte ich. Ich war eine gute kleine Soldatin. Aber merken Sie nicht, dass Ihre Leute damit beweisen, dass ich recht habe? Je verzweifelter sie werden, desto bestimmter weiß ich, dass sie den Arsch irgendeines Kerls in Kelham retten wollen.« Sie begann wieder zu essen.

Ich sagte: »Mein Kommandeur hat mich auch wegen meiner Post verhört.«

»Die lesen Ihre Briefe?«

»Eine Postkarte von meinem Bruder.«

»Weshalb?«

»Sie scheinen zu glauben, das könnte etwas nützen.«

»Hat es genützt?«

»Nicht im Geringsten. Die Mitteilung war belanglos.«

»Die sind *wirklich* verzweifelt, stimmt's?«

»Mein Kommandeur hat sich mehrfach dafür entschuldigt.«

»Das sollte er auch.«

»Er hat gefragt, ob die Postkarte codiert geschrieben sei. Aber ich glaube, dass in Wirklichkeit *er* die ganze Zeit codiert gesprochen hat. Gleich zu Anfang hat er zehn Minuten damit vergeudet, mir einen Vortrag über vorschriftsmäßige Haarschnitte zu halten. Das war nicht seine Art – und das wollte er mir nahebringen, denke ich. Ich soll wissen, dass er unter Zwang handelt. Ich soll wissen, dass er im Dunkeln tappt, auf Befehl handelt und Dinge tut, die ihm eigentlich widerstreben.«

»Nett von ihm, dass er seine Probleme Ihnen aufgehalst hat. Er hätte einen anderen schicken können.«

»Glauben Sie? Vielleicht war das Ganze ein fertiges Paket – Suppe bis Nachtisch –, das ganz weit oben geschnürt worden ist. Wie wenn der Besitzer das Team selbst aufstellt. Munro und ich.

Vielleicht sind sie dabei, die Herde auszudünnen, und dies ist ein Loyalitätstest.«

»Munro hat mir erzählt, dass er Sie nur Ihrem Ruf nach kennt.«

Ich nickte. »Wir sind uns nie begegnet.«

»Einen Ruf zu haben kann in Zeiten wie diesen gefährlich sein.«

Ich schwieg.

Sie sagte: »Wenn ich meine alten Kumpel bitten würde, Sie zu überprüfen… was würden sie finden?«

»Teile davon sind nicht hübsch«, sagte ich.

»Jetzt ist also Zahltag«, meinte sie. »Für irgendjemanden ist das eine Win-win-Situation. Sie werden gebrochen oder beseitigt. Irgendwo haben Sie einen Feind. Irgendeine Idee, wer das sein könnte?«

»Nein«, antwortete ich.

Wir aßen schweigend weiter, bis wir fertig waren. Leere Teller. Fleisch, Brötchen, Käse, Pommes, alles verschwunden. Ich war sehr satt und verstand nicht, wie Deveraux, die nur halb so groß wie ich war, solche Portionen schaffte. Sie sagte: »Na schön, erzählen Sie mir von Ihrem Bruder.«

»Ich würde lieber über Sie reden.«

»Über mich? Da gibt's nicht viel zu erzählen. Carter Crossing, das Marine Cops, wieder Carter Crossing. Das ist die Geschichte meines Lebens. Keine Geschwister. Wie viele haben Sie?«

»Nur einen Bruder.«

»Älter oder jünger?«

»Zwei Jahre älter. Auf einer Pazifikinsel geboren. Wir haben uns schon lange nicht mehr gesehen.«

»Ist er wie Sie?«

»Wir gleichen zwei verschiedenen Versionen desselben Menschen. Wir sehen uns sehr ähnlich. Er ist intelligenter als ich. Ich bin tatkräftiger. Er agiert eher kopfgesteuert. Bei mir überwiegt das Körperliche. Er war brav, und ich war ungezogen, haben unsere Eltern gesagt. Und so weiter und so fort.«

»Was ist er von Beruf?«

Ich machte eine Pause.

»Das darf ich Ihnen nicht sagen«, antwortete ich.

»Sein Job ist geheim?«

»Eigentlich nicht«, sagte ich. »Aber er könnte Ihnen einen Hinweis auf einen der Punkte liefern, die der Army hier Sorgen machen.«

Deveraux lächelte. Sie war eine sehr tolerante Frau. Sie fragte: »Wollen wir Kuchen bestellen?«

Wir bestellten den Pfirsichkuchen, den ich schon am Vorabend gegessen hatte. Und zweimal Kaffee, was ich für ein gutes Zeichen hielt. Sie machte sich anscheinend keine Sorgen, er könnte sie wach halten. Vielleicht plante sie sogar, wach zu bleiben. Das alte Ehepaar aus dem Hotel stand auf und ging, als die Serviererin noch in der Küche war. Sie blieben kurz an unserem Tisch stehen. Zu einem wirklichen Gespräch kam es nicht. Es wurde nur viel genickt und gelächelt. Die beiden hatten sich vorgenommen, höflich zu sein. Das war ein Gebot wirtschaftlicher Vernunft. Von Deveraux lebten sie, und ich bedeutete eine zusätzliche Einnahmequelle.

Die Uhr in meinem Kopf sprang auf zweiundzwanzig Uhr. Unser Kuchen wurde mit dem Kaffee serviert. Beides interessierte mich nicht sonderlich. Ich verbrachte die meiste Zeit damit, den dritten Knopf von Deveraux' Bluse anzustarren. Er war mir gleich aufgefallen. Er war als Erster zugeknöpft, folglich würde er als Erster aufgeknöpft werden müssen. Es handelte sich um einen winzigen Perlmuttknopf, silbergrau. Darunter lag Haut, weder blass noch dunkel, sehr dreidimensional. Von links nach rechts wölbte sie sich zu mir her, dann von mir weg, dann wieder zu mir her und erneut von mir weg. Sie hob und senkte sich bei jedem Atemzug.

Die Bedienung kam vorbei und bot noch mal Kaffee an. Wohl zum ersten Mal in meinem Leben lehnte ich dankend ab. Auch Deveraux wollte keinen mehr. Die Serviererin legte mir die Rechnung mit der bedruckten Seite nach unten hin. Ich drehte sie um. Nicht übel. Damals im Jahr 1997 konnte man von einem Soldatensold noch gut essen. Ich schob ein paar Geldscheine darunter, sah zu Deveraux hinüber und fragte: »Darf ich Sie nach Hause bringen?«

Sie sagte: »Ich dachte schon, Sie würden nie fragen.«

43

Butler und Pellegrino hatten ganze Arbeit geleistet. Sie hatten sich ihre Überstundenprämie ehrlich verdient. Die McKinney-Boys waren verschwunden. Die Main Street lag still und völlig menschenleer vor uns. Der Mond war aufgegangen und die Nacht mild. In High Heels war Deveraux größer. Wir gingen so nah nebeneinanderher, dass ich das leise Rascheln von Seide auf Haut hören konnte und mir mehrmals ein Hauch Parfüm in die Nase stieg.

Wir erreichten das Hotel und stiegen die ausgetretenen Stufen hinauf und überquerten die Veranda. Ich hielt ihr die Eingangstür auf. Der Alte erledigte irgendwelchen Schreibkram hinter der Theke. Wir nickten ihm zu und gingen zur Treppe. Oben blieb Deveraux stehen und sagte: »Also, gute Nacht, Mr. Reacher, und noch mal vielen Dank, dass Sie mir beim Abendessen Gesellschaft geleistet haben.«

Laut und deutlich.

Ich stand einfach nur da.

Sie überquerte den Flur.

Sie holte ihren Schlüssel heraus.

Sie steckte ihn ins Schloss der Nummer 17.

Sie öffnete die Tür.

Dann schloss sie die Tür deutlich hörbar wieder, kam auf Zehenspitzen zu mir, reckte sich hoch und legte mir eine Hand auf die Schulter. Sie brachte ihre Lippen dicht an mein Ohr und flüsterte: »Das war für den alten Mann dort unten. Ich muss auf meinen Ruf achten. Darf die Wähler nicht schockieren.«

Ich atmete aus.

Ich ergriff ihre Hand, und wir verschwanden in meinem Zimmer.

Wir waren beide sechsunddreißig. Keine Teenager mehr. Wir hatten es nicht eilig. Wir stellten uns nicht unbeholfen an. Wir ließen uns Zeit und genossen jede Sekunde.

Wir küssten uns, sobald meine Tür ins Schloss gefallen war. Ihre Lippen waren kühl und feucht, ihre Zähne klein. Ihre Zunge war geschmeidig. Dieser Kuss war großartig. Ich hatte eine Hand in ihrem Haar, die andere in ihrem Rücken. Sie drängte sich an mich, war dabei in ständiger Bewegung. Ihre Augen blieben offen. Meine ebenfalls. Diesen ersten Kuss dehnten wir einige Minuten lang aus. Mindestens fünf, vielleicht sogar zehn. Wir waren geduldig. Wir ließen uns Zeit. Darauf verstanden wir uns sehr gut. Natürlich war uns beiden bewusst, dass es das erste Mal nur einmal gibt. Wir wollten es beide genießen.

Zuletzt tauchten wir zum Luftholen auf. Ich zog mein Hemd aus, denn ich wollte kein McKinney-Blut zwischen uns haben. Am Unterleib habe ich eine große Narbe von Granatsplittern, die wie ein blasser Tintenfisch aus meinem Hosenbund nach oben kriecht. Hässliche weiße Stiche, die meistens Fragen aufwerfen. Deveraux ignorierte sie, machte einfach weiter. Sie war beim Marine Corps gewesen, hatte Schlimmeres gesehen. Ihre rechte Hand griff nach dem dritten Blusenknopf.

Ich sagte: »Nein, lass mich.«

Sie lächelte und fragte: »Ist das dein Ding? Du ziehst gern Frauen aus?«

»Lieber als alles andere auf der Welt«, sagte ich. »Und diesen einen Knopf starre ich schon seit Viertel nach neun an.«

»Seit zehn nach neun«, sagte sie. »Ich hab die Uhrzeit gespeichert. Ich bin ein Cop.«

Ich bat sie, ihre linke Hand mit der Handfläche nach oben ausgestreckt zu halten. Das tat sie geduldig. Ich knöpfte die Manschette auf. Diesen Vorgang wiederholten wir rechts. Die Seide glitt über schmale Handgelenke zurück. Sie legte die Hände auf meine Brust, ließ sie nach oben hinter meinen Kopf gleiten. Wir küssten uns noch mal, wieder fünf Minuten lang. Ein weiterer wundervoller Kuss. Besser als der erste.

Wir tauchten wieder zum Luftholen auf, und ich wandte mich dem dritten Blusenknopf zu. Wie alle anderen war er klein und glatt. Meine Finger sind groß. Aber ich schaffte, was ich mir vorgenommen hatte. Unter dem sanften Druck der Wölbung ihrer Brust sprang der Knopf von selbst auf. Ich machte mich über den vierten her. Und den fünften. Ich zog die Seide aus dem Rockbund, Stück für Stück, langsam und sorgfältig. Sie beobachtete mich die ganze Zeit über lächelnd. Ihre Bluse stand jetzt offen. Darunter trug sie einen winzigen BH aus schwarzer Spitze, schmalen Trägern, der kaum die Brustspitzen bedeckte. Ihre Brüste waren fantastisch.

Ich streifte die Bluse über ihre Schultern, sodass sie leise knisternd hinter ihr zu Boden segelte. Eine zarte Parfümwolke hüllte mich ein. Wir küssten uns nochmals, lange und gierig. Ich küsste die Stelle, wo ihr Hals in die Schulter überging. Ihr Rückgrat lag etwas vertieft, und der Verschluss ihres BHs überspannte es wie eine kleine Brücke. Als sie den Kopf zurückwarf, flogen ihre Haare nach allen Seiten. Ich küsste ihre Kehle.

»Jetzt deine Schuhe«, sagte sie mit unter meinen Lippen summender Kehle.

Sie drehte mich, schob mich nach hinten und drückte mich sanft auf die Bettkante. Sie kniete vor mir nieder, löste erst das rechte, dann das linke Schuhband. Sie zog mir die Schuhe aus. Hakte ihre Daumen in die Socken und streifte sie ebenfalls ab.

»Bestimmt aus der PX«, sagte sie.

»Neunundneunzig Cent«, sagte ich. »Da konnte ich nicht widerstehen.«

Wir standen wieder auf und küssten uns erneut. Bis zu diesem Tag hatte ich schon über hundert Frauen geküsst, aber ich hätte sofort gesagt, dass Deveraux die Beste von allen war. Sie war einfach umwerfend. Sie bewegte sich, zitterte und bebte. Sie war kräftig, aber sanft. Leidenschaftlich, aber nicht aggressiv. Die Uhr in meinem Kopf nahm eine Auszeit. Wir hatten Zeit, so viel wir wollten, und würden sie bis zur letzten Minute genießen.

Sie hakte zwei Finger hinter meinen Hosenbund und zog ihn nach vorn. Sie benutzte den Daumen und einen Finger, um den Knopf zu öffnen. Wir küssten uns weiter. Sie fand die Lasche des Reißverschlusses und zog sie Stück für Stück nach unten: langsam, langsam, kleine Hand, präzise zupackender Daumen und Zeigefinger. Sie legte die Hände flach auf meine Schulterblätter, ließ sie dort einen Augenblick liegen, bevor sie langsam zu meiner Taille hinunterglitten. Sie fuhr mit den Fingerspitzen in den schon gelockerten Hosenbund und schob die Hose über die Hüften nach unten. Wir küssten uns noch immer.

Wir kamen zum Luftholen hoch, dann drehte sie mich um und drückte mich erneut sanft auf die Bettkante. Sie zog mir die Hose aus, die achtlos auf ihre Bluse fiel. Sie ließ mich auf dem Bett sitzen, trat einen Schritt zurück, breitete die Arme aus und fragte: »Was soll ich als Nächstes ausziehen?«

»Ich darf's mir aussuchen?«

Sie nickte. »Du hast die Wahl.«

Ich lächelte. Allzu groß war die Auswahl nicht. BH, Rock, Schuhe. Die High Heels konnte sie anbehalten. Zumindest noch eine Weile. Vielleicht die ganze Nacht.

Ich sagte: »Rock.«

Sie tat mir den Gefallen. Ihr Rock wies seitlich einen Knopf und einen Reißverschluss auf. Sie öffnete den Knopf und zog den Reißverschluss ganz langsam, Zentimeter für Zentimeter herunter. Dieses Geräusch war in der Stille gut zu hören. Der Rock fiel zu Boden. Sie trat erst mit dem einen, dann mit dem anderen Fuß heraus. Ihre Beine waren lang, glatt und leicht gebräunt. Sie trug einen winzigen schwarzen Slip. Nur ein Hauch von schwarzer Spitze.

BH, Slip, Schuhe. Ich saß weiter auf dem Bett. Sie setzte sich auf meinen Schoß. Ich strich ihr Haar zur Seite und küsste sie aufs Ohr, fuhr seinem Umriss mit der Zungenspitze nach. Ich konnte ihre Wange an meiner fühlen, konnte ihr Lächeln spüren. Ich küsste ihre Lippen, und sie küsste mein Ohr. Wir verbrachten zwanzig Minuten damit, alle Konturen oberhalb des Halses zu erforschen.

Dann gingen wir tiefer.

Ich lag auf dem Rücken. Sie kniete über mir und streifte meine Boxershorts nach unten, lächelte. Eine wundervolle Viertelstunde später tauschten wir die Plätze. Ihr Slip wurde über die Hüften nach unten gestreift, dann hob sie die Beine, damit ich ihn ihr ganz ausziehen konnte. Ich vergrub mein Gesicht zwischen ihren Schenkeln. Sie bewegte sich ungehemmt, warf den Kopf von einer Seite zur anderen, hob und senkte die Schultern, drückte sich auf die Matratze, krallte ihre Finger in mein Haar.

Dann wurde es Zeit. Wir begannen zart und behutsam. Lange und langsam, lange und langsam. Tief und geschmeidig. Sie keuchte. Ich ebenfalls. Lange und langsam.

Dann schneller und fester.

Jetzt keuchten wir beide.

Schneller, fester, schneller, fester.

Keuchend.

»Warte«, sagte sie.

»Was?«

»Warte, warte«, sagte sie. »Nicht jetzt. Noch nicht. Mach langsamer.«

Lange und langsam, lange und langsam.

Schwer atmend.

Keuchend.

»Okay«, sagte sie. »Okay. Jetzt. Jetzt. *Jetzt!*«

Schneller und fester.

Schneller, fester, schneller, fester.

Der Raum begann zu zittern.

Erst nur ganz schwach wie von einem leichten Erdbeben. Die Balkontür klapperte in ihren Angeln. Im Bad klapperte ein Glas auf der Ablage unter dem Spiegel. Der Fußboden vibrierte ein wenig. Die Zimmertür ächzte und knarrte. Meine Schuhe hüpften und wanderten. Das Kopfende des Betts hämmerte gegen die Wand. Der Fußboden bebte gewaltig. Die Wände hallten dumpf. Das Bett schlingerte und schien sich mit kleinen Rucken über den schwankenden Fußboden zu bewegen.

Dann war der Mitternachtszug vorüber, und auch bei uns war's vorbei.

44

Danach lagen wir nebeneinander: schweißnass, nackt, schwer atmend, uns an den Händen haltend. Ich starrte zur Decke hinauf. Deveraux sagte: »Das wollte ich zwei volle Jahre lang tun. Dieser verdammte Zug. Wenigstens einmal wollte ich ihn nutzen.«

Ich sagte: »Wenn ich mir jemals ein Haus kaufe, dann nur an einem Bahngleis. Das steht verdammt fest.«

Sie veränderte ihre Lage und kuschelte sich an mich. Ich legte einen Arm um sie. Wir lagen still, erschöpft und zufrieden da. Ich hatte Blind Blake im Ohr. Ich hatte einmal eine Kassette mit allen seinen Songs gehört, auf der das Rumpeln und Kratzen alter Schellackplatten fast die ruhige, leicht wehmütige Stimme und die lebhafte Gitarre mit ihren Eisenbahnrhythmen übertönte. Ein Blinder. Von Geburt an blind. Er hatte nie einen Zug gesehen. Aber er hatte viele gehört. Das war klar.

Deveraux wollte wissen, woran ich dachte, und ich erzählte es ihr. Ich sagte: »Das ist der Kerl, von dem die Postkarte meines Bruders gehandelt hat.«

»Bist du noch wütend darüber?«

»Ich bin traurig darüber«, sagte ich.

»Warum?«

»Dieser Auftrag war ein Fehler«, sagte ich. »Sie hätten mich nicht außerhalb einsetzen sollen. Nicht für diese Art Aufgabe. Sie bringt mich dazu, von ihnen als von … *ihnen* zu denken. Nicht mehr von *uns*.«

Später unterhielten wir uns darüber, ob sie in ihr Zimmer zurückgehen solle. Ihr Ruf. Ihre Wähler. Ich sagte, der alte Mann sei heraufgekommen, um mich zu holen, als Garber angerufen habe. Dabei habe er sich im ganzen Zimmer umgesehen. Sie sagte, wenn das noch mal passiere, könne ich ihn einen Augenblick aufhalten, während sie sich im Bad verstecke. Sie sagte, an ihre Tür werde nur sehr selten geklopft. Und falls jemand das am frühen Morgen tue und keine Antwort bekomme, müsse er annehmen, sie sei wegen eines Falls unterwegs. Das sei völlig glaubwürdig. Sie habe schließlich eine Menge Arbeit.

Dann sagte sie: »Vielleicht hat Janice May Chapman das Gleiche gemacht wie wir. Als sie sich im Kies verletzt hat, meine ich. Mit ihrem Freund, wer immer er war. Draußen im Garten hinter ihrem Haus. Unter den Sternen. Das Bahngleis ist nicht weit davon entfernt. Im Freien ist's bestimmt noch toller.«

»Bestimmt«, sagte ich. »Ich war letzte Nacht draußen, als um Mitternacht der Zug vorbeigedonnert ist. Ein Gefühl, als ginge die Welt unter.«

»Würde der Zeitpunkt passen? Wegen der Spuren?«

»Hat sie Mitternacht Sex gehabt, ist sie gegen vier Uhr ermordet worden. Wann ist sie aufgefunden worden?«

»Abends gegen zweiundzwanzig Uhr. Das wären achtzehn Stunden. Bis dahin hätte schon eine leichte Verwesung eingesetzt, denke ich.«

»Vermutlich. Aber ausgeblutete Leichen können ziemlich merkwürdig aussehen. Das wäre schwer festzustellen gewesen. Und euer Mediziner ist nicht gerade ein Sherlock Holmes, glaube ich.«

»Das wäre also möglich?«

»Wir müssten herausfinden, weshalb sie irgendwann zwischen Mitternacht und vier Uhr morgens ein hübsches Kleid und eine Strumpfhose angezogen hat.«

Wir dachten einen Augenblick darüber nach. Dann gaben wir unserer Ermattung nach. Wir sprachen nicht mehr von Kleidern oder Strumpfhosen, von Wählern, Zimmern oder einem Ruf, den es zu bewahren galt, sondern schliefen eng umschlungen nackt und ohne Decke in der Stille dieser Märznacht in Mississippi ein.

Vier Stunden später war ich wieder wach und fand eine meiner ältesten Überzeugungen bestätigt: Nichts ist schöner als das zweite Mal. Alle halb förmlichen Nettigkeiten des ersten Mals können entfallen. All die kleinen Tricks, mit denen wir uns beim ersten Mal zu imponieren versucht hatten, waren überflüssig. Es gibt neue Vertrautheit, aber nicht weniger Erregung. Ganz allgemein weiß man, was funktioniert und was nicht. Beim zweiten Mal kann's echt losgehen.

Und es ging los wie eine Rakete.

Danach räkelte Deveraux sich und sagte gähnend: »Für 'nen Soldier Boy bist du nicht schlecht.«

Ich sagte: »Für jemanden aus dem Marine Corps bist du ausgezeichnet.«

»Wir müssen aufpassen, glaube ich. Sonst entwickeln wir noch Gefühle füreinander.«

»Was ist das?«

»Was ist was?«

»Gefühle.«

Sie machte eine kurze Pause und sagte dann: »Männer sollten mehr auf ihre Gefühle achten.«

Ich sagte: »Sollte ich je welche haben, erfährst du als Erste davon. Versprochen.«

Sie machte wieder eine Pause. Dann lachte sie, was gut war. Immerhin hatten wir bereits 1997. Schon damals wurde man leicht in die Machoecke gestellt.

Zum zweiten Mal wachte ich um sieben Uhr morgens auf – mit dem Gedanken an eine Schwangerschaft.

45

Elizabeth Deveraux saß im Bett, als ich aufwachte, links von mir, mitten in ihrer Betthälfte, mir zugewandt, mit durchgedrücktem Rücken im Lotussitz, als machte sie Yoga. Sie war nackt und unbefangen und sehr schön. Umwerfend gut aussehend. Eine der schönsten Frauen, denen ich je begegnet war, bestimmt die schönste, die ich jemals nackt gesehen, und ganz sicher die schönste, mit der ich geschlafen hatte.

In diesem Augenblick war sie jedoch geistig beschäftigt. Sieben Uhr morgens. Der Beginn ihres Arbeitstags. Also gab es keine dritte Chance für mich. Zumindest nicht jetzt. Sie sagte: »Sie müssen noch etwas gemeinsam haben. Diese drei Frauen, meine ich.«

Ich schwieg.

»Schönheit ist zu vage«, sagte sie. »Sie ist zu subjektiv. Sie ist Ansichtssache.«

Ich schwieg.

Sie sagte: »Was?«

»Sie ist nicht immer Ansichtssache«, sagte ich. »Nicht bei diesen dreien.«

»Dann sind wir auf der Suche nach zwei Faktoren. Zwei Dinge, die gleichzeitig zutreffen. Sie waren schön, und sie waren noch etwas anderes.«

»Vielleicht waren sie schwanger«, schlug ich vor.

Wir diskutierten über meine Idee. Drei Schönheiten, die jeder Mann gern als Freundin gehabt hätte. Dies war eine Garnisonsstadt. Solche Dinge passierten. Meist aus Versehen, manchmal aus Absicht. Manche Frauen glauben, es sei besser, mit ihrem Kind von einem Stützpunkt zum nächsten umzuziehen, statt allein in ihrer Heimatstadt zu bleiben. Vermutlich ein Fehler, aber nicht für alle. Beispielsweise war meine Mutter gut damit klargekommen.

Ich sagte: »Shawna Lindsay wollte unbedingt von hier weg, erzählte mir ihr kleiner Bruder.«

Deveraux sagte: »Aber ich sehe nicht, wie das auf Janice May Chapman zutreffen könnte. Sie stammt nicht von hier. Sie ist freiwillig hergezogen. Sie hat sich für Carter Crossing entschieden. Und sie hätte keinen Mann gebraucht, um von hier wegzukommen. Sie hätte einfach das Haus verkaufen und mit ihrem Honda verschwinden können.«

»Versehen«, sagte ich. »Zumindest in ihrem Fall. Auch von Empfängnisverhütung war in ihrem Haus nichts zu sehen. Nicht im Spiegelschrank im Bad.«

Keine Antwort.

Ich fragte: »Wo bewahrst du die Pille auf?«

»Auf der Ablage im Bad«, erklärte sie. »Im Toussaint's gibt es keine Spiegelschränke.«

»Wollte Rosemary McClatchy auch weg von hier?«

»Weiß ich nicht. Vermutlich. Warum nicht?«

»Hat der Arzt untersucht, ob die Mordopfer schwanger waren?«

»Nein«, antwortete Deveraux. »In einer Großstadt wäre das bestimmt anders gelaufen. Aber nicht hier. Merriam hat den Totenschein ausgestellt und uns die Todesursache mitgeteilt, das war alles. Die Fünfzig-Cent-Option.«

Ich sagte: »Chapman hat nicht schwanger ausgesehen.«

»Manchen Frauen sieht man eine Schwangerschaft monatelang nicht an.«

»Hätte Rosemary McClatchy sich ihrer Mutter anvertraut?«

»Fragen kann ich sie das nicht«, meinte Deveraux. »Unter keinen Umständen. Ausgeschlossen! Ich darf Emmeline nicht mit dieser Möglichkeit belasten. Was wäre, wenn Rosemary gar nicht schwanger war? Die Erinnerung an sie wäre befleckt.«

»Shawna Lindsays Bruder hat mir irgendwas verschwiegen. Davon bin ich überzeugt. Vielleicht etwas Wichtiges. Du solltest mal mit ihm reden. Er heißt Bruce. Übrigens will er zur Army.«

»Nicht zum Marine Corps?«

»Offenbar nicht.«

»Warum? Hast du die Marines madig gemacht?«

»Ich war sehr fair.«

»Würde er mit mir reden? Er kommt mir feindselig vor.«

»Er ist okay«, sagte ich. »Hässlich, aber in Ordnung. Er scheint eine Vorliebe für militärische Strukturen zu haben, eine Idee von Befehl und Gehorsam. Du warst im Marine Corps und bist Sheriff. Fängst du's richtig an, nimmt er vielleicht Haltung an und salutiert.«

»Okay«, sagte sie. »Ich versuch's mal. Vielleicht gleich heute.«

»Bei allen dreien könnte es ein Versehen gewesen sein«, sagte ich. »Die große Entscheidung hätte anschließend getroffen werden müssen. Was zu tun ist, meine ich. Hat allen dreien der Status quo gefallen, hätten sie einen anderen Weg wählen können. Oder sich dazu überreden lassen.«

»Abtreibung?«

»Warum nicht?«

»Wo hätten sie in Mississippi eine Abtreibung vornehmen lassen können? Sie hätten einen halben Tag nach Norden fahren müssen.«

»Vielleicht hat Janice May Chapman sich deshalb vor vier Uhr morgens angezogen. Sie wollte früh los. Vielleicht hatte sie eine lange Fahrt vor sich. Vielleicht hat ihr Freund sie irgendwo hingefahren. Vielleicht zu einem Nachmittagstermin. Anschließend eine Hotelübernachtung. Vielleicht hat sie vorausgedacht. An die Rezeption, ans Wartezimmer. Also hat sie sich entsprechend gekleidet – modisch, aber dezent. Und sie hat möglicherweise einen Koffer gepackt. Wieder etwas, das wir in ihrem Haus nicht gesehen haben. Koffer.«

»Bestimmt werden wir das nie wissen«, sagte Deveraux. »Außer wir finden die Freunde.«

»Oder den Freund, Einzahl«, sagte ich. »Vielleicht gibt es nur einen Täter.«

»In allen drei Fällen?«

»Warum nicht?«

»Weil das keinen Sinn ergibt. Weshalb sollte er für sie einen Termin in einer Abtreibungsklinik vereinbaren und sie dann ermorden, bevor sie eine Meile weit gefahren sind? Wieso haben sie nicht einfach den Termin wahrgenommen?«

»Vielleicht ist der Typ jemand, der sich keine schwangere Freundin oder eine Verbindung zu einer Abtreibungsklinik leisten kann.«

»Er ist Soldat. Kein Geistlicher. Oder Politiker.«

Ich schwieg.

Deveraux sagte: »Aber vielleicht will er später mal Geistlicher oder Politiker werden.«

Ich schwieg.

»Oder vielleicht gibt es Geistliche oder Politiker in seiner Familie. Vielleicht muss er vermeiden, sie in Verlegenheit zu bringen.«

Auf dem Flur vor meinem Zimmer knarrte ein Fußbodenbrett, dann klopfte jemand leise an die Tür. Dieses Geräusch erkannte ich sofort. Ich hatte es schon gestern Morgen gehört. Der alte Mann, dem das Hotel gehörte.

Deveraux flüsterte: »O Scheiße.«

Jetzt *glichen* wir Teenagern – von einem Augenblick zum anderen in voller Aktion. Deveraux wälzte sich vom Bett und raffte einen Haufen Kleidungsstücke zusammen, zu denen meine Hose gehörte, die ich ihr wieder entreißen musste, wobei die übrigen Sachen weit verstreut wurden. Sie bemühte sich, sie einzusammeln, während ich versuchte, meine Hose anzuziehen. Ich veheddterte mich in den Hosenbeinen und fiel aufs Bett, sie schaffte es ins Bad, zog aber eine

Spur aus Socken und Unterwäsche hinter sich her. Als ich meine Hose halbwegs richtig anhatte, hörte ich den alten Kerl erneut klopfen. Ich humpelte quer durchs Zimmer und beförderte unterwegs Kleidungsstücke mit dem Fuß in Richtung Bad. Deveraux kam herausgeflitzt und sammelte sie ein. Dann verschwand sie wieder im Bad, und ich öffnete die Tür.

Der Alte sagte: »Ihre Verlobte möchte Sie am Telefon sprechen.«

Laut und deutlich.

46

Ich tappte nur mit meiner Hose bekleidet nach unten. Wie schon bei Garbers Anruf telefonierte ich in dem kleinen Büro hinter der Rezeption. Diesmal war Karla Dixon am Apparat. Meine ehemalige Kollegin. Das Finanzgenie. Sie hatte mit zu den Gründungsmitgliedern der 110th Special Unit gehört. Ich hatte sie gleich nach Frances Neagley ausgewählt. Vermutlich hatte Stan Lowrey meine Frage nach Geld aus dem Kosovo an sie weitergegeben, und Dixon rief direkt zurück, um Zeit zu sparen.

Ich fragte: »Weshalb musstest du dich als meine Verlobte ausgeben?«

»Wieso, hab ich dich bei irgendwas gestört?«, fragte sie ihrerseits.

»Das nicht, aber sie hat's gehört.«

»Elizabeth Deveraux? Neagley hat uns von ihr erzählt. Treibt ihr's schon miteinander?«

»Und jetzt muss ich alles Mögliche erklären.«

»Bei ihr musst du vorsichtig sein, Reacher.«

»Das denkt Neagley immer.«

»Diesmal hat sie recht. Das Sergeanten-Netzwerk brummt. Es glüht geradezu. Deveraux wird gründlichst überprüft.«

»Das weiß ich«, sagte ich. »Garber hat es mir bereits gesagt. Zeitverschwendung.«

»Das glaube ich nicht. Über den Stand der Überprüfung ist plötzlich nichts mehr zu hören.«

»Weil es nichts zu finden gibt.«

»Nein, weil es etwas gibt. Du weißt, wie die Bürokratie funktioniert. Nein zu sagen ist leicht. Schweigen heißt ja.«

»Was würden sie finden, wenn sie dich überprüfen würden?«

»Reichlich.«

»Oder mich?«

»Mag ich mir gar nicht vorstellen.«

»Da hast du's«, sagte ich. »Nichts zu befürchten.«

»Glaub mir, an dieser Sache ist irgendwas faul, Reacher. Das ist mein Ernst. Vielleicht etwas ganz Großes. Ich würde dir raten, die Finger von ihr zu lassen.«

»Dafür ist's zu spät. Ich glaube sowieso nicht, dass sie etwas finden. Sie war eine gute kleine Soldatin.«

»Wer hat dir das gesagt?«

»Sie selbst.«

Schweigen am anderen Ende.

Ich fragte: »Sonst noch was?«

Dixon sagte: »Aus dem Kosovo kommt kein Geld. Überhaupt keines. Wer sich deswegen Sorgen macht, jagt einem Phantom nach. Das ist ein Hirngespinst.«

»Weißt du das bestimmt?«

»Todsicher.«

»Sie fragen sich, ob Joe mir einen Tipp gegeben hat.«

»Ein Hirngespinst«, wiederholte sie. »Außerdem wüsste das Finanzministerium ohnehin nichts darüber. Außer wenn es um Milliarden und Abermilliarden ginge. Was nicht der Fall ist. Es geht nicht mal um Dollar und Cent. Diese Sache ist ein Windei. Irgendjemand ist in Panik geraten, das ist alles. Sie schlagen wild um sich. Sie suchen etwas, das gar nicht existiert.«

»Okay, gut zu wissen«, sagte ich. »Danke.«

»Das war die gute Nachricht«, sagte sie.

»Und wie lautet die schlechte?«

»Sie hängt damit zusammen«, antwortete sie. »Der Freund eines Freundes hat sich die Kosovo-Akte angesehen, die schon jetzt ziemlich dick ist.«

»Wovon?«

»Vor allem auch deswegen, weil zwei einheimische Frauen spurlos verschwunden sind.«

Dixon erzählte mir, im Kosovo seien im vergangenen Jahr zwei Frauen einfach verschwunden. Spurlos, ohne Erklärung. Kein Streit in der Familie. Beide waren ledig gewesen. Beide hatten im Umkreis der dortigen Präsenz der U.S. Army gelebt. Beide verkehrten in Lokalen, die auch von unseren Soldaten frequentiert wurden.

»Potenzielle Freundinnen«, sagte Dixon.

»Gut aussehend?«, fragte ich.

»Fotos habe ich keine gesehen.«

Ich fragte: »Hat es Ermittlungen gegeben?«

»Unter dem Radar«, sagte Dixon. »Wie du weißt, sind wir offiziell gar nicht dort. Also haben sie einen Ermittler aus Deutschland eingeflogen. Angeblich wegen irgendwelchem NATO-Scheiß nach Italien unterwegs, aber sein wahres Ziel war der Kosovo. Details über seine Reise finden sich in der Akte.«

»Und?«

»Als patriotischer Amerikaner wirst du gern hören, dass jeder einzelne Angehörige der US-Streitkräfte unschuldig wie ein Neugeborenes war. Niemand in Uniform hat irgendwelche Straftaten verübt.«

»Damit war der Fall abgeschlossen?«

»Und der Schlüssel weggeworfen.«

»Wer war der Ermittler?«

»Major Duncan Munro.«

Ich beendete das Gespräch mit Dixon und ging wieder nach oben. Deveraux befand sich nicht mehr in meinem Zimmer. Ich ging barfuß zu ihrem und fand die Tür abgesperrt vor. Ich konnte hören, wie drinnen die Dusche lief. Ich klopfte, bekam aber keine Antwort. Also duschte ich ebenfalls und zog mich an, kam eine Viertelstunde später zurück und traf niemanden an. Ich ging zum Diner hinüber, aber auch dort war sie nicht. Ihr Wagen stand nicht auf dem Parkplatz beim Dienstgebäude. Also blieb ich einfach auf dem Gehsteig, hatte kein Ziel, niemanden, mit dem ich reden konnte, hatte nichts zu tun und ahnte nicht im Geringsten, dass von der Stunde, die alles verändern würde, soeben die erste Minute verstrichen war.

47

Die Hälfte dieser Stunde hing ich auf dem Gehsteig herum. Die meiste Zeit lehnte ich an einer Mauer, ohne mich zu bewegen. Eine antrainierte Fähigkeit, die ich in meinem Beruf brauchte. Darauf verstand ich mich gut. Aber ich kenne Leute, die darin noch besser sind, die Stunden oder Tage oder Wochen darauf gewartet haben, dass etwas passiert.

Ich wartete darauf, dass der alte Mann mit dem Maßband um den Hals aufkreuzte und das Herrenmodengeschäft aufschloss. Was er irgendwann auch tat. Ich stieß mich von der Mauer ab, überquerte die Straße und folgte ihm in den Laden. Während er sich an Lichtschaltern und Schlössern zu schaffen machte, hielt ich geradewegs auf den Hemdenstapel zu, den ich vom Vorabend kannte. Ich fand ein weiteres Hemd, wie ich es trug, und ging damit zur Kasse.

Der Alte fragte: »Ein Vorratskauf?«

Ich antwortete: »Nein, das erste Hemd ist schmutzig geworden.«

Er beugte sich ein wenig nach vorn, um meine Hemdtasche zu begutachten. Ich sah, wie sein Blick der Blutspur folgte. Nach oben und unten. Er sagte: »Das ließe sich bestimmt auswaschen. Mit kaltem Wasser, vielleicht mit etwas Salz.«

»Salz?«

»Salz löst Blutflecken. Mit kaltem Wasser. Heißes Wasser fixiert sie erst recht.«

»Ich glaube nicht, dass Toussaint's Hotel einen besonders guten Wäschereiservice bietet«, sagte ich. »Vermutlich gar keinen. Dort gibt's nicht mal Kaffee in der Hotelhalle.«

»Sie könnten das Hemd mit nach Hause nehmen, Sir.«

»Wie?«

»Nun, in Ihrem Koffer.«

»Da ist's einfacher, es zu ersetzen.«

»Aber das wäre sehr teuer.«

»Im Vergleich wozu? Zum Preis eines Koffers?«

»Aber der Koffer würde Ihnen bleiben. Sie könnten ihn über Jahre hinweg immer wieder benutzen.«

Ich sagte: »Danke, ich nehme einfach nur das Hemd. Sie brauchen es mir nicht einzupacken.«

Ich bezahlte, trug das Hemd in die Umkleidekabine und schloss den Vorhang. Ich zog das alte Hemd aus, schlüpfte in das neue und kam wieder heraus.

»Haben Sie einen Abfalleimer?«

Der alte Kerl musterte mich erstaunt, dann verschwand er nach hinten und kam mit einem kniehohen Metalleimer zurück. Er hielt ihn mir unsicher hin. Ich knüllte das schmutzige Hemd zusammen und erzielte aus gut drei Metern Entfernung drei Punkte, indem ich es glatt versenkte. Der alte Mann war sichtlich entsetzt. Dann überquerte ich die Straße, um zu frühstücken. Und um noch eine Weile zielstrebig herumzulungern. Ich wusste, dass ich dort die beste Chance hatte, Deveraux zu begegnen. Eine Frau, die wie sie aß, konnte nicht lange auf sich warten lassen. Alles nur eine Frage der Zeit.

Letztlich ging es um weniger als zwanzig Minuten. Ich aß Rührei mit Bacon und war bei meiner dritten Tasse Kaffee, als sie hereinkam. Sie entdeckte mich vom Eingang aus und blieb stehen. Die ganze Welt schien stehen zu bleiben. Die Atmosphäre wurde eisig. Deveraux trug wieder Uniform und hatte ihr Haar im Nacken zusammengefasst. Ihre frostige Miene wirkte etwas starr. Sie sah wundervoll aus.

Ich atmete tief durch und schob den Stuhl mir gegenüber mit dem Fuß unter dem Tisch hervor. Sie reagierte nicht gleich. Ich beobachtete, wie sie den Raum absuchte, während sie überlegte, welche Möglichkeiten sich ihr boten. Sie sah sich alle Tische an. Die meisten waren frei, aber Deveraux fürchtete anscheinend, es könnte Aufsehen erregen, wenn sie allein frühstückte. Sie machte sich Gedanken wegen der Wähler. Sie war um ihren Ruf besorgt. Also kam sie an meinen Tisch, zog den Stuhl ganz heraus und nahm stumm und reserviert Platz – mit zusammengepressten Knien, die Hände im Schoß gefaltet.

Ich sagte: »Ich habe keine Verlobte. Ich habe nicht mal eine Freundin.«

Sie gab keine Antwort.

Ich sagte: »Das war nur eine MP-Kollegin am Telefon. Sie legen es alle darauf an, sich zu tarnen. Das macht ihnen anscheinend Spaß. Mein Kommandeur bezeichnet sich als mein Onkel.«

Keine Antwort.

»Beweisen kann ich natürlich nichts«, sagte ich.

»Ich bin hungrig«, sagte sie. »Heute habe ich zum ersten Mal in zwei Jahren das Frühstück verpasst.«

»Dafür entschuldige ich mich«, sagte ich.

»Wieso? Das ist nicht nötig, wenn du die Wahrheit gesagt hast.«

»Das habe ich. Ich entschuldige mich für meine Kollegin.«

»War das deine Sergeantin? Neagley?«

»Nein, eine Frau namens Karla Dixon.«

»Was wollte sie?«

»Mir mitteilen, dass in Fort Kelham keine zweifelhaften Finanzgeschäfte gemacht werden.«

»Woher weiß sie das?«

»Sie weiß über alles Bescheid, was irgendwie mit Geld zu tun hat.«

»Wer hatte den Verdacht, in Kelham könnte es zweifelhafte Finanzgeschäfte geben?«

»Die Bonzen. Das war wohl eine theoretische Möglichkeit. Wie du gesagt hast, sind sie verzweifelt.«

»Würdest du deine Verlobte betrügen, wenn du eine hättest?«

»Wahrscheinlich nicht«, entgegnete ich. »Aber mit dir würde ich's wollen.«

»Ich bin ein gebranntes Kind.«

»Schwer zu glauben.«

»Aber wahr. Kein schönes Gefühl.«

»Das verstehe ich«, sagte ich. »Aber letzte Nacht ist alles ehrlich zugegangen.«

Sie wurde schweigsam. Ich merkte, dass sie nachdachte. *Letzte Nacht.* Sie winkte die Bedienung heran und bestellte Toast. Genau wie am Tag zuvor.

»Ich habe Bruce Lindsay angerufen«, sagte sie. »Shawna Lindsays kleinen Bruder. Wusstest du, dass sie ein Telefon haben?«

»Ja«, sagte ich. »Ich hab's selbst schon benutzt. Karla Dixon hat zurückgerufen, weil ich von dort aus telefoniert hatte.«

»Ich fahre heute Nachmittag mal zu ihm raus. Du hast recht, glaube ich. Er hat mir etwas zu erzählen.«

Mir. Nicht uns.

Ich sagte: »Das war ein kleiner Scherz unter Kollegen. Mehr steckt nicht dahinter.«

Sie sagte: »Mit den Fingerabdrücken gibt es Probleme, fürchte ich. Mit denen aus Janice Chapmans Haus, meine ich. Leider durch meine eigene Schuld.«

»Was für ein Problem?«

»Deputy Butler hat bei der Polizei in Jackson eine Freundin. Aus der Zeit, als er den Kurs absolviert hat. Sie hilft uns manchmal, indem sie nebenbei Fingerabdrücke für uns auswertet, damit wir Geld sparen. Dafür haben wir keine Mittel. Aber diesmal hat sie Mist gebaut, und ich kann sie nicht bitten, die Auswertung zu wiederholen. Das wäre ein Schritt zu weit.«

»Wie Mist gebaut?«

»Sie hat die Fallnummern verwechselt. Chapmans Daten sind einem Fall zugeordnet worden, der eine gewisse Audrey Shaw betrifft, und wir haben deren Daten bekommen. Also die einer völlig anderen Frau, irgendeiner Staatsbeamtin. Was Chapman eindeutig nicht war, weil's hier keine Behörde gibt und sie sowieso nicht gearbeitet hat. Es sei denn, Audrey Shaw wäre die Vorbesitzerin von Chapmans Haus gewesen … dann hätte Butler selbst Mist gebaut, weil er an den falschen Stellen Fingerabdrücke genommen hat – und du hättest ihn besser beaufsichtigen müssen.«

»Nein, Butler hat gut gearbeitet«, widersprach ich. »Er hat die richtigen Stellen gewählt. Die Abdrücke stammen nicht von der Vorbesitzerin, außer sie hat sich um Mitternacht dort eingeschlichen und Chapmans Zahnbürste benutzt. Also war das nur Pech, denke ich. Scheiße passiert eben.«

»Erzähl's mir noch mal«, sagte sie. »Was mit dem Anruf war.«

»Die Anruferin war Major Karla Dixon vom 329th«, sagte ich. »Sie hatte Informationen für mich. Das war alles.«

»Und die Sache mit der Verlobten war ein Scherz?«

»Erzähl mir nicht, dass die Marines auch bessere Komiker sind.«

»Sieht sie gut aus?«

»Ziemlich.«

»War sie jemals deine Freundin?«

»Nein.«

Deveraux verstummte wieder. Ich konnte eine Entscheidung kommen sehen und war mir ziemlich sicher, dass sie okay sein würde. Aber ich bekam sie nicht zu hören. Zumindest nicht sofort. Denn bevor sie wieder sprechen konnte, kam die stämmige Frau aus ihrer Telefonvermittlung hereingestürmt und machte mit einer Hand am Türknauf und einer am Türrahmen halt. Sie war außer Atem und in heller Aufregung. Ihr Busen wogte. Sie rief laut: »Wieder ein Mord!«

48

Deputy Butler war unterwegs gewesen, um Pellegrino bei der Überwachung des Tors von Fort Kelham abzulösen, als er zwei Meilen außerhalb der Stadt zufällig nach links geschaut und etwa hundert Meter nördlich der Straße ein seltsames Etwas in den Büschen entdeckt hatte. Drei Minuten später hatte er die schlimme Nachricht über Funk seiner Dienststelle gemeldet, und neunzig Sekunden nach Eingang dieser Meldung war die Dispatcherin im Restaurant angekommen. Zwanzig Sekunden später saßen Deveraux und ich in ihrem Caprice, sie gab Gas und fuhr so schnell, dass wir keine zehn Minuten nach Butlers zufälliger Entdeckung am Tatort eintrafen.

Als ob Geschwindigkeit wichtig gewesen wäre.

Wir parkten hinter Butlers Streifenwagen, stiegen aus und standen auf der in Ost-West-Richtung verlaufenden Straße: zwei Meilen außerhalb von Carter Crossing, noch eine Meile vor Kelham, in freiem, nur mit wenigen Büschen bewachsenem Gelände, sodass wir den Wald, der Kelham begrenzte, weit vor uns und den parallel zur Bahnstrecke verlaufenden Wald weit hinter uns hatten. An diesem sonnigen Vormittag war der Himmel wolkenlos blau, die Luft warm und regungslos.

Ich konnte sehen, was Butler gesehen hatte. Es hätte ein Felsblock oder ein Müllsack sein können, aber das war es nicht. Aus der Ferne wirkte es klein, dunkel, leicht gewölbt, länglich, zu Boden gedrückt, leer. Trotzdem war es unverkennbar. Die Größe war schwer zu schätzen, weil die genaue Entfernung nicht feststand. Betrug sie achtzig Meter, lag dort eine kleine Frau, bei hundertzwanzig Metern war es ein großer Mann.

Deveraux sagte: »Ich hasse diesen Job.«

Deputy Butler stand draußen im Gelände, etwa auf halber Strecke zwischen der dunklen Gestalt und uns. Wir machten uns auf den Weg zu ihm, gingen dann jedoch wortlos an ihm vorbei. Ich schätzte die Entfernung auf ziemlich genau hundert Meter, sodass weder eine kleine Frau noch ein großer Mann infrage kam. Stattdessen musste dort eine große Frau oder ein kleiner Mann liegen.

Oder vielleicht ein Teenager.

Dann erkannte ich die verzerrten Proportionen.

Und begann zu rennen.

Aus etwa zwanzig Metern Entfernung war ich mir meiner Sache ziemlich sicher. Aus zehn Metern wusste ich's genau. Aus drei Metern war absolut kein Zweifel mehr möglich. Vor uns lag Bruce

Lindsay. Der hässliche Junge. Sechzehn Jahre alt. Shawna Lindsays kleiner Bruder. Er lag auf dem Bauch. Die Beine waren leicht gespreizt, die Arme seitlich am Körper. Der übergroße Kopf war mir zugewandt. Der Mund stand leicht offen. Die tief in ihren Höhlen liegenden Augen waren dunkel und leblos.

Dieses Mal missachteten wir sämtliche Vorschriften zur Tatortsicherung. Deveraux und ich trampelten überall herum und fassten den Toten an. Wir wälzten ihn auf den Rücken und fanden auf der linken Brustseite eine Einschusswunde: hoch oben, fast unter der Achsel. Aber keine Austrittswunde. Das Geschoss war eingedrungen, hatte das Herz zerfetzt und das Rückgrat zerschmettert und war deformiert abgelenkt worden, sodass es noch irgendwo im Körper steckte.

Ich richtete mich kniend auf und suchte den Horizont ab. War der Junge nach Osten unterwegs gewesen, war er aus Norden erschossen worden, fast sicher von einem Schützen, der aus dem Wald um Kelheim gekommen und das vorgelagerte Buschland durchstreift hatte. Das Sperrgebiet.

Deveraux sagte: »Ich habe erst heute Morgen mit ihm telefoniert. Vor einer Stunde. Wir haben vereinbart, dass ich nachmittags vorbeikomme. Was hatte er hier draußen zu suchen?«

Das war eine Frage, die ich lieber nicht beantworten wollte. Nicht mal mir selbst gegenüber. Ich sagte: »Er hatte ein Geheimnis zu bewahren, denke ich. In Bezug auf Shawna. Er wusste, dass du's aus ihm rauskriegen würdest. Also hat er beschlossen, heute Nachmittag lieber woanders zu sein.«

»Wo? Wohin war er unterwegs?«

»Kelham«, sagte ich.

»Wir sind hier im Gelände. Um nach Kelham zu kommen, wäre er auf der Straße gegangen.«

»Er wollte nicht von Fremden gesehen werden. Wegen seines Aussehens. Ich wette, dass er nie auf Straßen unterwegs war.«

»Wieso sollte er riskieren, nach Kelham zu gehen, wenn er nicht von Fremden gesehen werden wollte? Allein im Wachlokal muss es ein Dutzend Fremde geben.«

»Er ist hingegangen, weil ich gesagt habe, das sei okay. Ich habe ihm erklärt, Soldaten seien anders. Ich habe gesagt, dort sei er willkommen.«

»Wozu willkommen? Dort werden keine Besichtigungstouren angeboten.«

Der Junge trug eine Leinenhose, die meiner ähnlich war, ein dunkelblaues T-Shirt ohne Aufdruck und darüber eine schwarze Aufwärmjacke. Die Jacke war aufgegangen, als wir ihn auf den Rücken gewälzt hatten. In der Innentasche steckte ein zusammengefaltetes Blatt Papier.

Ich sagte: »Sieh dir das mal an.«

Deveraux zog das Blatt heraus. Es sah wie ein amtliches Dokument aus, dickes Papier, zweimal gefaltet. Schon etwas älter, fast sicher sechzehn Jahre alt. Deveraux faltete es auseinander, warf einen kurzen Blick darauf und sagte: »Das ist eine Geburtsurkunde.«

Ich nickte und nahm sie ihr aus der Hand. The State of Mississippi, männlich, Familienname Lindsay, Vorname Bruce, geboren in Carter Crossing. Scheinbar vor achtzehn Jahren. Die Fälschung war vielleicht nicht auf den ersten Blick zu erkennen, aber bestimmt auf den zweiten. Die Änderung war nicht sehr geschickt, aber sehr geduldig vorgenommen worden. Die beiden Endziffern waren sorgfältig ausradiert und durch andere ersetzt worden. Die Tintenfarbe war gut gewählt, auch der Schreibstil stimmte überein. Nur das an der Radierstelle dünnere Papier verriet die Fälschung. Eine Kleinigkeit, die mir sofort auffiel. Sie zog das Auge magisch an.

»Meine Schuld«, sagte ich. »Alles meine Schuld.«

Geh gleich nach Kelham, hatte ich Bruce geraten. *Auf jedem Stützpunkt gibt es eine Rekrutierungsstelle. Sobald du nachweisen kannst, dass du achtzehn bist, lassen sie dich rein und nie mehr raus.*

Der Junge hatte mich beim Wort genommen. Ich hatte eigentlich sagen wollen, er müsse noch warten. Aber er hatte beschlossen, sich gleich und auf der Stelle zwei Jahre älter zu machen. Er hatte etwas produziert, das er vorlegen konnte. Wahrscheinlich an dem Küchentisch, an dem wir gesessen, geredet und Eistee getrunken hatten. Ich stellte ihn mir mit gesenktem Kopf vor, konzentriert, vielleicht die Zunge zwischen den Zähnen, wie er das Papier mit einem Tropfen Wasser befeuchtete, die alten Ziffern mit einem scharfen Messer wegschabte, den feuchten Fleck abtupfte und darauf wartete, dass er trocken wurde, während er überlegte, die richtige Feder heraussuchte, mehrmals übte und dann die neuen Ziffern eintrug. Die Ziffern, die ihm das Tor von Fort Kelham öffnen, die bewirken würden, dass er aufgenommen wurde.

Alles durch meine Schuld.

Ich machte mich auf den Rückweg zur Straße.

Deveraux begleitete mich.

Ich erklärte ihr: »Ich brauche eine Waffe.«

Sie fragte: »Wozu?«

Ich blieb stehen, drehte mich um und sah nach Osten. Fort Kelham lag als riesiges Rechteck nördlich der Straße, und sein Grenzzaun verlief in einem breiten Waldgürtel, der auf beiden Seiten des Zauns mehrere hundert Meter tief war. Man hätte glauben können, die Anlage stehe auf einer durch Rodung entstandenen großen Lichtung, aber ich vermutete, dass eher das Gegenteil zutraf: Kelham war vor fünfzig Jahren in freiem Gelände erbaut worden, und die Farmer hatten Abstand vom Zaun halten müssen, sodass auf dem Grenzstreifen Wald gewachsen war. An einzelnen Stellen standen die neuen Bäume nicht sehr dicht, aber fast überall sonst boten sie gute Deckung. Bestimmt genug für eine kleine Kampfgruppe, die in diesem Wald biwakierte, bei Bedarf ins vorgelagerte Buschland vorstieß und wieder zurückging oder durch den Zaun ins Fort zurückkehrte, um sich auszuruhen oder zu versorgen.

Ich setzte mich wieder in Bewegung, sagte: »Ich werde dieses Team finden, das die Sperrzone überwacht – auch wenn alle versichern, dass es nicht existiert.«

»Und wenn du's schaffst?«, fragte Deveraux. »Dann steht Aussage gegen Aussage. Im Prinzip dein Wort gegen das des Pentagons. Du behauptest, dass es die Gruppe gibt, und sie bestreiten ihre Existenz. Aber das Pentagon hat das größere Mikrofon.«

»Gegen physische Beweise sind sie machtlos. Ich bringe genügend Körperteile mit, um alle zu überzeugen.«

»Das darf ich nicht zulassen.«

»Sie hätten den Jungen nicht erschießen dürfen, Elizabeth. Damit haben sie eine rote Linie überschritten, wer immer sie sind. Sie haben die falsche Tür geöffnet, das steht verdammt fest. Was dahinter liegt, ist ihr Problem, nicht unseres.«

»Du weißt nicht mal, wo sie sind.«

»Sie sind im Wald.«

»Ja, in Tarnanzügen und mit Ferngläsern. Wie willst du überhaupt in ihre Nähe kommen?«

»Sie haben eine blinde Stelle.«

»Wo?«

»Im Einfahrtsbereich von Kelham. Sie halten Ausschau nach einem Eindringling, der schon weiß, dass er nicht durchs Tor kann. Deshalb beobachten sie nicht in diese Richtung, sondern überwachen eher das Vorgelände.«

»Die Wachen sichern das Tor.«

»Nein, sie beobachten, wer sich dem Tor nähert. Ich habe nicht vor, mich ihm zu nähern. Ich will die Lücke aufspüren. Zu weit im Rücken des Überwachungsteams, zu weit vor den Wachen am Tor.«

»Sie erschießen Leute, Reacher.«

»Sie erschießen Leute, die sie sehen. Mich bekommen sie nicht zu sehen.«

»Du kannst mit mir in die Stadt zurückfahren.«

»Ich will aber nicht in die Stadt zurück. Ich will in Gegenrichtung mitgenommen werden. Und ich brauche eine Schusswaffe.«

Sie gab keine Antwort.

Ich sagte: »Notfalls komme ich auch allein zurecht. Schwieriger und langsamer, aber zuletzt schaffe ich's doch.«

Sie sagte: »Steig ein, Reacher.«

Kein Hinweis darauf, wo sie mich absetzen wollte.

Wir stiegen ein. Deveraux stieß etwas zurück und fuhr an Butlers Streifenwagen vorbei nach Osten, in Richtung Kelham. Also in die aus meiner Sicht richtige Richtung. Als wir den größten Teil der letzten Meile zurückgelegt hatten, sagte ich: »Ab hier von der Straße weg durchs Gelände. Bis zum Waldrand. Als ob du dort etwas gesehen hättest.«

Sie fragte: »Geradewegs auf sie zu?«

»Sie sind nicht hier. Sie sind nordwestlich von hier. Und sie würden ohnehin auf keinen Streifenwagen schließen.«

»Weißt du das bestimmt?«

»Das lässt sich nur praktisch feststellen.«

Sie bremste, drehte das Lenkrad und bog von der Fahrbahn ab auf den steppenartig harten Untergrund. Die Straße verlief hier durch eine sanduhrförmige Engstelle zwischen Wäldern: zweihundert Meter nördlich von uns wichen Kelhams neue Bäume in einem sanften Bogen zurück, und zweihundert Meter südlich verlief der alte Wald in einem symmetrischen Bogen. Deveraux fuhr in einem Winkel von fünfundvierzig Grad zur Fahrbahn nach Nordosten. Wir holperten und schwankten durchs Gras, dann beschrieb sie einen weiten Bogen und kam parallel zum Waldrand zum Stehen. Meine Tür war etwa zwei Meter vom nächsten Baum entfernt.

Ich fragte: »Waffe?«

»Jesus«, sagte sie. »Diese Sache ist auf so vielen Ebenen illegal …«

»Aber wie du selbst gesagt hast, steht hier Aussage gegen Aussage. Sollte es potenzielle Ziele geben, werden sie behaupten, es gebe keine. Je mehr geschossen wird, desto nachdrücklicher werden sie alles leugnen.«

Sie atmete tief durch, dann zog sie die Schrotflinte aus der Halterung zwischen unseren Sitzen. Die Flinte war eine alte Winchester 12, einen Meter lang, gut drei Kilo schwer. Sie war abgenutzt und verkratzt, aber mit einem leichten Öl- und Politurfilm überzogen. Sie mochte fünfzig Jahre alt sein, wirkte aber gut in Schuss. Trotzdem machen mir Waffen, mit denen ich noch nie selbst geschossen habe, immer Sorgen. Nichts ist schlimmer, als abzudrücken, ohne dass etwas passiert. Oder sein Ziel zu verfehlen.

Ich fragte: »Funktioniert sie?«

Sie antwortete: »Sie funktioniert perfekt.«

»Wann hast du zuletzt damit geschossen?«

»Vor zwei Wochen.«

»Worauf?«

»Auf eine Mannscheibe. Ich habe angeordnet, dass meine Leute sich jedes Jahr neu qualifizieren müssen. Und ich habe besser zu sein als sie, deshalb übe ich auf dem Schießstand.«

»Hast du das Ziel getroffen?«

»Ich habe das Ziel pulverisiert.«

Ich fragte: »Hast du nachgeladen?«

Sie lächelte und sagte: »Sechs Schuss sind im Magazin und einer im Verschluss. Im Kofferraum habe ich noch mehr. Ich kann dir eine fast volle Schachtel geben.«

»Danke.«

»Die Winchester hat meinem Vater gehört. Pass gut auf sie auf.«

»Wird gemacht.«

»Pass auch auf dich auf.«

»Immer.«

Wir stiegen aus, sie ging nach hinten zum Kofferraum und öffnete den Deckel. Ihr Kofferraum war nicht gerade sehr gut aufgeräumt. Ich entdeckte sogar ein paar Brocken Erde darin. Aber ich achtete nicht auf die Unordnung, weil auf dem Wagenboden hinter den Rücksitzen eine Stahlkassette angeschraubt war. Deveraux musste sich strecken, um sie zu erreichen. Sie stand auf den Zehenspitzen, beugte sich nach vorn und lehnte sich hinein. Was aus meinem Blickwinkel klasse aussah. Absolut umwerfend. Sie klappte den Deckel hoch, kratzte mit den Fingernägeln in der Kassette, griff hinein und holte eine Schachtel Munition Kaliber 12 hervor. Sie richtete sich auf und hielt sie mir hin.

Die Schachtel enthielt noch fünfzehn Schuss. Ich steckte je fünf Patronen in beide Hosentaschen und fünf in meine Hemdtasche. Sie sah mir dabei zu. Dann machte sie große Augen und sagte: »Du hast dein Hemd gewaschen.«

Ich sagte: »Nein, ich hab mir ein neues gekauft.«

»Warum?«

»Ich wollte höflich sein.«

»Nein, warum hast du ein neues Hemd gekauft, statt das alte zu waschen?«

»Darüber habe ich schon diskutiert. Mit dem alten Kerl im Laden. Mir ist's logisch vorgekommen.«

»Okay«, sagte sie.

»Du hast übrigens einen großartigen Hintern.«

»Okay«, sagte sie noch mal.

»Das wollte ich nur erwähnen.«

»Danke.«

»Wieder alles okay? Zwischen dir und mir?«

Sie lächelte. »Das war's immer«, sagte sie. »Ich wollte dich nur ein bisschen aufziehen. Hätte sie gesagt, sie sei deine Freundin, hätte ich's vielleicht ernst genommen. Aber deine Verlobte? Das ist lächerlich.«

»Wieso?«

»Keine Frau würde dich heiraten wollen.«

»Wieso nicht?«

»Weil du nicht der Typ bist, den man heiratet.«

»Wieso nicht?«

»Wie viel Zeit hast du? Allein über Wäschewaschen könnten wir eine Stunde lang diskutieren.«

»Wie wäschst du deine Sachen?«

»In der Gasse hinter dem Eisenwarengeschäft gibt's einen Waschsalon.«

»Mit Waschmitteln und allem?«

»Dazu braucht man nicht studiert zu haben.«

»Ich denke darüber nach«, sagte ich. »Also, dann bis später.«

»Pass gut auf dich auf, okay? Wir müssen heute Abend einen Zug erreichen.«

Ich lächelte, nickte ihr zu und sah mich ein letztes Mal um, dann verschwand ich zwischen den Bäumen.

49

Mit einem Meter Länge war die Winchester zu lang, um sich leicht durch dichten Wald tragen zu lassen. Ich musste sie mit zwei Händen senkrecht gehalten vor mir hertragen. Aber ich war froh, sie zu haben. Die Winchester war eine schöne alte Waffe. Und vor allem höchst effektiv. Eine Ladung Blei Kaliber 12 beendet die meisten Auseinandersetzungen nach der ersten Frage.

Im März hatten die Bäume in Mississippi schon so viel Laub angesetzt, dass ich den Himmel nur sporadisch sehen konnte. Also navigierte ich nach Schätzungen. Oder durch Koppelnavigation, wie manche Leute lieber sagen würden. Was im Wald schwierig ist. Die meisten Rechtshänder laufen zuletzt in einem Linkskreis, weil bei den meisten Rechtshändern das linke Bein minimal kürzer ist als das rechte. Deshalb ist ihre Schrittlänge rechts größer als links. Dieser speziellen Gefahr entging ich, indem ich an jedem zehnten Baum rechts vorbeiging, ohne mich darum zu kümmern, ob ich das für nötig hielt oder nicht.

Die Vegetation war dicht, aber nicht undurchdringlich. Es gab eine Art Unterholz und darunter eine dicke Schicht Laub. Ich wusste, dass ich mich durch einen Laubwald bewegte, hatte aber keine Ahnung, wie die Bäume hießen. Die unterschiedlich dicken Baumstämme standen ziemlich eng – in Abständen von einem bis anderthalb Metern –, sodass ihre unteren Äste im Halbdunkel abgestorben waren. Hier unten gab es nicht viel Licht. Und auch keine Wege, nicht einmal Wildwechsel oder Trampelpfade. In letzter Zeit schien hier kein Mensch mehr unterwegs gewesen zu sein.

Es gab keinen Umstand, der sich zu meinen Gunsten hätte auswirken können, aber zwei, die gegen mich arbeiteten. Die negativen Punkte waren, dass ich viel Lärm machte und ein strahlend weißes Hemd trug. Ich bewegte mich keineswegs unauffällig. Keine Tarnung. Keine lautlose Annäherung. Positiv war vielleicht, dass ich mich ihnen von rückwärts näherte. Sie mussten irgendwo am Waldrand in Stellung liegen und würden nur das Vorgelände im Auge behalten. Sie würden Ausschau nach Journalisten, Schnüfflern und anderen unerwünschten Fremden halten. Jeder, der entschlossen auf den Wald zumarschierte, galt als potenzielles Ziel. Aber ich würde von hinten kommen.

Und ich rechnete mir aus, dass ich es nicht mit allzu vielen Kerlen gleichzeitig zu tun bekäme. Das Team würde in kleine Einheiten unterteilt sein. Mindestens zwei, höchstens vier Mann. Sie würden mobil sein. Keine Verstecke oder Biwaks. Sie würden auf umgestürzten Baumstämmen sitzen, an Bäumen lehnen oder auf dem Waldboden hocken, während sie mit zusammengekniffenen Augen das in der Sonne liegende Vorgelände beobachteten: stets bereit, sich nach links oder rechts zu bewegen, um einen anderen Blickwinkel zu haben; stets auf dem Sprung, aus dem Wald zu kommen, um einer potenziellen Gefahr zu begegnen.

Und ich erwartete natürlich, dass die mobilen Einheiten weit auseinandergezogen operieren würden. Ein Zaun von dreißig Meilen Länge war schwierig zu verteidigen. Selbst wenn man eine ganze Kompanie im Grenzwald stationierte, konnten die Abstände zwischen den einzelnen Viererteams bis zu tausend Metern betragen. Und tausend Meter im Wald sind das Gleiche wie tausend Kilometer. Keine Möglichkeit für sofortige Unterstützung oder Verstärkung. Kein Feuerschutz. Eine Faustregel: Gewehre und Artillerie sind in Wäldern sinnlos. Zu viele Bäume im Weg.

Nach ungefähr zweihundert Schritten in nordwestlicher Richtung verringerte ich mein Tempo. Ich rechnete mir aus, dass ich mich der ersten logischen Beobachtungsstellung näherte: ziemlich genau bei neun Uhr, weit oberhalb der Engstelle, am Rand einer Waldzunge, von der aus man einen weiten Blick nach Osten und Süden hatte. Höchstwahrscheinlich war Bruce Lindsays Annäherung von dort aus entdeckt worden. Er musste sich links von den Beobachtern befunden haben – aus über einer Meile Entfernung gut sichtbar. Sie waren herausgekommen, um ihn abzufangen, und hatten hundert, hundertfünfzig Meter vor ihm haltgemacht. Vielleicht hatten sie einen Befehl oder eine Warnung gerufen. Vielleicht hatte der Junge langsam, verwirrt oder widersprüchlich reagiert. Also hatten sie ihn erschossen.

Ich holte weit nach rechts aus und schlich dann auf einer geraden Linie weiter, die mich hoffentlich in den Rücken der ersten Beobachtungsstellung führen würde. Ich bewegte mich durch die Bäume wie durch eine stehende Menschenmenge, wich mal rechts, mal links aus, drehte mal die eine, dann die andere Schulter nach vorn. Gleichzeitig waren meine Augen in ständiger Bewegung von links nach rechts, von oben nach unten. Ich beobachtete den Waldboden ziemlich aufmerksam. Das meiste Zeug dort unten ließ sich nicht umgehen, aber ich wollte nicht über etwas stolpern und der Länge nach hinschlagen, oder auf etwas treten, das dicker war als ein Besenstiel. Trockenes Holz kann verdammt laut krachen, wenn es zerbricht.

Ich schlich weiter, bis zu erahnen war, dass es vor mir heller wurde. Der Waldrand war fast erreicht. Ich schaute nach links und nach rechts, bewegte mich vorsichtig weiter und stellte dann fest, dass ich teils recht, teils unrecht hatte. Ich hatte recht, weil die Stelle, an der ich stand, tatsächlich ein ausgezeichneter Beobachtungsposten war, und unrecht, weil er unbesetzt war.

Ich blieb einen Meter hinter den letzten Bäumen stehen und spähte nach Südwesten. Das keilförmige Blickfeld erweiterte sich rasch. In einiger Entfernung wurde es von der Straße nach Carter Crossing schräg gequert. Auf ihr bewegte sich nichts, aber wenn dort jemand gefahren wäre, hätte ich ihn sehr deutlich gesehen. Ebenso wäre mir nichts entgangen, was sich auf den weiten Feldern beiderseits der Straße bewegte. Ein erstklassiger Beobachtungsposten, das stand fest. Umso weniger konnte ich verstehen, dass er verlassen war. Das war taktisch unklug, denn es würde noch lange hell sein. Und soviel ich wusste, hatte sich in Kelham nichts verändert. Dort gab es keinen neuen strategischen Imperativ. Für die Kompanie Bravo hatte die Lage sich eher noch verschlechtert.

Der Zustand des Waldbodens verriet tiefe Verunsicherung. Überall waren Zigarettenkippen achtlos in den weichen Boden getreten. Jemand hatte einen Schokoriegel gegessen und das Einwickelpapier zerknüllt und weggeworfen. Und ich erkannte deutliche Stiefelabdrücke von der Art, wie ich sie neben dem verbluteten Journalisten auf der Farm des alten Clancys gesehen hatte. Das alles beeindruckte mich nicht sonderlich. Army Ranger sind eigentlich dafür ausgebildet, keine Spuren zu hinterlassen. Sie sollen sich Geistern gleich durch die Landschaft bewegen. Vor allem bei einem so delikaten Auftrag, dessen Legalität zweifelhaft ist.

Ich ging zurück, verschwand wieder zwischen den Bäumen, orientierte mich neu und marschierte nach Norden weiter. Diesmal wählte ich eine Route, die dem Waldrand mit etwa fünfzig Metern Abstand folgte. Ich hielt Ausschau nach radial verlaufenden Trampelpfaden zum Zaun von Fort Kelham. Dass ich keine entdeckte, überraschte mich nicht besonders. Die heimlichen Wechsel zwischen drinnen und draußen und wieder zurück fanden aller Wahrscheinlichkeit nach in einem nur selten besuchten abgelegenen Sektor weit nördlich von hier statt.

Nach weiteren zweihundert Metern machte ich wieder einen Umweg zum Waldrand. Von den letzten Bäumen aus war die Straße etwas schlechter zu sehen, aber dafür der Blick über die Felder umso besser. Wieder ein erstklassiger Beobachtungsposten. Jedoch ebenfalls unbesetzt. Und allem Anschein nach nie besetzt gewesen. Keine Zigarettenkippen. Kein Einwickelpapier. Keine Stiefelabdrücke.

Ich kehrte zu meiner ursprünglichen Linie zurück und versuchte es zweihundert Meter weiter erneut. Noch immer nichts. Ich begann mich zu fragen, ob ich's mit weniger als einer ganzen Kompanie zu tun hatte. Aber mir erschien es unsinnig, einen dreißig Meilen langen Zaun von weniger Männern bewachen lassen zu wollen. Ich hätte sogar noch mehr gewollt. Zwei volle Kompanien. Oder drei. Dabei war ich im Vergleich zum Pentagon natürlich bettelarm. Wollte ich fünfhundert Mann, würden die Bonzen fünftausend wollen. Bei jeder normalen Planung hätte in diesem Wald ein Gedränge wie auf dem Times Square herrschen müssen. Ich hätte längst einen Schuss in den Rücken bekommen müssen.

Dann fing ich an, über Essenszeiten und Wachwechsel nachzudenken. Vielleicht bewirkte der offenkundige Personalmangel, dass bestimmte Posten zu bestimmten Zeiten unbesetzt blieben. Aber ich war mir sicher, dass diese beiden Beobachtungsposten meistens besetzt sein würden. Sie waren viel zu gut, um ungenutzt zu bleiben. Lautete der Auftrag, potenzielle Gegner im Vorfeld von Kelham zu entdecken, würde der gesamte Außenbereich auf nützliche Beobachtungsstellen aufgeteilt worden sein, zu denen die drei Posten, auf die ich gestoßen war, bestimmt gehörten. Deshalb konnte ich damit rechnen, dass irgendjemand sie früher oder später aufsuchen würde.

Ich wandte mich ab und ging wieder tiefer in den Wald hinein. Etwa auf halber Strecke zu meiner ursprünglichen Route machte ich halt. Ich stand einfach still und wartete. Zehn Minuten lang, ohne das Geringste zu hören. Dann zwanzig. Dann dreißig. Blätter raschelten in der leichten Brise, Zweige bewegten sich ächzend, winzige Tiere huschten durchs Laub. Sonst nichts.

Dann vernahm ich weit links vor mir Schritte und Stimmen.

50

Ich wich nach Westen aus und bezog Stellung hinter einem Baum, dessen Stamm kaum dicker war als mein Bein. Ich lehnte mich mit der linken Schulter an ihn, hob die Schrotflinte, zielte in die Richtung, aus der die Geräusche kamen, verharrte reglos. Dort tauchten drei Männer auf.

Ohne Eile, entspannt, undiszipliniert, miteinander quatschend. Ich hörte ihre Stiefel im Laub rascheln. Hörte auch ihre Stimmen: leise, im Plauderton und gelangweilt. Was sie sagten, war nicht zu verstehen, aber ihr Tonfall verriet weder Stress noch Vorsicht. Ich hörte Brombeerranken reißen, dürre Zweige unter ihren Stiefeln knacken und dumpfe Schläge, die vermutlich von M-16-Kolben aus Kunststoff stammten, während die Kerle sich zwischen den Bäumen hindurchzwängten. Das war kein geordnetes Vorrücken. Dies waren keine erstklassigen Infanteristen. Meine Gedanken eilten voraus, wie sie's manchmal taten, und ich sah mich einen Gefechtsbericht schreiben, in dem ich ihr Verhalten kritisierte. Ich sah mich bei einer Besprechung in Benning, in der ich vor einer Kommission aus hohen Offizieren ihre Defizite auflistete.

Die drei Männer schienen nach Süden unterwegs zu sein; sie bewegten sich parallel zum Waldrand, hielten ungefähr zwanzig Meter Abstand. Keine Frage, dass sie zu einem der von mir aufgespürten Beobachtungsposten unterwegs waren. Sehen konnte ich sie nicht, zu viele Bäume, aber ziemlich gut hören. Sie waren nicht allzu weit von mir entfernt. Bald würden sie etwa dreißig Meter links von mir auf gleicher Höhe sein.

Ich ging um den nicht sehr dicken Baum herum, an dem ich lehnte, und blieb so hinter den Kerlen. Ich folgte ihnen nicht. Nicht gleich. Ich wollte herausfinden, ob nicht noch weitere Soldaten kamen, wollte mich nicht in eine Marschkolonne einreihen – mit drei Männern vor mir und einer unbekannten Anzahl hinter mir. Also blieb ich, wo ich war, und horchte angestrengt. Aber ich hörte nichts außer den nach Süden abziehenden drei Kerlen. Nichts aus Norden. Überhaupt nichts. Nur natürliche Geräusche: Wind, Blätter, Insekten, kleine Tiere auf dem Waldboden.

Die drei Männer waren allein.

Ich ließ ihnen ungefähr dreißig Meter Vorsprung, dann folgte ich ihnen. Ihre Fährte war nicht zu übersehen. Sie befanden sich auf einem Trampelpfad, der durch häufiges Hin- und Hergehen über mehrere Tage hinweg entstanden war, erkennbar durch aufgewühltes feuchtes Laub und zertrampelte Zweige, die einen ungefähr dreißig Zentimeter breiten Schlängelpfad säumten. Schwach, aber doch deutlich sichtbar. Sogar sehr deutlich, wenn man ihn mit dem übrigen Waldboden verglich. Im Vergleich zu dem, was ich anderswo gesehen hatte, glich dieser Trampelpfad der I-95.

Ich folgte ihnen in einigem Abstand. Mit ihrem Tempo konnte ich leicht mithalten. Aus logischen Gründen hatte ich nicht die Befürchtung, dass sie mich hörten. Solange ich leiser als zwei von ihnen war, konnte keiner der drei mich hören. Und es war einfach, leiser als zwei von ihnen zu sein. Tatsächlich wäre es schwierig gewesen, lauter zu sein, wenn ich nicht die Winchester abfeuern oder die Nationalhymne singen wollte.

Um etwas näher heranzukommen, legte ich einen Zwischenspurt ein und verkürzte die Entfernung auf zwanzig Meter. Noch immer kein Sichtkontakt außer einem flüchtigen Blick auf einen schmalen Rücken in einem Flecktarnanzug und etwas Schwarzem, das ich für einen M-16-Lauf hielt. Aber ich konnte sie deutlich hören. Einer war der Stimme nach älter als die anderen und hatte eindeutig den Befehl. Der zweite Mann sagte nicht viel, und der dritte, der auffällig näselte, sprach hektisch und abgehackt. Ich verstand noch immer kein Wort, aber mir war klar, dass sie über nichts sprachen, was sich zu wissen gelohnt hätte. Das sagten mir Tonfall und Rhythmus ihrer Unterhaltung. Sie bestand aus sarkastischen Bemerkungen, ebensolchen Antworten und hämischem Gelächter. Bloß drei Kerle, die miteinander quatschten.

Sie machten keinen Umweg über den dritten der drei von mir erkundeten Beobachtungsposten. Stattdessen schlenderten sie – vermutlich hintereinander hergehend – ohne anzuhalten daran vorbei. Ich hörte die Stimme des ersten Kerls lauter, weil er seine Kommentare über die Schulter hinweg abgab, damit die beiden anderen sie mitbekamen. Deren Stimmen waren kaum zu verstehen, weil sie beide nach vorn, von mir weg sprachen. Trotzdem spürte ich, das nichts Wichtiges gesagt wurde. Sie langweilten sich, waren vielleicht müde und steckten in einem Routineauftrag fest, den sie schon sehr gut kannten. Sie rechneten mit keiner Gefahr, keinen Überraschungen.

Auch den zweiten Beobachtungsposten ließen sie rechts liegen. Sie schlenderten nach Süden weiter, und ich folgte ihnen zweihundert Meter weit auf dem Trampelpfad, bis sie rechts abbogen und durch den Wald brachen, um den ersten Beobachtungsposten zu erreichen. Den bei neun Uhr. Die Stelle, an der Bruce Lindsays Mörder sich wahrscheinlich versteckt gehalten hatte.

Ich erreichte die Stelle, an der sie abgebogen waren, und wartete dort. Ich hörte sie etwa zwanzig Meter westlich von mir haltmachen, was genau dem Punkt entsprach, an dem ich zuvor gewesen war: fast am Waldrand, an der Stelle, wo ich Zigarettenkippen, Einwickelpapier und Stiefelabdrücke gefunden hatte. Dann bewegte ich mich auf sie zu, drei Meter, fünf Meter und blieb wieder stehen. Ich konnte hören, wie einer von ihnen rülpste, was Lachen und allgemeine Heiterkeit auslöste, und vermutete, dass sie tatsächlich im Norden gewesen waren, um zu Mittag zu essen. Ich hörte, wie einer von ihnen zur Seite trat, um zu urinieren. Ich hörte den Strahl auf trockenes Laub prasseln, das den Waldboden bedeckte. Ich hörte, wie Gewehrläufe in Augenhöhe dünne Äste teilten, als sie über das vor ihnen liegende freie Land blickten. Ich hörte das Kratzen des Zündrads, das Zuklappen des Deckels eines Zippos und roch Sekunden später Tabakrauch.

Ich atmete tief durch, dann schlich ich weiter, näher und näher, links und rechts durch die Bäume, fünf Meter, dann sechs, dann sieben, mit dem linken Ellbogen voraus, dann mit dem rechten, schwamm durch den beengten Raum und hielt dabei die Winchester senkrecht vor meinem Körper. Die drei Männer ahnten nichts von meiner Anwesenheit. Ich konnte sie vor mir spüren, wie sie reglos dastanden und gespannt nach vorn starrten, allmählich verstummten und sich – nun nicht mehr so lässig wie in der Mittagspause – auf ihren Auftrag konzentrierten. Ich hielt den Atem an und schlich lautlos einen Baum weiter, dann noch einen und noch einen, bis ich sie erstmals zu Gesicht bekam.

Und ich konnte mir nicht erklären, was ich sah.

51

Wie ich vermutet hatte, waren sie zu dritt und kaum fünf Meter von mir entfernt. Als stünden wir im selben Zimmer. Alle drei kehrten mir den Rücken zu. Der erste Kerl war grauhaarig und schwergewichtig. Er trug einen olivgrünen Arbeitsanzug der U. S. Army aus der Zeit des Vietnamkriegs, der überall spannte, und war mit einem Sturmgewehr M-16 bewaffnet. Ich konnte den Griff einer Beretta M9 sehen, die in dem Webhalfter an seinem Koppel steckte, eine Neunmillimeter-Pistole, die wie das M-16 zur Standardausrüstung der U.S. Army gehörte. Der Typ hatte alte Springerstiefel an den Füßen und trug keine Mütze.

Der zweite Mann war jünger und etwas größer, aber nicht viel schlanker. Er war rotblond und mit etwas bekleidet, das ich für einen Kampfanzug des italienischen Heeres hielt. Ähnlich wie unserer, aber doch anders. Besser geschnitten. Er hielt sein M-16 am oberen Tragegriff. Rechtshänder. Keine Pistole. Er trug schwarze Sportschuhe. Keine Mütze. Auf dem Rücken hatte er einen kleinen Rucksack mit einem nicht zum Anzug passenden Tarnmuster.

Der dritte Mann trug den Flecktarnanzug »Waldland« der U.S. Army aus den achtziger Jahren. Er war, im Gegensatz zu den beiden anderen, ein Hänfling. Weit davon entfernt. Er war ein Kümmerer. Ungefähr einen Meter fünfundsechzig groß, schätzungsweise sechzig Kilo schwer. Mager und drahtig, und nervös. Auch er war mit einem M-16 bewaffnet. Straßenschuhe an den Füßen, keine Mütze, keine Pistole. Er war der Raucher. Zwischen den beiden ersten Fingern der linken Hand hielt er eine Zigarette.

Wegen des italienischen Kampfanzugs fragte ich mich einen Augenblick lang, ob das Trio zu irgendeiner seltsamen NATO-Einheit gehörte. Aber der Arbeitsanzug aus dem Vietnamkrieg, den der erste Kerl trug, passte zu keinem Szenario aus dem Jahr 1997, auch wenn die internationale Politik noch so sehr verrücktspielte. Gegen meine Idee sprachen auch die Straßenschuhe des dritten Kerls und dass alle drei keine Stahlhelme trugen, als Verpflegung keine Einmannpackungen hatten und sich gänzlich unprofessionell benahmen. Ich wusste nicht, wie ich die Männer einordnen sollte. In Gedanken ging ich all die verschiedenen Möglichkeiten durch. Mich überraschte, dass das Klicken und Rattern in meinem Kopf nicht tatsächlich zu hören war.

Ich betrachtete sie nochmals eingehend.

Ich kam nicht dahinter.

Dann begriff ich endlich: Diese Kerle waren Amateure.

Wir befanden uns hier im hintersten Mississippi in der Nähe der Grenzen zu Tennessee und Alabama. Zivile Milizen. Möchtegernsoldaten. Männer, die gern bewaffnet durch die Wälder streifen und dann behaupten, sie verteidigten irgendetwas Lebenswichtiges. Männer, die in Military Shops mit Gleichgesinnten quatschen, nachdem sie gerade einen Arbeitsanzug aus dem Vietnamkrieg oder einen italienischen Kampfanzug erworben haben.

Und Männer, die ihre Gewehre in Waffengeschäften auf dem Land kaufen. Vor allem in ganz bestimmten Waffengeschäften. Weil bestimmte Geschäfte in der Nähe von Stützpunkten liegen und deshalb manchmal spezielle Angebote unter dem Ladentisch haben. Dazu braucht man nur jemanden drinnen, und den gibt es immer und überall. Jedes Jahr werden Unmengen von Berettas, M-16 und größeren Waffen als verloren, beschädigt oder sonst wie unbrauchbar abgeschrieben und dann vernichtet. Nur werden sie nicht wirklich vernichtet. Sie werden nachts hinausgeschmuggelt und liegen keine Stunde später in einem Waffengeschäft unter dem Ladentisch.

Ich habe schon viele Personen verhaftet, oft in größeren Gruppen als dieses Trio vor mir, aber mich dabei nie sehr geschickt angestellt. Die besten Verhaftungen gelingen, wenn man große Töne spuckt, und ich werde immer verlegen, wenn ich Phrasen dreschen soll. Für mich ist's besser, frühzeitig einen Treffer zu landen, damit ihnen von Anfang an das Maul gestopft ist. Das Dumme dabei ist nur, dass ich auch leicht verlegen werde, wenn ich *Halt, keine Bewegung!* rufen soll. Die Worte kommen ein bisschen zögerlich heraus. Fast wie eine Bitte.

Aber ich hielt etwas in den Händen, das jedes Gespräch wirkungsvoll stoppen konnte: eine Pumpgun von Winchester. Indem ich eine unverschossene Patrone opferte, konnte ich ein Geräusch produzieren, das drei beliebige Männer an drei beliebigen Orten festgenagelt hätte.

Das einschüchterndste Geräusch, das man sich vorstellen konnte.

Ratsch-ratsch.

Die ausgeworfene Patrone fiel ins Laub vor meinen Füßen, und die drei Männer erstarrten.

Ich sagte: »Jetzt die Gewehre fallen lassen.«

Normale Stimme, normale Stimmlage, normaler Tonfall.

Der Rotblonde ließ sein Sturmgewehr als Erster fallen. Dann kam der ältere Kerl, und als Letzter folgte der Drahtige.

»Keine Bewegung, okay?«, sagte ich. »Gebt mir keinen Anlass.«

Normale Stimme, normale Stimmlage, normaler Tonfall.

Sie standen einigermaßen still. Ihre leicht vom Körper abgespreizten Arme hoben sich langsam, bis die Ellbogen angewinkelt waren. Sie spreizten die Finger. Bestimmt waren auch die Zehen in ihren Stiefeln und Sneakers und Schuhen gespreizt. Alles, um unbewaffnet und ungefährlich zu wirken.

Ich sagte: »Und jetzt macht ihr drei große Schritte rückwärts.«

Alle drei Männer gehorchten, machten übertrieben stolpernde Schritte und waren damit mehr als eine Körperlänge von ihren Gewehren entfernt.

Ich sagte: »Und jetzt dreht ihr euch um.«

52

Ich kannte keinen der drei Männer. Nachdem sie sich langsam umgedreht hatten, stand der Ältere jetzt links vor mir. Ein völlig Unbekannter. Er war nur irgendein Typ, nicht sonderlich bedeutend, leicht schmerbäuchig und verbraucht. Der Kerl in der Mitte war der Rotblonde. Er glich dem, was der ältere Mann hätte sein können, wenn er zwanzig Jahre später und in besseren Umständen aufgewachsen wäre. Nur irgendein Typ, ein bisschen verweichlicht und zivilisiert. Der dritte Mann war ganz anders, nämlich das, was herauskommt, wenn vier Generationen einer Familie von erlegten Eichhörnchen leben. Schlauer als eine Ratte, zäher als eine Ziege und nervöser als beide.

Ich klemmte mir den Kolben der Winchester unter die rechte Achsel, zog den Ellbogen zurück und hielt die Flinte mit einer Hand. So zielte sie weniger als perfekt auf die drei Männer. Andererseits war dies eine Schrotflinte Kaliber 12. Da brauchte ich nicht perfekt zu zielen.

Ich benutzte den linken Arm, um zu verdeutlichen, was ich meinte, richtete meinen Blick auf den älteren Kerl und sagte: »Jetzt kommt der Teil, wo Sie Ihre Pistole rausziehen und mir geben.«

Er gab keine Antwort.

Ich sagte: »Und jetzt erkläre ich Ihnen, wie das geht. Sie ziehen sie nur mit Daumen und Zeigefinger einer Hand heraus, drehen sie um und zielen damit auf sich selbst, okay?«

Keine Antwort.

Ich sagte: »Der zweite Preis ist, dass ich Sie in die Beine schieße.«

Normale Stimme, normale Stimmlage, normaler Tonfall.

Keine Reaktion. Zumindest nicht sofort. Ich überlegte, ob ich eine weitere Patrone vergeuden und die Flinte nochmals durchladen sollte, aber das musste ich letztlich doch nicht tun. Der ältere Mann war kein Held. Nach kurzem Zögern entschloss er sich dazu. Er zog die Pistole mit Daumen und Zeigefinger heraus, drehte sie in der Hand um und drückte die Mündung an seinen Bauch.

Ich sagte: »Jetzt die Waffe entsichern.«

Das war in dieser Haltung nicht leicht, aber der Kerl schaffte es.

Ich sagte: »Halten Sie den Lauf mit Daumen, Zeige- und Ring-finger fest. Dann lockern Sie den Ringfinger und stecken ihn in den Schutzbügel... So ist's richtig. Damit er leicht gegen den Abzug drückt.«

Der Kerl gehorchte.

Ich fragte: »Was wissen Sie jetzt?«

Keine Antwort.

Ich sagte: »Sobald Sie sich im Geringsten wehren, kriegen Sie eine Kugel in den Bauch. Das wissen Sie jetzt. Also auf keinen Fall wehren. Ist das klar? Haben Sie verstanden?«

Der Kerl nickte.

Ich sagte: »Jetzt schwenken Sie den Arm und strecken mir die Pistole hin. Langsam und vorsichtig. Immer auf gleicher Höhe. Dabei zielen Sie weiter auf sich selbst – mit dem Ringfinger weiter am Abzug.«

Der Kerl tat, wie ihm geheißen. Er schaffte es, die Beretta auf seine Körpermitte gerichtet zu lassen, bis ich vortrat und ihm die Waffe abnahm, sie ihm einfach aus den Fingern zog. Ich trat zurück, und er ließ den Arm sinken. Ich wechselte die Hände. Die Winchester kam unter meinen linken Arm, und ich hielt die Beretta in der rechten Hand.

Und atmete aus.

Und lächelte.

Drei Gefangene gemacht und entwaffnet, alles ohne einen einzigen Schuss abgegeben zu haben.

Ich sah den älteren Mann an und fragte: »Wer seid ihr, Jungs?«

Er schluckte zweimal, dann richtete er sich ein wenig auf und antwortete: »Wir haben einen Auftrag, und das ist einer von der Art, von der Zivilisten sich fernhalten sollten, wenn sie wissen, was gut für sie ist.«

»Zivilisten im Gegensatz zu wem?«

»Im Gegensatz zu Soldaten.«

»Seid ihr Soldaten?«

Der Ältere sagte: »Ja, das sind wir.«

Ich sagte: »Nein, das seid ihr nicht. Ihr seid eine Bande von Freizeitkriegern.«

Er sagte: »Unser Einsatz ist genehmigt.«

»Von wem genehmigt?«

»Von unserem Kommandeur.«

»Woher nimmt er sich das Recht dazu?«

Der ältere Mann begann herumzudrucksen. Er setzte mehrmals zu einer Erklärung an und hörte dann wieder auf zu sprechen. Ich kreuzte die Läufe der beiden Waffen und zielte mit der Beretta direkt auf ihn. Ob die Pistole funktionierte, wusste ich nicht. Ich verlasse mich auf keine Waffe, mit der ich nicht schon selbst geschossen habe. Aber sie fühlte sich richtig an, hatte das richtige Gewicht und war entsichert. Der ältere Mann war ziemlich heftig zusammengezuckt, denn er wusste besser als jeder andere, ob seine Kanone zuverlässig war. Ich fand den Druckpunkt am Abzug. Der Kerl beobachtete mich dabei. Aber er redete noch immer nicht.

Dann meldete sich der Rotblonde zu Wort. Der Softie. Er sagte: »Er weiß nicht, wer den Einsatz genehmigt hat, und geniert sich, das zuzugeben. Deshalb sagt er nichts. Merken Sie das nicht?«

»Er würde sich lieber erschießen als bloßstellen lassen?«

»Keiner von uns weiß, wer irgendwas genehmigt hat. Woher denn auch?«

Ich fragte: »Wo kommt ihr her?«

»Sagen Sie mir erst, wer Sie sind.«

»Ich bin Berufsoffizier in der United States Army«, erklärte ich. »Sollte euer angeblicher Auftrag wirklich vom Militär erteilt sein, steht ihr jetzt unter meinem Kommando, weil ich der ranghöchste anwesende Offizier bin. Richtig? Das wäre logisch, stimmt's?«

»Ja, Sir.«

»Wo seid ihr her?«

»Tennessee«, antwortete der Kerl. »Wir sind die Tennessee Free Citizens.«

»Auf mich macht ihr keinen sehr freien Eindruck«, sagte ich. »Im Augenblick seht ihr wie Gefangene aus, finde ich.«

Keine Antwort.

Ich fragte: »Warum seid ihr hier?«

»Wir sind benachrichtigt worden.«

»Und wie lautete die Nachricht?«

»Dass wir hier gebraucht werden.«

»Wie viele von euch sind hergekommen?«

»Insgesamt sechzig.«

»Zwanzig Teams für dreißig Meilen?«

»Ja, Sir.«

Ich fragte: »Welchen Auftrag habt ihr bei eurer Ankunft bekommen?«

»Wir sollen Leute fernhalten.«

»Warum?«

»Weil's Zeit wurde vorzutreten und unseren Streitkräften zu helfen. Was die Pflicht jedes Patrioten ist.«

»Wieso brauchten die Streitkräfte eure Hilfe?«

»Das ist uns nicht gesagt worden.«

»Einsatzregeln?«

»Wir sollen alle geeigneten Mittel einsetzen, um Leute fernzuhalten.«

»Habt ihr heute Morgen den Jungen erschossen?«

Langes betretenes Schweigen.

Dann meldete der Hänfling rechts außen sich zu Wort.

Er sagte: »Sie meinen den schwarzen Boy?«

Der ältere Mann sagte: »Dieser Einsatz ist *vollständig* genehmigt.«

Ich sagte: »Ich meine den afroamerikanischen Teenager, ja.«

Der Rotblonde starrte seine Kumpel durchdringend an. Erst den einen, dann den anderen. Ruckartige knappe Kopfbewegungen. Dann sagte er: »Fragen dazu sollte keiner von uns beantworten.«

Ich sagte: »Doch, wenigstens einer von euch sollte den Mund aufmachen.«

Der Ältere sagte: »Unser Einsatz ist von höchster Ebene genehmigt. Darüber gibt es keine höhere Ebene mehr. Wer immer Sie sind, Mister, Sie machen einen sehr großen Fehler.«

Ich sagte: »Schnauze!«

Der Rotblonde starrte den Hänfling an und sagte: »Halt bloß den Mund.«

Ich nickte dem Hänfling zu und forderte ihn auf: »Sagen Sie ruhig, was Sie wollen. Ihnen glaubt sowieso niemand. Jeder weiß, dass ein Weichei wie Sie hier bloß mitläuft.« Ich schaute wieder zu dem älteren Mann hinüber.

Plötzlich sagte der Hänfling: »Den schwarzen Boy hab ich erschossen.«

Ich wandte mich wieder ihm zu und fragte: »Warum?«

»Er hat sich aggressiv aufgeführt.«

Ich schüttelte den Kopf. »Ich habe den Toten gesehen«, entgegnete ich. »Die Kugel hat ihn oben unter dem Arm getroffen. Der Arm selbst ist unverletzt. Ich denke, dass er die Hände erhoben hatte und sich ergeben wollte.«

Der Hänfling schniefte und sagte: »Na ja, so hätte man's vielleicht auch sehen können.«

Ich hielt die Winchester und die Beretta nicht mehr über Kreuz, sondern hob die Pistole und zielte damit auf das Gesicht des Hänflings.

Ich sagte: »Erzählen Sie mir von gestern.«

Er starrte mich unverwandt an.

Berechnung in seinen kleinen Rattenaugen.

Er glaubte zu wissen, dass ich nicht schießen würde.

»Gestern waren wir nördlich von hier eingesetzt«, sagte er.

»Und?«

»Man könnte sagen, dass ich in dieser Saison mit zwei Schuss zwei erledigt hab, denk ich.«

»Wer hat den Verband anzulegen versucht?«

Der Rotblonde sagte: »Das war ich. Das Ganze war ein Unfall. Wir haben nur unsere Befehle ausgeführt.«

Ich sah wieder zu dem Hänfling hinüber und sagte: »Das möchte ich genauer hören. Wie Sie auf einen Sechzehnjährigen geschossen haben, der sich ergeben wollte.«

Ich verlegte den Zielpunkt zwei Zentimeter höher. Exakt in die Stirnmitte.

Der Kerl grinste und sagte: »Eigentlich hat's ausgesehen, als wollte er winken.«

Ich drückte ab.

Die Waffe funktionierte gut. Einwandfrei. Genau wie sie sollte. Der Schussknall krachte und hallte durch den Wald. Vögel flogen erschrocken flatternd auf. Die Patronenhülse wurde ausgeworfen, prallte von einem Baumstamm ab und traf mich schmerzhaft am Oberschenkel. Der Schädel des Hänflings zerplatzte, und Gehirnmasse klatschte auf das frische grüne Laub hinter ihm. Er sackte senkrecht in sich zusammen, sodass sein magerer Hintern auf die Fersen schlug, bevor er schlaff zur Seite kippte und als scheinbar knochenloser Haufen liegen blieb, wie es nur jemand tut, der gerade erst eines gewaltsamen Todes gestorben ist.

Sobald der Schussknall verhallt war und ich wieder hören konnte, blickte ich die beiden Überlebenden an und sagte: »Euer Einsatz ist jetzt beendet. Ab sofort. Und die Tennessee Free Citizens sind aufgelöst. Ebenfalls ab sofort. Damit sind sämtliche Aktivitäten beendet. Haut also ab und informiert die anderen. Ihr habt eine Stunde Zeit, um alle Posten zu räumen und eine Stunde, um völlig aus diesem Staat zu verschwinden. Alle neunundfünfzig Mann. Trödelt ihr, hetze ich euch eine Kompanie Ranger auf den Hals. Jetzt verpisst euch!«

Die beiden Überlebenden standen einige Sekunden lang wie erstarrt da, blass, schockiert und verängstigt. Dann kamen sie zu sich und rannten los, so schnell sie konnten. Ich horchte ihnen nach, bis die Geräusche, die sie machten, schwächer wurden und aufhörten. Das dauerte ziemlich lange, aber dann waren sie fort, und ich wusste, dass sie nicht zurückkommen würden. Sie hatten einen Gefallenen zu beklagen, und der Schreck darüber war ihnen in die Knochen gefahren. Bestimmt würden sie einen Märtyrer aus dem Kerl machen, aber ebenso sicher würden sie alles ihnen Mögliche tun, um zu vermeiden, sein ruhmreiches Schicksal zu teilen. Blut und Gehirnmasse sind Tatsachen, und Tatsachen sind in einer Fantasiewelt unerwünscht.

Ich sicherte die Beretta, steckte sie in die Hosentasche und zog mein Hemd aus der Hose, damit es die Pistole verdeckte. Dann stapfte ich den Weg zurück, den ich gekommen war, schlängelte mich zwischen den Bäumen hindurch und trug dabei die Winchester mit zwei Händen senkrecht vor mir her.

53

Elizabeth Deveraux wartete genau dort, wo wir uns getrennt hatten: neben ihrem Streifenwagen, zwei Meter vom Waldrand entfernt. Sie fuhr leicht zusammen, als ich unvermittelt vor ihr auftauchte, erholte sich aber ziemlich rasch. Vermutlich wollte sie mich nicht kränken, indem sie zeigte, dass sie überrascht war, dass ich's geschafft hatte. Oder sie wollte sich nicht anmerken lassen, dass sie in Sorge um mich gewesen war. Oder beides. Ich küsste sie und gab ihr die Winchester zurück. Sie fragte: »Was ist passiert?«

Ich sagte: »Sie sind eine Art Bürgerwehr aus Tennessee. Irgendeine dämliche Amateurmiliz aus Hinterwäldlern. Die Kerle ziehen jetzt ab.«

»Ich habe eine Faustfeuerwaffe gehört.«

»Einer von ihnen war so von Reue übermannt, dass er Selbstmord verübt hat.«

»Hatte er etwas zu bereuen?«

»Mehr als die meisten.«

»Wer hat sie hergeholt?«

Ich sagte: »Das ist die große Frage, stimmt's?«

Ich gab ihr die Reservemunition zurück. Sie bestand darauf, dass ich sie selbst wieder in den Kofferraum legte. Dann fuhren wir in die Stadt zurück. Meine neue Beretta bohrte sich auf der gesamten Fahrt in Magen und Oberschenkel. Wir durchquerten die schwarze Hälfte von Carter Crossing, holperten übers Bahngleis und rollten auf dem Parkplatz des Sheriff's Department aus. Hier war Deveraux zu Hause. Und in Sicherheit. Sie sagte: »Geh einen Kaffee trinken. Ich bin bald wieder da.«

»Wohin willst du?«

»Ich muss Mrs. Lindsay die Nachricht vom Tod ihres Sohns überbringen.«

»Das wird nicht leicht.«

»Nein, bestimmt nicht.«

»Soll ich mitkommen?«

»Nein«, sagte sie. »Das wäre unpassend.«

Ich beobachtete noch, wie sie wegfuhr, dann betrat ich den Diner, um Kaffee zu trinken und zu telefonieren. Ich stellte meinen Kaffeebecher auf dem kleinen Hostessenpult ab und wählte die Nummer von Stan Lowreys Büro. Er war selbst am Apparat. Ich sagte: »Du bist noch immer da. Hast noch immer einen Job. Unglaublich!«

Er sagte: »Das hat allmählich einen Bart, Reacher.«

»Eines Tages wirst du darauf zurückblicken wie auf die erlischende Glut glücklicher Tage.«

»Was willst du?«

»Vom Leben im Allgemeinen? Das ist eine große Frage.«

»Von mir.«

»Von dir will ich mehrere Dinge«, sagte ich. »Vor allem sollst du ein paar Namen für mich überprüfen. In sämtlichen Datenbanken, die du finden kannst. Vor allem in zivilen, aber auch in staatlichen. Ruf die Polizei in Washington an und versuch, sie dafür einzuspannen. Das FBI auch, falls es dort drüben jemanden gibt, der noch mit dir redet.«

»Ganz offiziell oder heimlich?«

»Streng geheim.«

»Welche Namen?«

»Janice May Chapman«, sagte ich.

»Das ist die Ermordete, oder?«

»Eine von mehreren.«

»Und?«

»Audrey Shaw«, sagte ich.

»Wer ist das?«

»Weiß ich nicht. Deshalb möchte ich sie überprüft haben.«

»Im Zusammenhang womit?«

»Sie ist etwas Ungeklärtes, das mit anderem Ungeklärtem zusammenhängt.«

»Audrey Shaw«, wiederholte er langsam, als notierte er sich den Namen.

Dann sagte er: »Was noch?«

Ich fragte: »Wie weit ist Garbers Dienstzimmer von deinem entfernt?«

»Es liegt im Treppenhaus gleich gegenüber.«

»Ich muss mit ihm reden. Du gehst jetzt rüber, packst ihn an seinem dürren Hals und schleppst ihn an dein Telefon.«

»Wieso rufst du ihn nicht direkt an?«

»Weil ich ihn an deinem Telefon sprechen will, nicht an seinem.«

Keine Antwort, nur ein dumpfer Knall, als er den Hörer auf den Schreibtisch legte, und ein Grunzen, als er sich hochstemmte, und ein Zischen, als das Sitzkissen wieder die ursprüngliche Form annahm. Danach Stille, die teuer war, weil ich von einem Münztelefon aus telefonierte. Ich warf einen weiteren Quarter ein und wartete. Minuten verstrichen. Ich begann zu fürchten, Garber werde nicht kommen. Weigere sich zu kommen. Aber dann wurde der Hörer wieder aufgenommen, und die vertraute Stimme fragte: »Was, zum Teufel, wollen Sie jetzt schon wieder?«

»Ich will mit Ihnen reden«, sagte ich.

»Dann rufen Sie mich direkt an. Wir haben jetzt eine Vermittlung. Und Nebenstellen.«

»Ihr Anschluss wird abgehört. Ich denke, das liegt auf der Hand, finden Sie nicht auch? Sie sind hier nur eine Schachfigur, genau wie ich. Deshalb ist dieser Anschluss sicherer.«

Garber schwieg einige Sekunden lang.

»Möglich«, sagte er dann. »Was haben Sie für mich?«

»Die im Sperrgebiet um Kelham eingesetzten Männer waren Zivilisten. Eine lokale Bürgermiliz. Anscheinend Teil eines verrückten Netzwerks wahrer Patrioten. Offenbar dort, um die Army vor unerwünschten Belästigungen zu schützen.«

»Na ja, Mississippi«, sagte er. »Was haben Sie anderes erwartet?«

»Tatsächlich kamen sie aus Tennessee«, sagte ich. »Und Sie übersehen das Wichtigste. Die Kerle waren nicht zufällig dort. Sie sind nicht aus einer Laune heraus vorbeigekommen oder haben Urlaub gemacht. Sie waren dort im Einsatz. Es gibt eine Kontaktperson, die genau weiß, wann, wo, wie und weshalb sie gebraucht wurden. Wer könnte solche Informationen besitzen?«

»Jemand, der von Anfang an in alles eingeweiht war.«

»Und wo würde man ihn suchen?«

»Irgendwo weit oben.«

»Allerdings«, sagte ich. »Haben Sie einen Verdacht?«

»Nein«, sagte er knapp.

»Bestimmt nicht? Sie müssen mich auf den neuesten Stand bringen, wenn Sie können.«

»Bestimmt nicht. Sie wissen schon alles, was ich selbst weiß.«

»Okay, gehen Sie jetzt in Ihr Dienstzimmer zurück. Ich rufe Sie in fünf Minuten an. Sie können ignorieren, was ich sage, weil es nicht weiter wichtig ist. Aber bleiben Sie lange genug am Apparat, dass die Tonbandgeräte anlaufen.«

»Augenblick«, meinte Garber. »Ich muss Ihnen noch etwas sagen.«

»Was denn?«

»Nachrichten aus dem Marine Corps.«

»Was für Nachrichten?«

»Mit Elizabeth Deveraux scheint's irgendein Problem zu geben.«

»Was für ein Problem?«

»Das weiß ich noch nicht. Sie zieren sich. Sie wollen uns ihre Personalakte auf keinen Fall einsehen lassen. Die ist anscheinend supertoxisch, höchste Kategorie, der größte Deal der Welt und ähnlicher Scheiß. Aber gerüchteweise erfährt man, dass es vor ungefähr fünf Jahren einen Riesenskandal gegeben hat. Deveraux soll durchgesetzt haben, dass ein Kollege bei der MP aus nichtigen Gründen entlassen wurde. Gerüchte sprechen von persönlicher Eifersucht.«

»Fünf Jahre wären drei Jahre vor ihrem Ausscheiden. Ist sie ehrenhaft entlassen worden?«

»Ja, ehrenhaft.«

»Freiwillig oder unfreiwillig ausgeschieden?«

»Freiwillig.«

»Dann ist ja alles in Ordnung«, sagte ich. »Machen Sie sich deswegen keine Sorgen.«

»Sie denken mit dem falschen Körperteil, Reacher.«

»Fünf Minuten«, sagte ich. »An Ihrem Schreibtisch.«

Die Bedienung schenkte mir Kaffee nach, und ich trank den größten Teil davon, während ich im Kopf dreihundert Sekunden abzählte. Dann ging ich wieder zum Telefon und rief Garber direkt an. Als er sich meldete, sagte ich: »Sir, hier ist Major Reacher mit einem Bericht aus Mississippi. Können Sie mich hören?«

Garber sagte: »Laut und deutlich.«

Ich sagte: »Ich weiß, wer die Tennessee Free Citizens nach Fort Kelham beordert hat. Dieser Befehl ist Teil einer kriminellen Verschwörung geworden, weil er zu zwei Fällen von Körperverletzung und zwei Morden geführt hat. Ich habe morgen einen Termin im

Pentagon, den ich wahrnehmen muss, und komme anschließend sofort in die Dienststelle zurück und schalte die Militärgerichtsbarkeit ein.«

Garber war am Ball. Er kapierte rasch und spielte seine Rolle gut. Er fragte: »Wer hat den Befehl erteilt?«

Ich sagte: »Aus ermittlungstaktischen Gründen möchte ich das noch achtundvierzig Stunden für mich behalten, wenn's recht ist.«

Dann saß ich an unserem Tisch und wartete auf Deveraux. Eine Frau, die solche Mengen aß wie sie, würde nicht lange ausbleiben.

54

Als Deveraux eine halbe Stunde später kam, sah sie blass und mitgenommen aus. Todesnachrichten überbringen zu müssen ist nie angenehm. Vor allem, wenn der Blitz zweimal einschlägt und eine schon leidende Mutter trifft. Aber das gehört alles mit zu unserem Job. Trauernde Angehörige sind stets zornig. Warum auch nicht?

Deveraux setzte sich mir gegenüber und atmete langsam und bedrückt aus.

»Schlimm?«, fragte ich.

Sie nickte.

»Schrecklich«, sagte sie. »Sie wählt mich nie mehr, das steht fest. Hätte ich ein Haus, würde sie's niederbrennen, denke ich. Hätte ich einen Hund, würde sie ihn vergiften.«

»Kann ich ihr kaum verübeln«, sagte ich. »Zwei für zwei.«

»Bald sind's drei für drei. Diese Frau macht bald einen Mitternachtsspaziergang auf dem Bahngleis. Das garantiere ich dir. Wahrscheinlich innerhalb einer Woche.«

»Ist das schon mal vorgekommen?«

»Nicht oft. Aber der Zug ist immer da, jede Nacht. Wie eine

Erinnerung daran, dass es einen Ausweg gibt, falls man einen braucht.«

Ich schwieg. Ich wollte den Mitternachtszug in einem glücklicheren Zusammenhang im Gedächtnis behalten.

Sie sagte: »Ich möchte dir eine Frage stellen, aber ich werd's nicht tun.«

»Welche Frage?«

»Wer hat diese Idioten im Wald stationiert?«

»Wieso wolltest du das nicht fragen?«

»Weil ich annehme, dass es hier um eine Menge Dinge geht, die alle zusammenhängen. Irgendeine große Krise auf dem Stützpunkt. Eine Teilantwort wäre sinnlos. Du müsstest mir alles erzählen. Und ich möchte dich nicht bitten, genau das zu tun.«

»Ich könnte dir nicht alles erzählen, selbst wenn ich wollte. Ich weiß auch nicht alles. Wüsste ich alles, wäre ich nicht mehr hier. Mein Auftrag wäre ausgeführt. Ich wäre wieder in meiner Dienststelle und mit der nächsten Aufgabe beschäftigt.«

»Freust du dich schon darauf?«

»Angelst du nach Komplimenten?«

»Nein, ich frage nur. Ich war selbst mal dabei, vergiss das nicht. Früher oder später erlebt jeder den Augenblick, in dem für ihn das Licht ausgeht. Ich frage mich, ob du ihn schon erlebt hast. Oder ob er dir noch bevorsteht.«

Ich sagte: »Nein, ich habe keine große Lust, in meine Dienststelle zurückzukehren. Aber das liegt mehr am Sex als an der Arbeit.«

Deveraux lächelte. »Wer hat also diese Idioten im Wald stationiert?«

»Weiß ich nicht«, sagte ich. »Dafür kommen etliche Leute infrage. Kelham ist so vielschichtig wie jeder andere Standort, und es gibt viele Leute, die ihre Finger überall drin haben. Viele Interessen, viele Perspektiven. Manche sind professionell, andere rein privat. Fünf oder sechs davon bestehen den Verrücktheitstest. Das bedeutet, dass es fünf oder sechs verschiedene Befehlswege gibt, die zu fünf oder sechs irgendwo stationierten hohen Offizieren führen. Jeder Einzelne von ihnen könnte irgendwie gefährdet genug sein, um sich so was einfallen zu lassen. Und jeder wäre durchaus imstande dazu. In der Army wird man kein hoher Offizier, indem man freundlich und liebenswürdig ist.«

»Wer sind die fünf oder sechs?«

»Ich habe keinen blassen Schimmer. Das ist nicht meine Welt. Von ihrer Warte aus bin ich nur ein kleiner GI. Nicht von einem Gefreiten zu unterscheiden.«

»Aber du schnappst ihn?«

»Natürlich schnappe ich ihn.«

»Wann?«

»Übermorgen, hoffe ich. Vorher muss ich nach Washington. Vielleicht nur für eine Nacht.«

»Wozu?«

»Ich habe mit einem Anschluss telefoniert, der todsicher abgehört wird, und behauptet, einen Namen zu wissen. Jetzt muss ich mich dort herumtreiben und abwarten, was aus der Wandtäfelung gekrochen kommt.«

»Du spielst freiwillig den Köder in einer Falle?«

»Das ist wie bei der Relativitätstheorie, weißt du. Ob ich zu ihnen gehe oder sie zu mir kommen, ist letzten Endes egal.«

»Vor allem, wenn du nicht mal weißt, wer sie sind – und noch weniger, welcher von ihnen schuldig ist.«

Ich schwieg.

Sie sagte: »Ich bin ganz deiner Meinung. Es wird Zeit, etwas loszutreten. Will man wissen, ob der Herd heiß ist, muss man ihn manchmal einfach anfassen.«

»Du musst ein ziemlich guter Cop gewesen sein.«

»Ich bin noch immer ein ziemlich guter Cop.«

»Also, wann ist für dich das Licht ausgegangen? Bei den Marines, meine ich. Ab wann hat dir deine Arbeit keinen Spaß mehr gemacht?«

»Ungefähr da, wo du jetzt bist«, entgegnete sie. »Man hat die Kleinigkeiten jahrelang lachend abgetan, aber dann kommen sie so dicht und schnell, dass man irgendwann erkennt, dass jede Lawine aus kleinen Dingen besteht. Aus Schneeflocken, weißt du. Viel kleiner geht's nicht. Plötzlich stellt man fest, dass kleine Dinge *große* Dinge sind.«

»Nichts Spezielles?«

»Nein, ich bin gut zurechtgekommen. Hatte nie ernstliche Schwierigkeiten.«

»Was, sechzehn Jahre lang keine?«

»Hier und da hat's natürlich gehakt. Ein paar Mal bin ich vielleicht mit dem falschen Kerl ausgegangen. Aber das war alles nicht der Rede wert. Immerhin hab ich's bis zum CWO5 gebracht, was für manche von uns der höchste erreichbare Dienstgrad ist.«

»Du hast Karriere gemacht.«

»Nicht schlecht für ein Mädchen aus Carter Crossing.«

»Überhaupt nicht schlecht.«

Sie fragte: »Wann reist du ab?«

»Morgen früh, denke ich. Ich brauche sicher den ganzen Tag, um hinzukommen.«

»Ich lasse dich von Pellegrino nach Memphis fahren.«

»Nicht nötig«, wehrte ich ab.

»Sag um meinetwillen ja«, sagte sie. »Mir ist's lieber, wenn er möglichst oft nicht im Carter County ist. Soll er seinen Streifenwagen in einem anderen Bezirk verschrotten oder einen Fußgänger totfahren.«

»Hat er das hier getan?«

»Bei uns gibt's keine Fußgänger. Dies ist eine ziemlich ruhige Stadt. Im Augenblick noch ruhiger als sonst.«

»Wegen Kelham?«

»Unsere Stadt stirbt, Reacher. Der Stützpunkt muss so rasch wie möglich wieder geöffnet werden.«

»Vielleicht komme ich in Washington ein Stück voran.«

»Das hoffe ich sehr«, sagte sie.

»Wir sollten jetzt zu Mittag essen.«

»Dazu bin ich hergekommen.«

Deveraux' mittägliches Stammgericht war Hühnerpastete. Wir bestellten sie beide und waren ungefähr bei der Hälfte, als das alte Paar aus dem Hotel hereinkam. Die Frau hatte ein Buch und der Mann eine Zeitung dabei. Ein routinemäßiger Boxenstopp wie das Abendessen. Dann entdeckte mich der alte Herr und machte einen Umweg an unserem Tisch vorbei. Er teilte mir mit, mein Schwager habe soeben angerufen. Wegen einer sehr wichtigen Sache. Ich starrte ihn im ersten Augenblick verständnislos an. Der Alte musste glauben, meine Frau stamme aus einer wirklich sehr großen Familie.

»Ihr Schwager Stanley«, sagte er.

»Okay«, sagte ich. »Danke.«

Der Alte schlurfte weiter, und ich sagte: »Major Stan Lowrey. Ein alter Freund. Er und ich sind für ein paar Wochen zur selben Dienststelle abkommandiert.«

Deveraux lächelte. »Marines sind bessere Komiker, glaub ich.«

Ich begann wieder zu essen, aber sie sagte: »Findest du nicht, dass du ihn zurückrufen solltest, wenn die Sache so dringend ist.«

Ich legte die Gabel weg.

»Vermutlich«, sagte ich. »Aber vergreif dich nicht an meiner Pastete.«

Ich ging zum dritten Mal ans Telefon und wählte. Lowrey meldete sich nach dem ersten Klingeln und fragte: »Sitzt du gerade?«

Ich sagte: »Nein, ich stehe in einem Diner am Telefon.«

»Okay, dann halt dich fest. Ich hab eine Story für dich. Über ein Mädchen namens Audrey.«

55

Ich lehnte mich an die Wand neben dem Telefon. Nicht weil ich fürchtete, ich könnte vor Schock oder Überraschung umkippen, sondern weil Lowreys Storys meistens quälend lang waren. Er hielt sich für einen begnadeten Erzähler. Und er mochte Hintergrund. Und Kontext. Üppig viel Hintergrund, reichlich Kontext. Normalerweise verfolgte er alles bis zu einem Ausgangspunkt zurück, der kurz vor dem Zeitpunkt lag, an dem Gasschwaden aus den endlosen Weiten des Universums sich zufällig verdichteten und die Erde bildeten.

Er sagte: »Audrey ist anscheinend ein sehr alter Name.«

Von seinen weitschweifigen Ausführungen kann man Lowrey nur abhalten, wenn man früh zum Gegenschlag ausholt. Ich sagte: »Audrey ist ein angelsächsischer Name, die Koseform von Aethelthryth oder Etheldreda. Er bedeutet ›edle Stärke‹. Im siebzehnten Jahrhundert hat es eine heilige Audrey gegeben. Sie wird bei Halsschmerzen angerufen.«

»Woher weißt du solchen Scheiß? Ich hab alles erst nachschlagen müssen.«

»Ich hab mal einen Kerl gekannt, dessen Mutter Audrey hieß. Der hat mir das alles erzählt.«

»Der springende Punkt ist, dass dieser Name nicht mehr sehr häufig ist.«

»Bei der letzten Volkszählung war er Nummer hundertdreiundsiebzig der Hitparade. In Frankreich, Belgien und Kanada ist er etwas beliebter. Vor allem wegen Audrey Hepburn.«

»Das weißt du alles wegen der Mutter eines Kerls?«

»Tatsächlich auch wegen seiner Großmutter. Die hat auch so geheißen.«

»Also hast du eine Doppelportion Wissen abgekriegt?«

»Es hat sich wie eine doppelte Portion von irgendwas angefühlt.«

»Audrey Hepburn war nicht aus Europa.«

»Kanada liegt nicht in Europa.«

»Aber dort sprechen sie Französisch. Hab ich selbst gehört.«

»Audrey Hepburn war natürlich aus Europa. Englischer Vater, holländische Mutter, in Belgien geboren. Sie besaß einen englischen Pass.«

»Schon gut, schon gut. Was ich sagen wollte, wenn du mich mal zu Wort kommen ließest, ist vor allem, dass eine Suche nach Audreys nicht allzu viele Treffer liefert.«

»Hast du Audrey Shaw für mich gefunden?«

»Ich denke schon.«

»Das war schnell.«

»Ich kenne einen Typen, der bei einer Bank arbeitet. Große Konzerne haben die besten Informationen.«

»Trotzdem schnell.«

»Danke. Ich arbeite immer flott. Ich werde der flotteste Erwerbslose Amerikas sein.«

»Was wissen wir also über Audrey Shaw?«

»Sie ist amerikanische Staatsbürgerin«, sagte Lowrey.

»Ist das alles?«

»Weiß, geboren in Kansas City, Missouri, Schulausbildung dort, dann College in Tulane, Louisiana. Die Southern Ivy League. Sie hat Geisteswissenschaften studiert und war ein Partygirl. Mittlere Noten. Keine Gesundheitsprobleme, was für ein Partygirl aus Tulane vermutlich etwas mehr bedeutet, als man beim ersten Hören annehmen würde. Sie ist mit der Regelstudienzeit ausgekommen.«

»Und?«

»Nach dem Studium hat sie die guten Verbindungen ihrer Familie genutzt, um eine Assistentenstelle in Washington zu bekommen.«

»Was für eine Assistentenstelle?«

»Politisch. Im Büro eines Senators. Bei einem der beiden Kerle aus ihrem Heimatstaat Missouri. Wahrscheinlich hat sie nur Kaffee gekocht, aber offiziell war sie die Assistentin eines stellvertretenden Referatsleiters oder so ähnlich.«

»Und?«

»Alle sagen, dass sie bildschön war. Starke Männer haben bei ihrem Anblick weiche Knie gekriegt. Jetzt rate mal, was passiert ist?«

»Sie ist flachgelegt worden«, sagte ich.

»Sie hatte eine Affäre«, fuhr Lowrey fort. »Mit einem verheirateten Mann. All diese langen Abende im Büro, all dieser Glanz. Die Faszination, das Kleingedruckte eines Handelsabkommens mit Bolivien auszuarbeiten. Du weißt ja, wie das ist. Ich begreife nicht, wie die Leute dieses aufregende Leben durchhalten.«

»Wer war der Kerl?«

»Der Senator selbst«, sagte Lowrey. »Der große Macker. Ab diesem Punkt verschwimmen die Einzelheiten, weil die Sache natürlich wie verrückt vertuscht wurde. Aber zwischen den Zeilen muss die Affäre heiß gewesen sein. Im Bett vermutlich auch. Eine echt große Sache. Für unser Girl scheint es wahre Liebe gewesen zu sein.«

»Woher weißt du das alles, wenn kaum Details bekannt sind?«

»Vom FBI«, sagte Lowrey. »Dorthin habe ich weiter beste Verbindungen. Und du kannst dir denken, dass diese Jungs solche Dinge aufmerksam beobachten. Um Druckmittel in der Hand zu haben. Ist dir schon mal aufgefallen, dass der FBI-Haushalt nie gekürzt wird? Sie wissen zu viel über zu viele Politiker, als dass das jemals passieren könnte.«

»Wie lange hat die Affäre gedauert?«

»Senatoren müssen sich alle sechs Jahre zur Wiederwahl stellen, daher verbringen sie die ersten vier Jahre meistens damit, auf großem Fuß zu leben, und die beiden letzten Jahre damit, sich vorbildlich zu verhalten. Die junge Miss Shaw hat die beiden letzten guten Jahre erwischt, dann hat sie einen Klaps auf den Po bekommen und ist weggeschickt worden.«

»Und wo ist sie jetzt?«

»Jetzt wird's interessant«, sagte Lowrey.

Ich stieß mich von der Wand ab und sah zu Deveraux hinüber. Ihr schien es gut zu gehen. Sie aß den Rest meiner Pastete. Sie beugte sich über den Tisch, um sich erst kleine, dann größere Stücke von meinem Teller zu stibitzen. In meinem Ohr sagte Lowrey: »Ich habe Gerüchte und Tatsachen. Die Gerüchte stammen vom FBI, die Tatsachen aus Datenbanken. Was willst du zuerst hören?«

Ich lehnte mich wieder an die Wand.

»Die Gerüchte«, sagte ich. »Immer interessanter.«

»Okay, allen Gerüchten nach war die junge Miss Shaw sehr unglücklich darüber, so abserviert worden zu sein. Sie kam sich billig und benutzt vor. Wie ein Kleenex. Sie fühlte sich wie ein Callgirl, das aus einer Hotelsuite kommt. Sie begann wie eine Assistentin auszusehen, die ernstlich Schwierigkeiten machen könnte. Jedenfalls nach Ansicht des FBIs, das auch solche Leute überwacht – jedoch aus anderen Gründen.«

»Was ist also passiert?«

»Letztlich ist nichts passiert. Die Parteien müssen sich irgendwie geeinigt haben. Danach hat Ruhe geherrscht. Der Senator ist erwartungsgemäß wiedergewählt worden, und von Audrey Shaw hat man nie wieder etwas gehört.«

»Wo ist sie jetzt?«

»Jetzt willst du also Tatsachen hören?«

»Jetzt interessieren mich die Tatsachen.«

»Tatsächlich scheint Audrey Shaw nirgends mehr zu sein. Die Datenbanken geben überhaupt nichts her. Keine Unterlagen über irgendwas. Keine Bankkonten, keine Steuern, keine Käufe, keine Autos oder Häuser oder Boote oder Trailer, keine Schneemobile, keine Darlehen oder Hypotheken, keine Durchsuchungsbefehle oder Festnahmen oder Verurteilungen. Man könnte glauben, sie habe sich vor drei Jahren in Luft aufgelöst.«

»Vor drei Jahren?«

»Das bestätigt sogar die Bank.«

»Wie alt war sie damals?«

»Vierundzwanzig. Also wäre sie heute siebenundzwanzig.«

»Hast du den anderen Namen für mich überprüft? Janice May Chapman.«

»Jetzt hast du mir die Überraschung verdorben! Du hast mir die Pointe ruiniert!«

»Lass mich raten«, sagte ich. »Bei Chapman ist's genau umgekehrt. Bei ihr gibt es nichts, was älter als drei Jahre ist.«

»Korrekt.«

»Sie waren ein und dieselbe Person«, erklärte ich. »Shaw hat eine neue Identität angenommen, was vermutlich zu dem Deal gehörte. Ein Aktenkoffer voll Bargeld und dazu neue Papiere. Wie ein Zeugenschutzprogramm. Vielleicht sogar im Rahmen eines Zeugenschutzprogramms. Diese Jungs wären einem Senator gern behilflich. Dafür wäre er ihnen einen großen Gefallen schuldig.«

»Und jetzt ist sie tot. Ende der Geschichte. Sonst noch was?«

»Natürlich gibt's noch was«, sagte ich. Es gab eine auf der Hand liegende wichtige letzte Frage. Aber ich brauchte sie kaum zu stellen. Ich war davon überzeugt, die Antwort zu wissen. Ich spürte sie auf mich zukommen, hörte sie wie eine anfliegende Werfergranate durch die Luft zischen. Wie eine auf mich abgefeuerte Artilleriegranate, die sich über meinem Kopf in der Luft zerlegen würde.

Ich fragte: »Wer war der Senator?«

»Carlton Riley«, sagte Lowrey. »Mr. Riley aus Missouri. Der große Mann persönlich. Der Vorsitzende des Streitkräfteausschusses.«

56

Ich kam an den Tisch zurück, als die Bedienung eben zwei Stück Apfelkuchen und zwei Tassen Kaffee brachte. Deveraux fing sofort zu essen an. Sie war mir eine ganze Hühnerpastete voraus, aber noch immer hungrig. Ich gab die Informationen, die ich von Lowrey bekommen hatte, in leicht redigierter Fassung wieder. Eigentlich ließ ich nur drei Wörter aus: Missouri, Carlton und Riley.

Sie fragte: »Wie bist du überhaupt darauf gekommen, ihm den Namen Audrey Shaw zu nennen?«

»Münzwurf«, sagte ich. »Eine Fifty-fifty-Chance. Butlers Kumpel hatte die Fallnummern verwechselt – oder eben nicht. Ich wollte nichts von vornherein ausschließen.«

»Hilft uns das weiter?«

Kleine Wörter, aber große Begriffe. *Hilft* und *uns*. Mir half das nicht. Zumindest nicht, was Janice May Chapman betraf. Was Rosemary McClatchy und Shawna Lindsay betraf, war ich mir meiner Sache nicht mehr ganz so sicher. Lowreys Informationen ließen sie in einem seltsamen neuen Licht erscheinen. Aber seine Ausführungen halfen Deveraux, das stand jedenfalls fest. Zumindest im Fall Chapman. Sie verringerten die Chancen, dass die hiesige Einwohnerschaft irgendetwas mit ihrer Ermordung zu tun hatte, praktisch milliardenfach. Weil sie die Chancen, dass der Täter in Fort Kelham zu suchen war, milliardenfach erhöhten.

Ich sagte: »Es könnte uns weiterhelfen. Vielleicht engt es das

Feld etwas ein. Ich meine, welche der fünf oder sechs Befehlsketten würde reagieren, wenn der Senator ein Problem hat?«

»Die Verbindungsstelle zum Senat.«

»Dort habe ich einen Termin. Übermorgen.«

»Woher hast du das gewusst?«

»Gar nicht.«

»Du musst es gewusst haben.«

»Das war eine zufällige Wahl. Ich brauchte einen Grund, um nach Washington zu reisen, das war alles.«

»Moment mal«, sagte sie. »Das verstehe ich nicht. Was geht es die Army an, wenn ein Senator Probleme mit einer jungen Frau hat? Das ist eine rein zivile Angelegenheit. Ich meine, die Verbindungsstelle kümmert sich doch auch nicht darum, wenn ein Politiker seine Autoschlüssel verliert. Also muss es irgendeinen militärischen Bezug geben. Und zwischen einem Washingtoner Senator und seiner zivilen Exfreundin gibt es keinen, wo immer sie auch leben mag.«

Ich sagte nichts.

Sie sah mich an. »Soll das heißen, dass es doch eine Verbindung gibt?«

Ich schüttelte den Kopf. »Ich sage nichts. Buchstäblich. Achte auf meine Lippen. Sie bewegen sich nicht.«

»Es kann keine Verbindung geben. Chapman war nicht in der Army, in der es garantiert keine Senatoren gibt.«

Ich sagte nichts.

»Hatte Chapman einen Bruder in der Army? Läuft's darauf hinaus? Einen Cousin? Irgendeinen anderen Verwandten? Jesus, ist ihr *Vater* in der Army? Was wäre er jetzt – ungefähr Mitte fünfzig? In diesem Alter ist man nur noch dabei, weil man Spaß daran hat, und um in diesem Alter Spaß zu haben, muss man ein sehr hoher Offizier sein. Willst du darauf hinaus? Dass Chapman die Tochter eines Generals war? Oder vielmehr Shaw oder wie zum Teufel sie wirklich geheißen hat?«

Ich sagte nichts.

Sie sagte: »Lowrey hat dir erzählt, dass sie den Job als Assistentin durch gute Beziehungen ihrer Familie bekommen hat, richtig? Was kann das noch bedeuten? Wir reden von einem leibhaftigen Senator, der jemandem einen Gefallen schuldig ist. Das ist eine große Sache. Ihr Vater muss mindestens ein Zweisternegeneral sein.«

Ich sagte nichts.

Sie musterte mich prüfend.

»Ich weiß, was du denkst«, sagte sie.

Ich sagte nichts.

»Ich bin auf dem Holzweg«, meinte sie. »Das denkst du jetzt. Ich bin auf der falschen Fährte. Chapman hatte keine Verwandten in Uniform. Hier geht's um etwas anderes.«

Ich sagte nichts.

Sie sagte: »Vielleicht ist's genau andersrum. Vielleicht hat der Senator als Einziger einen Verwandten in Uniform.«

»Das ist nicht der springende Punkt«, sagte ich. »Wenn Janice May Chapman ein kurzfristiges Problem war, das eine kurzfristige Lösung erforderte, warum ist sie dann genauso ermordet worden wie die beiden Frauen, die nichts mit ihr zu tun hatten, vor sechs beziehungsweise neun Monaten?«

»Soll das heißen, dass alles ein Zufall war? Kein Zusammenhang mit der Senator-Connection?«

»Das wäre immerhin möglich«, sagte ich.

»Weshalb dann die große Panik?«

»Weil sie sich Sorgen wegen irgendwelcher Rückwirkungen machen. Ganz allgemein. Sie wollen verhindern, dass eine bestimmte Einheit in schlechten Ruf gerät.«

»Die mit dem Verwandten des Senators?«

»Darüber möchte ich lieber nicht reden.«

»Aber zuvor haben sie keine Rückwirkungen befürchtet? Vor sechs und neun Monaten?«

»Von den Fällen vor sechs und neun Monaten wussten sie nichts. Wie denn auch? Aber Chapman hat sich ihnen förmlich aufgedrängt. Sie war aus zwei Gründen auffällig: Ihr Name war aktenkundig, und sie war weiß.«

»Und wenn die Sache kein Zufall war?«

»Dann haben sie sehr clever reagiert«, sagte ich. »Sie haben ein kurzfristig aufgetretenes Problem dadurch gelöst, dass sie einen Modus Operandi kopiert haben, der aus zwei früheren, nicht mit diesem in Verbindung stehenden Fällen bekannt war. Ausgezeichnete Tarnung.«

»Du meinst also, dass wir's mit zwei Mördern zu tun haben könnten?«

»Möglich«, sagte ich. »Vielleicht waren McClatchy und Lindsay gewöhnliche Alltagsmorde, und Chapman ist bewusst wie sie zugerichtet worden. Von einem anderen Täter.«

Wir aßen den Apfelkuchen auf und tranken unseren Kaffee aus. Deveraux erklärte mir, sie habe zu arbeiten. Ich fragte sie, ob sie etwas dagegen habe, wenn ich Emmeline McClatchy noch mal besuchte.

»Wozu?«, fragte sie.

»Freunde«, sagte ich. »Lindsay und Chapman sind mit einem Soldaten ausgegangen, der ein blaues Auto hatte. Ich frage mich, ob McClatchy daraus ein Trio machen würde.«

»Das ist ein weiter Weg.«

»Ich finde eine Abkürzung.« Ich hatte unterdessen eine ziemlich gute Vorstellung von der hiesigen Geografie. Man brauchte nicht drei Seiten eines Quadrats abzulaufen – erst nach Norden zur Straße nach Kelham, dann nach Osten, zuletzt nach Süden zur Hütte der McClatchys. Ich war schon ungefähr auf dem richtigen Breitengrad und rechnete mir aus, die Bahngleise weit vor dem offiziellen Übergang überqueren zu können. Einfach geradeaus nach Osten marschieren. Nur eine Seite des Quadrats ablaufen.

Deveraux sagte: »Geh sanft mit ihr um. Sie ist noch immer sehr durcheinander.«

»Kann ich mir vorstellen«, sagte ich. »So was verdaut man nicht so rasch, glaube ich.«

»Und sag nichts von der Schwangerschaft.«

»Okay.«

Ich lief auf der Main Street nach Süden, als wollte ich zu Dr. Merriams Haus, aber ich plante, weit vorher nach Osten abzubiegen. Tatsächlich fand ich nach dreihundert Metern in einer Baumgruppe die Einmündung einer unbefestigten Straße. Gleich am Anfang stand ein verrosteter Feuerhydrant, was bedeutete, dass an der Straße Häuser stehen mussten. Auf das erste stieß ich nach siebzig, achtzig Metern. Es war eine baufällige Hütte mit durchhängendem Dach, in der aber Leute wohnten. Ich hielt sie zuerst für Verwandte McKinneys, weil auf dem ehemaligen Rasen ein schwarz gestrichener Pick-up stand. Aber dies war eine andere Marke. Anderes Alter, andere Größe, jedoch genau so eine Rostlaube. Der Nordosten Mississippis war ganz offensichtlich kein gutes Pflaster für Autoveredler.

Ich kam an zwei weiteren »Häusern« vorbei, die in jeder Beziehung gleich waren. Das vierte Haus war schlimmer, denn es stand leer. Es hatte einen Briefkasten, der völlig von hohem Gras überwuchert war. Auch die Einfahrt war weitgehend überwuchert. Büsche und Brombeerranken versperrten den Zugang zur Haustür und den Fenstern. Es hatte Unkraut in den Regenrinnen, grünen Schimmel an den Wänden und im Fundament Risse, die von armdicken Ranken stammten. Es stand allein mitten auf einem etwa einen Hektar großen Grundstück, das früher eine Wiese oder Weide gewesen sein mochte, jetzt aber von Brombeeren zugewuchert war, zwischen denen gut zwei Meter hohe Jungbäume standen. Das Haus musste seit Langem leer stehen. Länger als ein paar Monate. Vielleicht schon ein paar Jahre.

Aber von der Straße zur Einfahrt führten frische Reifenspuren.

Winterliche Regenfälle hatten in einer ziemlich flachen Mulde feinen Schlamm zusammenfließen lassen, sodass sich zwischen Straße und Einfahrt eine spiegelglatte Schlammpfütze gebildet hatte. In der Sonnenhitze war der Schlamm zu einem feinen Pulver wie Zement direkt aus dem Sack geworden. Ein Geländewagen war zweimal durchgefahren – hinein und heraus. Breitreifen mit Straßenprofil. Nicht ganz neu, aber mit dem vorgeschriebenen Luftdruck. Das Profil war exakt abgebildet. Die Abdrücke stammten aus neuerer Zeit. Jedenfalls waren sie erst nach dem letzten Regen entstanden.

Ich machte einen kleinen Umweg, um keine Fußabdrücke in der Nähe der Reifenspuren zu hinterlassen. Ich sprang über den Graben und kämpfte mich durch hüfthohes Gestrüpp, bis ich die Einfahrt erreichte. Dort war zu erkennen, wo die Reifen das Unkraut niedergewalzt hatten. Ich sah abgebrochene Stängel, aus denen dunkelgrüner Saft austrat. Einige der stärkeren Pflanzen waren nur niedergedrückt worden und hatten sich nach dem Vorbeifahren wieder aufgerichtet.

Wer die Einfahrt entlanggerollt war, hatte nicht das Haus betreten, das stand fest. Die üppige Vegetation vor Haustür und Fenstern wies keine Schneisen auf. Also ging ich weiter: am Haus und einem kleinen Traktorenschuppen vorbei, auf die freie Fläche hinaus. Das Grundstück war auf drei Seiten von Laubwald umgeben. Dies war ein einsamer Ort. Praktisch uneinsehbar – außer für Vögel, zwei Truthahngeier, die über mir in der Luft majestätisch ihre Kreise zogen. Ich ging weiter. Als Nächstes kam ich zu einem längst aufgegebenen Gemüsegarten, der mit einem rostigen engmaschigen Drahtzaun umgeben war. Ein Biologe hätte vielleicht feststellen können, was hier früher angebaut worden war. Ich konnte es nicht. Etwas weiter erhob sich ein langer, hoher Wall aus üppigem Grün vor mir. Eine alte Hecke, wohl seit einem Jahrzehnt nicht mehr geschnitten und ganz verwildert. Hinter ihr entdeckte ich zwei nur zweckmäßige Gebilde, die vermutlich dort platziert worden waren, damit man sie vom Haus aus nicht sehen konnte. Beim ersten handelte es sich um einen alten Holzschuppen: angefault, windschief und an einer Ecke eingebrochen.

Das andere Gebilde war ein Holzgestell, um Hirsche auszuweiden.

57

Das Hirschgestell war ein massives Gebilde, ein altmodischer A-Rahmen aus starken Balken von zweieinviertel Meter Höhe. Unter dem oberen Querbalken hätte ich durchgehen können, ohne den Kopf einziehen zu müssen. Ich stellte mir vor, wie das Gestell angewendet worden war: Man fuhr rückwärts mit seinem Pick-up heran, kippte den erlegten Hirsch von der Ladefläche zwischen den A-Rahmen, band ihm die Hinterläufe zusammen, warf das Seil über den oberen Querbalken und benutzte dann Muskelkraft oder den Pick-up, um das Tier hochzuziehen, bis es senkrecht hängend aufs Fleischermesser wartete. Eine alte Methode, die ich selbst noch nie benutzt hatte. Wollte ich ein Steak, ging ich in den Officers' Club. Viel weniger Arbeit.

Das Gestell konnte fünfzig Jahre alt oder älter sein. Die Balken waren verwittert und massiv. Irgendein einheimisches Hartholz. An seinen Nordflanken, wo ich stand, hatte sich etwas Moos angesetzt. Die Kanten des oberen Querbalkens waren im Lauf vieler Jahre von den Seilen abgeschliffen worden. Wie lange der letzte Gebrauch zurücklag, ließ sich nicht feststellen. Oder wie kurz.

Aber das Erdreich zwischen dem A-Rahmen war vor nicht allzu langer Zeit bewegt worden. Das war offensichtlich. Die obersten acht bis zehn Zentimeter waren abgetragen und abtransportiert worden. Was festgetretene dunkle Erde so alt wie das Gestell selbst hätte sein sollen, war jetzt eine flache Grube von knapp einem Meter Seitenlänge.

Auf der Fläche hinter dem Haus waren sonst keine brauchbaren Spuren zu finden. Überhaupt keine außer der abtransportierten Erde und den Reifenspuren, die von keinem Pick-up oder einem sonstigen Nutzfahrzeug stammten. Der baufällige Schuppen neben dem Gestell stand leer. Und als ich auf dem Rückweg zur Straße an dem Haus vorbeikam, kontrollierte ich es nochmals, um ganz sicherzugehen, aber es war nicht betreten worden. Die Fensterscheiben waren mit einem grauen organischen Film überzogen, der weniger sichtbar auch die Türen mitsamt ihren Griffen bedeckte. Nichts war angefasst worden. Nirgends ein Abdruck, nichts verschmiert. Überall hingen dünne Spinnweben, alle unversehrt. Die Vegetation – teils dornig und zäh, teils zart und schlaff – wucherte ungehemmt über Stufen hinauf und vor Eingängen, ohne irgendwo zur Seite geschoben, zurückgeschnitten oder sonst wie gestört worden zu sein.

Am Ende der Einfahrt blieb ich stehen und drückte das hohe Gras um den Briefkasten mit den Händen auseinander. Der Briefkasten war die normale USPS-Ausführung: Standardgröße, ehemals grau, jetzt fast farblos und mit dünnen Roststreifen überzogen, wo das Blech gebogen war. Man hatte ihn auf einem Balken angebracht, der früher massiv gewesen, aber durch Wind und Wetter auf kaum ein Drittel seines früheren Durchmessers geschrumpft war. Auf dem Briefkasten hatte einst ein Name gestanden – mit nach vorn geneigten Klebebuchstaben, wie sie vor vielen Jahren modern gewesen waren. Man hatte sie abgezogen, vielleicht um zu signalisieren, dass dieses Haus endgültig aufgegeben worden sei. Aber sie hatten rechteckige kleine Gewebe aus angetrocknetem Klebstoff hinterlassen, die an Fingerabdrücke erinnerten.

Auf dem Briefkasten hatten acht Buchstaben geklebt.

Ich sprang wieder über den Graben und marschierte nach Osten. Ich kam an zwei weiteren Häusern vorbei, beide auf großen Grundstücken und bewohnt, aber in keinem guten Zustand. Nach dem letzten Haus wurde die Straße schmaler und begann jetzt, Schlaglöcher aufzuweisen. Sie bohrte sich in einen Wall aus Bäumen und führte geradeaus weiter. Die Bäume drängten von beiden Seiten heran und ließen kaum mehr als einen Pfad frei. Ich bahnte mir einen Weg durchs Gestrüpp, kam nach fünfzig Schritten auf der anderen Seite heraus und hatte nun das Bahngleis direkt vor mir. Es blockierte meinen Weg, weil es an dieser Stelle auf einem etwa einen Meter hohen Bahndamm verlief. Das Gelände in diesem Teil von Mississippi ist ziemlich eben, aber Lokomotiven, die schwere Züge ziehen müssen, sehen das anders. Sie wollen jede Senke aufgefüllt, jeden Hügel abgetragen haben.

Ich kletterte den Damm hinauf, überquerte den Schotter, der unter meinen Stiefeln knirschte, und blieb auf einer Schwelle stehen. Rechts von mir führte das Gleis geradeaus nach Süden bis zum Golf von Mexiko, links von mir geradeaus nach Norden bis zu dem mir unbekannten Ausgangspunkt. In der Ferne konnte ich den Bahnübergang mit dem alten Wasserkran sehen. Die Gleise, zwischen denen ich stand, waren von Stahlrädern blank poliert. Vor mir hatte ich niedrige Bäume und Unterholz, dahinter lag ein Feld, und nach dem Feld kamen wieder Häuser.

Irgendwo im Nordosten hörte ich einen Hubschrauber. Ich suchte den Horizont ab und sah ungefähr drei Meilen entfernt einen Sikorsky UH-60 Blackhawk. Auf dem Flug nach Kelham, vermutete ich. Ich horchte auf das Knattern der Rotoren und das Pfeifen seiner Triebwerke und beobachtete, wie er im Sinkflug auf Kurs blieb, als er zur Landung ansetzte. Dann rutschte ich auf der anderen Seite des Bahndamms hinunter und machte mich auf den Weg durch den nächsten Waldgürtel.

Als ich das anschließende Feld überquert hatte, musste ich noch über einen Drahtzaun klettern, um eine Straße zu erreichen, die vermutlich parallel zu der verlief, in der Emmeline McClatchy wohnte. Tatsächlich konnte ich die Rückseite des Hauses mit den Bierreklamen in den Fenstern erkennen. Die provisorische Bar. Aber zwischen ihr und mir standen weitere Häuser auf Gartengrundstücken. Privatbesitz. Auf dem Grundstück direkt vor mir hockten zwei Kerle auf Plastikstühlen. Alte Männer, die mich beobachteten. Sie sahen aus, als machten sie eine Pause von anstrengender körperlicher Arbeit. Ich blieb an dem niedrigen Zaun stehen und fragte: »Würden Sie mir einen Gefallen tun?«

Sie gaben keine Antwort, hoben aber leicht den Kopf, als hörten sie mir zu. Ich sagte: »Würden Sie mich über Ihr Grundstück gehen lassen? Ich muss in die nächste Straße.«

Der links sitzende Kerl fragte: »Wozu?« Er hatte einen weißen Kinnbart, aber keinen Schnurrbart.

Ich sagte: »Weil ich dort jemanden besuchen möchte.«

»Wen?«

»Emmeline McClatchy.«

»Sind Sie bei der Army?«

Ich sagte: »Ja, das bin ich.«

»Dann will Emmeline nich' von Ihnen besucht werden.«

»Warum nicht?«

»Aktuell wegen Bruce Lindsay.«

»War der ein Freund von Ihnen?«

»Das war er allerdings.«

»Bockmist«, sagte ich. »Er hat mir selbst erzählt, dass er keine Freunde hat. Ihr habt ihn verkrüppelt genannt und gemieden und ihm das Leben zur Hölle gemacht. Also brauchen Sie jetzt nicht auf dem hohen Ross zu sitzen.«

»Sie haben ein ziemlich freches Mundwerk, mein Sohn.«

»Mehr als nur ein Mundwerk.«

»Woll'n Sie uns auch erschießen?«

»Ich bin schwer in Versuchung.«

Der alte Mann lachte gackernd. »Geh'n Sie nur durch. Aber seien Sie nett zu Emmeline. Die Sache mit Bruce Lindsay hat sie wieder schwer mitgenommen.«

Auf dem Weg über ihr Grundstück hörte ich wieder den Blackhawk, der in weiter Ferne aus Fort Kelham abflog. Ein Kurzbesuch, eine Lieferung oder eine Abholung. Ich sah den Hubschrauber als winzigen Punkt über den Baumwipfeln.

Ich stieg über den Drahtzaun, der die Grundstücksgrenze markierte. Jetzt war ich auf dem Grundstück, auf dem die Bar stand. Theoretisch ebenfalls Privatbesitz, aber im Prinzip heißen Bars Kunden willkommen, statt sie zu vertreiben. Und sie schien ohnehin geschlossen zu sein. Ich ging um das Gebäude herum und erreichte die Straße, ohne belästigt zu werden.

Und sah einen Humvee der Army, der vor Mrs. McClatchys Haus vorfuhr.

58

Ein Humvee ist ein sehr breites Fahrzeug, und dieser stand auf einer sehr schmalen unbefestigten Straße, die er fast ausfüllte. Er trug den grün-schwarzen Standardtarnanstrich und war sehr sauber. Vielleicht sogar fabrikneu.

Ich ging darauf zu. Das Fahrzeug kam zum Stehen, und der Motor wurde abgestellt. Die Fahrertür schwang auf, und ein Kerl stieg aus. Er trug einen Flecktarnanzug und tadellos geputzte Stiefel. Schon vor Beginn meiner militärischen Laufbahn waren zum Kampfanzug Namensschilder und Rangabzeichen in matten Farben eingeführt worden, und wie alles bei der Army war ihre Ausführung perfekt reglementiert – Namen und Dienstgrade mussten aus Entfernungen über anderthalb Metern unkenntlich sein. Bestimmt eine von Offizieren angestoßene Initiative. Offiziere fürchteten, Opfer von Scharfschützen zu werden. Die Folge war, dass ich keine Ahnung hatte, wer eben aus dem Humvee ausgestiegen war. Konnte ein Obergefreiter sein, aber auch ein Zweisternegeneral. Mit drei und mehr Sternen fährt man nicht mehr selbst. Im Allgemeinen nicht. Nicht dienstlich. Auch nicht privat. Diese Leute machen nicht mehr viel selbst.

Aber ich hatte eine klare Vorstellung, wer dieser Kerl sein konnte. Eigentlich eine einfache Schlussfolgerung. Wer hätte den Stützpunkt sonst verlassen dürfen? Er sah mir sogar ähnlich. Ungefähr gleiche Größe, gleicher Körperbau, gleiche Haar- und Gesichtsfarbe. Ich hatte den Eindruck, in einen Spiegel zu blicken, nur war er fünf Jahre jünger, was sich darin zeigte, wie er sich bewegte: geschmeidig und energiegeladen. Ein Unparteiischer hätte geurteilt, er sehe jung und dynamisch aus. Derselbe Unparteiische hätte gesagt, ich sähe alt und verbraucht aus. So unterschiedlich waren wir.

Er verfolgte, wie ich näher kam, fragte sich anscheinend, wer ich war, und auch, was ich als Weißer in diesem schwarzen Viertel zu suchen hatte. Ich ließ ihn glotzen, bis ich auf zweieinhalb Meter heran war. Ich sah noch immer ausgezeichnet und konnte Namensschilder in gedämpften Farben aus größerer Entfernung lesen als die meisten Leute – vor allem an sonnenhellen Nachmittagen in Mississippi.

Auf den aufgenähten Streifen stand: *Munro. U. S. Army.*

Kleine Eichenblätter an den Kragenecken wiesen ihn als Major aus. Er trug eine Feldmütze im gleichen Design wie Jacke und Hose. Seine Augen waren von Fältchen umgeben, die den einzigen Hinweis darauf lieferten, dass er auch schon so manches erlebt hatte.

Ich war natürlich im Vorteil, weil ich an meinem weißen Hemd kein Namensschild hatte. Nun blieb ich einen Augenblick schweigend stehen. Ich roch Diesel von seinem Humvee und den Gummi der Reifen und hörte, wie der Motor beim Abkühlen knisterte und knackte. Dann streckte ich die Hand aus und sagte: »Jack Reacher.«

Er ergriff sie und sagte: »Duncan Munro.«

Ich fragte: »Was führt Sie hierher?«

Er sagte: »Kommen Sie, wir setzen uns einen Augenblick in den Wagen.«

Ein Humvee ist auch innen sehr breit, aber den meisten Raum nimmt ein gigantischer Getriebetunnel ein. Die Vordersitze sind klein und so weit voneinander entfernt, dass man sich vorkommt, als säße man auf benachbarten Fahrspuren. Diese Trennung entsprach unserer beider Stimmung, glaube ich.

Munro sagte: »Die Lage ändert sich.«

Ich sagte: »Die Lage ändert sich ständig. Daran müssen Sie sich gewöhnen.«

»Der bewusste Offizier ist von seinem Posten abgelöst worden.«

»Reed Riley?«

»Diesen Namen sollen wir nicht benutzen.«

»Wer könnte davon erfahren? Glauben Sie, dass der Humvee verwanzt ist?«

»Ich versuche nur, mich an meinen Auftrag zu halten.«

»War er das in dem Blackhawk?«

Munro nickte. »Er ist nach Benning unterwegs. Von dort aus geht's weiter in irgendein Versteck.«

»Warum?«

»Vor zwei Stunden ist auf einmal Panik ausgebrochen. Die Telefondrähte haben geglüht. Warum, weiß ich nicht.«

»Weil Kelham seine Wachen im Sperrgebiet verloren hat, darum.«

»Das schon wieder. Es hat nie ein Sperrgebiet gegeben. Das habe ich Ihnen doch gesagt.«

»Ich bin ihnen vorhin begegnet. Eine Bande von Hinterwäldlern.«

»Wie in Ruby Ridge?«

»Aber weniger professionell.«

»Wieso machen Leute solchen Scheiß?«

»Weil sie uns um unser glanzvolles Leben beneiden.«

»Was ist mit ihnen passiert?«

»Ich hab sie verjagt.«

»Deshalb hat jemand es für nötig gehalten, Riley aus der Schusslinie zu nehmen. Das wird nicht zu Ihrer Beliebtheit beitragen.«

»Ich will nicht beliebt sein, sondern den Job erledigen. Wir sind hier in der Army, nicht in der Highschool.«

»Er ist der Sohn eines Senators. Er war eben dabei, sich einen Namen zu machen. Wussten Sie, dass das Marine Corps Lobbyisten beschäftigt?«

Ich sagte: »Ja, das habe ich gehört.«

»Dies war unsere Version.«

Ich schaute zu Mrs. McClatchys Häuschen mit der unten schlammigen Holzverschalung, den schäbigen Fenstern und dem weit verzweigten Schattenbaum hinaus und fragte: »Wozu sind Sie hergekommen?«

»Aus demselben Grund, aus dem Sie die Hinterwäldler verjagt haben«, antwortete er. »Ich versuche, den Job zu erledigen.«

»Auf welche Weise?«

»Ich habe die beiden Frauen überprüft, die Sie erwähnt haben. In den Akten des Kommandeurs habe ich vertrauliche Memos gefunden. Dann habe ich alle möglichen Informationen aus verschiedenen Quellen miteinander verknüpft. Captain Riley scheint ein ziemlicher Frauenheld zu sein. Die Liste seiner hiesigen Freundinnen ist länger als mein Pimmel. Auch Janice Chapman und Shawna Lindsay dürften auf dieser Liste gestanden haben. Ich bin hergekommen, um herauszufinden, ob Rosemary McClutchy das Trio komplettiert hat.«

»Deswegen bin ich auch hier.«

»Große Geister denken gleich«, sagte Munro, »Dumme aber auch.«

»Haben Sie sein Foto dabei?«

Er knöpfte die rechte Brusttasche unmittelbar unter dem Namensschild auf. Dann zog er ein schmales schwarzes Notizbuch heraus und nahm das zwischen den Seiten steckende Foto heraus. Er hielt es mir mit ausgestrecktem Arm über den Getriebetunnel hinweg hin.

Captain Reed Riley. Jetzt sah ich sein Gesicht zum ersten Mal. Das Farbfoto ohne Kopfbedeckung war offenbar für einen Reisepass oder einen anderen Ausweis aufgenommen worden. Riley schien Ende zwanzig zu sein. Er war breitschultrig, aber zugleich sportlich schlank und durchtrainiert. Er hatte sehr weiße Zähne, von denen sein lässiges Grinsen etliche sehen ließ. Er trug sein braunes Haar militärisch kurz und hatte hellwache braune Augen, die von einem Netzwerk aus Fältchen umgeben waren. Er wirkte ausgeglichen, kompetent, hart und sah genau wie jeder Infanteriehauptmann aus, den ich kannte.

Ich gab das Foto zurück – wieder mit ausgestrecktem Arm über den Getriebetunnel hinweg.

Ich sagte: »Eine positive Identifizierung wird's kaum geben. Ich wette, dass für Mrs. McClatchy alle Ranger gleich aussehen.«

»Das lässt sich nur praktisch feststellen«, sagte Munro und öffnete die Fahrertür. Ich stieg auf meiner Seite aus und wartete, während er um die Motorhaube herumging. Er sagte: »Ich will Ihnen noch etwas verraten, das meine Recherchen zutage gefördert haben. Etwas, das Sie vielleicht interessieren wird. Sheriff Deveraux ist keine Lesbierin. Auch sie ist eine Kerbe in Rileys Bettpfosten. Offenbar war sie vor weniger als einem Jahr seine Freundin.«

Und dann ging er vor mir her zu Mrs. McClatchys Haustür.

Emmeline McClatchy öffnete die Tür, nachdem Munro zum zweiten Mal angeklopft hatte. Sie begrüßte uns höflich-reserviert. Mich kannte sie bereits. Sie hörte aufmerksam zu, als Munro sich vorstellte, und bat uns dann in ein kleines Wohnzimmer mit zwei Holzstühlen auf beiden Seiten des offenen Kamins und einem Flickenteppich auf dem Boden. Die Decke war niedrig, die räumlichen Verhältnisse waren beengt, und das Zimmer roch nach Essen. An der Wand hingen drei gerahmte Fotos: Martin Luther King, Präsident Bill Clinton und Rosemary McClatchy. Ihres stammte aus der Serie, die das Sheriff's Department in seinen Akten hatte, war aber womöglich noch spektakulärer. Ein Freund mit einer Kamera, ein sonniger Nachmittag, ein schmaler Rahmen, ein Hammer und ein Nagel – das war alles, was von einem Leben übriggeblieben war.

Emmeline und ich nahmen auf den Stühlen Platz und ließen Munro auf dem Teppich stehen. In dem kleinen Raum wirkte er genauso riesig, wie ich mich fühlte, und ebenso unbeholfen und fremdartig. Er zog wieder Rileys Foto heraus und hielt es mit der Bildseite an die Brust gedrückt. Er sagte: »Mrs. McClatchy, wir müssen Sie nach den Freunden Ihrer Tochter Rosemary fragen.«

Emmeline McClatchy sagte: »Meine Tochter Rosemary hatte viele Freunde.«

Munro sagte: »Speziell nach einem jungen Soldaten, mit dem sie vielleicht zusammen war.«

»Zusammen war?«

»Den sie öfter getroffen hat. Mit dem sie gegangen ist.«

»Lassen Sie mich das Bild sehen.«

Munro beugte sich hinunter und gab ihr das Foto. Sie drehte und wendete es in dem durchs Fenster einfallenden Licht, studierte es aufmerksam. Sie fragte: »Wird dieser Mann verdächtigt, das weiße Mädchen ermordet zu haben?«

Munro antwortete: »Das wissen wir nicht bestimmt. Das können wir nicht ausschließen.«

»Niemand hat mir Fotos gebracht, als Rosemary ermordet wurde. Niemand hat Mrs. Lindsay Fotos gebracht, als Shawna ermordet wurde. Wie kommt das?«

Munro sagte: »Weil die Army einen schlimmen Fehler gemacht hat. Da gibt's nichts zu beschönigen. Ich kann nur sagen, dass vieles anders gelaufen wäre, wenn ich schon damals mit dem Fall befasst gewesen wäre. Oder Major Reacher hier. Ansonsten kann ich nicht viel mehr tun, als Sie um Entschuldigung zu bitten.«

Sie sah wieder zu ihm auf; wir sahen beide zu ihm auf. Dann betrachtete sie nochmals das Foto und sagte: »Dieser Mann heißt Reed Riley. Er ist Captain im 75th Ranger Regiment. Rosemary hat gesagt, er sei Chef der Kompanie Bravo, was immer das ist.«

»Die beiden waren also ein Paar?«

»Fast vier Monate lang. Sie hat von einem gemeinsamen Leben gesprochen.«

»Er auch?«

»Männer erzählen alles Mögliche, um zu bekommen, was sie wollen.«

»Wann haben sie sich getrennt?«

»Zwei Wochen vor ihrer Ermordung.«

»Wieso haben sie sich getrennt?«

»Das hat sie mir nicht erzählt.«

»Hatten Sie eine Vermutung?«

Emmeline McClatchy sagte: »Ich glaube, sie war schwanger geworden.«

59

In dem kleinen Wohnzimmer herrschte einen Augenblick lang Schweigen, dann sagte Emmeline McClatchy: »Eine Mutter merkt so was immer. Sie hat anders ausgesehen, hat sich anders benommen, hat sogar anders gerochen. Anfangs war sie glücklich, dann fühlte sie sich elend. Ich hab sie nichts gefragt. Ich dachte, sie würde von selbst zu mir kommen. Wenn sie so weit war, wissen Sie. Aber Sie hatte keine Chance mehr, das zu tun.«

Munro schwieg sekundenlang, wie um Respekt zu bezeugen, dann fragte er: »Haben Sie Captain Riley danach je wieder gesehen?«

Emmeline McClatchy nickte. »Eine Woche nachdem sie tot aufgefunden worden war, ist er vorbeigekommen, um mir sein Beileid auszusprechen.«

»Glauben Sie, dass er sie ermordet hat?«

»Sie sind der Polizist, junger Mann, nicht ich.«

»Ich denke, dass eine Mutter so etwas immer weiß.«

»Rosemary hat gesagt, sein Vater sei ein wichtiger Mann. Sie wusste nur nicht genau, wo und wie. Vielleicht in der Politik. Vielleicht jemand, der auf seinen Ruf achten muss. Ich denke, eine schwarze Freundin war eine gute Sache für Captain Riley, aber eine schwangere Freundin nicht.«

Mehr war aus Emmeline McClatchy nicht herauszuholen. Wir verabschiedeten uns und gingen zu dem Humvee zurück. Munro sagte: »Diese Sache sieht wirklich nicht gut aus.«

Ich fragte ihn: »Haben Sie auch mit Shawna Lindsays Mutter gesprochen?«

»Die wollte nicht mit mir reden. Sie hat mich mit einem Stock verjagt.«

»Wie zuverlässig sind die Informationen über Sheriff Deveraux?«

»Absolut zuverlässig. Sie waren ein Paar, er hat Schluss gemacht, sie war unglücklich. Dann war Rosemary McClatchy dran, soweit ich das rekonstruieren kann.«

»War das sein Wagen, der auf dem Bahngleis zertrümmert worden ist?«

»Das hat die Zulassungsbehörde in Oregon bestätigt. Anhand des Kennzeichens, das Sie gefunden haben. Ein blauer 57er Chevy. Eine Klapperkiste, kein Show Car.«

»Hatte er eine Erklärung dafür?«

»Nein, er hatte einen Anwalt.«

»Können Sie beweisen, dass er auch Janice Chapmans Freund gewesen ist?«

»Nicht zweifelsfrei. Sie war ein Partygirl und ist mit vielen Männern gesehen worden. Sie kann unmöglich mit allen befreundet gewesen sein.«

»Auch in Tulane war sie als Partygirl bekannt.«

»Hat sie dort studiert?«

»Offenbar.« Ich machte eine Pause. »Wissen Sie, dass sie nicht wirklich Janice Chapman war?«

»Wie meinen Sie das?«

»Sie ist als Audrey Shaw zur Welt gekommen. Ihren Namen hat sie erst vor drei Jahren gewechselt.«

»Warum?«

»Politik«, sagte ich. »Sie hatte gerade eine zweijährige Affäre mit Carlton Riley hinter sich.«

Ich überließ es Munro, diese Mitteilung zu verdauen, und marschierte nach Süden davon. Er fuhr nach Norden. Dieses Mal respektierte ich fremde Grundstücke: Ich ging wie ein braver Bürger um den Block, stieg über den Drahtzaun, überquerte das Feld und fand den Weg durch den Wald. In weniger als zwanzig Minuten war ich wieder auf der Main Street, fünf Minuten später im Sheriff's Department und eine Minute später in Deveraux' Dienstzimmer. Sie saß an ihrem Schreibtisch, auf dem sich Akten türmten.

Ich sagte: »Wir müssen miteinander reden.«

60

Deveraux sah leicht beunruhigt zu mir auf. Vielleicht hatte sie etwas in meiner Stimme bemerkt. Sie sagte: »Worüber reden?«

Ich fragte sie: »Warst du jemals mit einem Kerl vom Stützpunkt befreundet?«

»Von welchem Stützpunkt? Du meinst Kelham?«

»Ja, Kelham.«

»Das ist ziemlich persönlich, findest du nicht auch?«

»Warst du's?«

»Natürlich nicht. Bist du verrückt? Diese Kerle sind mein größtes Problem. Du kennst die Spannungen zwischen einer Garnison und der Zivilbevölkerung. Das wäre der schlimmste vorstellbare Interessenskonflikt gewesen.«

»Hattest du Umgang mit ihnen?«

»Nein – aus demselben Grund.«

»Hast du welche gekannt?«

»Nur flüchtig«, sagte sie. »Ich habe den Stützpunkt besichtigt und einige der höheren Offiziere auf ziemlich förmliche Weise kennengelernt. Was zu erwarten war. Sie versuchen, die gleichen Probleme zu bewältigen wie ich.«

»Okay«, sagte ich.

»Wieso fragst du danach?«

»Munro war bei Mrs. McClatchy. Rosemary McClatchy und

Shawna Lindsay scheinen mit demselben Kerl befreundet gewesen zu sein. Janice Chapman vermutlich auch. Munro hat gehört, auch du seist einmal seine Freundin gewesen.«

»Bockmist. Ich habe seit zwei Jahren keinen Freund mehr gehabt. Hast du das nicht gemerkt?«

Ich setzte mich.

»Ich musste fragen«, sagte ich. »Entschuldige.«

»Wer soll der Kerl gewesen sein?«

»Das darf ich dir nicht sagen.«

»Das musst du aber. Glaubst du nicht auch? McClatchy und Lindsay sind meine Fälle. Deshalb ist diese Information relevant. Und ich habe ein Recht darauf zu erfahren, welcher Kerl behauptet hat, ich sei seine Freundin gewesen.«

»Reed Riley«, sagte ich.

»Nie von ihm gehört.«

Dann sagte sie: »Moment mal, hast du Riley gesagt?«

Ich gab keine Antwort.

Sie sagte: »O Gott! Carlton Rileys Sohn? Er ist in Kelham? Das wusste ich nicht.«

Ich sagte: »Das Auto auf dem Bahngleis war seines. Und Emmeline McClatchy glaubt, dass Rosemary von ihm schwanger war. Ich musste sie nicht mal danach fragen. Sie hat es mir selbst gesagt.«

»Ich muss mit ihm reden.«

»Das kannst du nicht. Er ist gerade mit einem Hubschrauber ausgeflogen worden.«

»Wohin?«

»Was ist der abgelegenste US-Stützpunkt der Welt?«

»Weiß ich nicht.«

»Ich auch nicht. Aber ich gehe jede Wette ein, dass er morgen dort ist.«

»Weshalb sollte er behaupten, ich sei seine Freundin gewesen?«

»Ego«, antwortete ich. »Vielleicht sollten seine Kameraden glauben, er habe den kompletten Satz zusammengebracht. Die vier schönsten Frauen von Carter Crossing. Von den Brüdern Brannan aus der Bar weiß ich, dass er ein Alphatier war und immer eine reizende Begleiterin dabeihatte.«

»Für diese Rolle bin ich nicht geeignet.«

»Vielleicht innerlich nicht.«

»Sein Vater kennt vermutlich den Typen, mit dem Janice Chapman die Affäre hatte. Schließlich sind beide im Senat zusammen.«

Ich schwieg.

Sie starrte mich an.

Sie sagte: »O nein!«

Ich sagte: »O ja.«

»Dieselbe Frau. Vater und Sohn? Das ist echt verrückt.«

»Munro kann's nicht beweisen. Wir auch nicht.«

»Aber wir können darauf schließen. Dieser ganze Aufwand ist viel zu groß für theoretische Sorgen wegen allgemeiner Rückwirkungen.«

»Vielleicht«, sagte ich. »Vielleicht auch nicht. Wer weiß, wie diese Leute ticken?«

»Jedenfalls kannst du nicht mehr nach Washington. Jetzt nicht mehr. Das wäre viel zu gefährlich. Du würdest mit einer auf den Rücken gemalten Zielscheibe herumlaufen. Das Militär hat zu viel in Carlton Riley investiert. Diese Leute lassen nicht zu, dass du alles vermasselst. Glaub mir, im Vergleich zu guten Beziehungen zum Streitkräfteausschuss bist du für sie ein Nichts.«

Als sie das alles gesagt hatte, klingelte ihr Telefon, sie hob ab, meldete sich und hörte eine Minute lang zu. Dann hielt sie die Sprechmuschel zu und sagte: »Die Polizei in Oxford fragt nach dem toten Journalisten. Ich werde sagen, dass der nachweisliche Täter von einem Polizeibeamten erschossen wurde, als er bei seiner Verhaftung Widerstand geleistet hat. Fall abgeschlossen.«

Ich sagte: »Einverstanden.«

Also teilte sie das ihren Kollegen mit und musste danach alle möglichen Dienststellen des Countys und in Jackson benachrichtigen. Ich schlenderte hinaus, und sie hatte so viel zu tun, dass wir uns erst um einundzwanzig Uhr beim Abendessen wiedersahen.

Beim Abendessen sprachen wir über das Haus ihres Vaters. Sie bestellte ihren Cheeseburger; ich entschied mich für ein Roastbeefsandwich und fragte sie: »Wie war's eigentlich, dort aufzuwachsen?«

»Aus heutiger Sicht verrückt«, sagte sie. »Ich konnte natürlich keine Vergleiche anstellen. Wir bekamen erst einen Fernseher, als ich zehn war, und sind nie ins Kino gegangen, aber trotzdem habe ich gespürt, dass es dort draußen mehr geben musste. Das haben wir alle gespürt und konnten es kaum erwarten, in die Welt hinauszukommen.«

Dann fragte sie, wo ich aufgewachsen sei. Ich zählte alle Stationen auf, an die ich mich erinnern konnte. Im Pazifik gezeugt, in Westberlin geboren, wo mein Vater der US-Militärmission angehört hatte, bis zur Einschulung auf einem halben Dutzend Stützpunkte, Schulausbildung in aller Welt. Später dann West Point und eine ruhelose, stets in Bewegung befindliche eigene Karriere, teilweise an denselben Orten, aber auch an vielen neuen, weil der globale Fußabdruck der Army nicht mit dem des Marine Corps identisch war.

Sie fragte: »Was war der längste Zeitraum, den du jemals an einem Ort verbracht hast?«

Ich sagte: »Weniger als ein halbes Jahr, denke ich.«

»Wie war dein Dad?«

»Introvertiert«, sagte ich. »Er war Vogelbeobachter. Aber sein Job war es, Leute schnell und effizient zu beseitigen, und dessen war er sich immer bewusst.«

»War er gut zu dir?«

»Ja, auf irgendwie altmodische Art. Und deiner?«

Sie nickte. »Altmodisch wäre eine gute Beschreibung. Er dachte, ich würde heiraten, und er würde dann bis nach Tupelo oder Oxford fahren müssen, um mich zu besuchen.«

»Wo war euer Haus?«

»Auf der Main Street nach Süden bis zur Kurve, dann die erste Straße links. Eine unbefestigte kleine Straße. Viertes Haus rechts.«

»Steht es noch?«

»Gerade so.«

»Ist's nicht wieder vermietet worden?«

»Nein, mein Vater war vor seinem Tod längere Zeit krank und musste das Haus aufgeben. Die Bank, der es dann gehörte, hat es verfallen lassen. Heute ist's mehr oder weniger eine Ruine.«

»Ganz eingewachsen, mit grünem Schimmel an den Mauern und Rissen im Fundament? Mit einer großen alten Hecke hinter dem Haus? Acht Klebebuchstaben am Briefkasten?«

»Woher weißt du das?«

»Ich bin dort gewesen«, sagte ich. »Auf dem Weg zu Mrs. McClatchys Haus.«

Sie schwieg.

Ich sagte: »Ich habe das Hirschgestell gesehen.«

Sie schwieg.

Ich sagte: »Und ich habe die Erdbrocken im Kofferraum deines Wagens gesehen, als du mir die Schrotpatronen gegeben hast.«

61

Die Serviererin kam, trug die leeren Teller ab und nahm unsere Bestellung – Apfelkuchen und Kaffee – auf. Dann ging sie wieder, Deveraux sah mich ein wenig geknickt an. Und leicht verlegen, fand ich. Sie sagte: »Ich hab eine Dummheit begangen.«

Ich fragte: »Was für eine Dummheit?«

»Ich jage«, sagte sie. »Ab und zu. Nur als Hobby. Vor allem Rotwild. Nur um etwas zu tun zu haben. Das Fleisch schenke ich armen Leuten wie Emmeline McClatchy. Die haben sonst nicht viel zu essen. Ab und zu etwas Schwein, wenn ein Nachbar geschlachtet hat und daran denkt, ihnen etwas zu schenken. Aber das passiert nicht immer. Manchmal sind die Nachbarn zu arm, um etwas abgeben zu können.«

»Ja, ich erinnere mich«, sagte ich. »Bei unserem ersten Besuch hatte Emmeline Wildbret im Topf. Sie wollte uns zum Mittagessen einladen. Du hast abgelehnt.«

Sie nickte. »Ich wollte mein Geschenk doch nicht wieder zurücknehmen – auch nicht teilweise. Den Hirsch habe ich vor genau einer Woche geschossen. Ich konnte ihn natürlich nicht im Hotel abladen. Also habe ich das Gestell benutzt, das noch im Garten meines Vaters steht. Das habe ich seit meiner Rückkehr schon oft getan. Aber dann hast du deine Theorie in Bezug auf Janice Chapmans Ermordung entwickelt. Damals kannte ich dich noch kaum und dachte, du würdest sofort deine Dienststelle anrufen. Ich habe mir vorgestellt, wie der Himmel voller Hubschrauber auf der Suche nach Hirschgestellen sein würde. Deshalb habe ich dich weggeschickt, um das Autowrack zu identifizieren, und bin dann rübergefahren, um das Blut zu beseitigen.«

»Tests hätten ergeben, dass es Tierblut war.«

»Ich weiß, aber wie lange hätte das gedauert? Ich weiß nicht mal, wo das nächste Labor liegt. Vielleicht in Atlanta. Das hätte zwei Wochen oder länger in Anspruch genommen. Und ich kann's mir nicht leisten, zwei Wochen oder länger unter Verdacht zu stehen. Dies ist der einzige Job, den ich habe. Ich weiß nicht, wo ich einen anderen bekäme. Und Wähler sind oft seltsam. Sie erinnern sich immer an den Verdacht, aber nie daran, wie er ausgeräumt wurde.«

Ich dachte an meinen alten Kumpel Stan Lowrey mit seinen Stellenangeboten. Eine schöne neue Welt für uns alle.

»Okay«, sagte ich. »Aber das war ziemlich dumm von dir.«

»Ja, ich weiß. Aber ich war ein bisschen in Panik.«

»Kennst du andere Jäger? Und andere Gestelle?«

»Einige.«

»Weil ich weiterhin glaube, dass diese Frauen so ermordet wurden. Ich kann mir nicht vorstellen, dass die Tat anders verübt worden sein soll.«

»Ganz deiner Meinung. Deshalb bin ich in Panik geraten.«

»Also werden wir früher oder später doch Hubschrauber anfordern müssen.«

»Außer wir spüren Reed Riley vorher auf und quetschen ihn aus.«

»Reed Riley ist fort«, sagte ich. »Wahrscheinlich wird er Verbindungsoffizier der Army auf dem Luftwaffenstützpunkt Thule.«

»Wo liegt der?«

»Im Norden Grönlands«, sagte ich. »Auf dem Dach der Welt. Jedenfalls der abgelegenste Stützpunkt der Luftwaffe. Ich war mal dort, als unsere C5 mit einem technischen Problem zwischenlanden musste. Thule gehört zu unserem Frühwarnsystem. Vier Monate im Jahr herrscht dort Nacht. Sie haben ein Radar, das aus fünftausend Kilometern Entfernung einen Tennisaufschlag beobachten kann.«

»Hast du zufällig ihre Telefonnummer?«

Ich lächelte. »Das müssen wir anders angehen, denke ich. Warten wir erst mal ab, was übermorgen aus der Wandtäfelung gekrochen kommt.«

Sie äußerte sich nicht dazu. Wir verspeisten langsam unseren Kuchen. Wir mussten noch viel Zeit totschlagen. In diesem Augenblick fuhr der Mitternachtszug vermutlich erst aus dem Güterbahnhof Biloxi aus.

Deveraux machte sich weiter Sorgen wegen des Alten im Hotel und wollte die gestrige Scharade oben an der Treppe nicht wiederholen. Deshalb gab ich ihr meinen Schlüssel, und wir verließen den Diner mit zehn Minuten Abstand, sodass mir die Rechnung und genügend Zeit für eine dritte Tasse Kaffee blieben. Dann schlenderte ich die Straße entlang, nickte dem Mann an der Rezeption zu, stieg die Treppe hinauf und klopfte leise an meine eigene Tür. Deveraux machte mir sofort auf. Sie hatte die Schuhe ausgezogen und das Koppel abgelegt, aber alles andere – Uniformbluse, Uniformhose, Pferdeschwanz – war noch an Ort und Stelle. Alles gut.

Wir machten uns daran, wie Junkies einen Löffel erhitzen: halb schnell, halb langsam, voll intensiver Vorfreude. Sie begann damit, dass sie das Gummiband aus ihrem Haar nahm, es ausschüttelte und mich hinter diesem dunklen Vorhang hervor anlächelte. Dann öffnete sie die drei obersten Blusenknöpfe, sodass das Gewicht ihres Namensschilds und der Plakette und der Sterne den losen Stoff schief zog und mich ein großes Dreieck aus gebräunter Haut sehen ließ. Ich streifte Schuhe und Socken ab und zog mein Hemd aus der Hose. Sie legte eine Hand auf den vierten Blusenknopf und die andere auf den Knopf über dem Reißverschluss ihrer Hose und sagte: »Du hast die Wahl.«

Eine schwierige Entscheidung, aber ich dachte lange und angestrengt darüber nach, bis mein Entschluss feststand. Ich sagte: »Hose.« Sie öffnete den Knopf und stand keine Minute später barfuß, mit nackten Beinen mit nichts als ihrer Uniformbluse bekleidet vor mir. Ich sagte: »Jetzt du.« Sie entschied sich genau anders und ließ mich mein Hemd ausziehen. Diesmal fragte sie nach der Schrapnellwunde, und ich beließ es bei der Kurzfassung, wie ich als junger Offizier dem Lager von US-Marineinfanteristen in der libanesischen Hauptstadt Beirut einen Routinebesuch abgestattet hatte. Wie mich ein Lastwagen überholt hatte, dessen Fahrer ihn hundert Meter weiter am Lagertor in die Luft jagte.

Sie sagte: »Ich habe gehört, dass damals ein MP der Army dabei war. Warst du das?«

Ich sagte: »Ich weiß nicht sicher, wer alles dort war.«

»Du bist in die Ruinen gelaufen und hast Leuten geholfen.«

»Zufällig«, sagte ich. »Ich war auf der Suche nach einem Sanitäter. Ich konnte sehen, was ich am Abend zuvor gegessen hatte.«

»Du hast den Silver Star bekommen.«

»Und Blutvergiftung«, fügte ich hinzu. »Auf beides hätte ich verzichten können.«

Ich öffnete meinen Hosenknopf, und sie knöpfte ihre Bluse auf, dann trugen wir nichts mehr als unsere Unterwäsche. Dieser Zustand war nicht von langer Dauer. Wir stellten uns unter meine Dusche, zogen den Vorhang zu, seiften uns gegenseitig ein und wuschen einander ausführlich. Wir blieben unter der Dusche, bis der Warmwasservorrat des Toussaint's erschöpft war, schnappten uns ein paar Handtücher, damit wir keine Pfützen auf meinem Bett hinterließen, und machten dann Ernst. Sie schmeckte warm und glitschig und seifig – genau wie ich, vermutete ich. Sie war geschmeidig und stark und voller Energie. Wir ließen uns viel Zeit. Ich rechnete mir aus, dass der Mitternachtszug inzwischen nördlich von Kolumbus und südlich von Aberdeen sein musste, etwa vierzig Meilen und vierzig Minuten entfernt.

Und vierzig Minuten sind reichlich Zeit. Nach der Hälfte dieser Zeit gab es verdammt wenig, was wir übereinander nicht wussten. Ich wusste, wie sie sich bewegte, was sie mochte und was sie liebte. Und sie wusste das Gleiche über mich. Ich hörte, wie ihr Herz gegen ihre Rippen hämmerte, sah, wie ihre Rippen sich bewegten, wenn sie keuchte, und welcher Unterschied zwischen diesem und jenem Keuchen bestand. Sie machte vergleichbare Erfahrungen mit mir, erkannte, was es bedeutete, wenn mir der Atem stockte, wovon meine Haut rot wurde, wie ich am liebsten berührt wurde und was mich zum Wahnsinn trieb.

Dann begannen wir das auf einen bestimmten Zeitpunkt abzielende langsame Finale, wie eine einmarschierende Armee sich am Angriffstag der Stunde X nähert, wie Infanteristen den Strand näher kommen sehen, wie für Piloten das Ziel im Bombenvisier größer wird. Lang und langsam, enger und enger, lang und langsam, fünf volle Minuten lang. Dann allmählich schneller und fester, schneller und fester, schneller und fester. Das Zahnputzglas auf der Spiegelablage begann wie auf ein Stichwort hin zu klirren. Es ratterte und klapperte. Von den Wasserleitungen in den Wänden kam ein gedämpftes metallisches Dröhnen. Die zweiflüglige Balkontür zitterte, wobei Holz, Glas und Schließmechanismus verschiedene Töne machten. Der Fußboden vibrierte wie die Bespannung einer Trommel, ein ausgezogener Schuh stand plötzlich wieder auf der Sohle, ihr Sheriffsstern schlug einen kleinen Trommelwirbel auf dem Holz, die Beretta in meiner Hosentasche hüpfte und polterte, das Kopfende des Betts schlug in einem fremden Takt an die Wand.

Der Mitternachtszug.

Auf die Minute pünktlich.

Alle einsteigen.

Aber diesmal war etwas anders.

Und nicht in Ordnung.

Nicht bei uns, sondern bei dem Güterzug. Sein Lärm klang anders. Tiefer, irgendwie gedämpft. Dann bremste er auf einmal scharf. Ein metallisches Kreischen überlagerte sein entferntes Rumpeln. Vor meinem inneren Auge sah ich Bremsklötze, die mit Druckluft an Radreifen gepresst wurden, sodass Funken stoben, während der eine Meile lange Güterzug sich hinter der langsamer werdenden Lokomotive teleskopartig zusammenschob. Deveraux schlängelte sich unter mir hervor, setzte sich auf und horchte blicklos ins Leere starrend nach draußen. Das kreischende Heulen hielt an: laut, klagend, primitiv, unendlich lang, bis es endlich schwächer wurde, teils weil der Zug durch seine Bewegungs-

energie längst den Bahnübergang passiert hatte, teils weil er endlich fast zum Stehen gekommen war.

Neben mir flüsterte Deveraux: »O nein.«

62

Wir zogen uns hastig an und waren drei Minuten später auf der
Straße. Deveraux machte kurz halt, um zwei Stablampen aus dem
Kofferraum ihres Wagens zu holen. Eine davon gab sie mir. Wir
trabten durch die Gasse zwischen Apotheke und Eisenwarengeschäft, an der Sandschicht mit Janice Chapmans Blut vorbei, zwischen dem Pfandhaus und Brannan's Bar hindurch und erreichten
den Streifen mit festgefahrener Erde. Deveraux rannte vor mir her.
Sie humpelte beinahe, was mich nicht überraschte. Ich selbst hatte
weiche Knie. Aber sie lief weiter: hartnäckig, engagiert und wider-
strebend, aber entschlossen, ihre Pflicht zu tun.

Sie war natürlich zum Bahngleis unterwegs. Sie kletterte das
Schotterbett hinauf und stieg über den blanken Stahl der ersten Schiene. Sie wandte sich nach Süden. Ich folgte ihr. Ich rechnete mir aus, dass der Lokführer erst in ungefähr zwanzig Minuten kommen würde. Sein Zug wog schätzungsweise achttausend
Tonnen. Und ich verstand etwas von Zügen, die achttausend Tonnen wogen. Militärpolizisten sind manchmal auch für Verkehrs-
regelung zuständig, aber unser Verkehr ist speziell, weil dazu ungefähr achttausend Tonnen schwere Züge mit Panzern gehören,
deren Bremsstrecke selbst bei einer Notbremsung bei rund einer
Meile liegt. Und weil ein durchschnittlicher Mann zwanzig Minuten braucht, um eine Meile weit zu gehen, würden wir zwanzig
Minuten vor dem Lokführer eintreffen. Was kein Vorteil war.

Obwohl ich bezweifelte, dass wir noch viel finden würden.

Wir hasteten weiter und versuchten, unsere Schrittlänge dem Schwellenabstand anzupassen. Die Lichtstrahlen unserer Stablampen tanzten und hüpften in der sich verziehenden Qualmwolke, die von den Bremsklötzen aufgestiegen war. Ich ging davon aus, dass wir dorthin unterwegs waren, wo ich heute schon zweimal gewesen war: zu der Stelle, wo der Weg über das Feld im Osten das Gleis überquerte, bevor er durch den Wald im Westen verlief. Mehr oder weniger die Straße, an der Deveraux aufgewachsen war. Sie schien an dieselbe Stelle gedacht zu haben, denn als wir uns ihr näherten, wurde sie langsamer und schwenkte die Stablampe von links nach rechts und wieder zurück.

Ich folgte ihrem Beispiel, und so fiel es mir zu, etwas zu entdecken. Alles, was vermutlich übrig war, außer einem blutroten Nebel, der sich in hundert Metern Umkreis als Wolke ausgebreitet haben musste.

Es war ein Menschenfuß, knapp oberhalb des Knöchels abgetrennt. Der Schnitt war sauber und gerade. Nicht ausgefranst oder zerfetzt. Nur eine ordentliche gerade Linie. Verursacht worden war sie durch einen unglaublichen, sofort wieder abklingenden Druckstoß, einen energiereichen Impuls im Unterschallbereich. Ich hatte schon einige Fälle dieser Art gesehen. Deveraux wahrscheinlich auch. Die meisten Verkehrspolizisten kennen sie.

Der Schuh war noch vorhanden. Ein gut geputztes schwarzes, schlichtes Stück, mit niedrigem Absatz und einem Riemen mit Druckknopf über dem Spann. Auch den Strumpf gab es noch. Sein oberer Rand sah wie mit einer Schere abgeschnitten aus. Unter dem blickdichten beigen Gewirk war sauber abgeschnittene pechschwarze Haut zu erkennen, die etwas umgab, das einem Gipsmodell aus der Anatomie ähnelte. Knochen, Blutgefäße, Fleisch.

»Das waren ihre Kirchenschuhe«, erklärte Deveraux. »Im Grund ihres Herzens eine gute Frau. Schrecklich, dass sie keinen anderen Ausweg gesehen hat.«

»Ich habe sie nie kennengelernt«, sagte ich. »Sie war nicht zu Hause. Das hat der Junge mir als Erstes erklärt. Meine Mom ist nicht da, hat er gesagt.«

Wir saßen auf einer Bahnschwelle etwa fünf Meter nördlich des abgerissenen Fußes und warteten auf den Lokführer. Als er eine Viertelstunde später eintraf, musste er nicht viel erzählen. Im Lichtkegel des Stirnscheinwerfers hatte er nur flüchtig das weiße Futter einer aufgehenden schwarzen Jacke aufblitzen sehen: eine fast unterschwellige späte Wahrnehmung, als praktisch schon alles vorbei war.

»Ihr Kirchenkostüm«, sagte Deveraux. »Schwarzer Gabardine, weißes Futter.«

Dann hatte der Lokführer die Vollbremsung eingeleitet, zu der er nach Bahnvorschriften, Bundesgesetzen und staatlichen Richtlinien verpflichtet war, die seiner Meinung nach total sinnlos und reine Zeitvergeudung waren. Unnötige Belastung für den Zug, für das Gleis – und wofür? Eine Meile weit zu gehen, nur um dann doch nichts zur Aufklärung beitragen zu können. Für ihn war dies nicht das erste Mal gewesen.

Deveraux und er tauschten verschiedene Anzeigennummern, Namen und Adressen aus, wieder streng nach Vorschrift. Sie fragte ihn, ob mit ihm alles in Ordnung sei oder ob er irgendwelche Hilfe brauche. Aber er wehrte ihre besorgte Frage ab und machte sich wieder auf den Weg nach Norden zu seinem Zug – keineswegs durcheinander, sondern nur leicht angewidert von der Routine.

Wir gingen zur Main Street zurück und am Hotel vorbei zum Sheriff's Department. Dort gab es keinen Nachtdienst, deshalb sperrte Deveraux uns auf und machte Licht. Sie rief Pellegrino an und wies ihn an, gegen Überstundenbezahlung zum Dienst zu kommen. Dann telefonierte sie mit dem Arzt, um ihm zu sagen, dass es wieder Arbeit für ihn gebe. Beide waren nicht begeistert, aber sie beeilten sich. Binnen Minuten trafen sie fast gleichzeitig ein. Wahrscheinlich hatten sie den Zug ebenfalls gehört.

Deveraux schickte die beiden los, um sie die sterblichen Überreste bergen zu lassen. Wir warteten, ohne viel zu reden, bis sie nach einer halben Stunde wieder zurückkamen. Der Arzt fuhr in seine Praxis, und Deveraux wies Pellegrino an, mich nach Memphis zu fahren. Weit früher als geplant, aber ich hätt's nicht anders haben wollen.

63

Ich ging nicht mehr ins Hotel zurück, sondern fuhr mit nichts als etwas Bargeld in einer Hosentasche und der Beretta in der anderen direkt vom Sheriff's Department ab. Es gab keinen Gegenverkehr, was nicht überraschte. Schließlich waren wir weit nach Mitternacht in fast unbewohnten Gebieten unterwegs. Pellegrino fuhr schweigend. Er war stumm vor Müdigkeit oder Ressentiments oder sonst was. Er benutzte dieselbe Route, auf der ich gekommen war, erst die in Ost-West-Richtung gerade durch den Wald führende Straße, dann die Nebenstraße, die ich in dem alten Chevy-Truck zurückgelegt hatte, und anschließend die staubige Staatsstraße, die ich von meiner Fahrt mit dem klapprigen Buick kannte. Wir überquerten die Staatsgrenze nach Tennessee, passierten Germantown, wo ich aus dem Pick-up des Holzhändlers gestiegen war, erreichten den schlafenden südöstlichen Vorort und kamen lange vor Tagesanbruch in der Innenstadt von Memphis an. Ich stieg am Busbahnhof aus. Pellegrino fuhr wortlos davon, umrundete den Block, und ich hörte, wie das Motorengeräusch seines Wagens von den Gebäuden zurückgeworfen wurde, bis es allmählich verhallte.

Weil ich so früh dran war, hatte ich die Wahl zwischen vielen Bussen, aber der erste ging erst in einer Stunde. Also klapperte ich das umliegende schäbige Wohngebiet auf der Suche nach einem Tag und Nacht geöffneten Diner ab und fand zwei. Ich entschied mich für den Schnellimbiss, in dem ich vor drei Tagen mittags gegessen hatte. Das Essen war billig gewesen und hatte mich nicht umgebracht. Ich bekam Kaffee aus einer angestoßenen Thermoskanne und Rührei mit Bacon aus einer Pfanne, die seit der Regierung Nixon nicht mehr kalt geworden war. Eine Dreiviertelstunde später saß ich hinten in einem Bus, der nach Nordosten rollte.

Ich beobachtete durchs Fenster rechts neben mir, wie die Sonne aufging, und verschlief dann den Rest der sechsstündigen Fahrt. Ich stieg dort aus, wo ich vor drei Tagen eingestiegen war: auf dem Busbahnhof am Rand der Kleinstadt und in der Nähe meines Stützpunkts. Obwohl die Stadt äußerlich wenig Ähnlichkeit mit Carter Crossing hatte, waren alle nötigen Elemente vorhanden: Bars, Pfandhäuser, Geschäfte für Autozubehör, Waffengeschäfte und Läden für gebrauchte Stereoanlagen, die alle von Onkel Sams Militärdollars lebten. Ich marschierte an ihnen vorbei aufs Land hinaus, aß in dem Diner auf halber Strecke zu Mittag und ging dann weiter. So erreichte ich den Stützpunkt und meine Unterkunft schon vor vierzehn Uhr, viel früher als erwartet, was mir Gelegenheit gab, meinen ursprünglichen Plan etwas zu verändern.

Als Erstes duschte ich heiß und lange. Deveraux' Duft verflüchtigte sich in den Dampfschwaden. Ich frottierte mich ab und zog meinen Dienstanzug an: frisch gereinigt, frisches Oberhemd, Schuhe auf Hochglanz poliert, dazu alle Orden, Ehrenzeichen und Aufnäher, die ich in dreizehn Dienstjahren erworben hatte. Dann rief ich Stan Lowrey an und bat ihn, mich wieder zum Busbahnhof zu fahren. Ich schätzte, dass ich zum Abendessen in Washington sein konnte, wenn ich mich beeilte – etwa zwölf Stunden früher als ursprünglich geplant. Und ich forderte Stan auf, kein Geheimnis daraus zu machen, wohin ich wollte. Dahinter steckte eine einfache Überlegung: Je mehr Leute davon wussten und je länger ich dort war, desto wahrscheinlicher war es, dass irgendetwas aus der Wandtäfelung gekrochen kam.

Auch an diesem Montagabend um neunzehn Uhr kehrte in Washington, D.C., allmählich Ruhe ein. Die Konzernstadt, deren Konzern Amerika hieß, hörte eigentlich nie zu arbeiten auf, aber nach siebzehn Uhr nachmittags verlagerten die Aktivitäten sich an andere Orte. Mit Salons, Bars, Luxusrestaurants und Klubs in Stadthäusern kannte ich mich nicht aus, aber ich wusste, in welchen Stadtvierteln sie hauptsächlich anzutreffen waren. Also mied ich die preiswerten Unterkünfte von Hotelketten, in denen ein kleiner O4 wie ich normalerweise übernachtet hätte, und suchte die besseren Hotels in den Straßen südlich des Dupont Circle auf, die heller und sauberer waren. Nicht dass ich die Absicht gehabt hätte, irgendetwas selbst zu bezahlen. Ich hatte von einem Luxushotel in der Connecticut Avenue gehört, das die Kosten der Gäste in Uniform angeblich automatisch mit dem Heeresministerium abrechnete. Eine entsprechende Vereinbarung anlässlich einer Tagung war anscheinend nie gekündigt worden – oder die Hotelbuchhaltung wurde von einem verärgerten Veteranen geleitet. Jedenfalls hieß es, man könne auf dem Nationalfriedhof Arlington liegen, bevor die Army das Geld von einem zurückfordere.

Ich schlenderte dorthin, blieb stets in der Mitte des Gehsteigs und war wachsam, ohne mir diese Tatsache anmerken zu lassen. Ich benutzte Schaufenster als Spiegel und schaute mich an jedem Fußgängerübergang scheinbar zufällig um. Kein Mensch achtete auf mich. Ich wurde mehrmals bedrängt oder angerempelt, aber nur von gewöhnlichen Leuten, die es eilig hatten, ihr Tagespensum zu schaffen. Ich erreichte das Hotel ohne Schwierigkeiten, trug mich mit meinem richtigen Namen und Dienstgrad ein und stellte fest, dass das alte Gerücht offenbar stimmte, weil ich weder eine Kreditkarte vorlegen noch eine Anzahlung machen musste. Ich hatte lediglich eine Unterschrift zu leisten, was ich so lesbar wie möglich tat. Schließlich hatte es keinen Zweck, den Köder in einer Falle zu spielen und dann sein Licht unter den Scheffel zu stellen. Allerdings war mir nie recht klar gewesen, was ein biblischer Scheffel war. Irgendein altes Hohlmaß, vermutete ich. Dann wäre die Kerze ohnehin aus Mangel an Sauerstoff erloschen.

Ich fuhr mit dem Aufzug in mein Zimmer hinauf, hängte mein Uniformjackett auf einen Kleiderbügel und rief den Zimmerservice an. Eine halbe Stunde später aß ich ein Rumpsteak, das ebenfalls dem Pentagon in Rechnung gestellt werden würde. Wieder eine halbe Stunde später machte ich einen Spaziergang, nur als Test, um zu sehen, ob sich damit jemand aus dem Schatten locken ließe. Aber niemand reagierte, und niemand beschattete mich. Ich absolvierte einen Rundgang um den Circle und schlenderte danach durchs Botschaftsviertel zwischen irakischer und kolumbianischer Botschaft. Ich sah Männer und Frauen, die ich für Federal Agents verschiedener Sicherheitsbehörden hielt, Männer und Frauen in Zivil, aber mit eindeutig militärischem Hintergrund, Männer und Frauen in den Uniformen aller vier Teilstreitkräfte und viele Zivilisten in gut geschnittenen Anzügen, aber keiner von ihnen verhielt sich mir gegenüber aggressiv. Keiner von ihnen interessierte sich auch nur im Geringsten für mich. Für solche Leute gehörte ich einfach zum Mobiliar.

Also kehrte ich ins Hotel zurück und ging in meinem luxuriösen Zimmer zu Bett, um abzuwarten, was am kommenden Tag passieren würde – am Dienstag, den 11. März 1997.

64

Ich wachte um sieben Uhr auf und ließ mir vom Heeresministerium ein vom Zimmerservice gebrachtes Frühstück spendieren. Um acht Uhr stand ich geduscht und angezogen auf der Straße. Ich erwartete, dass nun der ernsthafte Teil beginnen würde. Ein Mittagstermin im Pentagon für einen so weit entfernt stationierten Mann machte es wahrscheinlich, dass er hier übernachtet hatte, und die Washingtoner Hotels ließen sich leicht überwachen. Damit musste man rechnen. Und ich stellte mein Licht unter kein Hohlmaß aus alten Zeiten. Daher rechnete ich halb damit, schon in der Hotelhalle oder gleich draußen auf dem Gehsteig angehalten zu werden, aber das geschah nicht. Dieser Frühlingsmorgen war frisch, aber die Sonne schien, die Luft erwärmte sich rasch, und alles, was ich sah, war freundlich und harmlos.

Obwohl in der Hotelhalle alle möglichen Zeitungen und Zeitschriften auslagen, schlenderte ich demonstrativ zu einem Zeitungskiosk hinaus. Ich kaufte eine *Washington Post* und eine *New York Times* und ließ mir beim Bezahlen viel Zeit, ohne angesprochen oder angegriffen zu werden. Ich ging mit den Zeitungen in einen Coffeeshop und setzte mich dort an einen Tisch im Freien, wo die ganze Welt mich sehen konnte.

Kein Mensch achtete auf mich.

Um zehn Uhr war ich mit Kaffee abgefüllt und hatte beide Zeitungen gründlich studiert, ohne dass irgendein Passant mich eines Blicks gewürdigt hätte. Ich begann zu glauben, ich könnte mich mit der Wahl meines Hotels selbst ausgetrickst haben. Ein O4 auf der Durchreise hätte normalerweise in einem preiswerteren Hotel übernachtet, von denen es zu viele gab, als dass sie alle überwacht werden konnten. Deshalb kam mir der Gedanke, die Gegenseite würde sich aufs Ende meiner Reise, nicht auf irgendeinen Zwischenstopp konzentrieren. Was ohnehin effizienter wäre. Diese Leute wussten genau, wann ich wohin wollte.

Was bedeutete, dass sie mir um zwölf Uhr oder kurz davor im Pentagon oder schon davor auflauern würden. Im Bauch des Ungeheuers. Viel gefährlicher als hier. Keine drei Meilen weit entfernt, aber eine völlig andere Welt in Bezug auf die Methoden, mit denen sie dort arbeiten würden.

Der Vormittag war noch immer schön, weshalb ich zu Fuß ging. Jeder Tag konnte der letzte meines Lebens oder in Freiheit sein, deshalb lohnte es sich immer, solche kleinen Freuden zu genießen. Ich lief auf der 17th Street nach Süden – am Executive Building neben dem Weißen Haus vorbei, eine Seite der Ellipse entlang und auf die Mall hinaus. Ich kehrte George Washingtons Denkmal den Rücken und hielt auf Abe Lincolns Denkmal zu. Bei dem alten Kerl bog ich links ab und gelangte so zur Arlington Memorial Bridge, auf der ich den breiten Potomac River überquerte. Viele Leute fuhren mit dem Auto über den Fluss. Ich war der einzige Fußgänger weit und breit. Die Morgenjogger waren längst fort, und die Nachmittagsjogger mussten noch arbeiten.

Auf halber Strecke blieb ich stehen und lehnte mich ans Brückengeländer. Auf einer Brücke immer zweckmäßig. So kann sich kein Beschatter verstecken, sondern muss näher kommen, sogar an einem vorbeigehen. Hinter mir befand sich jedoch niemand. Auch nicht vor mir. Ich blieb fünf Minuten lang so stehen – mit aufgestützten Ellbogen wie ein besinnlicher Mensch –, aber niemand kam. Also setzte ich mich wieder in Bewegung, ging dreihundert Meter weiter und war nun in Virginia. Vor mir in der Ferne lag der Haupteingang des Nationalfriedhofs Arlington. Fünf Minuten später fand ich ihn und tauchte in das Meer aus weißen Grabsteinen. Für Besucher des Verteidigungsministeriums war dies stets der beste Weg. Durch den Friedhof. Um die richtige Perspektive zu haben.

Ich machte einen kleinen Umweg, um JFK meinen Respekt zu erweisen, und einen weiteren, um das Grab des Unbekannten Soldaten zu besuchen. Ich ging hinter der Henderson Hall mit dem Oberkommando des Marine Corps vorbei, verließ den Friedhof durchs Südtor und hatte es plötzlich vor mir: das Pentagon. Das größte Bürogebäude der Welt: hundertfünfunddreißigtausend Quadratmeter Grundfläche, dreihundertfünfundvierzigtausend Quadratmeter Bürofläche, achtundzwanzig Kilometer Korridore, dreißigtausend Beschäftigte, aber nur drei Eingänge. Aus offenkundigen Gründen wollte ich natürlich zum Südosteingang. Also ging ich um das Gebäude herum, blieb wachsam und achtete auf Abstand, bis ich mich dem dünnen Menschenstrom anschließen konnte, der von der Metrostation herüberkam. Der Strom wurde kompakter, als er die Türen erreichte, sodass ich von vielen Menschen umgeben war. Aus meiner Sicht waren dies genau die richtigen Leute. Ich wollte Augenzeugen. Verhaftungen gehen immer wieder mal schief, manchmal versehentlich, manchmal absichtlich.

Aber ich kam gut hinein, auch wenn in der Eingangshalle eine kleine Unsicherheit entstand. Was ich für ein Team gehalten hatte, das mich verhaften sollte, erwies sich als eine Wachablösung. Ein vorübergehender Personalüberschuss. Das war alles. Somit erreichte ich 3C315, ohne belästigt zu werden. Dritte Ebene, Ring C, in der Nähe von Radialkorridor Nummer 3, Sektion 15. Das Dienstzimmer von Colonel John James Frazer, des Verbindungsoffiziers zum Senat. Er war ganz allein. Er forderte mich auf, die Tür zu schließen. Das tat ich. Er forderte mich auf, Platz zu nehmen. Auch das tat ich.

Er fragte: »Also, was haben Sie heute für mich?«

Ich schwieg. Ich hatte nichts zu sagen. Ich hatte nicht erwartet, so weit zu kommen.

Er sagte: »Hoffentlich gute Nachrichten.«

»Keine Nachrichten«, sagte ich.

»Nichts.«

Ich nickte. »Nichts.«

»Sie haben mir mitgeteilt, Sie wüssten einen Namen. Das hat in Ihrer Mitteilung gestanden.«

»Ich weiß keinen Namen.«

»Warum haben Sie's dann behauptet? Wieso wollten Sie mich sprechen?«

Ich wartete einen Moment.

»Das war eine Abkürzung«, sagte ich dann.

Damit war unsere Besprechung praktisch beendet. Mehr gab es eigentlich nicht zu sagen. Frazer machte eine große Show daraus, dass er sich tolerant gab. Und geduldig. Er nannte mich paranoid und lachte ein wenig darüber, dass ich's nicht einmal geschafft hatte, verhaftet zu werden. Dann versuchte er, besorgt zu wirken. Vielleicht wegen meines Gesundheitszustands. Und bestimmt wegen meines Aussehens. Haarschnitt und Stoppelbart. Er schaltete auf den brüsken Machotonfall um, in dem ein Onkel mit seinem Lieblingsneffen spricht.

Er sagte: »Sie sehen schrecklich aus. Hier im Gebäude gibt's Friseure. Sie sollten wirklich einen aufsuchen.«

»Kann ich nicht«, sagte ich. »Ich soll so aussehen.«

»Wegen Ihrer Rolle als verdeckter Ermittler?«

»Ja.«

»Aber Sie ermitteln nicht wirklich verdeckt, stimmt's? Wie ich höre, hat der dortige Sheriff Sie sofort enttarnt.«

»Ich glaube, dass es gut wäre, diese Rolle für die Bürger weiterzuspielen. Bei denen ist die Army im Augenblick nicht sonderlich beliebt.«

»Nun, ich vermute, dass Sie jetzt abgezogen werden. Mich wundert sogar, dass das noch nicht geschehen ist. Wann haben Sie Ihre letzten Befehle bekommen?«

»Weshalb sollte ich abgezogen werden?«

»Weil die Sache in Mississippi anscheinend aufgeklärt ist.«

»Glauben Sie?«

»Ich denke schon. Die Schießereien außerhalb von Kelham waren ein klarer Fall von Übereifer einer inoffiziellen und nicht autorisierten paramilitärischen Gruppierung aus einem anderen Bundesstaat. Um das alles werden sich die Behörden in Tennessee kümmern. Wir dürfen sie dabei nicht behindern. Unsere Befugnisse sind beschränkt.«

»Sie sind dorthin beordert worden.«

»Nein, das glaube ich nicht. Diese Gruppen stehen durch ein engmaschiges Untergrundnetzwerk in ständiger Verbindung. Wir glauben, dass sich zeigen wird, dass das eine zivile Initiative war.«

»Da bin ich anderer Meinung.«

»Dies ist kein Debattierklub. Tatsachen sind Tatsachen. In unserem Land wimmelt es von solchen Gruppierungen. Ihre Aktivitäten werden intern abgestimmt. Das steht wirklich außer Zweifel.«

»Was ist mit den drei ermordeten Frauen?«

»Der Täter ist identifiziert, soviel ich weiß.«

»Wann?«

»Die Meldung ist vor drei Stunden rausgegangen, denke ich.«

»Wer war's?«

»Ich kenne nicht alle Details.«

»Einer von uns?«

»Nein, es scheint ein Einheimischer gewesen zu sein. Dort drunten in Mississippi.«

Ich schwieg.

Frazer sagte: »Trotzdem vielen Dank, dass Sie hergekommen sind.«

Ich schwieg.

Frazer sagte: »Diese Besprechung ist beendet, Major.«

Ich sagte: »Nein, Colonel, das ist sie nicht.«

65

Das Pentagon wurde gebaut, weil der Eintritt Amerikas in den Zweiten Weltkrieg bevorstand, und weil der Zweite Weltkrieg kam, wurde möglichst wenig Stahl verbaut. So wurde das riesige Gebäude zu einem Monument für die Haltbarkeit und Masse von Beton. Den dafür erforderlichen Sand holte man ganz in der Nähe der emporwachsenden Mauern aus dem Potomac River. Fast eine Million Tonnen. Das Ergebnis war extreme Solidität.

Und wirksame Schalldämmung.

Außerhalb von Frazers geschlossener Bürotür arbeiteten dreißigtausend Menschen, aber ich konnte nicht einen von ihnen hören. Ich konnte überhaupt nichts hören. Nur die für Räume im Ring C typische leise summende Stille.

Frazer sagte: »Vergessen Sie nicht, dass Sie mit einem Offizier sprechen, der im Dienstgrad über Ihnen steht.«

Ich entgegnete: »Und vergessen *Sie* nicht, dass Sie mit einem Militärpolizisten sprechen, der vom einfachen Soldaten bis hinauf zum Fünfsternegeneral jeden verhaften darf.«

»Worauf wollen Sie hinaus?«

»Die Tennessee Free Citizens sind nach Kelham beordert worden. Das ist klar, denke ich. Und ich gebe zu, dass sie nach ihrem Eintreffen übereifrig waren. Aber das liegt nicht nur an ihnen, sondern auch an dem Mann, der sie hinbeordert hat. Ihn trifft sogar mehr Schuld, weil Verantwortung ganz oben beginnt.«

»Niemand hat irgendwelche Befehle erteilt.«

»Sie sind gleichzeitig mit mir in Marsch gesetzt worden. Und mit Munro. Wir haben uns alle dort getroffen. Das war eine einzelne konzentrierte Aktion. Weil Reed Riley dort war. Wer wusste davon?«

»Vielleicht handelte es sich um eine lokale Entscheidung.«

»Welche Rolle haben Sie persönlich gespielt?«

»Eine rein passive. Nur reagierend. Ich war bereit, mich um den Fallout zu kümmern, falls es welchen gäbe. Das war alles.«

»Wissen Sie das bestimmt?«

»Die Verbindungsstelle zum Senat ist immer passiv. Wir löschen nur Feuer.«

»Sie ist nie selbst aktiv? Sie legt niemals vorbeugend Brandschneisen an?«

»Wie hätte ich das tun sollen?«

»Sie hätten die aufziehende Gefahr erkennen können. Sie hätten einen Plan ausarbeiten können. Sie hätten beschließen können, das Vorgelände von Kelham von neugierigen Zivilisten, die peinliche Fragen stellen könnten, freizuhalten. Aber Sie konnten unmöglich vorschlagen, die Ranger sollten das selbst übernehmen. Kein Vorgesetzter hätte diesen Befehl für legal gehalten. Also hätten Sie sich inoffizielle Unterstützung holen können. Sagen wir aus Tennessee, wo Sie herkommen. Wo Sie Leute kennen. Das wäre möglich, nicht wahr?«

»Nein, das ist lächerlich.«

»Damit wirklich alles wie geplant klappt, hätten Sie beschließen können, Telefone der Militärpolizei abhören zu lassen, um auf dem Laufenden und frühzeitig gewarnt zu sein, falls irgendwelche Fehlentwicklungen auftraten.«

»Auch das ist lächerlich.«

»Sie leugnen es also?«

»Natürlich.«

»Dann tun Sie mir einen Gefallen«, sagte ich. »Reden wir mal rein theoretisch. Was würden Sie denken, wenn jemand diese beiden Dinge täte?«

»Welche beiden Dinge?«

»Mit Tennessee telefonieren und Telefone abhören. Was würden Sie denken?«

»Dass Gesetze gebrochen wurden.«

»Würde jemand das eine tun und das andere lassen? Ihre Meinung als Berufssoldat?«

»Das könnte er sich nicht leisten. Er könnte keine Privatmiliz einsetzen, ohne zu wissen, ob sie möglicherweise kurz davor steht, entdeckt zu werden.«

»Einverstanden«, sagte ich. »Wer also die Hinterwäldler angeheuert hat, hat auch die Telefone abgehört, und wer sie abgehört hat, hat auch die Hinterwäldler angeheuert. Klingt das vernünftig? Theoretisch gesprochen?«

»Ich denke schon.«

»Ja oder nein, Colonel.«

»Ja.«

Ich fragte: »Wie gut ist Ihr Kurzzeitgedächtnis?«

»Gut genug.«

»Was haben Sie als Erstes zu mir gesagt, als ich heute hereingekommen bin?«

»Ich habe Sie aufgefordert, die Tür zu schließen.«

»Nein, Sie haben hallo gesagt. Dann haben Sie mich aufgefordert, die Tür zu schließen.«

»Und dann habe ich Sie aufgefordert, Platz zu nehmen.«

»Und dann?«

Er sagte: »Das weiß ich nicht mehr.«

»Wir haben kurz darüber gesprochen, wie viel hier mittags los ist.«

»Ja, ich erinnere mich.«

»Und dann haben Sie gefragt, was für Nachrichten ich für Sie habe.«

»Und Sie hatten keine.«

»Was für Sie eine Überraschung war. Weil ich angekündigt hatte, ich wüsste den Namen.«

»Ich war überrascht, ja.«

»Welchen Namen?«

»Das wusste ich nicht bestimmt. Er hätte sich auf alles Mögliche beziehen können.«

»Dann hätten Sie von einem Namen gesprochen. Nicht von *dem* Namen.«

»Vielleicht bin ich auf Ihre Wahnvorstellung eingegangen, jemand habe diese Amateure tatsächlich nach Mississippi in Marsch gesetzt. Weil das für Sie wichtig zu sein schien.«

»Es war wichtig für mich. Weil es stimmte.«

»Okay, ich respektiere Ihre Überzeugungen. Ich schlage vor, dass Sie rauskriegen, wer das war.«

»Das weiß ich bereits.«

Er äußerte sich nicht dazu.

»Ich habe keine Nachricht für Sie hinterlassen«, fuhr ich fort. »Ich habe lediglich einen Termin vereinbart. Bei der zuständigen Disponentin. Das war alles. Ich habe keinen bestimmten Grund angegeben, sondern nur gesagt, dass ich Sie heute Mittag sprechen muss. Von Namen und den Tennessee Free Citizens war in einem ganz anderen Telefongespräch mit General Garber die Rede. Das Sie offenbar mitgehört haben.«

Das Hintergrundsummen in dem kleinen Raum schien sich zu verändern. Es klang jetzt tief und bedrohlich wie ein laut hämmernder Puls.

Frazer sagte: »Manche Dinge sind für Sie eine Nummer zu groß, mein Sohn.«

»Vermutlich«, entgegnete ich. »Ich weiß nicht genau, was in der ersten Billionstelsekunde nach dem Urknall passiert ist. Ich verstehe nichts von Quantenphysik. Aber mit einer Menge anderer Sachen kenne ich mich aus. Zum Beispiel verstehe ich die Verfassung der Vereinigten Staaten ziemlich gut. Haben Sie schon mal vom Ersten Verfassungszusatz gehört? Der garantiert die Pressefreiheit. Praktisch bedeutet das, dass jeder alte Journalist sich jedem alten Zaun nähern darf, der ihm gefällt.«

»Der Kerl war für ein linksradikales Blättchen in einer College-stadt unterwegs.«

»Und ich denke, dass Sie bequem sind. Sie sind Carlton Riley jahrelang in den Arsch gekrochen und wollen nicht bei einem anderen Mann neu anfangen. Nicht jetzt. Weil Sie dazu Ihre verdammte Pflicht tun müssten.«

Keine Antwort.

Ich sagte: »Das zweite Opfer Ihrer Leute war ein noch nicht volljähriger Jugendlicher. Er war nach Kelham unterwegs, um zu versuchen, in die Army aufgenommen zu werden. Seine Mutter hat in der Nacht darauf Selbstmord begangen. Auch diese Dinge verstehe ich. Weil ich gesehen habe, was übriggeblieben ist. Erst er, dann sie.«

Keine Antwort.

Ich sagte: »Und ich verstehe, dass Sie auf zweifache Weise arrogant sind. Erst haben Sie geglaubt, ich würde Ihren genialen Plan nicht durchschauen, und dann dachten Sie, Sie könnten ganz allein mit mir fertigwerden. Ohne Unterstützung, ohne Verstärkung, ohne Verhaftungsteam. Nur Sie und ich, hier und jetzt. Da muss ich fragen: Wie dumm sind Sie eigentlich?«

»Und ich muss fragen: Sind Sie bewaffnet?«

»Ich bin im Dienstanzug«, antwortete ich. »Zum Dienstanzug wird keine Waffe getragen. Das steht in der Bekleidungsvorschrift.«

»Wie dumm sind *Sie* also?«

»Ich habe nicht erwartet, in diese Lage zu geraten. Ich habe nicht damit gerechnet, so weit zu kommen.«

»Lassen Sie sich einen guten Rat geben, mein Sohn. Aufs Beste hoffen, fürs Schlimmste planen.«

»Befindet sich eine Pistole in Ihrem Schreibtisch?«

»Ich habe zwei Pistolen in meinem Schreibtisch.«

»Werden Sie mich erschießen?«

»Wenn's sein muss.«

»Wir sind hier im Pentagon. Die meisten der dreißigtausend Mitarbeiter sind Soldaten, dafür ausgebildet, sofort hinzustürmen, wenn irgendwo ein Schuss fällt. Legen Sie sich also besser eine gute Story zurecht.«

»Sie haben mich angegriffen.«

»Wozu sollte ich das tun?«

»Weil Sie von dem Gedanken besessen waren, herauszufinden, wer irgendwo in der hintersten Provinz einen hässlichen schwarzen Jungen erschossen hat.«

»Ich habe Ihnen nie erzählt, dass er hässlich war. Oder schwarz. Nicht am Telefon. Das müssen Sie von Ihren Kumpels aus Tennessee wissen.«

»Jedenfalls sind Sie besessen. Ich habe Sie hinausgewiesen, aber Sie haben mich angegriffen.«

Ich lehnte mich auf seinem Besucherstuhl zurück, streckte die Beine aus und ließ die Arme locker herabhängen. Ich war so entspannt, dass ich hätte einschlafen können. Ich sagte: »Das ist keine sehr bedrohliche Haltung, stimmt's? Und ich wiege ungefähr hundertzehn Kilo. Es wird schwierig werden, mich in eine andere Position zu bringen, bevor 3C314 und 3C316 hier aufkreuzen. Was höchstens drei Sekunden dauern dürfte. Und dann bekommen Sie's mit der Militärpolizei zu tun. Sie haben einen der ihren unter verdächtigen Umständen erschossen – dafür reißen die Sie in Stücke.«

»Meine Nachbarn werden nichts hören. Niemand wird etwas hören.«

»Warum nicht? Haben Sie Schalldämpfer an Ihren Pistolen?«

»Ich brauche keine Schalldämpfer. Oder Pistolen.«

Dann tat er etwas sehr Merkwürdiges. Er stand auf und nahm ein Bild von der Wand. Ein gerahmtes Schwarz-Weiß-Foto, das ihn mit Senator Carlton Riley zeigte. Es war signiert. Von dem Senator, vermutete ich. Nicht von ihm. Er trat von der Wand weg und legte das Foto mit der Rückseite nach oben auf seinen Schreibtisch.

Dann kehrte er zur Wand zurück, benutzte Daumen und Zeigefinger wie eine Pinzette und zog den Nagel aus dem Wandputz.

»Was kommt jetzt?«, fragte ich. »Wollen Sie mich mit dem Nagel erstechen?«

Er legte den Nagel neben den Bilderrahmen.

Er zog die mittlere Schreibtischschublade auf und nahm einen Hammer heraus.

Er sagte: »Ich wollte das Foto gerade anders aufhängen, als Sie mich angegriffen haben. Zum Glück konnte ich mir den Hammer schnappen, der noch in der Nähe lag.«

Ich schwieg.

»Das geht sehr leise«, sagte er. »Ein kräftiger Schlag dürfte genügen. Danach habe ich mehr als genug Zeit, Ihre Leiche so zu arrangieren, wie ich möchte.«

»Sie sind verrückt«, sagte ich.

»Nein, ich bin engagiert«, sagte er. »Für die Zukunft der Army.«

66

Hämmer sind sehr ausgereifte Produkte und haben sich seit vielen Jahren nicht mehr verändert. Wozu denn auch? Nägel haben sich nicht verändert. Nägel sehen seit ewigen Zeiten gleich aus. Deshalb stehen die Haupteigenschaften eines Hammers seit Langem fest. Ein schwerer Metallkopf und ein Stiel. Alles, was man braucht, und nichts Überflüssiges. Frazer hatte einen Klauenhammer, einen Zimmermannshammer, der ungefähr anderthalb Pfund wog. Ein großes, hässliches Ding. Ein totaler Overkill, wenn es darum ging, Bilder aufzuhängen, aber solche Missverhältnisse zwischen Mittel und Zweck sind im richtigen Leben häufig.

Allerdings stellte er eine brauchbare Waffe dar.

Er kam auf mich zu und hielt dabei den Hammer wie einen Schlagstock erhoben. Ich sprang ziemlich schnell auf, denn ich hatte die Idee, ihn als unpassend positionierte Leiche in Verlegenheit zu bringen, natürlich längst aufgegeben. Reiner Instinkt. Mich ängstigt nicht leicht etwas, aber auch wir Menschen sind sehr ausgereift. Viele unserer Reaktionen sind seit grauer Vorzeit in uns angelegt. Seit der Zeit, in der mein Kumpel Stan Lowrey seine Storys gern beginnen ließ.

Frazers Dienstzimmer war klein, die freie Grundfläche noch kleiner. Als kämpfte man in einer Telefonzelle. Wie die Sache ausging, würde davon abhängen, wie clever Frazer vorging. Und ich hielt ihn für ziemlich clever. Er hatte Vietnam und den Golfkrieg und viele Dienstjahre im Pentagon überlebt. Das schafft man nicht ohne Grips. Ich billigte ihm auf der zehnstufigen Skala locker sieben Punkte zu. Vielleicht sogar acht. Nicht in unmittelbarer Gefahr, einen Nobelpreis zu erhalten, aber eindeutig cleverer als der gewöhnliche Bär.

Was mir entgegenkam. Gegen Idioten zu kämpfen ist schwieriger. Niemand kann erraten, was sie vermutlich tun werden. Clevere Leute sind dagegen leicht einzuschätzen.

Frazer schwang den Hammer in Taillenhöhe von links nach rechts – ein Standarderöffnungszug. Ich wich zurück, und er verfehlte mich. Ich rechnete mir aus, dass er den nächsten Schlag in gleicher Höhe in Gegenrichtung führen werde; das tat er, und ich wich erneut zurück, sodass er mich wieder verfehlte. Ein erstes Abtasten. Wie Eröffnungszüge auf dem Schachbrett. Er atmete schwer. Vor flammendem Zorn, nicht wegen irgendwelcher Halsprobleme. Nichts, weswegen Saint Audrey sich Sorgen machen musste. Er war im Grund seines Wesens ein Krieger, und Krieger lieben nichts mehr als den Kampf an sich. Er verzehrt sie. Sie leben dafür. Er grinste auch wild, und seine Augen sahen nichts außer dem Hammerkopf und meinen Rumpf dahinter. In der Luft lag scharfer Schweißgeruch, der den kleinen Raum in etwas Primitives wie die Höhle eines nachtaktiven Raubtiers verwandelte.

Ich machte einen halben Schritt vorwärts, woraufhin er einen halben Schritt zurückwich, sodass wir in der Mitte des Raums standen, was wichtig war. Für mich. Er wollte mich an die Wand drängen, aber ich wollte nicht dort sein.

Zumindest noch nicht jetzt.

Er schwang den Hammer zum dritten Mal und ließ ihn durch die Luft zischen, als meinte er es ernst, was nicht der Fall war. Noch nicht. Ich erkannte seine Absichten. Sie lagen in seinem Blick. Ich neigte mich nach hinten, und der Hammerkopf sauste keine Handbreit an meinem Jackett vorbei. Anderthalb Pfund Metall an einem langen Stiel. Weil dieser Schlag sein Ziel verfehlte, bewirkte der Schwung, dass Frazer sich halb zur Seite drehte. Er nutzte diese Drehbewegung sofort für den nächsten Schlag aus – diesmal mit etwas längeren Armen. Ich musste wieder zurückweichen und stand nun fast an der Wand.

Ich beobachtete seine Augen.

Noch nicht.

Er war ein Krieger. Ich war keiner. Ich war ein Straßenkämpfer. Er lebte für den taktischen Sieg. Ich lebte dafür, aufs Grab des anderen Kerls zu pissen. Ein gewaltiger Unterschied. Ganz andere Prioritäten. Er schlug zum vierten Mal zu, wieder im gleichen Bogen, in gleicher Höhe. Er glich einem Pitcher, der ein paar schnelle Bälle wirft, um den Batter daran zu gewöhnen, bevor er etwas ganz anderes versucht. Innen, innen, innen, dann plötzlich außen. Aber Frazer würde es hoch versuchen. Tief wäre besser gewesen, aber er brachte es nur auf sieben von zehn Punkten. Vielleicht auf acht. Aber nicht auf neun.

Er schlug zum fünften Mal zu, wieder im gleichen Bogen, in gleicher Höhe, diesmal so wuchtig, dass die Zinken des Klauenhammers ein brummendes Rauschen erzeugten, bis die Bewegung aufhörte. Er schlug zum sechsten Mal zu, wieder in gleicher Höhe, mit dem gleichen Geräusch, nur etwas längerer Arm. Ich stand jetzt mit dem Rücken an der Wand, konnte kaum noch ausweichen. Dann kam der siebte Schlag, gleiche Höhe, gleicher Winkel, gleiches Geräusch.

Dann kamen seine Augen.

Ihr Blick ging merklich nach oben, und der achte Schlag war hoch angesetzt, zielte genau auf meine Kopfseite. Genau auf die Schläfe. Ich sah die blank polierte Finne des Hammers aufblitzen. Siebenhundertfünfzig Gramm. Anderthalb Pfund. Dieser Schlag hätte mir das Jochbein zertrümmert.

Aber das geschah nicht, weil mein Kopf nicht mehr da war, als der Hammerkopf niedersauste.

Ich ging mit gebeugten Knien zwanzig Zentimeter tiefer: zehn Zentimeter, damit der Schlag mich verfehlte, und weitere zehn als Sicherheitsabstand. Ich hörte etwas über mir durch die Luft zischen, spürte, wie Frazer durch die Wucht seines Schlags herumgerissen wurde, und schnellte wieder hoch, womit eine völlig neue Situation entstand. Wir hatten alle drei Dimensionen ausprobiert: rein und raus, vor und zurück, rauf und runter. Jetzt kam die Zeit als vierte Dimension hinzu. Die restlichen Fragen waren nur: Wie rasch drehte er sich, und wie schnell konnte ich ihn treffen?

Und das waren entscheidende Fragen. Vor allem für ihn. Ich verdrehte den Oberkörper, während ich hochkam, und mein bereits zustoßender Ellbogen würde seinen Hals treffen. Aber an welcher Stelle? Das hing davon ab, wo er sich zu diesem Zeitpunkt befand. Vorn, seitlich, hinten, mir war's egal. Aber ihm konnte es nicht egal sein. Für ihn würden manche Treffer schlimmer sein als andere.

Die anderthalb Pfund hatten erst seine Arme wie die eines Hammerwerfers bei Olympischen Spielen gestreckt und dann die rechte Schulter ruckartig beschleunigt, sodass er sich in einer nicht mehr kontrollierbaren Drehung befand. Und mein Ellbogen würde genau seinen Hals treffen. Das war eine automatische Muskelreaktion. Im Zweifelsfall war ein Ellbogenstoß immer richtig. Vielleicht eine Kindheitserinnerung. Mein ganzes Gewicht lag darin. Ich stand breitbeinig da, und der Stoß würde treffen, schwer treffen. Tatsächlich würde er mit größter Wucht treffen. Dies würde ein Schlag sein, den er überleben konnte, wenn er die Halsseite traf – aber nicht, wenn's der Nacken war. Traf mein Ellbogen sein Genick, würde der Schlag tödlich sein. Keine Frage. Das hing eng damit zusammen, wie der menschliche Schädel mit den Rückenwirbeln verbunden ist.

Es ging hier um Zeit und Geschwindigkeit, Rotation und exzentrische Kreisbahnen. Unmöglich vorherzusagen. Zu viele bewegliche Teile. Anfangs glaubte ich, mein Ellbogen würde die Halsseite treffen. Vielleicht weit hinten, aber doch so, dass er Überlebenschancen hatte. Dann tippte ich auf fifty-fifty, aber die eineinhalb Pfund Stahl zogen ihn plötzlich in eine andere Richtung, und damit stand fest, dass er im Genick getroffen werden würde. Ganz außer Zweifel. Der Kerl würde sterben.

Was ich nicht bedauerte.

Außer in praktischer Hinsicht.

67

Frazer ging neben seinem Schreibtisch zu Boden und gab dabei ein Geräusch von sich, das nicht lauter war, als ließe ein dicker Mensch sich auf ein Sofa fallen. Was keine Gefahr darstellte. Niemand ruft die Cops, nur weil ein dicker Kerl sich auf ein Sofa fallen lässt. Auf dem Fußboden lag ein großer Teppich, irgendein Orientteppich, den vermutlich ein längst an einem Herzschlag gestorbener Vorgänger Frazers hinterlassen hatte. Unter dem Teppich befand sich Parkett, und dann kam massiver Pentagonbeton. Also war eine Schallübertragung kaum möglich. Niemand wird etwas hören, hatte Frazer gesagt. *Damit hattest du recht,* dachte ich. *Arschloch.*

Ich zog die illegale Beretta aus der Innentasche meines Uniformjacketts und zielte damit einige Sekunden lang auf ihn. Nur für alle Fälle. Aufs Beste hoffen, fürs Schlimmste planen. Aber er bewegte sich nicht mehr. Mein Ellbogenstoß hatte ihm das Genick gebrochen. Sein Kopf war nur noch durch Haut und Sehnen mit dem Körper verbunden.

Ich ließ ihn vorerst liegen und war dabei, in die Mitte des Raums zu treten, um mir einen Überblick zu verschaffen, als die Tür geöffnet wurde.

Herein kam Francis Neagley.

Sie trug einen Flecktarnanzug und dazu Latexhandschuhe. Sie sah sich einmal, zweimal in Frazers Dienstzimmer um, dann sagte sie: »Wir müssen ihn dort rüberschaffen, wo das Bild gehangen hat.«

Ich stand wie gelähmt da.

»Los, los, Beeilung!«, sagte sie.

Also setzte ich mich in Bewegung und schleifte Frazer dorthin, wo er hätte zusammenbrechen können, als er das gerahmte Foto aufhängen wollte. Er konnte nach hinten gefallen sein und mit dem Hinterkopf an die Schreibtischkante geknallt sein. Die Entfernungen stimmten ungefähr.

»Aber wie soll's abgelaufen sein?«, fragte ich.

»Er hat den Nagel eingeschlagen«, erklärte Neagley. »Dabei ist er zurückgezuckt, als die Klaue beim Ausholen auf ihn zugekommen ist. So was passiert. Irgendein Reflex. Dagegen war er machtlos. Er hat sich mit den Füßen in den Teppich verwickelt und ist hintenüber gefallen.«

»Und wo ist der Nagel jetzt?«

Sie nahm ihn vom Schreibtisch und ließ ihn die Wand entlang zu Boden fallen. Er klimperte leise, als er auf die Fußbodenleiste traf.

»Und wo ist der Hammer?«

»Der liegt nahe genug«, sagte sie. »Komm, wir hauen ab.«

»Ich muss meinen Termin ausradieren.«

Neagley zeigte mir Frazers Terminkalender, den sie in der Tasche hatte.

»Schon erledigt«, sagte sie. »Los jetzt!«

Neagley führte mich in einem Gehtempo, das zwischen normal und flott lag, zwei Treppen tiefer und durch die Korridore weiter. Wir verließen das Pentagon durch den Südostausgang und hielten direkt auf den Teil des Parkplatzes mit den reservierten Plätzen zu, wo Neagley die Fernbedienung einer großen Limousine betätigte. Ein Buick Park Avenue. Dunkelblau. Sehr sauber. Vielleicht neu.

Neagley sagte: »Steig ein.«

Also stieg ich ein und saß auf weichem cremeweißen Leder. Neagley stieß rückwärts aus der Parklücke, drehte das Lenkrad und fuhr in Richtung Ausfahrt. Wenig später nahmen wir die nächste Einfahrt auf eine dreispurige Stadtautobahn, auf der wir nur ein Wagen unter Tausenden waren, die nach Süden unterwegs waren.

Ich sagte: »An der Information gibt es eine Aufzeichnung darüber, dass ich reingekommen bin.«

»Falsche Zeit«, sagte Neagley. »Es hat dort eine gegeben. Jetzt nicht mehr.«

»Wann hast du das alles geschafft?«

»Ich hab mir ausgerechnet, dass du mit dem Kerl keine Probleme haben würdest, sobald du mit ihm allein bist. Mir wär's allerdings lieber gewesen, wenn du weniger geredet hättest. Du hättest viel früher gewalttätig werden sollen. Du bist talentiert, Schätzchen, aber Reden gehört nicht zu deinen Stärken.«

»Wieso bist du überhaupt hier?«

»Ich hab eine Nachricht bekommen.«

»Welche Nachricht?«

»Von dieser verrückten Aktion. Dass du dich allein in die Höhle des Löwen wagst.«

»Und von woher?«

»Aus dem tiefen Süden. Von Sheriff Deveraux persönlich. Sie hat mich um Hilfe gebeten.«

»Sie hat dich angerufen?«

»Nein, wir hatten eine Séance.«

»Wieso sollte sie dich anrufen?«

»Weil sie sich Sorgen um dich gemacht hat, Idiot. Und ich hab mir auch welche gemacht, als ich das hörte.«

»Die Sache war nicht weiter gefährlich.«

»Sie hätte verdammt gefährlich werden können.«

Ich fragte: »Worum hat sie dich gebeten?«

»Ich sollte auf dich aufpassen. Um sicherzustellen, dass dir nichts passiert.«

»Ich glaube nicht, dass ich ihr gesagt habe, wann ich den Termin bei Frazer hatte.«

»Sie wusste, mit welchem Bus du gefahren bist. Ihr Deputy hat ihr erzählt, wann er dich in Memphis abgesetzt hat, und da war's ganz einfach, sich deinen Zeitplan auszurechnen.«

»Wie hat dir das heute Morgen geholfen?«

»Es hat mir nicht heute Morgen, sondern gestern Abend geholfen. Ich habe dich beschattet, seit du am Busbahnhof ausgestiegen bist. Jede Minute. Übrigens ein hübsches Hotel. Sollten sie die Hotelrechnung jemals von mir zurückfordern, bist du mir einen Haufen Geld schuldig.«

Ich fragte: »Wem gehört dieser Wagen?«

»Er gehört der Fahrbereitschaft. Streng nach Vorschrift.«

»Nach welcher Vorschrift?«

»Stirbt ein hoher Stabsoffizier, geht sein Dienstwagen an die Fahrbereitschaft zurück. Dort wird umgehend eine Probefahrt gemacht, um festzustellen, ob Reparaturen erforderlich sind, bevor er einem neuen Besitzer übergeben werden kann. Dies ist die Probefahrt.«

»Wie lange dauert die?«

»Ungefähr zwei Jahre, denke ich.«

»Wer war der Offizier?«

»Der Wagen ist ziemlich neu, stimmt's? Also kann der Todesfall nicht sehr lange zurückliegen.«

»Frazer?«

»Für die Fahrbereitschaft ist's einfacher, den Papierkram morgens zu erledigen. Wir haben alle auf dich gezählt. Wäre irgendwas schiefgegangen, hätten wir schön dumm ausgesehen.«

»Ich hätte ihn stattdessen verhaften können.«

»Macht keinen Unterschied. Tot oder eingebuchtet ist der Fahrbereitschaft egal.«

»Wohin fahren wir?«

»Zu deiner Dienststelle. Garber will dich sprechen.«

»Warum?«

»Weiß ich nicht.«

»Bis dorthin sind's drei Stunden.«

»Dann lehn dich zurück und entspann dich. Vielleicht ist das für längere Zeit deine letzte Ruhepause.«

»Ich dachte, du könntest Deveraux nicht leiden.«

»Das heißt nicht, dass ich ihr nicht helfe, wenn sie sich Sorgen macht. Mit ihr stimmt nur irgendwas nicht, das ist alles. Wie lange kennst du sie schon?«

»Vier Tage«, sagte ich.

»Und ich möchte wetten, dass du mir bereits vier bizarre Dinge über sie erzählen könntest.«

Ich sagte: »Ich sollte versuchen, sie anzurufen, wenn sie sich Sorgen macht.«

»Hab ich schon versucht«, entgegnete Neagley. »Vom Telefon der Disponentin aus. Während du Frazer all diesen theoretischen Scheiß erzählt hast. Ich wollte ihr sagen, dass die Sache praktisch in trockenen Tüchern ist. Aber sie hat nicht abgehoben. Ein ganzes Sheriff's Department, und keiner geht ans Telefon.«

»Vielleicht haben sie zu tun.«

»Schon möglich. Weil es noch etwas anderes gibt, das du wissen musst. Ich hab ein Gerücht aus dem Sergeanten-Netzwerk verifiziert. Die Bodenmannschaft in Benning sagt, dass der Blackhawk, der am Sonntag aus Kelham gekommen ist, leer war. Außer den Piloten, versteht sich. Soll heißen: ohne Passagier. Reed Riley hat sich nirgendwohin abgesetzt. Er befindet sich noch auf dem Stützpunkt.«

68

Ich befolgte Neagleys Ratschlag und entspannte mich auf der restlichen Fahrt. Sie dauerte weit weniger als drei Stunden. Der Buick war viel schneller als ein Bus. Und Neagley fuhr weit flotter, als ein Busfahrer es gedurft hätte. So war ich schon um 15.30 Uhr wieder an meinem Standort. Genau vierundzwanzig Stunden nach der Abfahrt.

Ich ging sofort in meine Unterkunft, entledigte mich meines Dienstanzugs, putzte mir die Zähne und duschte ausgiebig. Dann zog ich im Kampfanzug mit weißem T-Shirt los, um zu hören, was Garber wollte.

Garber wollte mir eine vertrauliche Akte des Marine Corps zeigen. Deswegen hatte er mich zurückbeordert. Aber zuerst kam ein kurzes Frage-und-Antwort-Spiel, das nicht sonderlich gut verlief. Es war höchst unbefriedigend. Ich stellte die Fragen, und er weigerte sich, sie zu beantworten.

Außerdem mied er jeglichen Blickkontakt.

Ich fragte: »Wer ist in Mississippi verhaftet worden?«

Er sagte: »Lesen Sie die Akte.«

»Ich will's wissen.«

»Lesen Sie erst die Akte.«

»Hatten sie einen vernünftigen Grund – oder ist das alles Bockmist?«

»Lesen Sie die Akte.«

»War's in allen drei Fällen derselbe Täter?«

»Lesen Sie erst die Akte.«

»Zivilist, richtig?«

»Lesen Sie die verdammte Akte, Reacher.«

Garber erlaubte nicht, dass ich die Akte mitnahm. Er durfte sie nicht aus der Hand geben, sie theoretisch keine Sekunde aus den Augen lassen, obwohl er sich daran nicht hielt. Er verließ sein Dienstzimmer, schloss leise die Tür und ließ mich damit allein.

Die Akte war ungefähr einen Zentimeter dick und in einem khakifarbenen Ordner enthalten, dessen Farbton nicht dem in der Army verwendeten entsprach. Er wirkte auch qualitätsvoller. Glatt und fest, nach all den Jahren nur wenig abgenutzt und verkratzt. An allen vier Ecken klebten rote Winkel, die vermutlich eine höhere Geheimhaltungsstufe bezeichneten. Der weiße Aufkleber trug ein USMC-Aktenzeichen und ein Datum, das fünf Jahre zurücklag.

Außerdem stand auf einem zweiten Aufkleber ein Name.

DEVERAUX, E.

Hinter ihrem Namen folgten ihr Dienstgrad – CWO5 –, ihre Stammnummer und ihr Geburtsdatum, das nicht sehr weit von meinem entfernt war. Nahe am unteren Rand saß leicht schief ein dritter Aufkleber, der von einer Rolle stammen musste. Ich vermutete, dass die Warnung NUR VON BEFUGTEN ZU ÖFFNEN heißen sollte, aber das Klebeband war falsch abgeschnitten worden, sodass die Warnung VON BEFUGTEN ZU ÖFFNEN NUR lautete. Die Bürokratie ist immer wieder für unfreiwilligen Humor gut.

Aber den Inhalt der Akte fand ich nicht lustig.

Er begann mit einem Foto von ihr. Dieses Farbfoto schien etwas älter als fünf Jahre zu sein. Wie sie mir erzählt hatte, trug sie ihr Haar sehr kurz. Wahrscheinlich vor einer Woche geschoren und wie weiches dunkles Moos nachgewachsen. Sie sah sehr schön aus. Sehr klein und zierlich. Das kurze Haar ließ ihre Augen riesig erscheinen. Sie wirkte lebendig, energiegeladen, diszipliniert, jederzeit Herrin der Lage. Auf dem Höhepunkt ihrer körperlichen und geistigen Kräfte. Ende zwanzig, Anfang dreißig. An diese Jahre erinnerte ich mich gut.

Ich legte das Foto links von mir mit der Bildseite nach unten und sah mir die erste mit der Maschine geschriebene Seite an. Mit einer IBM mit Kugelkopf, vermutete ich. Die waren 1992 noch weit verbreitet gewesen. Sogar 1997 existierten noch viele. Textverarbeitung am PC gab es zwar, aber beim Militär wurde sie von Zweifeln und Misstrauen begleitet, nur zögerlich und mit großer Vorsicht eingeführt.

Ich begann zu lesen. Mir war sofort klar, dass die Akte die Zusammenfassung eines Untersuchungsberichts darstellte, den ein USMC-Brigadegeneral aus der mit der Aufsicht über die Militärpolizei betrauten Dienststelle des Provost Marshal verfasst hatte. Der Einsternegeneral hieß James Dyer. Ein sehr hoher Offizier für etwas, das auf den ersten Blick nur eine persönliche Fehde zu sein schien. Tatsächlich eine private Auseinandersetzung zwischen zwei gleichrangigen Militärpolizisten. Genauer gesagt ein Streit zwischen einer Militärpolizistin und zwei ihrer Kollegen. Auf einer Seite standen eine Frau namens Alice Bouton und ein Mann namens Paul Evers, auf der anderen Elizabeth Deveraux.

Wie jede Zusammenfassung, die ich jemals gelesen hatte, fing auch diese mit einer nüchternen Schilderung der Ereignisse an: neutral und geduldig verfasst, ohne Andeutungen oder Schlussfolgerungen, in angestrengt unmissverständlicher Sprache. Die Story war relativ einfach. Wie das Drehbuch einer Seifenoper. Erst waren Elizabeth Deveraux und Paul Evers ein Paar, und dann nicht mehr. Anschließend waren Paul Evers und Alice Bouton ein Paar, und dann wurde Pauls Wagen zu Schrott gefahren, Alice unehrenhaft entlassen, nachdem eine finanzielle Unregelmäßigkeit ans Tageslicht gekommen war.

Das hatte sich also abgespielt.

Als Nächstes folgte ein Exkurs zu Alice Boutons Situation. Wie eine Fußnote. Nach General Dyers Überzeugung war Alice zweifellos schuldig. Die Tatsachen waren offenkundig. Alle Beweise lagen vor und ließen sich nicht leugnen. Die Untersuchung war fair gewesen, die Verteidigung war gewissenhaft. Das Urteil war einstimmig ergangen. Der fragliche Betrag hatte sich auf knapp vierhundert Dollar belaufen. In bar, aus der Asservatenkammer entwendet. Der Ertrag aus einem illegalen Waffenverkauf: konfisziert und zu den Akten genommen, um bei der kommenden Kriegsgerichtsverhandlung vorgelegt zu werden. Alice Bouton hatte das Geld entwendet und in einer benachbarten Kleinstadt für ein Kleid, eine Handtasche und ein Paar Schuhe ausgegeben. In dem Geschäft erinnerte man sich noch an sie. Vierhundert Bucks, die eine Soldatin für Klamotten hinblätterte, waren 1992 eine Menge Geld. Als die MP gekommen war, hatten noch einige der größeren Scheine in der Ladenkasse gelegen: Ihre Seriennummern entsprachen dem angelegten Verzeichnis.

Fall abgeschlossen.

Ende der Fußnote.

Als Nächstes folgte General Dyers Analyse der Wirren, an denen die drei beteiligt gewesen waren. Sie war gewissenhaft verfasst und begann mit der gusseisernen Behauptung, alle Schlussfolgerungen seien durch Tatsachen mehrfach belegt. Gespräche waren geführt worden, Vernehmungen hatten stattgefunden, Informationen waren gesammelt und Zeugen befragt worden. Zuletzt war alles miteinander abgeglichen und überprüft worden, wobei die Dinge, für die es nicht mindestens zwei Zeugen gab, gestrichen worden waren. Also penibel sorgfältige Ermittlungen, auf die man sich verlassen konnte. Die Garantie endete mit einem langen Absatz in Fettschrift. Ich konnte mir vorstellen, wie die IBM dabei auf dem Schreibtisch gezittert und gebebt hatte, als der Kugelkopf aufs Papier hämmerte. Dieser Absatz unterstrich Dyers Überzeugung, alle in dem Bericht genannten Einzelheiten seien gerichtsrelevant, falls ein Verfahren später für erforderlich oder wünschenswert gehalten werde.

Ich blätterte um und begann mit dem Studium der Analyse. Dyer schrieb schnörkellos nüchtern und vermied es, sich selbst einzubringen. Wer die Einleitung gelesen hatte, würde wissen, dass der Inhalt vielleicht nicht hundertprozentig beweisbar war, aber andererseits weit über bloße Gerüchte oder Vermutungen hinausging. Hier standen zuverlässige Informationen. Was in Erfahrung gebracht werden konnte, war festgehalten worden. Deshalb schrieb Dyer nie *ich glaube* oder *ich denke* oder *allem Anschein nach*. Er erzählte einfach die Geschichte, die sich folgendermaßen zusammenfassen ließ: Elizabeth Deveraux war natürlich stinksauer gewesen, als Paul Evers ihr den Laufpass gegeben und sich Alice Bouton zugewandt hatte. Sie fühlte sich gekränkt, beleidigt und verletzt. Sie war eine verschmähte Frau, und ihr Verhalten in der Zeit danach war von Rachsucht geprägt gewesen. Als Erstes zog sie bei jeder sich bietenden Gelegenheit über das neue Paar her, machte es schlecht, wo sie nur konnte, und manipulierte die Dienstpläne der beiden, sodass ihnen möglichst wenig gemeinsame Freizeit blieb.

Dann hatte sie Pauls Wagen von einer Brücke gefahren.

Evers' Auto war nichts Besonderes, aber er hatte dafür ziemlich viel Geld ausgegeben und brauchte es für seine Freizeitaktivitäten, weil niemand ständig auf dem Stützpunkt bleiben will. Deveraux, die noch einen Schlüssel dafür besaß, hatte ihn eines Nachts geholt, am Widerlager einer Brücke vorbeigelenkt und zehn Meter tief in einen Abflusskanal stürzen lassen. Nach dem Aufprall war das Auto so gut wie schrottreif gewesen, und schwere Regenfälle im Verlauf der Nacht hatten ihm den Rest gegeben.

Anschließend hatte Deveraux sich auf Alice Bouton konzentriert.

Begonnen hatte sie damit, dass sie ihrer Rivalin den Arm brach.

General Dyers Prinzip, nur Tatsachen aufzunehmen, die von zwei Zeugen bestätigt waren, bewirkte natürlich, dass die Umstände nicht genau geschildert werden konnten, weil es für den Angriff keine Augenzeugen gab. Aber Bouton behauptete, sie sei von Deveraux überfallen worden, und die hatte das nie geleugnet. Die ärztliche Diagnose stand außer Zweifel: Elle und Speiche von Boutons linkem Unterarm waren gebrochen. Sie hatte sechs Wochen lang einen Gips tragen müssen.

Und Deveraux hatte diese sechs langen Wochen damit verbracht, den Diebstahlsvorwurf mit dämonischer Intensität zu verfolgen. Allerdings war *verfolgen* ursprünglich das falsche Wort, denn zu Anfang hatte es nichts zu verfolgen gegeben. Niemand wusste, dass etwas entwendet worden war. Deveraux hatte in der Asservatenkammer Inventur gemacht und die Bestandslisten kontrolliert und dabei erst die Diskrepanz entdeckt. Daraufhin hatte sie den Vorwurf gegen Bouton erhoben und ihn geradezu besessen verfolgt, bis das in General Dyers Fußnote geschilderte Ergebnis eingetreten war. Die Kriegsgerichtsverhandlung mit nachfolgendem Schuldspruch.

Natürlich erregte der Fall bei der Militärpolizei des Marine Corps ungeheures Aufsehen, aber Boutons Verurteilung garantierte, dass Deveraux keinerlei offizielle Kritik zu befürchten hatte. Was bei einem Freispruch wie eine Vendetta hätte aussehen können, galt jetzt als mustergültige Ermittlungsarbeit in völligem Einklang mit dem Ehrenkodex der Marines. Aber die Trennlinie zwischen beidem war hauchdünn. General Dyer hatte nie daran gezweifelt, dass der Fall Züge eines persönlichen Rachefeldzugs trug.

Und er hatte versucht – was in Berichten dieser Art ungewöhnlich war –, die Gründe dafür zu erklären.

An dieser Stelle bestätigte er nochmals, dass Gespräche geführt, Einvernahmen durchgeführt, Informationen gesammelt und Zeugen befragt worden waren. An dieser neuen Diskussion hatten sich Freunde und Feinde, Bekannte und Kollegen, Ärzte und Psychiater beteiligt.

Der entscheidende Punkt war nach Ansicht aller Alice Boutons auffällige Schönheit gewesen.

Alle stimmten darin überein, Bouton sei eine echte Schönheit. Unter anderem wurde sie mit Adjektiven wie »wundervoll«, »sagenhaft«, »umwerfend«, »traumhaft«, »spektakulär« und »unglaublich« bedacht.

Alle diese Ausdrücke trafen natürlich auch auf Deveraux zu. Auch darin waren sich alle einig. Das stand außer Frage. Die Psychiater waren zu dem Schluss gelangt, darin liege die Erklärung. Für gewöhnliche Leser hatte General Dyer ihren Fachjargon übersetzt. Er schrieb, Deveraux habe keine Konkurrenz geduldet. Sie habe es nicht ertragen können, nicht eindeutig die schönste Frau des Standorts zu sein. Also habe sie Schritte unternommen, um sich diesen Status zu sichern.

Ich las die ganze Akte nochmals von vorn bis hinten durch, schob die Blätter ordentlich zusammen und legte sie in den Ordner zurück, als Garber gerade wieder den Raum betrat.

69

Garbers erste Worte waren: »Eben ist eine Nachricht aus dem Pentagon gekommen. Colonel Frazer ist tot in seinem Dienstzimmer aufgefunden worden.«

Ich fragte: »Woran tot?«

»Scheint einen verrückten Unfall gehabt zu haben. Er ist gestürzt und mit dem Kopf an die Schreibtischkante geknallt. Seine Sekretärin ist vom Lunch zurückgekommen und hat ihn auf dem Boden liegend vorgefunden. Er war mit einem Foto von Carlton Riley beschäftigt.«

»Das ist schlecht.«

»Wieso?«

»Dass wir ausgerechnet jetzt unseren Verbindungsoffizier beim Senat verlieren …«

»Haben Sie die Akte gelesen?«

Ich sagte: »Ja, das habe ich.«

»Dann wissen Sie, weshalb der Senat uns keine Sorgen mehr bereiten muss. Wer John James Frazer nachfolgt, wird reichlich Zeit haben, sich einzuarbeiten, bevor die nächste Krise kommt.«

»Soll das die offizielle Linie sein?«

»Das ist die Wahrheit. Sie war bei den Marines, Reacher. Sechzehn Dienstjahre. Sie weiß, wie man jemandem die Kehle durchschneidet. Und sie hat es verstanden, die Ahnungslose zu spielen. Allein die Sache mit dem Auto ist Beweis genug. Was gibt's da noch zu sagen? Sie fährt Paul Evers' Wagen zu Schrott, und sie verschrottet Reed Rileys Auto. Exakt die gleiche Methode, das gleiche Motiv. Nur war sie diesmal eine von vier schönen Frauen. Und Munro sagt, dass Riley erst mit ihr und dann nacheinander mit den drei anderen Frauen befreundet war. Deshalb war sie dieses Mal dreimal so wütend. Dieses Mal hat sie sich nicht damit begnügt, jemandem den Arm zu brechen. Dieses Mal hatte sie ihr eigenes privates Hirschgestell hinter einem verlassenen Haus.«

»Soll das die offizielle Linie sein?«

»So ist's abgelaufen.«

»Was passiert als Nächstes?«

»Dafür ist jetzt ausschließlich Mississippi zuständig. Wir sind mit diesem Fall nicht befasst und können nicht beurteilen, was passieren wird. Vermutlich gar nichts. Ich wette, dass sie sich nicht selbst verhaftet, und sie wird der State Police keinen Grund liefern, es zu tun.«

»Wir kümmern uns also nicht weiter darum?«

»Die drei Opfer waren Zivilisten. Mit denen haben wir nichts zu schaffen.«

»Die Ermittlungen sind also eingestellt?«

»Seit heute Morgen.«

»Ist Fort Kelham wieder offen?«

»Seit heute Morgen.«

»Sie bestreitet, Rileys Freundin gewesen zu sein, wissen Sie.«

»Logischerweise, nicht wahr?«

»Was wissen wir über General Dyer?«

»Er ist vor gut zwei Jahren nach langer, beispielhafter Karriere gestorben. Der Mann hat nie etwas falsch gemacht. Er war unangreifbar.«

»Okay«, sagte ich. »Ich mache mich dran.«

»Woran?«

»Ich mache mich dran, meine Beteiligung abzuwickeln.«

»Ihre Beteiligung ist schon beendet. Seit heute Morgen.«

»Ich muss privates Eigentum zurückholen.«

»Sie haben dort etwas zurückgelassen?«

»Ich dachte, ich würde direkt wieder hinfahren.«

»Was haben Sie zurückgelassen?«

»Meine Zahnbürste.«

»Die ist nicht wichtig.«

»Ersetzt das Verteidigungsministerium sie mir?«

»Eine Zahnbürste? Natürlich nicht.«

»Dann ist's mein Recht, sie mir zu holen. Beides zugleich geht nicht.«

Er sagte: »Reacher, wenn Sie der Sache noch die geringste Aufmerksamkeit schenken, kann ich Ihnen nicht mehr helfen. Im Augenblick halten einige Leute in sehr hohen Positionen den Atem an. Wir stehen kurz davor, dass die Zeitungen berichten, der Sohn eines Senators sei mit einer dreifachen Mörderin liiert gewesen. Nur kann keiner der beiden es sich leisten, etwas darüber verlauten zu lassen. Er aus bestimmten Gründen nicht, sie aus anderen nicht. Also kommen wir vermutlich mit unserer Taktik durch. Aber das wissen wir noch nicht. Nicht bestimmt. Im Augenblick ist noch alles in der Schwebe.«

Ich schwieg.

Garber sagte: »Sie wissen, dass ihr das zuzutrauen ist, Reacher. Ein Mann mit Ihren Instinkten? Sie hat nur so getan, als ermittelte sie. Ich meine, ist sie damit weitergekommen? Und Sie hat sie um den kleinen Finger gewickelt. Erst hat sie versucht, Sie loszuwerden, und als das nicht geklappt hat, hat sie umgeschaltet und sich bemüht, Sie in der Nähe zu behalten. Um stets über den Fortschritt Ihrer Ermittlungen informiert zu sein. Oder den Stillstand. Wieso hätte sie sonst überhaupt mit Ihnen reden sollen?«

Ich schwieg.

Er sagte: »Der Bus ist ohnehin längst weg. Nach Memphis. Sie werden bis morgen warten müssen. Und Sie denken bestimmt anders, wenn Sie eine Nacht darüber geschlafen haben.«

Ich fragte. »Ist Neagley noch hier?«

Er sagte: »Ja, das ist sie. Ich habe mich vorhin gerade auf einen Drink mit ihr verabredet.«

»Sagen Sie ihr, dass sie mit dem Bus zurückfährt. Sagen Sie ihr, dass ich den Firmenwagen nehme.«

Er fragte: »Haben Sie ein Bankkonto?«

Ich sagte: »Wie bekäme ich sonst mein Gehalt?«

»Wo haben Sie's?«

»New York. Aus meiner Zeit in West Point.«

»Suchen Sie sich eine Bank, die dem Pentagon näher ist.«

»Wozu?«

»Das Übergangsgeld nach unfreiwilliger Entlassung bekommt man schneller, wenn man ein Konto in Virginia hat.«

»Glauben Sie, dass es dazu kommen wird?«

»Die Vereinten Stabschefs glauben, dass der Krieg vorbei ist. Sie singen im Chor mit Yoko Ono. Den Streitkräften stehen große Kürzungen bevor. Am schwersten wird's die Army treffen. Weil die Marines bessere PR-Berater haben und Marine und Luftwaffe etwas ganz anderes sind. Daher stellen die Leute direkt über uns Listen zusammen – und das tun sie in diesem Augenblick.«

»Stehe ich auf diesen Listen?«

»Sie werden draufstehen. Und ich werde Sie nicht davor bewahren können.«

»Sie könnten mir befehlen, nicht nach Mississippi zu fahren.«

»Das könnte ich, aber ich tu's nicht. Nicht Ihnen. Ich vertraue darauf, dass Sie das Richtige tun.«

70

Auf dem Parkplatz begegnete ich Stan Lowrey. Meinem alten Freund. Er sperrte sein Auto ab, als ich den Buick mit dem Schlüssel aufschloss, den ich mir von der Fahrbereitschaft geholt hatte. Ich sagte: »Goodbye, alter Kumpel.«

Er sagte: »Das klingt endgültig.«

»Vielleicht siehst du mich nie wieder.«

»Warum? Hast du Schwierigkeiten?«

»Ich?«, fragte ich. »Nein, mir geht's blendend. Aber ich habe gehört, dass dein Job auf der Kippe steht. Vielleicht bist du schon weg, wenn ich zurückkomme.«

Er schüttelte nur den Kopf, lächelte und ging davon.

Der Buick war ein Wagen für alte Damen. Hätte mein Großvater eine Schwester gehabt – die meine Großtante gewesen wäre –, hätte sie sich einen Buick Park Avenue angeschafft. Aber sie wäre langsamer gefahren als ich. Die Federung war weich und schwammig und die Lenkung unpräzise, aber der Wagen hatte einen großen Motor. Und staatliche Kennzeichen. Also war er auf der Interstate nützlich. Und ich beeilte mich, dass ich sie schnellstens erreichte. Genau gesagt die I-65. Am Ostrand eines gedachten Korridors nach Süden führend, nicht über Memphis an seinem Westrand. Ich würde aus einer Richtung kommen, die ich bisher nicht kannte, aber diese Strecke war kürzer und deshalb schneller. Ich rechnete mit nur fünf Stunden. Vielleicht mit fünfeinhalb. Spätestens um 22.30 Uhr konnte ich in Carter Crossing sein.

Ich fuhr noch bei Tageslicht durch ganz Kentucky nach Süden, und als es ziemlich rasch dunkel wurde, war ich in Tennessee unterwegs. Ich suchte eine Meile weit den Lichtschalter, fand ihn endlich und schaltete die Scheinwerfer ein. Die breite Straße führte mich rasch durch das neonhelle Nashville und wieder aufs Land hinaus, das dunkel und menschenleer war. Ich fuhr wie in Trance, automatisch, ohne zu denken, fast ohne meine Umgebung wahrzunehmen und nur jedes Mal ein wenig überrascht, wenn wieder hundert Meilen zurückgelegt waren.

Ich überquerte die Staatsgrenze nach Alabama und hielt an der zweiten Tankstelle, die ich sah, um zu tanken und mir eine Straßenkarte zu besorgen. Ich wusste, dass ich bald nach Westen würde abbiegen müssen, und brauchte dafür eine detaillierte Karte. Keine in großem Maßstab, die man im Voraus kaufen konnte. Das Blatt, das ich erwarb, ließ sich leicht entfalten und zeigte mir praktisch jeden Feldweg in Alabama. Aber nicht mehr. Mississippi war nur eine weiße Fläche am Kartenrand. Ich bestimmte die Lage meines Ziels genauer und stellte fest, dass ich die Wahl zwischen vier Ost-West-Strecken hatte. Jede dieser vier – oder aber keine davon – konnte die Straße sein, die am Tor von Fort Kelham vorbei nach Carter Crossing führte. Jenseits der Staatsgrenze musste ich mit allen möglichen Umwegen rechnen. Unter Umständen ein regelrechtes Labyrinth. Genaueres ließ sich nicht vorhersagen.

Allerdings war Fort Kelham in den fünfziger Jahren gebaut worden, als es noch große Kriege und Massenmobilisierungen gab. Und das Verteidigungsministerium hatte schon immer sehr vorsichtig geplant. Es wollte nicht, dass irgendeine Reservistenkolonne aus New Jersey oder Nebraska sich in einem unbekannten Gebiet verfuhr. Deshalb zeigten diskrete, verschlüsselte Wegweiser die Routen zu und von jeder großen US-Militäreinrichtung. Diese Anstrengungen waren verdoppelt worden, als das Interstate-Netz entstand. Das Autobahnnetz wurde aus gutem Grund nach Präsident Eisenhower benannt. Im Zweiten Weltkrieg hatte Eisenhower als Oberkommandierender der Alliierten Streitkräfte in Europa mit dem Problem zu kämpfen gehabt, Männer und Material über schlechte und oft unbezeichnete Straßen von A nach B zu bringen. Für den Fall, dass in Amerika jemals ein Landkrieg geführt werden musste, wollte er dafür sorgen, dass seine Nachfolger nicht mit solchen Problemen zu kämpfen hatten. Daher das Interstate-System. Nicht für Urlauber. Nicht für Spediteure. Für den Krieg. Und daher die Wegweiser. Waren sie nicht zerschossen, zu Schrott gefahren oder von den Einheimischen entwendet worden, konnte ich sie auf der Strecke nach Fort Kelham wie Zielfunkfeuer benutzen.

Den ersten Wegweiser entdeckte ich an der nächsten Ausfahrt. Ich verließ die Interstate und fuhr auf einem Betonband zwischen Einkaufszentren, Discountern und Autohändlern nach Westen. Nach einiger Zeit blieben die Geschäfte zurück, und die Straße wurde wieder zu dem, was sie vermutlich einst gewesen war: eine Landstraße in einer hübschen Gegend. Hier gab es Bäume, Felder und vereinzelte Seen. Und es gab Sommercamps, Feriendörfer und Gasthöfe.

Ich fuhr weiter, sah aber keine im Auftrag des Verteidigungsministeriums angebrachten weiteren Wegweiser, bis ich Mississippi erreichte – und auch dann nur noch einen. Aber der zeigte kühn und selbstbewusst geradeaus und enthielt in seiner verschlüsselten Kennzeichnung die Zahl 17, was bedeutete, dass ich nur noch siebzehn Meilen zu fahren hatte. Die Uhr in meinem Kopf zeigte 22.05 Uhr an. Wenn ich mich beeilte, konnte ich sogar etwas früher als geplant eintreffen.

71

Die Straßenbauer des Verteidigungsministeriums hatten die westliche Zufahrt von Fort Kelham anscheinend für ebenso wichtig gehalten wie die östliche. Beide Straßen waren gleich ausgebaut: gleiche Breite, gleicher Belag, gleiches Profil, gleicher Unterbau. Ich erkannte sie ab zehn Meilen Entfernung. Dann ahnte ich in der Dunkelheit rechts von mir die Bäume und den Zaun. Die Südostecke von Kelham. Auf einer Landkarte rechts unten.

Der Südzaun glitt an meinem Seitenfenster vorbei, und ich wartete darauf, dass das Tor in Sicht kam. Ich sah keinen Grund dafür, weshalb es nicht genau in der Zaunmitte liegen sollte. Das Verteidigungsministerium hatte es gern ordentlich. Wäre ein Hügel im Weg gewesen, hätten seine Straßenbauer ihn abgetragen. Wäre ein Sumpf im Weg gewesen, hätten sie ihn trockengelegt.

Letztlich schien ein flaches Tal im Weg gewesen zu sein, denn nach einigen Meilen verlief die Straße auf einem fast zwei Meter hoch aufgeschütteten Damm. Das Gelände ringsum lag tiefer. Dann wurde die Straße rechts von mir plötzlich fächerförmig breiter, als läge dort die Einfahrt zu einem Highwayrastplatz oder die Einmündung einer breiten neuen Straße. Sie traf rechtwinklig auf die alte Straße, aber es gab keine scharfen Ecken, keine engen Kurven. Die Einmündung war für Kettenfahrzeuge ausgelegt, nicht für Buicks, so schwammig deren Lenkung auch sein mochte.

Aber wenn die fächerförmige Einmündung zu einer neuen Straße gehörte, war mit ihr schon nach fünfzig Metern am Tor von Fort Kelham wieder Schluss. Und das Tor von Fort Kelham war ungewöhnlich massiv. Das stand verdammt fest. Es war stärker als alles, was ich außerhalb von Kampfgebieten gesehen hatte. Flankiert wurde es von Befestigungen und dem ebenfalls massiven Wachlokal, in dem ich acht oder neun Mann zählte. Die Interessen des Countys vertrat eine einzelne Gestalt: Deputy Geezer Butler. Er saß in seinem Wagen, der an der Einmündung neben der Fahrbahn geparkt stand – in einer Art Niemandsland, in dem die Straße des Countys in die der Army überging.

Aber das schwere Stahltor der Army stand weit offen, und die Straße der Army wurde benutzt. Auf dem hell beleuchteten Stützpunkt herrschte reges Treiben, und die ganze Szene wirkte so, als hätte es die Ausgangssperre nie gegeben. Leute kamen und gingen, nicht in Massen, aber niemand war allein. Die meisten in Autos, einige wenige auf Motorrädern. Allerdings waren die Heimkehrer weit in der Überzahl, weil es schon fast 22.30 Uhr war und sie früh würden aufstehen müssen. Trotzdem waren noch einige Unermüdliche in Richtung Carter Crossing unterwegs. Vermutlich Ausbilder und Offiziere. Alles Leute, die es leicht hatten. Ich bremste hinter zwei langsameren Autos, und als noch eines aus dem Tor kam und sich uns anschloss, bildeten wir einen kleinen Konvoi aus vier Fahrzeugen. Wir schwammen gegen den Strom, weil wir nach Westen fuhren und übers Bahngleis wollten. Vermutlich waren wir der letzte von vielen solcher Konvois, die heute Abend unterwegs gewesen waren.

Bald würden wir die linke untere Ecke, die Südwestecke von Kelham passieren. Ich versuchte den blinden Punkt zu entdecken, an dem ich vorgestern in den Wald eingedrungen war, aber dafür war es zu dunkel. Dann erreichten wir wieder offenes Gelände, und ich erkannte Pellegrino, der uns in seinem Streifenwagen entgegenkam. Er fuhr so langsam, als wollte er den zurückflutenden Verkehr allein durch seine Gegenwart beruhigen. Dann rollten wir durch die schwarze Hälfte der Kleinstadt, holperten über den Bahnübergang, bogen scharf nach links auf die Main Street ab und parkten anschließend auf der harten Erde vor den Bars.

Ich stieg aus dem Buick und stand auf der freien Fläche zwischen Brannan's Bar und den in Reihen geparkten Autos, die als Begegnungs- und Durchgangsbereich diente. Es gab Kerle, die von einer Bar zur nächsten unterwegs waren, und Kerle, die dort herumstanden und sich lachend unterhielten, und diese beiden Gruppen vereinigten und trennten sich irgendeiner komplexen Dynamik folgend. Keiner ging direkt von einem Ort zum anderen. Jeder machte einen kleinen Umweg bis fast zu den geparkten Autos, blieb kurz stehen, quatschte ein bisschen, klopfte auf Schultern, tauschte Eindrücke aus, trennte sich von einem Kumpel und zog mit einem anderen weiter.

Und es gab auch reichlich Frauen. Viel mehr, als ich für möglich gehalten hätte. Es war mir ein Rätsel, woher sie alle kamen. Vermutlich aus weitem Umkreis. Manche bildeten mit einem Soldaten ein Paar, andere gehörten zu größeren gemischten Gruppen, wieder andere hatten sich zu eigenen Gruppen zusammengefunden. Ich sah ungefähr hundert Männer und schätzungsweise achtzig Frauen und vermutete, dass drinnen etwa ebenso viele sein mussten. Die Männer würden der Kompanie Bravo angehören, noch Urlaub haben und bestrebt sein, verlorene Zeit wettzumachen.

Die Ranger entsprachen genau dem Bild, das ich von ihnen hatte. Gute Männer, hervorragend ausgebildet, tagsüber zu hundert Prozent einsatzbereit, nachts voller Energie, voll guter Absichten und in Partylaune. Alle trugen ihre inoffizielle Freizeituniform: Jeans, Sportjacke und T-Shirt. Hier und da wirkte ein Kerl im Vergleich zu den anderen etwas müde und verkniffen, was wohl daher kam, dass er befördert werden wollte: einige Kerle brauchten das Rampenlicht mehr als andere, aber insgesamt entsprachen sie genau einer brauchbaren Kompanie, die Ausgang hat. Sie redeten und lachten laut, aber ich spürte weder Frustration noch Feindseligkeit. In der Luft lag nichts Negatives. Sie machten der Stadt keinen Vorwurf wegen ihrer mehrtägigen Ausgangssperre. Sie waren nur froh, wieder hier sein zu dürfen.

Aber trotzdem ging ich davon aus, dass die hiesige Polizei den Atem anhalten würde, und war mir sicher, dass Elizabeth Deveraux noch im Dienst sein würde. Und ich wusste natürlich auch, wo ich sie finden konnte. Sie brauchte einen zentral gelegenen Ort, einen Tisch, einen Stuhl, ein Fenster und etwas, womit sie sich beschäftigen konnte, während sie wartete. Wo sonst würde sie also sein?

Ich schlängelte mich durch die schon ausgedünnte Menge und betrat den Durchgang links von Brannan's Bar. Ich ging um Janice May Chapmans Sandschicht herum und folgte der abknickenden Gasse zur Main Street, die ich zwischen der Apotheke und dem Eisenwarengeschäft erreichte. Dort bog ich rechts ab und hielt auf den Diner zu.

Das Restaurant war an diesem Abend fast voll besetzt. Im Vergleich zu den Abenden, an denen ich es erlebt hatte, brummte es geradezu. Hier herrschte Betrieb wie auf dem Times Square. Ich zählte sechsundzwanzig Gäste. Neunzehn davon waren Ranger, von denen sechzehn Schulter an Schulter in Vierergruppen an vier Tischen saßen. Sie redeten laut, auch von einem Tisch zum anderen, und hielten die Bedienung auf Trab. Sie tat ihre Arbeit fast im Dauerlauf und hatte bestimmt seit Mittag alle Hände voll zu tun gehabt, um den aufgestauten Bedarf nach etwas anderem als Kantinenessen zu befriedigen. Aber sie war bestens gelaunt. Das Tor stand endlich wieder offen. Die Greenbacks strömten herein. Sie bekam ihre Trinkgelder.

Die drei anderen Ranger aßen mit ihren Freundinnen zu Abend: an Zweiertischen einander gegenüber, nach vorn gebeugt, die Köpfe zusammengesteckt. Die drei Männer, aber auch die drei Frauen wirkten glücklich. Und wieso auch nicht? Was konnte besser sein als ein romantisches Dinner im besten Restaurant der Stadt?

Auch das alte Paar aus dem Hotel saß an seinem Stammtisch, war aber wegen der Ranger an den Nebentischen kaum zu sehen. Die alte Lady hatte ihr Buch, der alte Mann seine Zeitung. Sie waren später dran als sonst, und ich vermutete, dass sie die einzigen Dienstleister der Stadt waren, die heute Abend nicht hinter ihrer Registrierkasse standen. Aber keiner der Männer aus Kelham brauchte ein Bett für die Nacht, und das Toussaint's hatte nichts anderes zu bieten. Nicht mal Kaffee. Deshalb war es aus Sicht seiner Besitzer vernünftiger, auf das Ende des Lärms in sicherer, vertrauter Umgebung zu warten, statt sich in ihren nach hinten hinausführenden Zimmern darüber zu ärgern.

Etwas weiter hinten und rechts des Mittelgangs saß Major Duncan Munro allein am letzten Zweiertisch. Er trug seinen Kampfanzug und saß über einen Teller Essen gebeugt. Für alle Fälle zur Stelle, obwohl sein Einsatz in Kelham schon seit Stunden beendet sein musste. Eben ein guter Militärpolizist. Bis zuletzt professionell. Ich vermutete, er sei wieder nach Deutschland unterwegs und warte auf einen Wagen mit Fahrer, der ihn abholen sollte.

Und Elizabeth Deveraux durfte natürlich auch nicht fehlen. Sie saß allein an einem Tisch und näher am Fenster als sonst. Auf dem Posten, für alle Fälle wachsam und entschlossen, das Treiben vor den Bars nicht bis zur Main Street ausufern zu lassen. Wegen der Wähler. Sie trug Uniform und hatte ihr Haar zu einem Pferdeschwanz zusammengefasst. Sie sah müde, aber trotzdem umwerfend aus. Ich beobachtete sie einige Sekunden lang, dann hob sie den Kopf, erkannte mich, lächelte glücklich und schob mit dem Fuß einen Stuhl für mich unter dem Tisch hervor.

Ich zögerte kurz, während ich angestrengt nachdachte, trat dann an ihren Tisch und setzte mich.

72

Deveraux sprach nicht gleich. Sie betrachtete mich nur vom Kopf bis zu den Zehen, vielleicht um sich davon zu überzeugen, dass ich heil und unverletzt war, vielleicht um sich an meinen Anblick in Uniform zu gewöhnen. Ich trug noch immer den Kampfanzug, den ich nachmittags nach meiner Rückkehr aus Washington angezogen hatte. Ein völlig neuer Look.

Ich fragte: »Viel zu tun heute?«

Sie sagte: »Seit zehn Uhr morgens war echt viel los. Das Tor ist aufgegangen, und sie sind herausgeströmt. Wie eine Flut.«

»Irgendwelche Probleme?«

»Keiner von ihnen wäre nüchtern, wenn wir sie auf der Heimfahrt blasen ließen, aber ansonsten ist alles cool. Ich habe Butler und Pellegrino im Einsatz, um Flagge zu zeigen. Für alle Fälle.«

»Ich hab sie gesehen«, sagte ich.

»Und wie ist's dir dort oben ergangen?«

»Ergebnislos«, antwortete ich. »Miserables Timing meinerseits, fürchte ich. Oder einfach nur Pech. Der Mann, mit dem ich reden wollte, ist tödlich verunglückt. Also hab ich nichts erreicht.«

»Das hab ich mir gedacht«, sagte sie. »Frances Neagley hat mich regelmäßig auf dem Laufenden gehalten. Heute Morgen hast du von acht bis zehn Uhr Kaffee getrunken und Zeitung gelesen. Aber in dieser Zeit muss sich irgendwas ereignet haben. Gegen neun Uhr, schätze ich. Vielleicht während der Postverteilung. Jedenfalls hat irgendjemand irgendeine Entscheidung getroffen, denn eine Stunde später wurde die Ausgangssperre aufgehoben. Seither läuft hier wieder alles normal.«

Ich nickte.

»Ganz deiner Meinung«, sagte ich. »Ich glaube, dass heute neue Informationen verbreitet wurden. Irgendwas Definitives, schätze ich.«

»Kannst du dir vorstellen, was das war?«

Ich sagte: »Übrigens vielen Dank, dass du dir Sorgen um mich gemacht hast. Ich war ganz gerührt.«

»Neagley war mindestens so besorgt wie ich«, sagte sie. »Als sie erfuhr, was du vorhattest, meine ich. Ich hab sie nicht groß überreden müssen.«

»Letztlich war die Sache nicht weiter gefährlich«, erklärte ich. »Ums Pentagon herum gestaltete sie sich ein bisschen spannend. Aber das war's dann auch schon. Hab mich ziemlich lange dort aufgehalten. Ich bin durch den Friedhof hinter der Henderson Hall reingekommen. Kennst du die?«

»Natürlich! Ich war schon hundertmal dort. Die dortige PX ist großartig. Kommt einem wie Saks Fifth Avenue vor.«

»Ich bin dort mit einem Mann ins Gespräch gekommen. Über dich und Brigadegeneral James Dyer. Dieser Kerl meinte, Dyer habe dich gekannt.«

»Dyer?«, fragte sie. »Wirklich? Ich hab ihn gekannt, aber ich bezweifle, dass er mich kannte. Sollte das stimmen, fühle ich mich geschmeichelt. Er war wirklich eine große Nummer. Wer war der Mann, mit dem du geredet hast?«

»Er hieß Paul Evers.«

»Paul?«, sagte sie. »Im Ernst? Wir waren jahrelang gute Kollegen und sogar mal ein Paar. Einer meiner Fehler, fürchte ich. Aber schon erstaunlich, dass du ausgerechnet ihm begegnet bist. Die Welt ist klein, nicht wahr?«

»Wieso war er ein Fehler? Ich hatte den Eindruck, er ist ganz okay.«

»Er war in Ordnung und eigentlich ein netter Kerl. Aber zwischen uns hat's nie richtig gefunkt.«

»Also hast du ihn abserviert?«

»Mehr oder weniger. Aber das beruhte auf Gegenseitigkeit, denke ich. Wir wussten beide, dass es mit uns nicht klappen würde. Es war nur eine Frage der Zeit, wer als Erster davon reden würde. Paul war jedenfalls nicht besonders wütend oder durcheinander.«

»Wann war das?«

Sie überlegte, um nachzurechnen.

»Vor fünf Jahren«, sagte sie. »Kommt einem wie gestern vor. Wie doch die Zeit vergeht!«

»Dann hat er eine Frau namens Alice Bouton erwähnt. Sie war anscheinend deine Nachfolgerin als seine Freundin.«

»Ich glaube nicht, dass ich sie gekannt habe. An diesen Namen kann ich mich nicht erinnern. Hat Paul glücklich gewirkt?«

»Er hat irgendwas von Autoproblemen erwähnt.«

Deveraux lächelte. »Frauen und Autos«, sagte sie. »Sind das eure einzigen Gesprächsthemen?«

Ich sagte: »Die Öffnung von Kelham bedeutet, dass ihrer Überzeugung nach das Problem auf deiner Seite des Zauns liegt, weißt du. Sonst wäre die Ausgangssperre nicht aufgehoben worden. Jetzt ist Mississippi für diesen Fall zuständig. Das wird in Zukunft die offizielle Linie sein. Der Täter ist keiner von uns, sondern einer von euch. Hast du darüber schon nachgedacht?«

»Ich denke, die Army sollte uns an ihren Informationen teilhaben lassen«, entgegnete sie. »Ist sie damit zufrieden, wäre ich's vermutlich auch.«

»Die Army hat den Fall schon abgehakt«, erklärte ich. »Von der bekommst du garantiert nichts.«

Sie machte eine kurze Pause.

»Munro hat mir erzählt, dass er neue Befehle erhalten hat«, sagte sie. »Du wohl auch?«

Ich nickte. »Ich bin zurückgekommen, um noch ein paar Kleinigkeiten zu erledigen. Das ist alles.«

»Und dann bist du weg. Übernimmst den nächsten Fall. *Daran* denke ich im Augenblick. An Janice Chapman werde ich morgen denken.«

»Und an Rosemary McClatchy und Shawna Lindsay.«

»Und an Bruce Lindsay und seine Mutter. Ich werde für sie alle tun, was ich kann.«

Ich schwieg.

Sie fragte: »Bist du müde?«

Ich sagte: »Nicht sehr.«

»Ich muss los, um Butler und Pellegrino zu helfen. Sie sind seit Tagesanbruch im Dienst. Und ich möchte auf der Straße sein, wenn die letzten Nachtvögel unterwegs sind. Das sind immer die taffsten Kerle – und die betrunkensten.«

»Bist du bis Mitternacht wieder da?«

Sie schüttelte den Kopf.

»Wahrscheinlich nicht«, sagte sie. »Heute Nacht werden wir ohne den Zug auskommen müssen.«

Ich sagte nichts. Sie lächelte traurig, stand auf und ging.

Fünf Minuten später tauchte die Bedienung endlich bei mir auf, und ich bestellte Kaffee und Kuchen. Sie behandelte mich etwas anders als bisher, ein wenig förmlicher. Da sie in einer Garnisonsstadt arbeitete, wusste sie, was die schwarzen Eichenblätter an meinem Kragen bedeuteten. Ich fragte sie, wie ihr Tag verlaufen sei. Sie sagte, er sei sehr gut gewesen.

»Keinerlei Schwierigkeiten?«, fragte ich.

»Keine«, antwortete sie.

»Auch nicht von dem Mann dort hinten? Dem anderen Major? Ich habe gehört, dass er ganz schön unangenehm sein kann.«

Sie drehte sich um, betrachtete Munro und sagte: »Er ist bestimmt ein perfekter Gentleman.«

»Würden Sie ihn bitten, an meinen Tisch zu kommen? Und bringen Sie ihm auch ein Stück Kuchen.«

Sie machte einen Umweg zu seinem Tisch und überbrachte meine Einladung, die große Gesten erforderte, als wäre ich klein und unbedeutend und in der Menge schwer auszumachen. Munro sah fragend zu mir herüber, dann zuckte er mit den Schultern und stand auf. Die Männer an den vier Rangertischen verstummten einer nach dem anderen, als er an ihnen vorbeiging. Munro schien bei diesen Kerlen nicht gerade beliebt zu sein. Er hatte sie vier volle Tage lang untätig herumhocken lassen.

Er nahm auf Deveraux' Stuhl Platz, und ich fragte ihn: »Wie viel hat man Ihnen gesagt?«

»Das absolute Minimum«, sagte er. »Geheime Verschlusssache, jeder darf nur so viel erfahren, wie er wissen muss, das volle Programm.«

»Keine Namen?«

»Nein«, sagte er. »Aber ich vermute mal, dass Sheriff Deveraux ihnen hieb- und stichfeste Beweise geliefert hat, die unsere Leute entlasten. Ich meine, was soll sonst passiert sein? Aber sie hat noch niemanden verhaftet. Ich habe sie den ganzen Tag lang im Auge behalten.«

»Was hat sie gemacht?«

»Für Ordnung gesorgt«, antwortete Munro. »Auf Anzeichen von Spannungen geachtet. Aber da ist nichts zu befürchten. Auf sie oder die Stadt ist niemand wütend. Der große Buhmann bin ich.«

»Wann reisen Sie ab?«

»Bei Tagesanbruch«, sagte er. »Ich werde nach Birmingham, Alabama, mitgenommen, steige dort in den Bus nach Atlanta, Georgia, und fliege mit Delta Airlines nach Deutschland zurück.«

»Wussten Sie, dass Reed Riley den Stützpunkt nie verlassen hat?«

»Ja«, sagte er.

»Wie finden Sie das?«

»Es verwirrt mich ein bisschen.«

»In welcher Beziehung?«

»In Bezug auf den zeitlichen Ablauf«, erklärte er. »Anfangs dachte ich, das sei ein politisch motiviertes Ablenkungsmanöver gewesen, aber dann habe ich realistisch darüber nachgedacht. Kein Mensch würde für ein Täuschungsmanöver Hunderte von Litern Kerosin verbrennen – auch für den Sohn eines Senators nicht. Also sollte Riley noch ausgeflogen werden, als der Blackhawk in Benning startete, aber bei der Landung in Kelham war ein neuer

Befehl da. Was bedeutet, dass eine entscheidend wichtige Information eingegangen sein muss, während sich der Hubschrauber in der Luft befand. Das war vor zwei Tagen, am Sonntag gleich nach dem Mittagessen. Aber sie haben erst heute, am Dienstagmorgen, darauf reagiert.«

»Wieso das?«

»Das weiß ich nicht. Ich sehe keinen Grund für eine Verzögerung. Aber ich habe das Gefühl, als wären die neuen Informationen ein paar Tage lang ausgewertet worden. Was im Allgemeinen klug ist, aber in diesem Fall absolut keinen Sinn ergibt. Waren die neuen Erkenntnisse wichtig genug, um die überraschende Entscheidung, Riley in Kelham zu belassen, zu rechtfertigen, hätten sie am Sonntagnachmittag doch wohl auch das Tor von Kelham öffnen müssen? Man könnte glauben, sie seien am Sonntag so weit gewesen, privat zu reagieren, aber erst heute Morgen bereit, öffentlich zu handeln. Was hat sich also geändert? Was ist der Unterschied zwischen Sonntag und heute?«

»Keine Ahnung«, sagte ich. Was unaufrichtig war, weil es in Wirklichkeit nur eine Antwort auf diese Frage gab. Der einzige bedeutende Unterschied zwischen Sonntag und Dienstag war, dass ich mich am Sonntagnachmittag in Carter Crossing und am Dienstagmorgen achthundert Meilen weit entfernt davon aufgehalten hatte.

Und niemand hatte erwartet, dass ich zurückkommen würde.

Was das bedeutete, war mir ein Rätsel.

73

Die Bedienung war überlastet und langsam, weshalb ich es Munro überließ, unseren Kuchen allein entgegenzunehmen. Ich ging durch die krumme Gasse zu den Bars zurück, kam zwischen dem

Pfandhaus und Brannan's Bar heraus und sah, dass die Menge im Freien stärker abgenommen hatte, als sich mit den wenigen fehlenden Autos erklären ließ. Also ging ich davon aus, dass ein Großteil der Leute jetzt drinnen war und sie ihre letzten Minuten außerhalb Kelhams genossen, bevor sie wieder zurückkehrten.

Die meisten drängten sich in Brannan's Bar zusammen. Der Laden war brechend voll. Ich wusste nicht, ob das Carter County über einen Branddirektor verfügte, aber falls es einen gab, hätte er hier einen Panikanfall bekommen. In der Bar standen Schulter an Schulter und Brust an Brust ungefähr hundert Ranger und fünfzig Frauen, die ihre Drinks in Halshöhe hielten, damit sie sie nicht verschütteten. Der Lärm war enorm: eine Kakophonie aus Reden und Lachen, in die sich immer wieder das laute Scheppern mischte, mit dem die Schublade der Registrierkasse zugeknallt wurde. Die Dollars flossen ohne Unterlass.

Ich brauchte fünf Minuten, um mich zur Bar durchzukämpfen – auf einer zufälligen Route mal links, mal rechts durch die Menge, während ich auf nahe und ferne Gesichter achtete, ohne aber Reed Riley zu entdecken. Die Brüder Brannan schufteten hinter der langen Theke, gaben Bierflaschen aus, nahmen Geld entgegen, gaben Wechselgeld zurück, steckten nasse Dollarscheine in ihr Trinkgeldglas und bewegten sich in dem beengten Raum mit der Grazie von Tänzern. Einer von ihnen sah mich und wollte mich mit der knappen Kopfbewegung eines viel beschäftigten Barkeepers abwimmeln, aber dann erkannte er mich von unserem früheren Gespräch wieder und erinnerte sich, dass ich der Militärpolizist war. Er beugte sich rasch nach vorn, als wäre er bereit, ein paar Sekunden für mich zu erübrigen. Ich wusste nicht mehr, ob er Jonathan oder Hunter war.

Ich fragte ihn: »Haben Sie diesen Reed gesehen? Den Kerl, über den wir schon mal geredet haben?«

Er sagte: »Er war ungefähr zwei Stunden hier. Jetzt ist er bestimmt dort, wo der Bourbon am billigsten ist.«

»Wo wäre das?«

»Weiß ich nicht sicher. Jedenfalls nicht hier.«

Er duckte sich weg, um seinen Marathon fortzusetzen, und ich kämpfte mich zum Ausgang durch.

Als ich sechzehn Minuten später in den Diner zurückkehrte, war der Kuchen serviert worden, und Munro hatte seinen schon halb gegessen. Ich griff nach der Kuchengabel, und er entschuldigte sich dafür, nicht gewartet zu haben. Er sagte: »Ich dachte, Sie seien gegangen.«

Ich sagte: »Ich unternehme zwischen den einzelnen Gängen oft einen Spaziergang. Anscheinend eine hiesige Angewohnheit. Es ist immer gut, sich den Einheimischen anzupassen.«

Munro äußerte sich nicht dazu. Er machte nur ein leicht ungläubiges Gesicht.

Ich fragte: »Was tun Sie in Deutschland?«

»Allgemein?«

»Nein, speziell. Was liegt auf Ihrem Schreibtisch, wenn Sie übermorgen früh zum Dienst kommen?«

»Nicht sehr viel.«

»Nichts Dringendes?«

»Warum?«

»In Carter Crossing sind drei Frauen ermordet worden«, sagte ich. »Und der Täter läuft weiter frei herum.«

»Wir sind hier nicht zuständig.«

»Erinnern Sie sich an das Foto in Emmeline McClatchys Wohnzimmer? Martin Luther King? Er hat gesagt, das Böse könne schon siegen, wenn gute Männer untätig blieben.«

»Ich bin Militärpolizist, kein guter Mann.«

»Außerdem hat er gesagt, dass der Tag, an dem wir die Wahrheit sehen und sie nicht aussprechen, der Tag ist, an dem wir zu sterben beginnen.«

»Solches Zeug liegt weit oberhalb meiner Besoldungsgruppe.«

»Er hat auch gesagt, dass Ungerechtigkeit irgendwo die Gerechtigkeit allerorten bedroht.«

»Was soll ich also tun?«

»Ich möchte, dass Sie bleiben«, sagte ich. »Noch einen Tag.«

Dann verspeiste ich meinen Kuchen und machte mich erneut auf die Suche nach Elizabeth Deveraux.

Es war 23.31 Uhr, als ich den Diner zum zweiten Mal verließ. Ich wandte mich nach rechts, um zum Sheriff's Department zu gelangen. Das Gebäude war dunkel und abgeschlossen, der Parkplatz leer. Ich ging weiter und bog an der Ecke auf die Straße nach Fort Kelham ab. Von dem Parkplatz bei den Bars kommend, rollten immer wieder Autos an mir vorbei. Manche waren voller Frauen, die links abbogen, die meisten jedoch voller Ranger, oft drei oder vier pro Fahrzeug, die rechts abbogen. Die Kompanie Bravo auf der Heimfahrt. Vielleicht hatten alle nur Ausgang bis Mitternacht. Ein Blick auf den Parkplatz zeigte mir, dass außer meinem Buick alle Autos in Bewegung waren. Manche Fahrer ließen erst ihren Motor an und stießen dann zurück, um wegzufahren. Andere brachten sich schon in Position, um sich in den Konvoi einzureihen.

Ich ging auf dem linken Bankett weiter, um Abstand von dem nach Kelham zurückfließenden Verkehr zu haben. An diesem Abend war viel Bier geflossen, und die Idee, dass jeder Wagen einen schon zuvor bestimmten nüchternen Fahrer haben sollte, war 1997 noch nicht sehr weit verbreitet. Jedenfalls nicht in der Army. Die mit aufheulenden Motoren an mir vorbeifahrenden Autos wirbelten Staub auf, den helle Scheinwerferstrahlen durchschnitten. Zweihundert Meter vor mir polterten die Wagen übers Bahngleis und rasten in die Nacht davon.

Deveraux hatte ihren Caprice jenseits des Bahnübergangs geparkt. Der Streifenwagen stand mir zugekehrt am äußersten

Straßenrand. Während ich darauf zuging, fuhr die Kompanie Bravo an mir vorüber – in der einen Minute, die ich bis zum Bahngleis brauchte, schätzungsweise neunzig Mann in dreißig Autos. Als ich den Übergang erreichte, brausten die letzten Nachzügler in Abständen von fünf, zehn und zwanzig Sekunden an mir vorbei. Sie gaben Gas, um zu ihren pünktlicheren Freunden aufzuschließen.

Ich wartete eine Lücke im Verkehr ab, um den Bahnübergang ungefährdet passieren zu können. Deveraux stieg aus, um mir ein paar Schritte entgegenzukommen. Wir standen von Autoscheinwerfern hell beleuchtet auf der Straße. Sie sagte: »In fünf Minuten ist alles vorbei. Aber ich muss noch warten, bis Butler und Pellegrino zurück sind. Ich kann nicht vor ihnen Feierabend machen. Das wäre nicht fair.«

Ich fragte: »Wann kommen sie zurück?«

»Der Zug braucht eine volle Minute, um einen bestimmten Punkt zu passieren. Das scheint nicht lange zu sein, aber spätnachts kommt es einem wie eine Stunde vor. Deshalb werden beide versuchen, es vor Mitternacht zu schaffen.«

»Wie lange vor Mitternacht?«

Sie lächelte. »Nicht lange genug, fürchte ich. Vielleicht um fünf vor zwölf. Wir würden nicht mehr rechtzeitig ins Hotel kommen.«

Ich sagte: »Schade.«

Ihr Lächeln wurde breiter.

Sie sagte: »Steig ein, Reacher.«

Sie ließ den Motor an und wartete noch einen Augenblick, bis der letzte Nachzügler der Kompanie Bravo vorbeigerast war. Dann lenkte sie den Wagen auf den Bahnübergang, wo sie scharf rechts einschlug, sodass wir, nach Norden blickend, im rechten Winkel zur Straße auf dem Gleis standen. Sie gab nur wenig Gas und lenkte vorsichtig, bis die rechten Räder auf der rechten Schiene standen.

Der Wagen stand leicht schief, während seine linken Räder über die Bahnschwellen holperten. Sie fuhr weiter, nicht schnell, nicht langsam, aber zielstrebig und entschlossen. Sie hielt das Lenkrad nur mit einer Hand und hatte die andere im Schoß liegen, als sie an dem Wasserkran vorbeifuhr und weiter dem Bahngleis folgte. Die linken Räder des Wagens holperten über die Schwellen, die rechten rollten auf der glatten Schiene. Eine eindrucksvolle Demonstration hoher Fahrkunst. Dann bremste sie sanft, eine Seite oben, die andere unten, und kam ruckfrei zum Stehen.

Auf dem Gleis.

Zwanzig Meter nördlich des Wasserkrans.

Genau dort, wo Reed Rileys Chevy auf den Mitternachtszug gewartet hatte.

Wo die Glassplitter begannen.

Ich sagte: »Das machst du nicht zum ersten Mal.«

Sie sagte: »Erraten.«

74

Deveraux sagte: »Dies ist der schwierige Teil. Jetzt geht's darum, richtig Schwung zu nehmen.« Sie schlug das Lenkrad scharf links ein und gab Gas, als das rechte Vorderrad die Schiene verließ, sodass das linke über die linke Schiene kletterte. Eine Sekunde lang verdrehte sich der ganze Wagen. Sie ließ den rechten Fuß leicht auf dem Gaspedal, bis die übrigen Räder folgten – zwo, drei, vier, alle mit an den Schienen quietschenden Reifenflanken, bis sie dann sehr dicht neben dem Bahngleis auf festem Boden zum Stehen kam. Die nächsten Schottersteine waren nur anderthalb Meter von meinem Fenster entfernt.

Sie sagte: »Ich liebe diese Stelle. Wegen des Grabens ist sie nur so zu erreichen. Aber die Mühe lohnt sich. Ich komme ziemlich oft her.«

»Um Mitternacht?«, fragte ich.

»Immer«, sagte sie.

Ich drehte mich um und schaute aus dem Heckfenster. Von hier aus war die Straße zu sehen. Weniger als fünfzig Meter weit entfernt, mehr als vierzig. Anfangs passierte nichts. Dann sauste ein Wagen vorbei, von Ost nach West, von links nach rechts, in ziemlichem Tempo von Kelham in Richtung Carter Crossing unterwegs. Ein großer Wagen mit Blinkleuchten auf dem Dach und einem Wappen auf der Tür.

»Pellegrino«, erklärte sie. Auch sie beobachtete jetzt die Straße. Sie sagte: »Er hat vermutlich ein paar hundert Meter von hier entfernt gestanden, und als der letzte Nachzügler vorbei war, hat er bis zehn gezählt und ist losgefahren.«

Ich sagte: »Butler hat gegenüber dem Tor von Kelham gestanden.«

»Ja, Butler muss ein tolles Rennen liefern. Und unser Schicksal liegt in *seinen* Händen. Ich garantiere dir, dass wir auf der Welt allein sind, sobald er vorbei ist. Dies ist eine Kleinstadt, Reacher, und ich weiß, wo sich jeder befindet.«

Auf der Uhr in meinem Kopf war es 23.49 Uhr. Butlers Situation erforderte schwierige Berechnungen. Er war drei Meilen weit entfernt und würde nicht zögern, sechzig zu fahren, was bedeutete, dass er in drei Minuten zu Hause sein konnte. Aber er durfte sein Dreimeilenrennen erst beginnen, wenn der letzte Nachzügler wenigstens bis auf Sichtweite an Kelham herangekommen war. Und dieser letzte Nachzügler fuhr unter Umständen sehr langsam, weil er mit Bier abgefüllt war und gesehen hatte, dass Pellegrino bedrohlich am Straßenrand stand. Ich vermutete, Butler werde in elf Minuten – genau um Mitternacht – vorbeikommen, und das sagte ich auch.

»Nein, er ist garantiert vorzeitig losgefahren«, entgegnete Deveraux. »In den letzten zehn Minuten war's ziemlich ruhig. Er hat seinen Posten vor fünf Minuten verlassen, schätze ich. Vielleicht ist er gar nicht weit hinter Pellegrino.«

Wir beobachteten die Straße.

Alles ruhig.

Ich öffnete meine Tür und stieg aus. Nach zwei Schritten stand ich direkt am Rand des Gleisbetts. Das linke Gleis war kaum einen Meter von mir entfernt. Es glänzte im Mondschein. Ich rechnete mir aus, dass der Zug zehn Meilen südlich von uns sein musste. Vielleicht fuhr er in diesem Augenblick durch Marietta.

Deveraux stieg ebenfalls aus, und wir trafen uns hinter dem Heck des Streifenwagens. 23.51 Uhr. Noch neun Minuten. Wir beobachteten die Straße.

Alles still.

Deveraux trat an den Caprice, öffnete eine der hinteren Türen und warf einen prüfenden Blick auf den Rücksitz. Sie sagte: »Für alle Fälle. Bereit sein ist alles.«

»Zu beengt«, sagte ich.

»Du machst es nicht gern in Autos?«

»Die sind mir nicht breit genug.«

Sie sah auf ihre Uhr und sagte: »Bis ins Hotel schaffen wir's nicht mehr.«

Ich sagte: »Komm, wir machen's hier. Auf dem Boden.«

Sie lächelte.

Ihr Lächeln wurde breiter.

»Klingt gut, finde ich«, sagte sie. »Wie Janice Chapman.«

»Wenn's so war«, sagte ich. Ich zog meine Tarnjacke aus, breitete sie im Unkraut aus und strich sie nach allen Seiten glatt.

Wir beobachteten die Straße.

Alles still.

Sie nahm ihr Koppel mit dem Pistolenhalfter ab und legte es auf den Rücksitz des Streifenwagens. 23.54 Uhr. Noch sechs

Minuten. Ich kniete mich hin und legte ein Ohr auf die Schiene, vernahm ein leises metallisches Singen. Fast an der Hörgrenze. Ein Zug sechs Meilen südlich von uns.

Wir beobachteten die Straße.

Wir sahen die Andeutung eines Lichtscheins im Osten.

Autoscheinwerfer.

Deveraux sagte: »Der gute alte Butler.«

Das Licht wurde heller, und wir konnten in der Stille der Nacht die Rollgeräusche von Reifen und das Brummen eines starken Motors hören. Dann wurde der Lichtschein zu zwei einzelnen Scheinwerferstrahlen, die Fahrgeräusche wurden lauter, und in der nächsten Sekunde flitzte Butlers Wagen direkt vor uns vorbei und ungebremst über den Bahnübergang. Dabei hob er kurz ab und krachte mit quietschenden Reifen in einer kleinen Staubwolke auf die Fahrbahn zurück. Dann war er fort.

Noch vier Minuten.

Wir waren weder kultiviert noch stilvoll. Wir streiften unsere Schuhe ab, zogen die Hosen herunter und ließen jegliche Raffinesse zugunsten rein animalischer Instinkte fahren. Deveraux legte sich auf meine Tarnjacke, ich warf mich auf sie, stützte mich auf die Ellbogen und hielt Ausschau nach einem fernen Stirnscheinwerfer. Noch nicht. Noch drei Minuten.

Sie schlang die Beine um meine Hüften, und wir legten los. Vom ersten Augenblick an schnell und fest, sehnsüchtig, verzweifelt, energiegeladen. Sie stöhnte und keuchte, warf den Kopf von einer Seite zur anderen und krallte ihre Hände in mein T-Shirt. Dann küssten wir uns atemlos hechelnd. Dann machte sie kniend einen runden Rücken, stützte den Kopf auf meine Jacke und betrachtete die Welt hinter sich auf dem Kopf stehend.

Dann begann der Erdboden unter uns zu beben.

Wie zuvor war anfangs nur ein ganz leichtes anhaltendes Zittern wie die Ausläufer eines fernen Erdbebens zu spüren. Die Steine des Gleisbetts neben uns rieben klickend aneinander. Die Schienen begannen zu summen. Die Schwellen bebten und hüpften. Der Schotter war in ständiger Bewegung. Der Boden unter meinen Knien und Händen tanzte zu lauten Bassnoten. Ich blickte auf, keuchte und blinzelte, kniff die Augen zusammen und sah die noch weit entfernte Stirnleuchte. Zwanzig Meter südlich von uns geriet der alte Wasserkran in Schwingungen, und sein Elefantenrüssel begann wild zu pendeln. Der Boden schlug von unten gegen uns. Die Schienen heulten und kreischten. Dann erklang ein langer, lauter und klagender Pfiff der Diesellok. Das Warnsignal des vierzig Meter von uns entfernten unbeschrankten Bahnübergangs begann laut zu schrillen. Der Zug kam donnernd näher, unaufhaltsam, noch immer weit entfernt, dann direkt neben uns, dann direkt über uns, unglaublich massiv und unglaublich laut.

Wie das Ende der Welt.

Der Erdboden unter uns bebte. Wir hatten das Gefühl, in die Luft gehoben zu werden und wieder aufzuschlagen. Eine Druckwelle rüttelte uns durch. Dann raste die Lok an uns vorbei, ihre Riesenräder keine anderthalb Meter von unseren Gesichtern entfernt, und dahinter eine endlose Kette von Güterwagen, die hämmerten, rasselten und den Mondschein in kleine Segmente zerhackten. Wir klammerten uns eine ganze Minute lang aneinander, endlose sechzig Sekunden lang: von dem quietschenden Metall taub, von dem trommelnden Erdboden betäubt, von dem mitgerissenen Staub eingehüllt. Unter mir reckte Deveraux mir die Hüften entgegen und schrie lautlos, warf den Kopf von einer Seite zur anderen und hämmerte mit den Fäusten auf meinen Rücken.

Dann war der Zug vorbei.

Ich drehte den Kopf zur Seite und sah die Güterwagen mit stetigen sechzig Meilen in der Stunde von uns wegrollen. Der Sturm legte sich, und das Beben klang ab. Das Warnsignal verstummte, die Schienen hörten zu klirren auf, und die nächtliche Stille kehrte zurück. Wir wälzten uns voneinander weg und lagen im Unkraut auf dem Rücken: keuchend, schweißnass, ausgepumpt, taub und von inneren und äußeren Empfindungen überwältigt. Meine Jacke lag verknittert und zusammengeknüllt unter uns. Meine Knie und Hände waren aufgeschürft und wund. Ich stellte mir vor, dass Deveraux noch schlimmer zugerichtet war. Als ich den Kopf zur Seite drehte, um nach ihr zu sehen, hielt sie meine Beretta in der Hand.

75

Dem Marine Corps hatte die Beretta nie so gut gefallen wie der Army, deshalb ging Deveraux mit meiner professionell, aber nicht sonderlich begeistert um. Sie zog das Magazin heraus, warf eine Patrone aus, kontrollierte den Verschluss, zog den Schlitten zurück und fügte zuletzt alles wieder zusammen. Sie sagte: »Entschuldige, aber sie war in deiner Jacke. Ich habe mich gefragt, was das sein könnte. Sie hat sich mir in den Po gebohrt. Ich kriege bestimmt einen blauen Fleck.«

»Dann muss ich mich bei dir entschuldigen«, sagte ich. »Dein Po verdient nur das Beste. Er ist ein nationaler Schatz. Oder zumindest eine regionale Sehenswürdigkeit.«

Sie lächelte mich an, stand etwas unsicher auf und machte sich auf die Suche nach ihrem Slip. Ihre Bluse hing hinten herunter, aber nicht weit genug. Noch kein blauer Fleck. Sie fragte: »Wieso hast du eine Pistole dabei?«

»Gewohnheit«, sagte ich.

»Hast du mit Problemen gerechnet?«

»Möglich ist alles.«

»Ich habe meine im Wagen gelassen.«

»Das haben viele tote Leute auch getan.«

»Wir sind hier nur zu zweit.«

»Unseres Wissens.«

»Du bist paranoid.«

»Aber lebendig«, sagte ich. »Und du hast noch niemanden verhaftet.«

»Die Army kann keinen Negativbeweis antreten«, sagte sie. »Folglich weiß sie, wer der Täter war. Das sollte sie mir sagen.«

Ich äußerte mich nicht dazu, erhob mich und griff nach meiner Boxershorts. Wir zogen uns von einem Bein aufs andere hüpfend an und hockten dann nebeneinander auf der hinteren Stoßstange des Caprice, um unsere Schuhe zuzuschnüren. Auf die Straße zurückzukommen war nicht weiter schwierig. Deveraux tat einfach alles in umgekehrter Reihenfolge: Sie fuhr aufs Gleis, als wollte sie dort parken, fuhr rückwärts zum Bahnübergang, schlug das Lenkrad scharf ein und gab wieder Gas. Fünf Minuten später waren wir in meinem Hotelzimmer. Im Bett. Sie schlief sofort ein. Ich nicht. Ich lag in der Dunkelheit wach, starrte die Decke an und dachte nach.

Vor allem dachte ich über mein letztes Gespräch mit Leon Garber nach, meinem Kommandeur. Ein ehrlicher Mann, den ich für meinen Freund hielt. Nur manchmal etwas rätselhaft. *Das ist die Wahrheit. Sie war bei den Marines, Reacher. Sechzehn Dienstjahre. Sie weiß, wie man jemandem die Kehle durchschneidet. Und sie hat es verstanden, die Ahnungslose zu spielen.* Dann war er leicht ungeduldig geworden. *Ein Mann mit Ihren Instinkten*, hatte er später gesagt. *Sie könnten mir befehlen, nicht nach Mississippi zurückzufahren*, hatte ich gesagt. *Das könnte ich*, hatte Garber erwidert, *aber ich tu's nicht. Nicht Ihnen. Ich vertraue darauf, dass Sie das Richtige tun.*

In meinem Kopf lief dieses Gespräch in einer Endlosschleife.

Die Wahrheit.

Instinkte.

Das Richtige tun.

Letztlich schlief ich ein und war mir nicht klar darüber, ob Garber mir etwas erzählt oder mich um etwas gebeten hatte.

Meine lange gehegte Überzeugung, nichts sei besser als das zweite Mal, wurde auf eine harte Probe gestellt, als wir aufwachten, weil auch das fünfte Mal ziemlich wundervoll war. Weil wir nach unserer nächtlichen Freiluftakrobatik beide ein bisschen steif und wund waren, liebten wir uns sanft, lange und langsam, wobei die behagliche Wärme des Betts viel dazu beitrug. Außerdem wusste keiner von uns, ob es je ein sechstes Mal geben würde, was dem Ganzen einen Hauch von schmerzlicher Wehmut verlieh. Danach lagen wir einige Zeit schweigend nebeneinander, bis sie mich fragte, wann ich abreisen müsse, und ich sagte, ich wisse es nicht.

Wir frühstückten gemeinsam in dem Diner. Anschließend ging sie arbeiten und ich ans Telefon. Ich versuchte Frances Neagley an ihrem Schreibtisch in Washington zu erreichen, aber sie war noch nicht zurück. Also rief ich stattdessen Stan Lowrey an, den ich gleich erreichte. Ich sagte: »Du musst noch etwas für mich tun.«

Er fragte: »Heute Morgen bitte keine Witze? Dass du überrascht bist, dass ich noch hier bin?«

»Ich hatte keine Zeit, mir welche auszudenken. Eigentlich wollte ich Neagley, nicht dich. Du solltest versuchen, sie möglichst bald zu erreichen. Von solchem Scheiß versteht sie mehr als du.«

»Auch mehr als du. Was brauchst du also?«

»Schnelle Antworten«, sagte ich.

»Auf welche Fragen?«

»Wo könnte man statistisch gesehen am ehesten damit rechnen, U.S. Marines in der Nähe betonierter Abwasserkanäle anzutreffen?«

»Südkalifornien«, antwortete Lowrey. »Statistisch gesehen am ehesten in Camp Pendleton, nördlich von San Diego.«

»Korrekt«, sagte ich. »Ich muss einen Militärpolizisten der Marines aufspüren, der vor fünf Jahren dort stationiert war. Er heißt Paul Evers.«

»Warum?«

»Weil seine Eltern Mr. und Mrs. Evers waren, denen der Name Paul gefallen hat, denke ich.«

»Nein, warum willst du ihn aufspüren?«

»Ich muss ihn etwas fragen.«

Lowrey sagte: »Du vergisst etwas.«

»Was denn?«

»Ich bin in der Army, nicht im Marine Corps. Ich habe keinen Zugang zu seinen Personalakten.«

»Deshalb musst du Neagley anrufen. Sie weiß, wie man das macht.«

»Paul Evers«, wiederholte er langsam, als notiere er sich den Namen.

»Ruf Neagley an«, sagte ich noch mal. »Diese Sache ist dringend. Ich melde mich wieder.«

Ich beendete das Gespräch mit Lowrey, warf weitere Münzen ein und wählte die Nummer in Fort Kelham, die Munro gleich zu Anfang Deveraux gegeben hatte. Mein Anruf landete bei einem Kerl, der nicht Munro war. Er erklärte mir, Munro sei bei Tagesanbruch nach Birmingham, Alabama, abgefahren. Ich bestätigte, das sei der Plan gewesen, aber er solle sich davon überzeugen, ob Munro wirklich abgereist sei. Also rief der Mann im Offiziersheim an und berichtete mir dann, Munro sei tatsächlich noch da. Der Typ gab mir seine Zimmernummer. Ich legte auf und wählte noch mal.

Munro meldete sich, und ich sagte: »Danke, dass Sie noch dageblieben sind.«

Er sagte: »Aber zu welchem Zweck bin ich hier? Im Augenblick verstecke ich mich nur in meinem Zimmer. Ich bin hier nicht sehr beliebt, wissen Sie.«

»Sie sind nicht zur Army gegangen, um beliebt zu sein.«

»Was brauchen Sie?«

»Ich muss wissen, wo Reed Riley sich heute aufhält, was er tut.«

»Wozu?«

»Ich möchte ihn etwas fragen.«

»Das könnte schwierig werden. Meines Wissens ist er den ganzen Tag ziemlich beschäftigt. Am besten erwischen Sie ihn vermutlich mittags. Wenn er überhaupt Zeit fürs Mittagessen hat. Und das ist bestimmt ziemlich früh.«

»Nein, er muss zu mir kommen. In die Stadt.«

»Das halte ich für unwahrscheinlich. Die Stimmung hier ist umgeschlagen. Die Kompanie Bravo steht nicht mehr unter Generalverdacht. Rileys Vater kommt sie heute besuchen.«

»Der Senator? Heute?«

»Er soll um dreizehn Uhr landen. Angekündigt ist sein Besuch als inoffizielle Anerkennung für das, was die Jungs im Kosovo leisten.«

»Wie lange bleibt er?«

»Sie wissen ja, wie Politiker sind. Der alte Kerl soll sich nachmittags irgendwelchen Übungsscheiß ansehen, aber ich gehe jede Wette ein, dass er unbedingt dableiben und die halbe Nacht mit den Jungs saufen will.«

»Okay«, sagte ich. »Ich lasse mir etwas einfallen.«

»Noch irgendwas?«

»Nun, wenn Sie schon untätig herumhocken, könnten Sie mir ein paar Dinge sagen.«

»Was für Dinge?«

In diesem Augenblick begann das Wandtelefon zu piepsen, und ich sagte: »Wollen Sie mich nicht auf Onkel Sams Kosten zurückrufen?« Ich las die Nummer von der Wählscheibe ab und legte auf.

Dann ging ich an meinen Tisch, um fürs Frühstück zu zahlen, und als ich wieder zurückkam, klingelte das Telefon.

»Was für Dinge?«, wiederholte Munro.

»Hauptsächlich Eindrücke von Kelham. Gibt's zum Beispiel einen guten Grund dafür, dass die Kompanien Alpha und Bravo dort stationiert sind?«

»Im Gegensatz wozu?«

»Irgendwo östlich des Mississippi Rivers.«

»Kelham liegt ziemlich weitab vom Schuss«, sagte Munro. »Das erleichtert die Geheimhaltung.«

»Das hat man mir auch erzählt. Aber das glaube ich nicht mehr. Geheimnisse gibt's auf jedem Stützpunkt. Diese Sache könnten sie überall geheim halten. Und der Kosovo ist nicht mal interessant. Wer würde überhaupt zuhören? Aber sie haben sich vor über einem Jahr für Kelham entschieden. Warum? Haben Sie irgendetwas gesehen, das den Ausschlag dafür gegeben haben könnte, dass nur Kelham infrage kam?«

»Nein«, sagte Munro, »eigentlich nicht. Es ist geeignet, das steht außer Frage. Aber die Wahl musste nicht unbedingt auf Kelham fallen. Ich vermute, dass irgendwer vierhundert zusätzliche Geldbörsen in eine sterbende Kleinstadt schicken wollte.«

»Genau«, sagte ich. »Das war eine politische Entscheidung.«

»Was ist das nicht?«

»Noch etwas«, sagte ich. »Für Sie steht fest, wie Janice May Chapmans Leiche dorthin gelangt ist, wo sie aufgefunden wurde, stimmt's?«

»Ich denke schon«, sagte er. »Wie ich gestern Abend selbst beobachtet habe, hat Chief Deveraux ein Sperrgebiet eingerichtet, das die Main Street umfasst. Sie sorgt dafür, dass jegliche Aktivität auf den Bereich zwischen den Bars und der Bahnstrecke beschränkt bleibt. Daher müssen die Main Street und die Gasse zu den Bars menschenleer gewesen sein. Also hat der Täter auf der

Main Street geparkt und die Leiche von dort aus weitertranspor-
tiert.«

»Wie lange dürfte das gedauert haben?«

»Spielt keine Rolle. Dort war niemand unterwegs, der ihn hätte
sehen können. Kann eine Minute, kann auch fünf Minuten gedauert haben.«

»Aber weshalb dort? Wieso nicht irgendwo anders – zehn Meilen weit entfernt?«

»Die Leiche sollte aufgefunden werden, vermute ich.«

»Aber sie wäre auch an einsameren Stellen gefunden worden.
Wieso also dort?«

»Weiß ich nicht«, sagte Munro. »Vielleicht war der Täter
irgendwie eingeschränkt. Vielleicht befand er sich in Gesellschaft – in dem Diner oder in einer der Bars. Vielleicht musste er
kurz verschwinden, um diese Sache im Eiltempo durchzuziehen.
Vielleicht konnte er nicht lange wegbleiben, ohne dass es auffiel.
Folglich musste er vielleicht mehr riskieren, um schneller zu sein.
Das würde räumliche Nähe voraussetzen.«

»Können Sie einen weiteren Tag dranhängen?«, fragte ich.

»Nein«, sagte er. »Ich weiß kaum, wie ich diesen einen Tag
rechtfertigen soll. Zwei kann ich nicht riskieren.«

»Schlappschwanz«, sagte ich.

Er lachte. »Sorry, Mann, aber wenn Sie's heute nicht mehr schaffen, sind Sie allein.«

76

Wegen des angekündigten Besuchs von Senator Carlton Riley war
es in Carter Crossing auffällig ruhig. Man hätte glauben können,
in Fort Kelham herrsche wieder Ausgangssperre. Ich bezweifelte,

dass das der Fall war, aber Ranger sind gute Soldaten. Wahrscheinlich hatte der Standortkommandant nachdrücklich darauf hingewiesen, wie wünschenswert eine hundertprozentige Beteiligung an dem großen Rummel sei. Ich verließ das Restaurant und fand die Main Street in ihrer gewohnten Lethargie vor. Mein geliehener Buick parkte als einziger Wagen auf der Fläche vor den Bars. Ich stieg ein, fuhr damit zum Hotel, holte meine Zahnbürste aus dem Zimmer und beglich meine Rechnung an der Rezeption. Dann setzte ich mich wieder ans Steuer und machte eine kleine Erkundungsfahrt.

Mein Ausgangspunkt war das unbebaute Grundstück zwischen dem Diner und dem Sheriff's Department. Von dort aus lenkte ich den Wagen zweihundert Meter weit nach Süden zu der Stelle, wo die Main Street eine Kurve machte. Ich fuhr zügig, ohne zu rasen, bog nach links auf Deveraux' Kindheitsstraße ab und erreichte ihr Elternhaus, das vierte Haus rechts. Gesamtzeit bis dahin fünfundvierzig Sekunden.

Ich bog über die ausgetrocknete Schlammpfütze ab und folgte der überwucherten Einfahrt an dem baufälligen Haus vorbei, durch den Garten, vorbei an der verwilderten Hecke und zu dem Hirschgestell. Dort schwenkte ich nach links ein, stieß zurück, öffnete den Kofferraum und stieg aus.

Gesamtzeit bisher eine Minute fünfzehn Sekunden.

Links von mir standen Bäume, rechts von mir standen Bäume, geradeaus standen Bäume. Ein selbst bei Tageslicht einsamer Ort. Ich tat so, als finge ich das Gewicht einer Leiche ab, schnitte die Hand- und Fußfesseln durch, trüge die Tote zum Auto und legte sie in den Kofferraum. Dann tat ich viermal so, als entfernte ich imaginäre Polster von zwei Hand- und zwei Fußgelenken. Zuletzt trat ich noch mal an das Gestell und kam mit einem imaginären geschlossenen Farbeimer voller Blut zurück, den ich neben die im Kofferraum liegende Tote stellte.

Ich schloss den Kofferraumdeckel und setzte mich wieder ans Steuer.

Gesamtzeit bis dahin drei Minuten zehn Sekunden.

Ich stieß zurück, wendete und fuhr wieder die Einfahrt entlang und auf die Straße hinaus. Ich legte die zweihundert Meter von vorhin in entgegengesetzter Richtung zurück und hielt am Randstein zwischen dem Eisenwarengeschäft und der Apotheke. Direkt an der Einmündung der Gasse.

Gesamtzeit bisher vier Minuten fünfundzwanzig Sekunden.

Plus eine Minute, um den Eimer mit Blut auf der Gasse auszuleeren.

Plus eine weitere Minute, um Janice May Chapman in der Gasse abzulegen.

Plus weitere fünfzehn Sekunden, um an den Ausgangspunkt zurückzukehren.

Gesamtzeit sechs Minuten vierzig Sekunden.

Schwierig, aber möglich.

In geselliger Umgebung konnte eine so lange Abwesenheit jemandem im Gedächtnis geblieben sein, aber sicher war das keineswegs.

Ich stellte die Uhr in meinem Kopf auf vier Minuten fünfundzwanzig Sekunden zurück und fuhr nach Norden, dann nach Osten, um den Bahnübergang zu erreichen. Dort hielt ich mitten auf dem Gleis. Neue bisherige Gesamtzeit bis zu diesem Punkt vier Minuten fünfundfünfzig Sekunden. Plus eine Minute, um Rosemary McClatchy zu dem Straßengraben zu tragen, dreißig Sekunden für den Rückweg zum Auto und zwanzig Sekunden für die Fahrt zurück zum Ausgangspunkt.

Gesamtzeit sechs Minuten fünfundvierzig Sekunden.

Unwesentlich länger, aber im selben Zeitrahmen.

Ich fuhr nicht zu der Stelle, wo die tote Shawna Lindsay auf einem fast zugewachsenen Kieshaufen abgelegt worden war. Zwecklos. Dieses Ziel fiel in eine ganz andere Kategorie. Es hätte eine zwanzigminütige Exkursion erfordert. Dies war die einzige Ausnahme von der Regel, dass alles in größter Eile geschehen musste. Also war die Tat unter anderen Umständen verübt worden. Ohne Gesellschaft. Nicht unter dem Zwang, zu anderen zurückkehren zu müssen. Mehr als genug Zeit, bei Nacht vorsichtig über unbefestigte Straßen zwischen tiefen Gräben zu schleichen, mal links, mal rechts abzubiegen, den Mord zu begehen und dann ebenso langsam, ebenso vorsichtig zurückzufahren.

Das eigentlich Interessante an Shawna Lindsays Ruhestätte war jedoch das Auto, das sie dorthin gebracht hatte. Welche Art Wagen konnte zweimal durch das schwarze Viertel fahren, ohne bemerkt oder kommentiert zu werden? Bei welchem Auto fiel es nicht auf, dort zu nachtschlafender Zeit unterwegs zu sein?

Ich blieb eine Zeit lang in dem Buick sitzen, dann parkte ich ihn vor dem Diner, ging hinein und ließ mir eine weitere Rolle Quarter fürs Telefon geben. Ich versuchte es erst mit Neagley und erreichte sie an ihrem Schreibtisch.

Ich sagte: »Du bist heute spät zur Arbeit gekommen.«

Sie sagte: »Aber nicht sehr verspätet. Ich bin schon eine halbe Stunde hier.«

»Tut mir leid, dass du mit dem Bus fahren musstest.«

»Er war okay«, sagte sie. Für Neagley waren öffentliche Verkehrsmittel schwierig, weil sich unerwünschte Kontakte kaum vermeiden ließen.

Ich fragte: »Hast du eine Nachricht von Stan Lowrey bekommen?«

»Ja, und ich habe deinen Mann schon gefunden.«

»In einer halben Stunde?«

»Das war leider sehr einfach. Paul Evers ist vor knapp einem Jahr gestorben.«

»Wie?«

»Nichts Dramatisches. Bei einem Flugzeugunglück. In Fort Lejeune ist ein Hubschrauber abgestürzt. Darüber haben sogar die Medien berichtet. Ein Sea Hawk hat ein Rotorblatt verloren. Zwei Piloten und drei Passagiere waren tot – einer davon war Evers.«

»Okay, dann Plan B. Der zweite Name, den ich brauche, ist Alice Bouton.« Ich buchstabierte ihn für sie. »Sie ist seit fünf Jahren wieder Zivilistin und unehrenhaft aus dem Corps entlassen worden. Ruf also lieber Stan an. Auf solche Dinge versteht er sich besser als du.«

»Das Einzige, was Lowrey mir voraushat, ist ein Freund bei einer Bank.«

»Genau«, sagte ich. »Daher musst du ihn anrufen lassen. Konzerne kennen sich mit Zivilisten besser aus als wir.«

»Was bezwecken wir damit?«

»Ich überprüfe eine Aussage.«

»Nein, du klammerst dich an Strohhalme. Genau das machst du.«

»Denkst du?«

»Elizabeth Deveraux ist eindeutig schuldig, Reacher.«

»Hast du ihre Akte gesehen?«

»Nur die Durchschläge.«

Ich sagte: »Aber solche Fälle sind nur durch Münzwurf zu entscheiden.«

»In welcher Beziehung?«

»Vielleicht hat sie's getan, vielleicht auch nicht. Das wissen wir noch nicht.«

»Das wissen wir, Reacher.«

»Aber nicht sicher.«

Neagley sagte: »Nur gut, dass du kein Auto hast.«

Ich beendete das Gespräch. Doch kaum war ich einen Schritt weit vom Telefon entfernt, klingelte es und brachte mir die erste gute Nachricht dieses Tages.

77

Der Anrufer war Duncan Munro, der mir mitteilen wollte, er habe eine Tasse Kaffee getrunken. Oder vielmehr er habe mit dem Steward gesprochen, der ihm den Kaffee serviert hatte. Thema ihres Gesprächs war der bevorstehende hohe Besuch gewesen. Munro berichtete, die Stewards erwarteten, bis zum Abendessen sehr beschäftigt zu sein. Doch danach würde die Bar vermutlich verwaist sein, denn bei seinem letzten Besuch hatte der Senator alle in Brannan's Bar eingeladen, weil das politisch authentischer wirkte, und das würde er wohl auch dieses Mal wieder tun.

»Okay«, sagte ich. »Das ist gut. Dann kommt Riley also doch zu mir. Und sein Vater. Bis wann dauert das gemeinsame Abendessen?«

»Bis zwanzig Uhr, sagt der Steward.«

»Okay. Bestimmt verlassen Vater und Sohn den Stützpunkt gemeinsam. Ich möchte, dass Sie die beiden eng beschatten, sobald sie durchs Tor fahren. Können Sie das?«

»Könnten Sie's?«

»Vermutlich.«

»Wieso trauen Sie's mir dann nicht zu?«

»Angeborener Skeptizismus, fürchte ich«, antwortete ich. »Also gut, bleiben Sie bis heute Abend am Ball, und rufen Sie mich unter dieser Nummer an, wenn Sie mich brauchen. Ich bin den ganzen Tag immer mal wieder hier.«

»Okay«, sagte Munro. »Dann sehen wir uns später. Aber ob Sie mich tatsächlich zu sehen bekommen, ist eine ganz andere Frage.«

Ich hängte den Hörer ein und bat die Bedienung, für mich ans Telefon zu gehen, wenn es in meiner Abwesenheit klingelte. Ich bat sie außerdem, die Namen der Anrufer auf ihrem Bestellblock zu notieren. Nun konnte ich nur noch warten – auf brauchbare Informationen, auf persönliche Begegnungen und vor allem auf belastbare Schlussfolgerungen. Ich trat auf die Main Street hinaus und blieb in der Sonne stehen. Schräg gegenüber tat der Kerl aus dem Herrenmodengeschäft das Gleiche. Er machte eine Pause, um etwas frische Luft zu schnappen. Links von mir saßen zwei alte Männer auf der Bank vor der Apotheke: vier knorrige Hände auf zwei Spazierstöcken zwischen zwei Kniepaaren. Außer uns vieren schien die Stadt menschenleer zu sein. Kein Leben, kein Treiben, kein Verkehr.

Alles ruhig.

Bis das Vorauskommando aus Fort Kelham aufkreuzte.

Der Trupp bestand aus vier Männern. Ich stellte mir vor, dass sie das hiesige Verbindungsteam zum Senat darstellten und vor Ort die nötigen Vorbereitungen trafen, wie ein Team aus Secret-Service-Agenten die Vorarbeit für einen Besuch des Präsidenten leistet. Sie kamen aus der Gasse jenseits der beiden Alten auf der Bank. Vermutlich waren sie gerade bei den Brannans gewesen, um sie auf den abendlichen Andrang vorzubereiten. Vielleicht hatten sie auch Details der Rechnungsstellung besprochen. In diesem Fall wünschte ich den Brüdern Brannan alles Gute. Ich stellte mir vor, dass eine Rechnungsstellung ans Büro eines Senators eine lange, frustrierende Erfahrung war.

Bei allen vier Männern handelte es sich um Offiziere: zwei Leutnante, ein Hauptmann und ein Oberstleutnant an der Spitze. Er war um die fünfzig und ziemlich fett. Einer dieser verweichlichten Stabsoffiziere, die im Kampfanzug lächerlich aussehen. Wie ein Zivilist auf einem Maskenball. Er blieb auf dem Gehsteig stehen, stemmte die Arme in die Hüften und schaute sich um. Dabei entdeckte er mich. Da auch ich einen Kampfanzug trug, konnte er annehmen, ich käme aus Kelham. Er sprach über die Schulter hinweg mit einem der Leutnante. Was er sagte, war aus dieser Entfernung nicht zu hören, aber ich konnte die Worte von seinen Lippen ablesen. Er sagte: *Lassen Sie diesen Mann im Laufschritt hier antreten.* Ich nahm an, dass er wissen wollen würde, warum ich mich nicht auf dem Stützpunkt befand und mich auf die Teilnahme an dem Rummel vorbereitete.

Der Leutnant sah nicht so gut wie ich. Den größten Teil der Strecke zwischen uns legte er mit sehr selbstbewusster Körpersprache zurück, die sich schlagartig veränderte, als er meine Rangabzeichen erkannte. Er machte respektvolle zwei Meter vor mir halt, grüßte zackig und meldete: »Sir, der Colonel möchte Sie sprechen.«

Normalerweise behandle ich Leutnante gut. Schließlich lag meine eigene Leutnantszeit noch nicht allzu lange zurück. Aber heute hatte ich keinen Sinn für solche Dinge. Deshalb nickte ich nur und sagte: »Okay, Kid, sagen Sie ihm, dass er rüberkommen kann.«

Der Leutnant sagte: »Sir, er würde es vorziehen, wenn Sie zu ihm kämen, glaube ich.«

»Sie verwechseln mich anscheinend mit jemandem, dem nicht scheißegal ist, was er vorzieht.«

Der Leutnant wurde sichtlich blass und blinzelte zweimal. Dann machte er kehrt und marschierte zurück. Unterwegs musste er meine Antwort geschickt umformuliert haben, denn es gab keine augenblickliche Explosion. Stattdessen hielt der Oberstleutnant kurz inne, setzte sich in Bewegung und kam auf mich zugewatschelt. Als er anderthalb Meter vor mir stehen blieb, grüßte ich besonders zackig, um ihn noch mehr zu verwirren.

Er erwiderte meinen Gruß lässig und fragte: »Kenne ich Sie, Major?«

Ich sagte: »Kommt ganz darauf an, was für Probleme Sie schon hatten, Colonel. Sind Sie jemals verhaftet worden?«

Er sagte: »Sie sind der andere Militärpolizist. Sie sind Major Munros Gegenstück.«

»Oder er meines«, entgegnete ich. »Jedenfalls wünschen wir Ihnen beide einen wunderschönen Tag.«

»Warum sind Sie noch hier?«

»Warum nicht?«

»Ich habe gehört, der Fall sei abgeschlossen.«

»Er ist abgeschlossen, wenn ich es sage. So funktioniert Polizeiarbeit.«

»Wann haben Sie Ihre letzten Befehle erhalten?«

»Vor ein paar Tagen«, antwortete ich. »Von Colonel John James Frazer im Pentagon, glaube ich.«

»Der ist tot.«

»Sein Nachfolger erteilt mir sicher neue Befehle, wenn er so weit ist.«

»Es kann Wochen dauern, bis ein Nachfolger gefunden ist.«

»Dann sitze ich hier fest, fürchte ich.«

Schweigen.

Dann sagte der Dicke: »Nun, lassen Sie sich heute Abend ja nicht blicken. Verstanden? Der Senator soll hier keine Ermittler sehen. Nichts darf an Verdächtigungen aus letzter Zeit erinnern. Absolut nichts. Ist das klar?«

Ich sagte: »Bitte zur Kenntnis genommen.«

»Das ist mehr als eine Bitte.«

»Nach der Bitte kommt ein Befehl. Aber Sie sind nicht in meiner Befehlskette.«

Der Kerl suchte eine Antwort, fand jedoch keine. Dann machte er kehrt und watschelte zu seinen Leuten zurück. Im nächsten Augenblick hörte ich trotz geschlossener Tür das Telefon im Vorraum des Diners klingeln und erreichte es einen Schritt vor der Bedienung.

78

Die Anruferin war Frances Neagley, die von ihrem Schreibtisch in Washington aus telefonierte. Sie sagte: »Bouton scheint ein sehr ungewöhnlicher Name zu sein.«

Ich fragte: »Hat Stan Lowrey dir aufgetragen, das zu sagen?«

»Nein, Stan möchte wissen, ob sie mit dem Baseballspieler Jim Bouton verwandt ist. Was sie vermutlich ist, wenn man berücksichtigt, wie selten der Name vorkommt. Dagegen basieren meine Erkenntnisse auf einstündiger gründlicher Arbeit, die keine Alice Bouton zutage gefördert hat. Allerdings konnte ich die Unterlagen des Marine Corps nur drei Jahre lang zurückverfolgen, womit ich sie ohnehin verfehlt hätte. Falls sie tatsächlich unehrenhaft entlassen wurde, hat sie vermutlich weder Job noch Einkommen, die an allzu vielen anderen Orten aktenkundig wären.«

»Vermutlich lebt sie in einer Wohnwagensiedlung«, sagte ich. »Aber nicht im Umkreis von Pendleton. Südkalifornien ist zu teuer. Sie muss weggezogen sein.«

»Ich warte auf einen Rückruf vom FBI. Und einen Kumpel beim Personalamt des Marine Corps habe ich auf Boutons Vorgeschichte angesetzt. Und Stan bekniet seinen Freund bei der Bank, damit er den Zivilsektor überprüft. Aber sie hat vielleicht gar kein Bankkonto. Nicht, wenn sie in einer Wohnwagensiedlung lebt. Jedenfalls solltest du wissen, dass wir daran arbeiten, das ist alles. Weitere Informationen gibt's später.«

»Wie viel später?«

»Hoffentlich heute Abend.«

»Vor acht Uhr wäre gut.«

»Ich tue mein Bestes.«

Ich hängte ein und beschloss, gleich zum Mittagessen im Diner zu bleiben.

Und zehn Minuten später tauchte unweigerlich Deveraux auf – um ebenfalls zu Mittag zu essen, aber vielleicht auch auf der Suche nach mir. Sie blieb kurz am Fenster stehen, wo sie die Sonne im Rücken hatte. Ihr Haar leuchtete wie ein Strahlenkranz. Ihre Bluse war fast ein wenig durchsichtig, und ich konnte ihre schmale Taille sehen und die Wölbung ihrer Brust erahnen.

Sie sah, dass ich sie anstarrte, und kam auf mich zu. Ich schob den Stuhl mir gegenüber mit einem Fuß unter dem Tisch hervor. Sie nahm Platz und fragte mich lächelnd: »Wie war dein Vormittag?«

Ich sagte: »Nein, wie war deiner?«

»Bisschen hektisch«, antwortete sie.

»Wie kommst du voran?«

»Womit?«

»Mit deinen drei unaufgeklärten Morden.«

»Die Army hat sie offenbar aufgeklärt«, sagte Deveraux. »Und ich bin gern bereit, ihretwegen etwas zu unternehmen, sobald sie mir mitteilt, was sie weiß.«

Ich schwieg.

Sie fragte: »Was?«

»Dich scheint nicht sehr zu interessieren, wer der Täter war, das ist alles.«

»Wie kann mich das nicht interessieren?«

»Die Army sagt, dass es ein Zivilist war.«

»Das habe ich mitbekommen.«

»Weißt du, wer's war?«

»Was?«

»Weißt du, wer's war?«

»Soll das heißen, dass ich's wissen müsste?«

»Damit will ich nur sagen, dass ich weiß, wie solche Dinge laufen. Es gibt Leute, die du einfach nicht verhaften kannst. Dazu hätte beispielsweise Mrs. Lindsay gehört. Nehmen wir mal an, sie hätte anders reagiert, sich eine Pistole beschafft und den vermeintlichen Täter damit erschossen. Dafür hättest du sie nicht verhaftet.«

»Was soll das heißen?«

»Das soll heißen, dass es in jeder Kleinstadt Leute gibt, die der Sheriff niemals verhaften würde.«

Sie schwieg eine Weile.

»Schon möglich«, sagte sie dann. »Der alte Clancy könnte in diese Kategorie fallen. Aber der hat niemandem die Kehle durchgeschnitten. Und jeden anderen würde ich ohne Ansehen der Person verhaften.«

»Okay«, sagte ich.

»Vielleicht findest du, dass ich in meinem Beruf nichts tauge.«

Ich schwieg.

»Oder vielleicht denkst du, dass ich nicht mehr auf der Höhe bin, weil wir hier kein Verbrechen haben.«

»Ich weiß, dass ihr hier Verbrechen habt«, sagte ich, »dass ihr immer welche hattet. Bestimmt hat dein Vater Verbrechen gesehen, die ich mir nicht mal vorstellen kann.«

»Aber?«

»Ihr kennt hier keine richtigen Ermittlungen, weil ihr nie welche gebraucht habt. Ich wette, dass dein Vater in neunundneunzig von hundert Fällen genau gewusst hat, wer der Täter war – mit allen Einzelheiten. Ob er etwas dagegen tun konnte, war eine andere Frage. Und ich wette, dass dieser eine von hundert Fällen, in denen er ratlos war, ungelöst geblieben ist.«

»Du sagst, ich sei eine schlechte Ermittlerin.«

»Nein, ich sage, dass County Sheriff kein Job für einen Ermittler ist. Dafür braucht man andere Fähigkeiten. Alle möglichen sozialen Fertigkeiten, in denen du gut bist. Für das andere Zeug gibt es einen Kriminalbeamten. Nur hast du gerade keinen.«

»Noch weitere Streitpunkte, bevor wir bestellen?«

»Nur einen«, sagte ich.

»Welchen?«

»Sag's mir noch mal. Du warst nie Reed Rileys Freundin, stimmt's?«

»Reacher, was soll das?«

»Das ist eine Frage.«

»Nein, ich war nie Reed Rileys Freundin.«

»Bestimmt nicht?«

»Reacher, bitte.«

»Bestimmt nicht?«

»Ich wusste nicht mal, dass er hier stationiert ist. Das hab ich dir gesagt.«

»Okay«, sagte ich. »Komm, wir wollen bestellen.«

Sie war verständlicherweise wütend auf mich, aber sie war auch hungrig. Offenbar mehr hungrig als wütend, denn sie blieb am Tisch. Sich an einen anderen Tisch zu setzen hätte nicht ausgereicht. Sie hätte empört hinausstürmen müssen, und dazu war sie mit leerem Magen nicht bereit.

Sie bestellte natürlich die Hühnchenpastete.

Ich bestellte die Lasagne.

Sie sagte: »Es gibt Dinge, die du mir nicht erzählst.«

Ich fragte: »Glaubst du?«

»Du weißt, wer's war.«

Ich schwieg.

»Hab ich recht? Du weißt, wer der Täter ist. Hier ist es nicht darum gegangen, dass ich weiß, wer's war. Es ist darum gegangen, dass *du* weißt, wer's war.«

Ich schwieg.

»Wer war's also?«

Ich gab keine Antwort.

»Willst du behaupten, dass es jemand war, den ich nicht verhaften würde? Wen würde ich nicht verhaften? Das kapiere ich nicht. Ich meine, aus Sicht der Army wäre es natürlich eine großartige Idee, jemandem die Schuld zu geben, der dann nicht verhaftet wird. Das ist mir auch klar. Ohne Verhaftung gäbe es kein Verhör, keine Anklage, keinen Prozess und kein Urteil. Folglich keine unangenehmen Tatsachen. Also könnten alle zur Tagesordnung übergehen und glücklich und zufrieden weiterleben. Aber woher will die Army wissen, wen ich nicht verhaften würde? Ich wüsste übrigens niemanden. Deshalb ist diese ganze Sache verrückt.«

»Ich weiß nicht, wer's war«, sagte ich. »Nicht bestimmt. Noch nicht.«

79

Wir beendeten unser Mittagessen, ohne viel mehr zu sagen. Dann bestellten wir Kuchen. Natürlich Pfirsich. Und Kaffee. Ich fragte sie: »War das PR-Team aus Kelham auch bei dir?«

Sie nickte. »Als ich gerade zum Essen fahren wollte.«

»Dann weißt du also, was heute Abend geplant ist.«

»Zwanzig Uhr«, sagte sie. »Alle sind aufgefordert, sich anständig zu benehmen.«

»Du hast nichts dagegen?«

»Sie kennen die Regeln. Halten sie sich daran, mache ich ihnen keine Schwierigkeiten.«

Dann klingelte das Wandtelefon. Deveraux fuhr herum und starrte es an, als hätte sie es noch nie klingeln gehört. Was durchaus möglich war. Ich sagte: »Das ist für mich.«

Ich ging in den Vorraum und nahm den Telefonhörer ab. Der Anrufer war Munro. Er sagte: »Ich weiß jetzt, wie gefahren werden soll, falls es Sie interessiert. Wie Ihnen bekannt sein dürfte, besitzt

Reed Riley kein Auto mehr, deshalb leiht er sich einen unauffälligen olivgrünen Dienstwagen aus. Er fährt selbst, nimmt nur seinen Vater mit. Die Fahrbereitschaft soll den Wagen um Punkt zwanzig Uhr bereitstellen.«

»Danke«, sagte ich. »Gut zu wissen. Und wann geht's wieder zurück?«

»Heute Abend gibt's nur Ausgang bis dreiundzwanzig Uhr. Inoffiziell, bloß durch Mundpropaganda verbreitet, aber trotzdem wirksam. Ein paar Biere sind authentisch. Zu viele sind peinlich. Das ist die offizielle Linie. Also werden die ersten Leute gegen halb elf zurückfahren. Die Maschine des Senators soll um Mitternacht starten.«

»Gut zu wissen«, sagte ich noch mal. »Danke. Ist er schon angekommen?«

»Vor zwanzig Minuten. Mit einem Learjet der Army.«

»Hat der Rummel bereits angefangen?«

»Der Startschuss fällt in ungefähr einer Stunde.«

»Bringen Sie mir Ihre Vernehmungsnotizen?«

»Wozu?«

»Es gibt ein paar Dinge, die ich überprüfen möchte. Wären Sie so nett, sie mir in den Diner zu bringen, sobald der Senator mal eine Viertelstunde beschäftigt ist?«

Damit war Munro einverstanden. Also hängte ich ein und ging an unseren Tisch zurück, aber Deveraux hatte schon gezahlt. Sie sagte: »Sorry, aber ich muss zur Arbeit, hab viel zu tun. Ich muss drei Morde aufklären.«

Damit drängte sie sich an mir vorbei und verließ das Restaurant.

Die Wartezeit verkürzte ich mir mit einem Spaziergang. Ich machte einen Bogen um das Sheriff's Department und erreichte die einen halben Hektar große Parkfläche vor den Bars vom oberen Ende her. Das Bahngleis links von mir lag still da. Die Bars und Geschäfte rechts von mir waren alle geöffnet, aber sie hatten keine Gäste oder Kunden. In den Bars wurde geputzt – von schwarzen Frauen über vierzig, alle über Mopp und Eimer gebeugt und unter Aufsicht besorgter Besitzer, die wussten, dass ein Senator aus Washington vorbeikommen und vielleicht sogar bei ihnen einkehren würde. Am eifrigsten geputzt wurde in Brannan's Bar. Der Fußboden wurde gewischt, Kühlfächer wurden aufgefüllt, Abfälle hinausgeschafft und sogar die Fenster geputzt.

Auch das Pfandhaus gegenüber der Bar hatte keine Kunden. Shawna Lindsay, die dort bis zu ihrem Tod gearbeitet hatte, war durch eine andere junge Frau ersetzt worden, die weniger schön war, aber bestimmt genauso gut mit Zahlen umgehen konnte. Sie saß hinter der Theke auf einem Hocker, über ihrem Kopf eine Leuchtreklame von Western Union. Weil ich gerade nichts Besseres zu tun hatte, gab ich einer Laune nach und ging hinein. Die junge Frau schaute auf, als sich die Tür öffnete, und lächelte, als freute sie sich, mich zu sehen. Vielleicht war ich an diesem Tag der erste Kunde.

Ich ließ mir erklären, wie das System funktionierte, und begriff nach einigem Hin und Her, dass ich meine Bank telefonisch beauftragen konnte, Geld an eine dieser Filialen in Amerika zu überweisen. Dazu brauchte ich ein Kennwort für die Bank und einen Ausweis oder dasselbe Kennwort für die Western-Union-Filiale. So funktionierte das im Jahr 1997, als alles noch ziemlich lässig ablief. Ich wusste, dass es in der Umgebung des Pentagons alle möglichen Banken gab, weil die dreißigtausend Menschen, die dort arbeiteten, ein Markt waren, den man nicht ignorieren konnte. Ich beschloss, bei meinem nächsten Aufenthalt in Washington bei einer von ihnen ein Konto zu eröffnen, mir die Telefonnummer geben zu lassen und ein Kennwort zu vereinbaren. Für alle Fälle.

Ich bedankte mich bei der jungen Frau und ging zu dem benachbarten Waffengeschäft. Dort erwarb ich Munition für die Beretta: eine Zwanzigerschachtel Neunmillimeter-Parabellumgeschosse und ein Reservemagazin für fünfzehn Schuss. Ich kontrollierte, ob es passte und funktionierte, was der Fall war. Die meisten Kerle, die Neukäufe nicht kontrollieren, leben noch, aber keineswegs alle. Ich ersetzte die nach dem Schuss auf den Hänfling ausgeworfene Patrone und steckte die Pistole wieder in die rechte Hosentasche. Das volle Magazin und die vier losen Patronen kamen in die linke.

Und damit waren meine Einkäufe erledigt. Ich brauchte keine gebrauchte Stereoanlage, auch keine Autoersatzteile. Deshalb ging ich durch Janice Chapmans Gasse und wieder ins Diner. Die Bedienung kam mir im Vorraum entgegen, um zu berichten, dass niemand für mich angerufen habe. Ich blieb einen Augenblick unschlüssig stehen, dann nahm ich den Hörer ab, warf einen Quarter ein und wählte noch mal die Vermittlung des Finanzministeriums. Dieselbe Nummer, die ich von dem alten gelben Kunststofftelefon in Mrs. Lindsays Küche aus angerufen hatte. Wieder meldete sich dieselbe Frau. Die elegante Mittvierzigerin.

Sie fragte wieder: »Wen möchten Sie sprechen?«

Ich sagte: »Geben Sie mir bitte Joe Reacher.«

Auch diesmal hörte ich ein Summen und Klicken, bevor eine Minute lang Stille herrschte. Dann nahm die junge Frau, die bestimmt einen weißen Pullover zu einem Schottenrock trug, den Hörer ab und sagte: »Mr. Reachers Büro.«

Ich fragte: »Ist Mr. Reacher da?«

Sie erkannte meine Stimme gleich wieder – vermutlich wegen der Ähnlichkeit mit der von Joe. Sie sagte: »Nein, tut mir leid, er ist noch nicht zurück. Er hält sich weiterhin in Georgia auf, denke ich. Hoffentlich.«

»Das klingt besorgt.«

»Ich mache mir wirklich ein bisschen Sorgen.«

»Unnötig«, sagte ich. »Joe ist ein großer Junge. Er wird mit allem fertig, was Georgia gegen ihn aufbieten könnte. Er ist nicht mal gegen Erdnüsse allergisch, glaube ich.«

Dann legte ich auf, ging durch das Restaurant und setzte mich an den letzten Zweiertisch ganz hinten. Während die Uhr in meinem Kopf weitertickte, wartete ich dort auf Munro.

Munro erschien mehr oder minder pünktlich: eine Stunde nach unserem Telefongespräch plus fünf Minuten für die Fahrt. Er parkte seinen neutralen Wagen am Randstein, kam herein und entdeckte mich im düsteren rückwärtigen Teil des Diners. Er knöpfte seine rechte Brusttasche auf und zog das dünne schwarze Notizbuch heraus, das ich schon kannte. Er warf es auf den Tisch und sagte: »Behalten Sie's meinetwegen. Außer Ihnen wird es keiner wollen. Im Nationalarchiv hält dafür niemand einen Platz frei.«

Ich nickte. »Irgendein Oberstleutnant aus Kelham hat mir erst vorhin erklärt, es dürfe keine Erinnerung an kürzliche Verdächtigungen geben.«

Munro nickte ebenfalls. »Mich hat er auch ermahnt. Und der Kerl ist verdammt wütend auf Sie. Haben Sie ihn irgendwie beleidigt?«

»Das hoffe ich sehr.«

»Er schreibt eine Beschwerde an Garber.«

»Klopapier können wir immer brauchen.«

»Mit Kopien an alle möglichen Stellen. Sie werden noch berühmt.« Er betrachtete mich sekundenlang, vielleicht bedauernd, dann ging er zu seinem Wagen zurück. Ich öffnete das kleine schwarze Buch und begann zu lesen.

80

Munros Handschrift war eng, sauber und ordentlich. Sie füllte ungefähr fünfzig der kleinen Seiten. Er schrieb jeweils zwei bis drei Gespräche mit, die er zusammenfasste, bevor er mit den nächsten fortfuhr. So waren das Rohmaterial und seine Schlussfolgerungen nebeneinander platziert und ergänzten sich gegenseitig. Eine Art Kreislauf: sicher, zweckmäßig und gewissenhaft. Munro war ein guter Cop. Ein Foto von Reed Riley steckte noch in dem Notizbuch, war vor der ersten freien Seite in die Klammerheftung geklemmt. Ich erkannte, dass er es als Lesezeichen benutzt hatte.

Die fünfzig Seiten handelten hauptsächlich von Janice May Chapman. Dass Riley und sie ein Paar gewesen waren, hatte sich schon früh gezeigt. Nicht dass Riley sich über sie – oder irgendetwas anderes – geäußert hätte. Er hatte sich sofort einen Anwalt genommen und außer Name, Dienstgrad und Stammnummer nichts angegeben. Kein großes Problem für einen Ermittler von Munros Kaliber. Er hatte mit den Männern der Kompanie Bravo gesprochen und ihrem Unterbewusstsein Tatsachen entlockt, die sie freiwillig niemals preisgegeben hätten. So war es ihm gelungen Fragmente und flüchtige Erwähnungen zu einer soliden und zuverlässigen Story zu verweben.

Rileys Männer hatten auf eine Weise von ihm geredet, die ich kannte. Er war noch zu jung, um eine Legende zu sein, und zu wenig bewährt, um ein Star zu sein, aber er besaß eine Art Berühmtheitscharisma, teils wegen seines prominenten Vaters, teils wegen der eigenen Persönlichkeit. Aber er war nicht beliebt. Alle wiedergegebenen Gespräche waren absolut loyal. Aber dies war eine institutionelle, keine persönliche Loyalität, zu der noch der traditionelle Hass aller Soldaten auf die Militärpolizei kam. Niemand hatte etwas Schlechtes über den Mann zu sagen gehabt –

aber auch niemand etwas Gutes. Zwischen den Zeilen las ich, dass Riley ein Aufschneider und Angeber, dass er eingebildet, ungeduldig, rücksichtslos und unsensibel war. Kein Problem bei relativ harmlosen Einsätzen wie im Kosovo, aber eine Generation früher in Vietnam wäre er schon in der ersten Woche »versehentlich« von hinten erschossen oder von einer defekten Handgranate zerfetzt worden. Ein solches Schicksal hatten schon bessere Männer als Riley erlitten.

Vor Chapman war Shawna Lindsay seine Freundin gewesen, das stand fest. Die beiden waren häufig miteinander gesehen worden. Und vor Lindsay hatte er Rosemary McClatchy als Freundin gehabt. Auch sie waren oft zusammen gesehen worden: in Bars, im Diner, seinem blauen 1957er Chevy. Aus Munros Notizen schien ein Hauch von Testosteron aufzusteigen, als ein junger Mann nach dem anderen belustigt darüber sprach, wie ihr Kompaniechef sie nacheinander erobert hatte, die schönsten Frauen der Stadt, locker vom Hocker, *wham bam, thank you, Ma'am*.

Und wenn man der Kompanie Bravo glauben wollte, hatte diese prestigeträchtige Abfolge mit Elizabeth Deveraux begonnen. Sie war in Fort Kelham gut bekannt, seit sie den dort neu stationierten Einheiten einen Höflichkeitsbesuch abgestattet hatte. Während der damaligen Intensivausbildung hatte es weder Ausgang noch Urlaub gegeben, aber der Chef hatte sich eines Nachts rausgeschlichen und den Haupttreffer gelandet. Dieser Triumph war beim ersten Kosovoeinsatz der Kompanie Bravo eines Abends bei Drinks am Lagerfeuer bekannt geworden. Auch hier glaubte ich wieder, die Stimmen junger Männer zu hören, die sich belustigt darüber amüsierten, dass die übrigen Rekruten im 75th Ranger Regiment Deveraux für eine Lesbierin hielten, während die Jungs der Kompanie Bravo es wegen ihres Kompaniechefs, ihres Alphatiers und seiner unwiderstehlichen Art, besser wussten. Sie mochten den Kerl nicht, aber sie bewunderten ihn. Persönlichkeit und Charisma. Und auch Hormone, vermutete ich.

Ansonsten enthielt das Notizbuch nichts Interessantes. Ich verbrachte einige Zeit damit, mir nochmals Rileys Foto anzusehen. Dann steckte ich alles in meine Brusttasche und lehnte mich zurück, um weiter zu warten.

Der restliche Nachmittag zog sich träge und nutzlos dahin. Die Stunden verstrichen, aber niemand rief an, niemand kam, und in der Stadt blieb es still. Irgendwann hörte ich weit im Osten nicht sehr lautes lebhaftes Gewehrfeuer und vermutete, dass der Rummel in Kelham in vollem Gang war. Ab und zu trank ich eine Tasse Kaffee und aß ein Stück Kuchen, aber die meiste Zeit verbrachte ich in einer Art Dämmerzustand: mit offenen Augen halb schlafend, flach atmend und wie im Winterschlaf Energie sparend. Einheimische kamen und gingen einzeln und paarweise. Gegen achtzehn Uhr tauchten die Brüder Jonathan und Hunter Brannan auf, um sich mit einem frühen Abendessen für den bevorstehenden Trubel zu stärken, was bestimmt klug war. Zwei oder drei andere, die ich für Barbesitzer hielt, taten es ihnen gleich. Auch ein paar ihrer Putzfrauen kehrten hier ein, bevor sie heimfuhren. Gegen neunzehn Uhr wurde es draußen dunkel. Und um neunzehn Uhr dreißig erschien das alte Paar aus dem Hotel – sie mit ihrem Buch, er mit seiner Zeitung.

Eine Minute später rief Stan Lowrey an, und der Abend begann aus den Fugen zu geraten.

81

Lowrey begann damit, dass er sich dafür entschuldigte, dass seine Warnung äußerst spät kam, und berichtete dann, er habe von einem befreundeten Militärpolizisten in Fort Benning, wo das 75th Ranger Regiment stationiert war, einen Tipp bekommen. Anscheinend hatte ein nach Kelham abkommandierter Oberstleutnant seinen Bossen telefonisch gemeldet, vor Ort seien weiterhin zwei CID-Majore im Einsatz, einer in Fort Kelham, der andere in Carter Crossing, wobei Letzterer ein besonders widerlicher Kerl sei. Und weil seine Vorgesetzten entschlossen waren, Senator Rileys Aufenthalt durch nichts beeinträchtigen zu lassen, hatten sie Babysitter in Marsch gesetzt, um besagte Majore bis zur Abreise des Senators aus dem Verkehr ziehen zu lassen. Vorbeugend. Lowrey sagte, der Trupp sei vor einiger Zeit mit einem Blackhawk aus Benning abgeflogen und könne bereits in Kelham eingetroffen sein.

»MPs?«, fragte ich. »Die legen sich nicht mit mir an.«

»Keine MPs«, entgegnete Lowrey. »Normale Ranger. Echt taffe Kerle.«

»Wie viele?«

»Sechs«, antwortete Lowrey. »Drei für dich und drei für Munro, vermute ich.«

»Einsatzregeln?«

»Keine Ahnung. Was ist nötig, um dich zum Schweigen zu bringen?«

»Mehr als drei Ranger«, sagte ich. Ich warf einen Blick aus dem Fenster auf die Straße, sah aber keine Bewegung. Keine Autos, keine Fußgänger. Ich sagte: »Mach dir meinetwegen keine Gedanken, Stan. Munro bereitet mir eher Sorgen, weil ich heute Nacht zwei Paar Hände brauche. Die Sache gestaltet sich schwieriger, wenn er eingelocht wird.«

»Damit musst du rechnen«, sagte er. »Du wahrscheinlich auch. Wie man hört, meinen diese Leute es ernst.«

»Rufst du ihn bitte an und warnst ihn wie mich?«, fragte ich. »Das heißt, wenn sie ihn sich nicht schon geschnappt haben.« Ich gab ihm Munros Telefonnummer und hörte einen Bleistift kratzen, als Lowrey sie sich notierte. Dann fragte ich: »Hat dein Lieblingsbanker schon etwas über Alice Bouton in Erfahrung gebracht?«

»Negativ«, erklärte Lowrey. »Er hatte den ganzen Tag zu viel um die Ohren. Aber Neagley ist noch dran.«

»Ruf sie an und sag ihr, dass sie sich beeilen und Ergebnisse liefern soll. Sag ihr, dass sie eine Nachricht bei der Bedienung hinterlassen kann, falls ich gerade mit den GI Joes beschäftigt bin.«

»Okay und alles Gute«, sagte Lowrey und legte auf. Ich trat auf den Gehsteig hinaus und suchte die Straße nach beiden Seiten ab. Noch immer nichts. Die Ranger würden mich vermutlich in einer der Bars suchen. Am ehesten in Brannan's Bar. Wenn ich Schwierigkeiten machen wollte, würde ich mich dort herumtreiben. Also trabte ich die Gasse entlang und suchte die Parkfläche tief im Schatten zwischen den Gebäuden stehend ab.

Tatsächlich war mitten auf dem Platz ein Humvee geparkt: groß und grün und unübersehbar. Der Plan war vermutlich, mich im Polizeigriff abzuführen, hinten in das Fahrzeug zu werfen, nach Kelham zu bringen und dort in den Raum zu sperren, in dem Munro bereits saß. Darin würden wir schmoren, bis der Learjet des Senators um Mitternacht gestartet war, um dann mit aufrichtigen Entschuldigungen wegen dieses bedauerlichen Missverständnisses freigelassen zu werden.

Jeder hat einen Plan, bis er eine aufs Maul kriegt.

Ich schob mich um die Ecke von Brannan's Bar und spähte durchs Fenster hinein. Der große Raum wirkte blitzsauber. Die Tische und Stühle waren um einen Mitteltisch aufgestellt, an dem sich wahrscheinlich der Senator und sein Sohn niederlassen würden. Ihre Gefolgsleute würden in der Nähe sitzen, und für Leute mit weniger guten Verbindungen gab es reichlich Stehplätze. Jonathan und Hunter Brannan, die hinter der Theke standen, wirkten nach ihrem frühen Abendessen zufrieden und gut ausgeruht.

Drei Männer in Flecktarnanzügen sprachen mit ihnen.

Alles Ranger, alle ziemlich groß, keiner ein Neuling. Ein Sergeant und zwei Specialists. Ihre Kampfanzüge waren abgetragen, ihre Stiefel nicht neu, aber gut geputzt. Ihre Gesichter wirkten sonnengebräunt, faltig und ausdruckslos. Sie waren schlicht und einfach Berufssoldaten. Was ein dämlicher Ausdruck war, weil Berufssoldaten alles Mögliche waren, nur nicht schlicht und einfach. Was zwei von ihnen waren, spielte keine Rolle, weil der Sergeant das Kommando führte. Und ich kannte keinen Sergeant, der nicht wusste, dass es in der Hierarchie über ihm bis hinauf zum Oberkommandierenden achtzehn Dienstgrade gab, die alle mehr verdienten als er, weil sie Grundsatzentscheidungen zu treffen hatten.

Mit anderen Worten: Unabhängig davon, was ein Sergeant auch tat, gab es immer achtzehn Gruppen von Leuten, die bereit und willens waren und nur darauf warteten, ihn zu kritisieren.

Ich trat in den Schatten zurück und machte mich auf den Rückweg zum Diner.

In dem Lokal saßen noch drei Gäste: das alte Ehepaar aus dem Hotel und der Mann im hellen Anzug, den ich schon mal gesehen hatte. Drei schien mir eine gute, aber keine ideale Zahl zu sein. Andererseits war die demografische Zusammensetzung nahezu perfekt. Hiesige Geschäftsleute, ehrbare Bürger, Senioren, leicht erregbar. Und zumindest das alte Paar würde noch stundenlang bleiben, was gut war, weil ich vielleicht einige Stunden brauchen würde – je nachdem, ob Neagley Fortschritte machte oder nicht.

Als ich am Telefon im Vorraum stehen blieb, schüttelte die Bedienung den Kopf, um mir zu signalisieren, für mich sei kein Anruf eingegangen. Ich benutzte das Telefonbuch, um die Nummer von Brannan's Bar zu suchen, warf einen Quarter ein und wählte. Als einer der Brüder Brannan sich meldete, sagte ich: »Geben Sie mir den Sergeant.«

Am anderen Ende entstand eine kurze unsichere Pause, aber dann hörte ich, wie der Hörer weitergereicht wurde, bevor eine barsche Stimme fragte: »Wer sind Sie?«

Ich sagte: »Ich bin der Mann, den ihr sucht. Ich bin im Diner.«

Keine Antwort.

Ich sagte: »Das ist die Stelle, wo Sie die Sprechmuschel mit einer Hand zuhalten müssen, während Sie die Barkeeper fragen, wo der Diner ist, damit Sie Ihre Leute losschicken können, um meine Behauptung nachprüfen zu lassen, während Sie mich am Telefon hinhalten. Aber ich will Ihnen die Mühe ersparen. Der Diner steht ungefähr zwanzig Meter westlich und fünfzig Meter nördlich von Ihnen. Schicken Sie einen Mann durch die Gasse links neben der Bar und den anderen links um das Sheriff's Department herum. Sie selbst können den Hintereingang benutzen und durch die Küche reinkommen. Dann haben Sie mich eingekreist. Aber keine Sorge, ich will nirgends hin. Ich warte hier auf euch. Ihr findet mich an einem Tisch ganz hinten.«

Dann hängte ich ein und ging zu dem hintersten Vierertisch.

82

Der Sergeant tauchte als Erster auf. Kürzeste Entfernung, größtes Interesse. Er kam langsam und vorsichtig durch die Küche herein und ließ die Tür hinter sich zurückschwingen. Ich drehte mich halb nach ihm um und hob grüßend die Hand. Ich saß gut zwei Meter von ihm entfernt. Danach erschien einer der Specialists von der Straße. Aus der Gasse, vermutete ich. Zweitkürzeste Entfernung. Eine Minute später war der dritte Mann leicht außer Atem da. Längste Entfernung, größte Eile.

Sie standen da und füllten den Gang aus: zwei rechts, einer links von mir.

»Nehmen Sie Platz«, sagte ich. »Bitte.«

Der Sergeant sagte: »Wir haben Befehl, Sie nach Kelham zu bringen.«

Ich sagte: »Dazu wird's nicht kommen, Sergeant.«

Keine Antwort.

Die Uhr in meinem Kopf zeigte 19.45 Uhr an.

Ich sagte: »Die Sache sieht folgendermaßen aus, Jungs. Mich hier gegen meinen Willen rauszubekommen dürfte größere körperliche Anstrengungen erfordern. Wir würden mindestens drei bis vier Tische und Stühle zertrümmern, schätze ich. Es könnte auch Personenschäden geben. Und die Bedienung wird denken, wir gehörten zur Kompanie Bravo. Weil außer ihr in Kelham niemand Ausgang hat. Glaubt mir, sie interessiert sich für solche Dinge, weil ihr Einkommen davon abhängt. Und sie weiß, dass der Chef der Kompanie Bravo jeden Augenblick drüben in Brannan's Bar erwartet wird. Also wär's völlig logisch, wenn sie rüberlaufen und sich beschweren würde. Und dazu müsste sie bestimmt ein vertrauliches Gespräch zwischen Vater und Sohn unterbrechen. Was für alle Beteiligten – aber vor allem für euch – verdammt peinlich wäre.«

Keine Antwort.

»Setzt euch, Jungs«, forderte ich sie auf.

Sie setzten sich. Aber nicht so, wie ich's mir gewünscht hätte. Sie waren nicht dumm. Das war das Problem bei einer Freiwilligenarmee. Es gab Auswahlkriterien. Ich saß an einem Vierertisch am Gang mit Blick zum Ausgang. Hätten sie sich zu mir gesetzt, hätte ich Bewegungsfreiheit gehabt. Aber das taten sie nicht. Der Sergeant nahm an meinem Tisch Platz, aber die Specialists setzten sich auf der anderen Gangseite an einen Zweiertisch gegenüber. Sie zogen ihre Stühle etwas heraus, um jederzeit intervenieren zu können, falls ich in die eine oder die andere Richtung zu flüchten versuchte.

»Ihr solltet den Kuchen probieren«, sagte ich. »Der ist echt gut.«

»Keinen Kuchen«, sagte der Sergeant.

»Bestellt lieber etwas. Sonst schmeißt die Bedienung euch vielleicht als Herumtreiber raus. Und wenn ihr nicht geht, weiß sie, an wen sie sich wenden kann.«

Keine Antwort.

Ich sagte: »Hier sitzen noch andere Gäste. Ihr könnt es euch wirklich nicht leisten, Aufsehen zu erregen.«

Eine Pattsituation.

19.50 Uhr.

Das Telefon im Vorraum blieb still.

Als die Bedienung zu uns kam, zuckte der Sergeant mit den Schultern und bestellte drei Stück Kuchen und drei Tassen Kaffee. Von draußen kam ein Paar herein, beide Zivilisten: sie eine junge Frau in einem hübschen Kleid, er ein junger Mann in Jeans und einem Sportsakko. Die beiden setzten sich drei Tische von den Specialists entfernt an den Zweiertisch gegenüber dem alten Paar aus dem Hotel. Sie machten nicht den Eindruck, als würden sie wegen einer kleinen Schlägerei gleich ihren Abgeordneten anrufen, aber je mehr Unbeteiligte anwesend waren, desto lieber war es mir.

Der Sergeant sagte: »Wir haben nichts dagegen, notfalls den ganzen Abend hier zu verbringen.«

»Gut zu wissen«, sagte ich. »Ich bleibe hier sitzen, bis das Telefon klingelt, und dann gehe ich.«

»Tut mir leid, aber ich darf nicht zulassen, dass Sie telefonieren. So lautet mein Befehl.«

Ich schwieg.

»Und ich kann Sie nicht gehen lassen. Außer Sie kommen mit nach Kelham.«

Ich fragte: »Haben wir das nicht gerade erst besprochen?«

Keine Antwort.

Das Telefon blieb stumm.

19.55 Uhr.

Um zwanzig Uhr zahlte der Kerl in dem hellen Anzug und ging, und die alte Lady aus dem Hotel blätterte eine Seite ihres Buchs um. Ansonsten geschah nichts. Das Telefon blieb stumm. Um 20.05 Uhr war draußen Lärm zu hören, der von der Parkfläche vor den Bars kam: Motorengeräusche und das Knirschen von Reifen auf Kies. Zugleich glaubte ich, eine atmosphärische Veränderung zu spüren, als die Kompanie Bravo in die Stadt einfiel – erst einzeln, dann paarweise, dann zu Dutzenden. Ich stellte mir vor, wie Reed Riley die Kolonne mit seinem Vater in dem ausgeliehenen Dienstwagen neben sich angeführt hatte. In diesem Augenblick hatte der Alte sich vermutlich am Eingang von Brannan's Bar aufgebaut, wo er die Männer seines Sohns wie ein Idiot grinsend mit Handschlag begrüßte.

Die drei Ranger, von denen ich eingekreist war, hatten ihren Kuchen nacheinander gegessen, sodass immer zwei von ihnen wachsam blieben und mich im Auge behielten. Sie waren ziemlich gut. Bei Weitem nicht die Schlechtesten, die ich gesehen hatte. Die Serviererin trug ihre Teller ab. Sie schien zu ahnen, was hier vorging, denn sie musterte mich jedes Mal mit besorgtem Blick. Auf wessen Seite sie stand, war klar erkennbar. Mich kannte sie, die anderen nicht. Von mir hatte sie schon viele Trinkgelder bekommen, von den anderen keinen Penny.

Der von draußen hereindringende Lärm nahm zu.

Das Telefon blieb stumm.

Die folgenden Minuten verbrachte ich damit, über ihr Humvee nachzudenken. Ich wusste, dass es wie jedes andere Humvee der Welt von einem großen Dieselmotor von General Motors angetrieben sein, eine Dreigangautomatik haben und wie jedes andere Humvee der Welt über vier Tonnen wiegen würde, was alles zusammen bedeutete, dass seine Höchstgeschwindigkeit maximal sechzig Meilen in der Stunde betrug. Ich wusste, dass das keinem Rennwagentempo entsprach, aber auch, dass das fünfzehnmal schneller als flottes Gehtempo war, was eine gute Sache war.

Ich wartete.

Kurz nach 20.30 Uhr traten drei Ereignisse ein. Das erste war bedauerlich, das zweite war noch nie da gewesen, und das dritte kam deshalb zur Unzeit.

Als Erstes ging das junge Paar. Die Frau in dem hübschen Kleid, der Junge in dem Sportsakko. Sie ließen Geld auf dem Tisch zurück und gingen Händchen haltend hinaus – rasch genug, um erkennen zu lassen, dass sie nicht zu einem Abendgottesdienst wollten.

Als Zweites ging das alte Paar. Sie klappte ihr Buch zu, er faltete seine Zeitung zusammen, sie standen auf und schlurften zur Tür hinaus. Vermutlich ins Hotel zurück. Viel früher als jemals zuvor. Ohne erkennbaren Grund, außer sie hatten plötzlich die illusorische Eingebung gehabt, der alte Riley werde den Rückflug absagen und beschließen, sich ein Zimmer in Toussaint's Hotel zu nehmen.

In diesem Augenblick hielt sich die Serviererin in der Küche auf, sodass wir nur noch zu viert waren: meine drei Babysitter und ich.

Der Sergeant grinste mich an und sagte: »Jetzt sind wir allein.«

Ich gab keine Antwort.

Er sagte: »Keine Zivilisten mehr.«

Ich gab keine Antwort.

Er sagte: »Und ich glaube nicht, dass die Bedienung der Typ ist, der sich unnötig beschwert. Eigentlich nicht. Sie weiß, dass dieser Laden sehr leicht auf eine Schwarze Liste kommen könnte. Für einen Monat. Für zwei. Oder wie lange es eben dauert, bis sie Stütze beziehen muss.«

Er beugte sich etwas nach vorn über den Tisch. So war er mir näher als zuvor. Er starrte mir ins Gesicht. Auch seine Männer beugten sich mit auf die Knie gestützten Ellbogen, locker gehaltenen Händen und gespreizten Beinen in den Gang vor und beobachteten mich scharf.

Dann trat das dritte Ereignis ein.

Das Telefon klingelte.

83

Die drei Ranger waren gut. Sogar sehr gut. Das Wandtelefon war ein herkömmlicher alter Apparat mit einer eingebauten großen Metallklingel, die eine volle Sekunde lang schrillte, bevor das Klingelzeichen in den sekundenlangen Nachhall überging, worauf diese Abfolge sich wiederholte, bis das Gespräch angenommen wurde oder der Anrufer aufgab. Ein altmodischer, beruhigender, seit hundert Jahren vertrauter Ton. Aber in diesem Fall waren alle drei Ranger in Bewegung, bevor das erste Klingeln verhallte. Der Kerl links von mir sprang sofort auf, war mit einem Satz hinter mir, legte mir seine Pranken auf die Schultern und riss mich an die Lehne zurück, sodass ich fast wehrlos festgenagelt war. Der Sergeant vor mir beugte sich sofort noch weiter vor, packte meine Handgelenke und drückte sie auf die Tischplatte. Der dritte Kerl sprang vom Stuhl auf, blockierte den Gang und hielt sich mit geballten Fäusten bereit, mich anzugreifen, falls ich zu flüchten versuchte.

Gutes Teamwork.

Ich leistete keinen Widerstand.

Saß einfach nur da.

Jeder hat einen Plan, auch ich.

Das Telefon schrillte weiter.

Als es noch dreimal geklingelt hatte, kam die Bedienung aus der Küche. Sie blieb kurz stehen, erfasste meine Lage mit einem Blick, drängte sich an dem Ranger auf dem Gang vorbei und hastete ans Telefon. Sie nahm den Hörer ab, meldete sich, sah zu mir hinüber, als sie zu sprechen begann, und ließ mich dabei nicht mehr aus den Augen, als schilderte sie jemandem meine Notlage.

Frances Neagley, nahm ich an.

Hoffentlich.

Die Servierin hörte nochmals kurz zu, dann klemmte sie sich den Telefonhörer zwischen Ohr und Schulter und zog den Bestellblock mit Kugelschreiber aus ihrer Kitteltasche. Sie begann mitzuschreiben. Bald war sie auf der zweiten Seite. Der Kerl hinter mir ließ nicht locker. Der Sergeant hielt weiter meine Handgelenke fest. Der dritte Kerl trat einen halben Schritt näher. Die Bedienung formte ihr unbekannte Wörter beim Mitschreiben mit den Lippen nach. Dann hörte sie zu schreiben auf, las erneut durch, was sie notiert hatte, schluckte trocken und blinzelte zweimal, als empfände sie ihre nächste Aufgabe schon jetzt als schwierig.

Sie hängte ein, riss die beiden beschriebenen Seiten von ihrem Block ab und fasste sie mit spitzen Fingern an, als wären sie heiß. Dann machte sie einen Schritt in unsere Richtung. Der Kerl hinter mir hörte auf, meine Schultern zu umklammern. Der Sergeant ließ meine Handgelenke los. Und der dritte Mann setzte sich wieder.

Die Bedienung kam den Gang entlang, trat als fünftes Mitglied in unsere kleine Gruppe, wechselte die Reihenfolge der beschriebenen Blätter, betrachtete die Kragenabzeichen der drei Ranger und wandte sich dann an den Sergeant. An den Verantwortlichen.

Sie sagte: »Ich habe eine zweiteilige Nachricht für Sie, Sir.«

Der Mann nickte, und sie begann vorzulesen.

Die Bedienung sagte: »Erstens, wer Sie auch sind, Sie sollten diesen Mann sofort freilassen – um Ihretwillen und um der Army willen, denn zweitens, wer Sie auch sind, wie Ihre Befehle auch lauten mögen und was Sie jetzt vielleicht denken, hat er wahrscheinlich recht und Sie wahrscheinlich unrecht. Diese Mitteilung macht Ihnen eine Sergeantin, der die Army und Ihr eigenes Interesse am Herzen liegen.«

Schweigen.

Der Sergeant sagte: »Zur Kenntnis genommen.«

Das war alles.

Danke, Neagley, dachte ich. *Netter Versuch.*

Dann beugte die Serviererin sich nach vorn und legte das zweite beschriebene Blatt mit der Rückseite nach oben auf den Tisch und schob es mir schnell hin, wie sie schon Tausende von Kassenbons hingeschoben hatte. Ich bedeckte es rasch mit der linken Hand und hielt die rechte Hand bereit.

Keiner bewegte sich.

Die Bedienung blieb noch einen Augenblick stehen, dann verschwand sie in der Küche.

Ich benutzte den linken Daumenballen, um den Zettel wie eine Spielkarte vorn hochzubiegen, und las die beiden ersten Zeilen der für mich bestimmten Nachricht. Sieben Wörter. Das erste war eine lateinische Präposition. Typisch Neagley. *Per.* In diesem Zusammenhang gleichbedeutend mit *Laut.* Die folgenden sechs Wörter hießen *Personalamt des United States Marine Corps.* Was bedeutete, dass der übrige Inhalt dieser Mitteilung aus bester Quelle stammte. Er würde zuverlässig sein. Er würde definitiv sein. Er würde aus reinem Gold sein.

Es würde gut genug für mich sein.

Ich ließ die Papierkante wieder auf den Tisch klatschen und faltete den Zettel mit Daumen und zwei Fingern der rechten Hand so zusammen, dass die unbeschriebene Seite außen lag. Ich strich den Falz mit dem Daumennagel glatt und steckte das Papier in die rechte Brusttasche – hinter Munros kleines schwarzes Notizbuch, unter meinem Namensschild.

20.50 Uhr.

Ich nickte dem Sergeant zu und sagte: »Okay, Sie haben gewonnen. Fahren wir nach Kelham.«

84

Wir gingen hintereinander in die Küche hinaus und benutzten den Hinterausgang, weil das die schnellste Route zu ihrem Humvee war. Der Sergeant marschierte voraus. Ich war zwischen den beiden Specialists eingekeilt. Einer von ihnen hatte eine Hand flach auf meinem Rücken liegen und schob mich vorwärts, der andere hielt mich an der Tarnjacke gepackt und zog mich mit sich. Die Nachtluft war frisch, weder warm noch kalt. Die Fläche vor den Bars war mit Autos zugeparkt. Fünfzig Meter rechts von uns hatten sich Leute versammelt: lauter Männer, alle in Uniform, alle zurückhaltend und gesittet. Sie bildeten einen Halbkreis um den Eingang von Brannan's Bar – wie ein Heiligenschein oder Zaungäste beim Preisboxen. Die meisten hielten Bierflaschen in den Händen, die sie vermutlich anderswo gekauft und zur Hauptattraktion mitgenommen hatten. Ich stellte mir vor, wie der Senator ihre Aufmerksamkeit genoss, und vermutete, sein Sohn versuche so zu tun, als ginge sie ihn nichts an.

Zwischen den normalen Autos wirkte das Humvee überbreit und massiv. Was es auch war. In respektvollem Abstand daneben stand eine schlichte olivgrüne Limousine. Bestimmt Reed Rileys ausgeliehener Dienstwagen, der hier als Zweiter angekommen und neben dem Humvee geparkt worden war, um das Taffer-Kerl-Image des Kompaniechefs zu fördern. Politiker machten das fast instinktiv.

Der Sergeant wurde kurz langsamer, damit wir enger zu ihm aufschlossen, und dann gingen wir weder schnell noch langsam geradewegs auf das Humvee zu. Niemand achtete auf uns. Wir waren nur vier dunkle Gestalten, und alle anderen sahen in die Gegenrichtung.

Das Humvee war nicht abgeschlossen. Der Sergeant öffnete die hintere linke Tür. Die Specialists drängten hinter mir heran, sodass mir keine andere Wahl blieb, als einzusteigen. Das Innere des Fahrzeugs roch nach Schweiß und Segeltuch. Der Sergeant wartete, bis die Specialists DRIN waren – einer vorn rechts, der andere hinten auf der rechten Seite des breiten Getriebetunnels, beide wachsam mir zugewandt –, dann nahm er hinter dem Steuer Platz und drückte den Startknopf. Während der große Diesel im Leerlauf nagelte, setzte er sich zurecht, schaltete die Scheinwerfer ein und stellte den Wahlhebel auf D. Das Humvee fuhr holpernd an, seine Lenkung war schwammig, die Geschwindigkeit gering. Wir fuhren über unebenes Gelände nach Norden, um die Straße nach Fort Kelham zu erreichen: vorbei an den langen Reihen geparkter Autos, vorbei am Sheriff's Department. Der Sergeant sah aus reiner Gewohnheit in den Rückspiegel, dann warf er einen Blick nach links und bereitete sich darauf vor, nach dreißig Metern rechts abzubiegen.

Ich fragte: »Wofür seid ihr ausgebildet, Leute?«

Er sagte: »Schultergestützte Fla-Raketen.«

»Nicht in Polizeiarbeit?«

»Nein.«

»Das merkt man«, sagte ich. »Ihr habt mich nicht durchsucht. Das hättet ihr tun sollen.«

Ich zog mit der rechten Hand die Beretta. Mit der linken Hand griff ich nach vorn und drehte seinen Jackenkragen zusammen, sodass er kaum noch Luft bekam. Ich riss ihn nach hinten gegen die Sitzlehne und drückte die Mündung meiner Pistole dicht über der Achsel an sein rechtes Schulterblatt. Humvees sind ziemlich stabil gebaut – auch ihre Sitzlehnen. Der Kerl vor mir konnte sich nicht mehr bewegen. Er konnte nicht einmal mehr atmen, wenn ich ihn nicht ließ.

Ich sagte: »Stillhalten und Ruhe bewahren.«

Beides taten sie, weil sie sahen, wo ich meine Pistole hatte. Am

Ohr oder im Genick des Sergeant hätte keine Wirkung gehabt. Sie hätten nicht geglaubt, dass ich den Mann notfalls erschießen würde. Nicht unter Soldaten, so verzweifelt ich auch sein mochte. Aber ein nicht tödlicher Schulterdurchschuss war glaubhaft. Und eine schreckliche Vorstellung. Er hätte das Ende seiner Laufbahn bedeutet. Das Ende seines ganzen bisherigen Lebens und eine Zukunft mit grässlichen Schmerzen, einer Invalidenrente und Haushaltsgeräten für Linkshänder.

Ich ließ den Kragen etwas lockerer, hielt den Mann aber weiter an die Sitzlehne gezogen.

Ich befahl: »Links abbiegen.«

Er bog links auf die in Ost-West-Richtung verlaufende Straße ab.

Ich sagte: »Weiter.«

Er fuhr auf der geraden Waldstraße weiter – von Kelham weg, in Richtung Memphis.

Ich sagte: »Schneller.«

Er gab Gas, und wenig später machte das große Fahrzeug ächzend und ratternd fast sechzig Meilen in der Stunde. Nun gelangten wir in den Bereich simpler Arithmetik. Es war einundzwanzig Uhr. Diese Straße war ungefähr vierzig Meilen lang, und mit Gegenverkehr war um diese Zeit nicht zu rechnen. Ich schätzte, dass dreißig Meilen in dreißig Minuten reichen würden.

»Weiter so«, sagte ich.

Der Kerl tat wie ihm geheißen.

Nach einer halben Stunde erreichten wir eine einsame Stelle ungefähr dreißig Meilen westlich von Carter Crossing und damit etwa zehn Meilen vor der Landstraße nach Memphis. Ich sagte: »Okay, das ist weit genug. Wir stoppen hier.«

Ich hielt den Kerl weiter am Kragen gepackt und drückte die Pistole an seine Schulter, sodass ihm keine andere Wahl blieb: Er nahm den Fuß vom Gas, ließ den Wagen ausrollen und bremste ihn ab, bis er stand. Er stellte den Wahlhebel auf »P«, nahm die Hände vom Lenkrad und saß da wie jemand, der genau weiß, was kommen wird – was vielleicht stimmte, vielleicht aber auch nicht. Ich drehte den Kopf zur Seite, schaute den Mann rechts neben mir an und sagte: »Stiefel ausziehen.«

Weil jetzt alle wussten, was kommen würde, entstand eine Pause, die den Anschein einer stummen Meuterei erweckte. Aber ich saß sie seelenruhig aus, bis der Kerl neben mir mit den Schultern zuckte und sich an die Arbeit machte.

Ich sagte: »Jetzt die Socken.«

Der Kerl zog sie aus, knüllte sie zusammen und steckte sie in die Stiefel, wie man's als guter Soldat tut.

»Nun die Jacke.«

Er zog seine Tarnjacke aus.

Ich sagte: »Jetzt die Hose.«

Nochmals eine lange, lange Pause, doch dann hob der Kerl den Hintern vom Sitz und streifte seine Hose über die Hüften nach unten. Ich sah den Kerl auf dem Beifahrersitz an und sagte: »Die gleichen vier Schritte für Sie.«

Er machte sich sofort daran, und als er fertig war, ließ ich ihn dem Sergeant helfen, sich ebenfalls auszuziehen. Ich durfte nicht zulassen, dass er sich aus meinem Griff löste und nach vorn beugte. Nicht in diesem Augenblick. Als sie fertig waren, wandte ich mich an den Mann neben mir und sagte: »Sie steigen jetzt aus und gehen zwanzig Schritte nach vorn.«

Sein Sergeant sagte: »Sie können nur hoffen, dass wir uns nie wieder begegnen, Reacher.«

»Doch, das hoffe ich«, entgegnete ich. »Denn nach reiflicher Überlegung werdet ihr euch bestimmt bei mir dafür bedanken wollen, dass ich euch nichts getan habe. Was ich sehr leicht hätte tun können, Sie lausiger Amateur.«

Keine Antwort.

»Los, raus jetzt!«, befahl ich nachdrücklich.

Eine Minute später standen alle drei im Scheinwerferlicht vor dem Humvee: barfuß, ohne Jacken und Hosen, nur in T-Shirts und Boxershorts. Sie waren dreißig Meilen von Kelham entfernt, was unter idealen Bedingungen ein sieben- bis achtstündiger Marsch war, und barfuß auf einer Waldstraße unterwegs zu sein waren keine idealen Bedingungen. Und selbst wenn wie durch ein Wunder ein Auto vorbeikam, hatten sie keine Chance, mitgenommen zu werden. Kein vernünftiger Mensch würde nachts anhalten, um drei wild gestikulierende halb nackte Männer mitzunehmen.

Ich kletterte nach vorn auf den Fahrersitz, stieß hundert Meter zurück, wendete und fuhr mit nichts als dem Modergeruch von Stiefeln und Socken als Gesellschaft die Waldstraße entlang zurück. Die Uhr in meinem Kopf zeigte 21.35 Uhr an. Ich rechnete mir aus, dass ich um 22.03 Uhr wieder in Carter Crossing sein konnte, wenn das Humvee mit verringerter Nutzlast vielleicht fünfundsechzig Meilen in der Stunde schaffte.

85

Wie sich dann zeigte, brachte der große GM-Diesel das Humvee sogar auf etwas mehr als fünfundsechzig Meilen in der Stunde, sodass es erst 21.58 Uhr war, als ich das Fahrzeug unter den letzten Bäumen versteckte und die restliche Strecke zu Fuß ging. Ein einzelner Mann zu Fuß fällt weit weniger auf als ein vier Tonnen schweres Militärfahrzeug, und Vorsicht ist immer die beste Strategie.

Aber es gab nichts, wovor ich mich hätte verstecken müssen. Die Main Street war menschenleer. Dort war nichts zu sehen außer dem beleuchteten Diner, vor dem mein geliehener Buick und Deveraux' Caprice hintereinander parkten. Ich vermutete, dass Deveraux die Lage im Auge behielt, ohne sich zu große Sorgen zu machen. Die Anwesenheit des Senators war praktisch eine Garantie für eine untypisch ruhige Nacht.

Ich blieb auf der Straße nach Kelham und umging die Main Street vorsichtshalber in weitem Bogen. Indem ich die letzte Reihe geparkter Wagen als Deckung benutzte, erreichte ich eine Stelle genau gegenüber dem Eingang von Brannan's Bar. Die Menge vor der Tür war noch nicht kleiner geworden. Ich machte ungefähr fünfzig Männer aus, die wie zuvor einen Halbkreis bildeten. Hinter ihnen nahm ich Gedränge in der Bar wahr, in der sich die meisten Gäste aufhielten, während andere, die ich nicht sehen konnte, an Tischen weiter hinten im Raum saßen. Ich bewegte mich darauf zu und zwängte mich zwischen geparkten Autos und Pickups hindurch, wobei das Stimmengewirr mit jedem Schritt etwas lauter zu werden schien. Aber nicht sehr viel lauter. Die Lautstärke blieb niedrig, und die Gespräche waren weit höflicher und zurückhaltender als neulich. Weil alle Befehl hatten, sich heute Abend zu benehmen.

Ich überquerte die freie Fläche zwischen zwei Autoreihen und schob mich zwischen einem zwanzig Jahre alten Cadillac und einem verbeulten GMC Jimmy hindurch, als eine halblaute Stimme dicht neben mir sagte: »Hallo, Reacher.«

Ich drehte mich um und erkannte Duncan Munro, der an der Seite des Jimmys lehnte: tief im Schatten, fast unsichtbar, entspannt und geduldig und wachsam.

»Hallo, Munro«, erwiderte ich seinen Gruß. »Schön, Sie zu sehen. Obwohl ich zugeben muss, dass ich das nicht erwartet habe.«

Er sagte: »Gleichfalls.«

»Hat Stan Lowrey Sie angerufen?«

Er nickte. »Aber ein bisschen zu spät.«

»Drei Kerle?«

Er nickte wieder. »Granatwerferschützen vom 75th.«

»Wo sind sie jetzt?«

»Mit Telefonschnur gefesselt und mit den eigenen T-Shirts geknebelt in meinem Zimmer.«

»Gut gemacht«, sagte ich. Das war wirklich hervorragende Arbeit. Einer gegen drei, keine Vorwarnung, ein Überfall, aber trotzdem ein befriedigendes Ergebnis. Ich war beeindruckt. Mit Munro war nicht zu spaßen. Das war offensichtlich.

Er fragte: »Wen haben Sie bekommen?«

»Ein Flugabwehrteam mit drei Mann.«

»Wo sind sie jetzt?«

»Sie marschieren barfuß und ohne Hosen halb aus Memphis zurück.«

Er lächelte, ließ im Dunkel weiße Zähne aufblitzen und sagte: »Ich hoffe nur, dass ich nie nach Benning versetzt werde.«

Ich fragte: »Ist Riley in der Bar?«

»Er ist mit seinem Vater als Erster gekommen. Die beiden halten fürstlich Hof. Die Zeche beträgt bestimmt schon über dreihundert Dollar.«

»Gibt's weiterhin nur Ausgang bis dreiundzwanzig Uhr?«

Er nickte. »Aber man muss mit einem Ansturm in letzter Minute rechnen. Sie wissen, wie das läuft. Die Stimmung ist ziemlich gut, und niemand wird als Erster zurückfahren wollen.«

»Okay«, sagte ich. »Ihr Job ist es, dafür zu sorgen, dass Riley zuletzt abfährt. Sein Wagen muss wirklich der letzte sein. Und nicht nur um ein, zwei Sekunden, sondern um mindestens eine Minute. Sie tun, was nötig ist, um das sicherzustellen, ja? Ich verlasse mich darauf.«

Bei jedem anderen hätte ich nun vielleicht Alternativen aufgezählt, wie sich dieses Ziel erreichen ließ, und einige Vorschläge gemacht, die von Reifenstechen bis zu einer Bitte um ein Autogramm des Alten hätten reichen können. Aber mir wurde allmählich klar, dass Munro keine Hilfe benötigte. Ihm würde alles einfallen, was ich hätte aufzählen können – und vielleicht noch einiges mehr.

Er sagte: »Verstanden.«

»Und anschließend ist's Ihr Job, Elizabeth Deveraux zu beaufsichtigen. Sie dürfen sie keine Minute aus den Augen lassen. Im Diner oder sonst wo. Wieder mit allen Mitteln.«

»Verstanden«, sagte er wieder. »Sie ist übrigens gerade im Diner.«

»Sorgen Sie dafür, dass sie dort bleibt«, sagte ich. »Lassen Sie sie heute Nacht nicht wieder Streife fahren. Versichern Sie ihr, dass die Jungs sich benehmen werden, weil sie den Senator hinter sich wissen.«

»Das ist ihr klar. Sie hat ihren Deputys den Abend freigegeben.«

»Gut zu wissen«, sagte ich. »Viel Erfolg. Und danke.«

Ich zwängte mich noch mal zwischen dem Cadillac und dem Jimmy durch, überquerte die freie Fläche zwischen den Autoreihen und verließ den Platz auf demselben Weg, auf dem ich gekommen war. Fünf Minuten später befand ich mich bereits hinter dem Bahnübergang in dem Wald neben der Straße nach Kelham, versteckte mich unter den Bäumen und wartete wieder.

Munros Einschätzung der kollektiven Stimmung erwies sich als zutreffend. Wegen der eigenartigen Dynamik, die den Senator umgab, ging niemand schon um 22.30 Uhr. Ähnliches hatte ich schon früher erlebt. Ich war mir ziemlich sicher, dass keiner aus der Kompanie Bravo auf den Kerl gepisst hätte, wenn er in Flammen gestanden hätte. Aber alle schienen von seiner fremdartigen Präsenz fasziniert zu sein, und jeder hatte bestimmt noch die mahnenden Worte des Standortkommandanten im Ohr: *Seid nett zu dem VIP. Erweist ihm Respekt.* Deshalb setzte sich niemand vorzeitig ab. Niemand wollte als Erster gehen. Niemand wollte dadurch auffallen. So verstrich 22.30 Uhr, ohne dass sich auf der Straße etwas tat. Kein einziges Auto war zu sehen.

Auch um 22.35 Uhr nicht.

Ebenso um 22.40 Uhr.

Um 22.45 Uhr brach endlich der Damm, und die Ranger kamen in Scharen.

Ich hörte ein gedämpftes Dröhnen, als ließe in weiter Ferne eine Panzerdivision die Motoren an, und sah im Scheinwerferlicht Wolken von Auspuffqualm aufsteigen, als alle sich in Position brachten, um eine einzige lange Kolonne zu bilden. Eine scheinbar endlose Lichterkette verließ den großen Parkplatz, und dreißig Sekunden später holperte der erste Wagen über den Bahnübergang und raste an mir vorbei. Alle anderen folgten in Abständen von nur wenigen Metern wie Tourenwagen auf der Zielgeraden einer Rennstrecke. Motoren röhrten, abgefahrene Reifen rumpelten über die Schienen, und ich roch den süßlichen und zugleich scharfen Geruch von unverbleitem Benzin. Ich erkannte den alten Cadillac und den GMC Jimmy, zwischen denen ich mich hindurchgezwängt hatte, und Autos der Marken Chevy und Dodge, Ford und Plymouth, Jeep und Chrysler, Limousinen, Pick-ups, Geländewagen, Coupés und Zweisitzer. Die Kompanie Bravo rollte in ununterbrochenem Strom an mir vorbei: erleichtert, ausgelassen und in dem Bewusstsein, ihre Pflicht getan zu haben.

Nach etwa zehn Minuten wurde der Strom dünner, und die Abstände zwischen den Fahrzeugen vergrößerten sich. In der Ferne konnte man sehen, dass noch einige Nachzügler den Parkplatz verließen. Das letzte Dutzend Fahrzeuge brauchte eine volle Minute, um an mir vorbeizurollen. Keines davon war ein olivgrüner Dienstwagen. Ganz zum Schluss kam ein alter Pontiac, eine verbeulte Limousine mit abgenutzten Stoßdämpfern. *Ich garantiere dir, dass wir auf der Welt allein sind, sobald er vorbei ist,* hatte Deveraux gesagt. Der alte Pontiac rumpelte auf weichen Reifen übers Gleis, dann war auch er fort.

Ich kam unter den Bäumen hervor und spähte nach Osten, beobachtete, wie winzige rote Heckleuchten in der Dunkelheit verschwanden. Der Motorenlärm verhallte, und die Schwaden von Auspuffqualm verzogen sich. Als ich kehrtmachte, konnte ich sehen, wie in der Ferne ein einzelnes Scheinwerferpaar eingeschaltet wurde. Ich sah die parallelen Lichtstrahlen auf und ab tanzen, während der Wagen über unebenes Gelände fuhr, bevor er den Asphalt erreichte und in meine Richtung abbog.

Auf der Uhr in meinem Kopf war es 22.59 Uhr.

Ich marschierte nach Westen, übers Gleis und zehn Meter weiter in Richtung Stadt. Dort machte ich halt und trat in die Straßenmitte und hob wie ein Verkehrspolizist die rechte Hand mit nach vorn weisender Handfläche.

86

Die Scheinwerferstrahlen erfassten mich aus ungefähr hundert Metern Entfernung. Ich hatte das Gefühl, sie warm auf meinem Gesicht und der Handfläche zu spüren, und wusste, dass Reed Riley mich sehen konnte. Ich hörte, wie er den Fuß vom Gas nahm und langsamer wurde. Reine Gewohnheit. Infanteristen sind oft mit Fahrzeugen unterwegs, und viele dieser Fahrten werden von Männern im Kampfanzug ermöglicht, gelenkt oder unterbrochen, wobei Handzeichen freie Fahrt gewähren, nach links oder rechts leiten oder ein vorübergehendes Anhalten erzwingen können.

Ich blieb mit erhobener Hand in der Straßenmitte stehen. Der Dienstwagen hielt so an, dass seine Stoßstange einen Meter von meinen Knien entfernt war. Weil meine Augen sich oberhalb der Scheinwerfer befanden, konnte ich hinter der Windschutzscheibe Riley und seinen Vater erkennen. Keiner der beiden wirkte überrascht oder ungeduldig. Beide waren offenbar bereit, für eine Routinesache ein paar Augenblicke zu opfern. Riley sah genau so aus wie auf dem Foto, und sein Vater war eine ältere Version: ein wenig schmächtiger, mit etwas größerer Nase und größeren Ohren. etwas glatter und vorzeigbarer. Wie alle Politiker, die ich jemals bei Truppenbesuchen erlebt hatte, war er wie ein Idiot angezogen. Zu seinem weißen Oberhemd ohne Krawatte trug er eine khakifarbene Windjacke à la Eisenhower. Geschmückt war die Jacke mit einem Aufnäher des US-Senats, als gehörte diese abgeschirmte gesetzgebende Körperschaft zur kämpfenden Truppe.

Ich trat an Reed Rileys Tür, und er kurbelte die Scheibe herunter. Sein ursprünglicher Gesichtsausdruck veränderte sich, als er die Eichenblätter an meinen Kragenenden sah. Er sagte: »Sir?«

Ich gab keine Antwort, sondern machte rasch zwei weitere Schritte, öffnete die hintere Tür und stieg hinter ihm ein. Als ich die Tür zuknallte und in die Mitte der Sitzbank rutschte, verrenkten beide Männer sich den Hals, um sich nach mir umzuschauen.

»Sir?«, fragte Riley nochmals.

»Was geht hier vor?«, fragte sein Vater.

»Der Plan hat sich geändert«, antwortete ich.

Ich konnte Bier in ihrem Atem, Schweiß und Rauch in ihrer Kleidung riechen.

»Ich muss ein Flugzeug erreichen«, sagte der Senator.

»Um Mitternacht«, entgegnete ich. »Vorher sucht Sie niemand.«

»Was, zum Teufel, soll das alles? Wissen Sie überhaupt, wer ich bin?«

»Ja«, sagte ich. »Ja, das weiß ich.«

»Was wollen Sie?«

»Sofortigen Gehorsam«, sagte ich und zog zum zweiten Mal an

diesem Abend die Beretta: magisch glatt und schnell wie ein Zauberkünstler. Ich entsicherte sie mit einem leisen Klicken, das in der Stille unheimlich klang.

Der Senator sagte: »Sie machen einen schweren Fehler, junger Mann. Ihre militärische Laufbahn ist in diesem Augenblick beendet. Ob die Sache noch schlimmer wird, hängt allein von Ihnen ab.«

»Schnauze«, sagte ich grob. Ich beugte mich nach vorn und packte Reed Riley am Kragen, wie ich den Sergeanten aus Benning gepackt hatte. Aber diesmal drückte ich die Mündung meiner Pistole in die Vertiefung hinter seinem rechten Ohr. Weiches Fleisch, kein Knochen. Genau die richtige Größe.

»Weiterfahren«, sagte ich. »Aber ganz langsam. Auf dem Bahnübergang links abbiegen. Dem Gleis folgen.«

Riley fragte: »Was?«

»Sie haben gehört, was ich gesagt habe.«

»Aber der Zug kommt.«

»Erst um Mitternacht«, sagte ich. »Los jetzt, Soldat!«

Das war eine schwierige Aufgabe. Um besser nach vorn sehen zu können, wollte er sich instinktiv übers Lenkrad beugen. Aber das ließ ich nicht zu, sondern hielt ihn eisern in aufrechter Sitzhaltung fest. Trotzdem kam er ganz gut zurecht. Er fuhr langsam an, schlug die Lenkung ganz ein und gelangte diagonal aufs Gleis. Sobald er spürte, dass der rechte Vorderreifen in die breite Rille im Asphalt glitt, gab er vorsichtig Gas. Die rechten Reifen blieben auf der Schiene, während die linken über die Schwellen im Gleisbett ratterten. Das klappte ausgezeichnet. So gut wie bei Deveraux.

»Das machen Sie nicht zum ersten Mal«, sagte ich.

Er gab keine Antwort.

Wir fuhren mit wenig mehr als Schrittgeschwindigkeit in Schräglage weiter. Während die erhöhte rechte Seite des Wagens stoßfrei dahinrollte, hob und senkte die ohnehin schon tiefere linke Seite sich wegen der Schwellen wie ein Boot in der Dünung. Zehn Meter hinter dem alten Wasserkran sagte ich: »Stopp!«

»Hier?«

»Das ist eine gute Stelle«, sagte ich.

Er bremste vorsichtig, und der Dienstwagen kam – weiter in Schräglage – mitten auf dem Gleis zum Stehen. Ich hielt Riley weiter am Kragen gepackt, drückte die Pistole weiter hinter dem Ohr an seinen Kopf. Vor mir verlief der aus zwei schnurgeraden silbernen Linien bestehende Schienenstrang durch die Frontscheibe sichtbar bis zu einem Fluchtpunkt nach Norden.

Ich sagte: »Captain, benutzen Sie Ihre linke Hand, um alle Fenster zu öffnen.«

»Wozu?«

»Weil ihr beiden schon jetzt stinkt. Und glaubt mir, das wird noch schlimmer.«

Riley scharrte blindlings mit den Fingern herum, dann gingen nacheinander das Fenster des Senators, dann meines, dann das mir gegenüber auf.

Eine leichte Brise wehte frische Nachtluft herein.

Ich sagte: »Senator, Sie beugen sich hinüber und schalten die Scheinwerfer aus.«

Er brauchte einen Augenblick, um den Schalter zu finden, aber er schaffte es.

Ich sagte: »Jetzt stellen Sie den Motor ab und geben mir den Schlüssel.«

Er sagte: »Aber wir stehen auf einem Bahngleis.«

»Das ist mir bewusst.«

»Wissen Sie, wer ich bin?«

»Das haben Sie mich schon mal gefragt. Und ich habe Ihnen geantwortet. Tun Sie jetzt, was ich sage. Oder muss ich erst für Ihren Wahlkampf spenden? Dann betrachten Sie's bitte als meine großzügige Spende, dass ich Ihrem Sohn nicht ins Knie schieße.«

Der alte Mann stieß einen merkwürdigen Kehllaut aus, den ich in meinem Leben erst wenige Male gehört hatte: wenn vermeintliche Scherze sich als blutiger Ernst erwiesen, wenn schlimme Situationen sich schlagartig verschlechterten, wenn Albträume sich als grausige Realität herausstellten. Er beugte sich hinüber und drehte den Schlüssel nach links, zog ihn ab und hielt ihn mir hin.

»Werfen Sie ihn auf den Rücksitz«, befahl ich.

Das tat er, und der Schlüssel kam dicht neben mir auf und rutschte über den Sitz nach links, weil der Wagen schief auf dem Gleis stand.

Ich sagte: »Jetzt legt ihr beide die Hände auf den Kopf.«

Der Senator gehorchte als Erster, und ich zog die Beretta zurück, damit sein Sohn seinem Beispiel folgen konnte. Dann ließ ich Rileys Kragen los, lehnte mich auf dem Rücksitz zurück und fragte: »Wie hoch ist die Mündungsgeschwindigkeit einer Beretta M9?«

»Keine Ahnung«, sagte der Senator.

»Aber Ihr Sohn sollte es wissen. Wir haben viel Zeit und Geld aufgewandt, um ihn auszubilden.«

»Kann mich nicht erinnern«, sagte Riley.

»Über dreihundertfünfzig Meter in der Sekunde«, erklärte ich. »Und Ihre Rückgrate sind ungefähr einen Meter von mir entfernt. Also sind Sie etwa eine Dreitausendstelsekunde nachdem einer von Ihnen auch nur einen Muskel bewegt, tot oder verkrüppelt. Kapiert?«

Keine Reaktion.

Ich sagte: »Ich verlange eine Antwort.«

»Wir haben verstanden«, sagte Riley.

Sein Vater fragte noch mal: »Was wollen Sie?«

»Bestätigung«, antwortete ich. »Ich will mich vergewissern, dass ich diesen Fall richtig sehe.«

87

Ich angelte mir den Autoschlüssel und steckte ihn ein. Dann spreizte ich die Beine, stemmte den linken Fuß ein, machte es mir auf dem schwach nach links geneigten Rücksitz bequem und sagte: »Captain, Sie haben Ihre Männer belogen, als Sie damit angegeben haben, mit Sheriff Deveraux geschlafen zu haben, richtig?«

Rileys Vater fragte: »Auf welcher Grundlage bilden Sie sich ein, uns verhören zu dürfen?«

»Neunundvierzig Minuten«, sagte ich. »Dann ist der Zug hier.«

»Sind Sie verrückt?«

»Etwas missgestimmt, das ist alles.«

Der Senator sagte: »Sohn, sprich kein Wort mehr mit diesem Mann.«

Ich sagte: »Captain, beantworten Sie meine Frage.«

Riley sagte: »Ja, ich habe gelogen, was Deveraux angeht.«

»Warum?«

»Kommandostrategie«, sagte er. »Meine Männer sehen gern zu mir auf.«

Ich fragte: »Senator, weshalb sind die Kompanien Alpha und Bravo von Benning nach Kelham verlegt worden?«

Der alte Mann schnaufte und keuchte eine Minute lang, während er sich davon zu überzeugen suchte, er könne sein Schweigen durchhalten, aber zuletzt sagte er doch: »Das war politisch opportun, Mississippi hält immer die Hand auf. Oder hat sie in anderer Leute Taschen.«

»Nicht wegen Audrey Shaw? Nicht etwa, weil Sie dachten, Ihr Sohn habe als neuer Kompaniechef eine kleine Belohnung verdient?«

»Das ist lächerlich.«

»Aber es ist passiert.«

»Rein zufällig.«

»Bockmist.«

»Okay, das war ein hübscher Nebeneffekt. Ich dachte, es könnte amüsant sein. Aber nicht mehr. Entscheidungen von solcher Tragweite werden nicht aus solch trivialen Gründen getroffen.«

Ich sagte: »Captain, erzählen Sie mir von Rosemary McClatchy.«

Riley sagte: »Wir waren befreundet, wir haben uns getrennt.«

»War sie schwanger?«

»Meines Wissens nicht.«

»Wollte sie heiraten?«

»Kommen Sie, Major, Sie wissen doch, dass jede von denen jeden von uns heiraten würde.«

»Was war sie vor allem?«

»Unsicher«, sagte er. »Damit hat sie mich wahnsinnig gemacht.«

»Wie haben Sie sich gefühlt, als sie ermordet wurde?«

»Schlecht«, sagte er. »Das war eine ganz schlimme Sache.«

»Erzählen Sie mir jetzt von Shawna Lindsay.«

In diesem Augenblick beschloss der Senator jedoch, sein Sohn und er bräuchten sich diesen Scheiß nicht länger von mir gefallen zu lassen. Er drehte sich um und wollte mich herunterputzen, aber dann fiel ihm ein, dass er sich nicht bewegen durfte, und er prallte hastig wieder zurück wie eine dumme Kuh von einem neuen Elektrozaun. Er starrte nach vorn und atmete schwer. Sein Sohn hatte sich nicht bewegt. Sie ließen sich also doch etwas Scheiß von mir gefallen – zumindest den Teil mit neun Millimeter Durchmesser. Etwas kleiner als Kaliber .38, etwas größer als Kaliber .25. So viel Scheiß ließen sie sich von mir gefallen.

Der alte Kerl holte geräuschvoll tief Luft.

Er sagte: »Die Angelegenheit ist aufgeklärt, glaube ich. Die mit der jungen Lindsay. Und die andere auch.«

Ich sagte: »Captain, erzählen Sie mir von den toten Frauen im Kosovo.«

Sein Vater sagte: »Es gibt keine toten Frauen im Kosovo.«

Ich fragte: »Im Ernst? Was, leben sie ewig?«

»Natürlich leben sie nicht ewig.«

»Sterben sie alle im Schlaf?«

»Das waren einheimische Frauen, und die Sache hat sich im Kosovo abgespielt. Eine lokale Angelegenheit. Genau wie dies hier eine lokale Angelegenheit ist. Ein einheimischer Täter ist identifiziert worden. Die Army steht nicht mehr unter Verdacht. Das haben wir heute Abend gefeiert. Sie hätten auch dabei sein sollen. Erfolg ist etwas, worüber man sich freuen sollte. Ich wollte, das begriffen mehr Leute.«

Ich fragte: »Captain, wie alt sind Sie?«

Riley antwortete: »Ich bin achtundzwanzig.«

Ich sagte: »Senator, wie würden Sie sich fühlen, wenn Ihr Sohn mit dreiunddreißig noch Captain wäre?«

Der alte Mann sagte: »Ich wäre sehr unglücklich.«

»Wieso?«

»Das wäre ein eklatanter Misserfolg. Niemand hängt fünf Jahre im selben Dienstgrad fest. Dafür müsste man ein Idiot sein.«

Ich sagte: »Das war ihr erster Fehler.«

»Was?«

»Sie haben gehört, was ich gesagt habe.«

»Was meinen Sie mit ›ihr‹? Wer sind sie?«

»Haben Sie einen Großvater?«

»Lange her.«

»Ich hatte auch einen. Er war mein Granddad. Aber er war natürlich auch der Großvater vieler anderer Kinder. Wir waren ungefähr zu zehnt, glaube ich. Auf vier verschiedene Familien verteilt. Das hat mich immer wieder überrascht, obwohl es eigentlich nicht neu war.«

»Wovon reden Sie eigentlich, verdammt noch mal?«

»Genau so ist's mit der Verbindungsstelle beim Senat. Es gibt uns, und es gibt die Bonzen in Washington, und es gibt Sie. Wie ein Großvater. Nur sind Sie auch der Großvater des Marine Corps. Und die Marines haben ihre eigene Verbindungsstelle zum Senat. Sie sind wahrscheinlich viel besser als wir. Sie sind vermutlich bereit, alles zu tun, was nötig ist. Deshalb haben Sie sich an sie gewandt, als Sie Hilfe brauchten. Aber sie haben eine Reihe von Fehlern gemacht.«

»Ich habe den Bericht gelesen. Er war fehlerfrei.«

»Aber fünf Jahre lang keine Beförderung? Deveraux ist nicht der Typ, der fünf Jahre im selben Dienstgrad verharrt. Wie Sie vorhin selbst gesagt haben, müsste man dazu ein Idiot sein. Und Deveraux ist keiner. Ich vermute, dass sie vor fünf Jahren ein CWO3 war. Ich vermute, dass sie seit damals noch zweimal befördert wurde. Aber Ihre Jungs beim Marine Corps haben in einem Bericht, der fünf Jahre alt sein sollte, versehentlich CWO5 geschrieben. Sie haben ein altes Foto benutzt, aber ihren Dienstgrad nicht zurückgestuft. Was ein Fehler war. Aber sie hatten es eben sehr eilig.«

»Wieso eilig?«

»Janice May Chapman war weiß. Ihren Fall würden die Leute ernst nehmen. Und es gab eine Verbindung zu Ihnen. Also war keine Zeit zu verlieren.«

»Wovon reden Sie eigentlich?«

»Zeitmangel war überhaupt das Problem bei dieser Sache. Sie haben wie verrückt gearbeitet und uns mit allen Tricks den Zugang verwehrt, um Zeit zu gewinnen. Aber am Sonntag kurz nach dem Lunch waren Ihre Jungs endlich fertig. Die Akte war vollständig. Die Meldung ist durchgegeben worden, als der Hubschrauber schon in der Luft war. Also ist er leer zurückgeflogen. Aber dann haben Sie bis Dienstag gewartet, bevor Sie die Akte zur öffentlichen Verwendung freigegeben haben. Dafür hatte ich eine ziemlich eingebildete Erklärung: Ich dachte, das hinge damit zusammen, dass ich am Sonntag, aber nicht am Dienstag hier gewesen bin. Aber das war nicht der Grund. Sie brauchten zwei Tage, um die Akte künstlich alt zu machen. *Das* war der Grund. Sie musste erst ein paar Knicke und Kratzer bekommen.«

»Wollen Sie etwa behaupten, die Akte sei eine Fälschung?«

»Ich weiß, Sie sind schockiert, Senator. Vielleicht wissen Sie seit einem Dreivierteljahr davon oder seit einem halben Jahr oder erst seit ungefähr einer Woche, aber jetzt wissen wir es alle.«

»Aber was wissen Sie?«, fragte Reed Riley.

Ich wandte mich wieder ihm zu. Obwohl auch er angestrengt nach vorn starrte, wusste er, dass ich mit ihm sprach. Ich sagte: »Vielleicht war Rosemary McClatchy unsicher, weil ihre Schönheit ihr einziger Besitz war. Vielleicht war sie eifersüchtig, und vielleicht hat Sie das auf die Idee mit der rachsüchtigen Frau gebracht. Und sie war tatsächlich schwanger, und Sie hatten bereits Sheriff Deveraux' Bekanntschaft gesucht, weil das ein ehrgeiziger Kompaniechef tut. Für Sie war das wegen Ihrer guten Verbindungen leichter als für die meisten, daher wussten Sie von dem leer stehenden Haus. Und da Sie ein perverses Schwein sind, haben Sie die arme schwangere Rosemary McClatchy dorthin mitgenommen und abgeschlachtet.«

Keine Antwort.

»Und es hat Ihnen Spaß gemacht«, fügte ich hinzu.

Keine Antwort.

»Also haben Sie's noch mal getan und dabei Ihre Methode verfeinert. Sie haben Ihr Opfer nicht mehr einfach nur in den Straßengraben beim Bahnübergang geworfen, sondern waren bereit, mehr zu riskieren und etwas Abenteuerlicheres zu versuchen. Vielleicht etwas Passenderes. Vielleicht hatte auch Shawna Lindsay gehofft, Sie würden sie heiraten, und von einem gemeinsamen Leben in einem Häuschen gesprochen – deshalb haben Sie sie auf einer Baustelle abgelegt. Sie konnten durch dieses Viertel fahren, wann es Ihnen beliebte. Das Alphatier in seinem alten blauen Wagen auf einem Streifzug. Schon immer ein Teil der Szenerie.«

Er sagte: »Mit Shawna habe ich mehrere Wochen vor ihrem Tod Schluss gemacht. Wie erklären Sie sich das?«

»Jede, der Sie eine zweite Chance geben, kommt angerannt, richtig?«

Keine Antwort.

Ich fuhr fort: »Und Janice May Chapman haben Sie aus einem ganz bestimmten Grund hinter einer Bar zurückgelassen. Sie war ein Partygirl. Und vielleicht hatten Sie sich in dieser Nacht etwas Besonderes vorgenommen. Einen ganz speziellen Nervenkitzel. Abwechslung würzt das Leben. Vermutlich haben Sie zu den Jungs gesagt, Sie müssten auf die Toilette, und sind dann verschwunden und haben die Tat in der Zeit verübt, die Sie dafür gebraucht hätten. Ich tippe auf sechs Minuten vierzig Sekunden. Was nicht plausibel ist. Jedenfalls nicht für Deveraux. Da gerät die alternative Theorie ins Wanken. Hat sich denn niemand überlegt, wie diese Frau gebaut ist? Sie könnte keine Erwachsene von einem Hirschgestell hieven und ihre Leiche zu ihrem Wagen tragen.«

Senator Riley sagte: »Die Akte ist echt.«

Ich sagte: »Sie hat durchaus bodenständig angefangen. Irgendjemand hat sich eine hübsche Geschichte ausgedacht. Die eifersüchtige Frau, der gebrochene Arm. Die gestohlenen vierhundert Dollar. Das war noch subtil. Jeder Leser hätte daraus seine Schlüsse ziehen können. Aber dann hat jemand kalte Füße bekommen. Subtil war plötzlich out. Jemand hat ein rotes Blinklicht verlangt. Also ist die Geschichte umgeschrieben und um die Episode mit dem Auto erweitert worden. Dann haben Sie sich ans Telefon gehängt und Ihren Sohn angewiesen, seinen alten blauen Chevy aufs Bahngleis zu stellen.«

»Das ist verrückt.«

»Das war der einzige Grund für die Geschichte mit dem Auto.

Der Wagen hatte sonst keinen Zweck. Er hat nur dazu gedient, Deveraux schuldig erscheinen zu lassen, sobald jemand die Akte aufschlug.«

»Diese Akte ist echt.«

»Übertrieben haben die Fälscher allerdings mit den Toten. General Dyer wäre noch angegangen. Das hätten wir glauben können. Er war ein hoher Offizier. Vielleicht nicht mehr bei bester Gesundheit. Aber Paul Evers? Einfach zu praktisch. Als fürchteten Sie, jemand könnte Fragen stellen. Tote können keine mehr beantworten. Womit wir bei Alice Bouton wären. Ob sie wohl auch tot ist? Oder lebt sie vielleicht noch? Und was würde sie uns dann auf die Frage nach ihrem gebrochenen Arm erzählen?«

»Die Akte ist hundertprozentig echt, Reacher.«

»Können Sie lesen, Senator? Dann lesen Sie mir das hier vor.« Ich zog den zusammengefalteten Bestellzettel heraus und warf ihn Riley auf den Schoß.

Er sagte: »Ich darf mich nicht bewegen.«

Ich sagte: »Sie dürfen ihn in die Hand nehmen.«

Er griff danach. Seine Hand zitterte. Er betrachtete die Rückseite des Zettels. Und die Vorderseite. Er drehte ihn richtig herum. Dann atmete er tief durch und fragte: »Haben Sie ihn gelesen? Wissen Sie, was hier steht?«

Ich sagte: »Nein, ich habe ihn nicht gelesen. Das brauche ich nicht. Ich habe so oder so genügend Beweise, um Sie zu überführen.«

Er zögerte.

Ich sagte: »Aber versuchen Sie nicht, mich hinters Licht zu führen. Ich lese ihn gleich nach Ihnen, nur zur Kontrolle.«

Er holte tief Luft.

Dann las er vor: »Per Personalamt des United States Marine Corps …«

Er machte eine Pause.

Er sagte: »Ich muss wissen, dass das kein Geheimmaterial ist.«

»Spielt das eine Rolle?«

»Sie sind nicht berechtigt, mit Geheimsachen umzugehen. Mein Sohn auch nicht.«

»Das ist kein Geheimmaterial«, sagte ich. »Lesen Sie weiter.«

Er sagte: »Per Personalamt des United States Marine Corps hat es nie eine Marineinfanteristin namens Alice Bouton gegeben.«

Ich lächelte.

»Sie war also eine Erfindung«, sagte ich. »Sie hat nie existiert. Sehr schlampige Arbeit. Da muss ich überlegen, ob ich mich geirrt habe. Vielleicht haben Sie die Subtilität in zwei Schritten verwässert. Und vielleicht ist die Sache mit dem Wagen zuerst gekommen. Vielleicht war es Alice Bouton, die Sie in letzter Minute reingeschrieben haben. Ohne genug Zeit zu haben, eine echte Identität zu klauen.«

Der alte Mann sagte: »Die Army musste geschützt werden. Das müssen Sie verstehen.«

»Was die Army verliert, gewinnt das Marine Corps. Und Sie sind auch *sein* Granddaddy. Professionell war Ihnen alles scheißegal. Sie wollten nur Ihren Sohn schützen.«

»Das hätte jeder aus seiner Einheit sein können. Dies hätten wir auch für jeden anderen getan.«

»Bockmist«, sagte ich. »Dies war ein gewaltiges Ausmaß an Korruption. Absolut außergewöhnlich. Noch nie da gewesen. Es hat nur Sie beide betroffen.«

Keine Antwort.

Ich sagte: »Übrigens bin hier ich derjenige, der die Army schützt.«

Ich wollte sie natürlich nicht erschießen. Nicht dass für einen Pathologen sehr viel zu untersuchen übrigbleiben würde, aber ein vorsichtiger Mann geht kein unnötiges Risiko ein. Deshalb ließ ich die Beretta auf den Rücksitz fallen, beugte mich mit erhobener rechter Hand vor, legte sie flach auf den Hinterkopf des Senators und knallte seinen Kopf auf die Abdeckung über dem Ablagefach. Mit voller Kraft. Der menschliche Arm kann einen Baseball mit über hundertfünfzig Stundenkilometern werfen, also einen Kopf vermutlich auf fünfzig Stundenkilometer beschleunigen. Und die Hersteller von Sicherheitsgurten sagen uns, dass ein ungesicherter Aufprall mit fünfzig Stundenkilometern tödlich sein kann. Nicht dass ich den Senator umbringen wollte. Ich wollte ihn nur für ein, zwei Minuten außer Gefecht setzen.

Ich bewegte meine Hand nach links und legte sie unter Reed Rileys Kinn. Er nahm die Hände vom Kopf, um an meinem Handgelenk zu zerren. Ich ersetzte die rechte durch meine linke Hand, die nun auf seinem Schädeldach lastete. Drücken und ziehen, hoch und runter, linke Hand und rechte Hand wie ein Schraubstock. Ich zerdrückte ihm fast den Kopf. Dann schob ich die Rechte bis zum Daumenballen über sein markantes Kinn nach oben und bedeckte seinen Mund mit der Handfläche. Seine Haut glich feinem Sandpapier. Er hatte sich am frühen Morgen rasiert, und nun war es kurz vor Mitternacht. Ich schob die Linke über Rileys Kopf nach vorn, bis der Daumenballen die Augenbrauen berührte, streckte die Finger aus und hielt ihm mit Daumen und Zeigefinger die Nase zu.

Der Rest war nun eine Frage der menschlichen Natur.

Er glaubte, ersticken zu müssen. Erst versuchte er, mich in die Handfläche zu beißen, aber er bekam den Mund nicht auf. Ich hielt ihn eisern zu. Die Kiefermuskeln sind stark, aber nur, wenn sie die Kinnbacken schließen. Das Öffnen hatte nie evolutionäre Priorität. Ich wartete einfach ab. Er krallte nach meinen Händen. Ich wartete ab. Er rutschte auf seinem Sitz hin und her, hämmerte mit den Absätzen auf den Wagenboden. Ich wartete ab. Er machte ein Hohlkreuz. Ich wartete ab. Er legte den Kopf in den Nacken und sah zu mir auf.

Ich veränderte den Griff, ruckte einmal fest an seinem Kopf und brach ihm das Genick.

Das war eine Methode, die ich von Leon Garber gelernt hatte. Wahrscheinlich hatte er sie jemandem abgeschaut. Vielleicht hatte er sie auch selbst ausprobiert. Dazu war er imstande. Dass die Opfer glauben, ersticken zu müssen, macht die Sache einfach. Sie recken immer den Kopf hoch, als gäbe ihnen das irgendein schlechter Instinkt ein. So bringen sie ihren Hals selbst in die richtige Position. Laut Garber eine unfehlbare Methode, die bei mir jedenfalls noch nie versagt hatte.

Und sie klappte eine Minute später auch bei dem Senator. Er war schwächer, aber sein Gesicht war von Blut glitschig, weil er sich beim Aufprall das Nasenbein gebrochen hatte, sodass die aufzuwendende Mühe ziemlich gleich blieb.

88

Als ich aus dem Auto stieg, war es genau 23.38 Uhr. Der Zug befand sich zweiunddreißig Meilen südlich von uns. Vielleicht fuhr er gerade unter der Route 78 östlich von Tupelo hindurch. Ich schloss meine Tür, ließ aber alle Fenster offen. Den Schlüssel warf ich Reed Riley in den Schoß. Dann wandte ich mich ab.

Und nahm eine Gestalt wahr, die zehn, zwölf Meter entfernt links von mir stand.

Und eine zweite, die zehn, zwölf Meter entfernt rechts von mir stand.

Geschickt eingefädelt von irgendjemandem. Ich hatte meine Beretta und konnte damit die eine oder andere Gestalt ausschalten – aber nicht beide. Die Pistole zu schwenken hätte zu lange gedauert.

Ich wartete.

Dann sprach die Gestalt rechts von mir.

Sie sagte: »Reacher?«

Ich fragte: »Deveraux?«

Die Gestalt links neben mir sagte: »Und Munro.«

Ich sagte: »Was, zum Teufel, macht ihr hier?«

Sie kamen auf mich zu, und ich versuchte, sie von dem Wagen abzudrängen. Ich fragte: »Was macht ihr hier?«

Deveraux sagte: »Hast du wirklich geglaubt, ich würde mich von ihm im Diner festhalten lassen?«

»Ich wollte, er hätt's geschafft«, sagte ich. »Ich wollte nicht, dass einer von euch beiden diese Geschichte mitbekommt.«

»Du hast Riley die Fenster öffnen lassen und wolltest, dass wir mithören konnten.«

»Nein, ich wollte frische Luft. Ich wusste nicht, dass ihr da wart.«

»Warum sollten wir nicht mithören?«

»Ihr solltet nicht erfahren, wie sie über euch reden. Und ich wollte, dass Munro mit reinem Gewissen nach Deutschland zurückkehren kann.«

Munro sagte: »Mein Gewissen ist immer rein.«

»Aber es ist leichter, sich dumm zu stellen, wenn man wirklich nichts weiß.«

»Dumm stellen kann ich mich immer. Manche Leute halten mich sogar für dumm.«

Deveraux sagte: »Ich bin froh, dass ich gehört habe, was sie über mich gesagt haben.«

23.31 Uhr. Der Mitternachtszug war neunundzwanzig Meilen südlich von uns. Wir gingen auf den Schwellen zwischen den Schienen davon, ließen den olivgrünen Dienstwagen mit den beiden Toten auf dem Gleis stehen. Wir passierten den alten Wasserkran, erreichten den Bahnübergang und bogen nach Westen ab.

Vierzig Meter weiter parkte Deveraux' Streifenwagen am Straßenrand. Munro wollte nicht einsteigen, sondern zu Fuß zu Brannan's Bar weitergehen, wo sein geliehener Wagen stand. Er sagte, er müsse möglichst rasch nach Kelham zurück, um die gefangenen Granatwerferschützen freizulassen und sich schleunigst aufs Ohr zu legen, um vor seiner Abfahrt früh am Morgen noch ein paar Stunden Schlaf zu bekommen. Wir schüttelten uns ganz förmlich die Hände, und ich bedankte mich aufrichtig für seine Hilfe. Dann wandte er sich ab und war schon nach zehn Schritten im Dunkel verschwunden.

Deveraux fuhr mit mir zur Main Street zurück und parkte vor Toussaint's Hotel. Inzwischen war es 23.36 Uhr. Der Zug war noch vierundzwanzig Meilen entfernt. Ich sagte: »Ich habe hier kein Zimmer mehr.«

Sie sagte: »Ich habe meines noch.«

»Aber erst muss ich telefonieren.«

Ich ging in das kleine Büro hinter der Rezeption, legte einen Dollar auf den Schreibtisch und wählte die Nummer von Garbers Dienststelle. Vielleicht wurde sein Anschluss noch abgehört, vielleicht auch nicht. Das spielte keine Rolle mehr. Ich bekam einen Leutnant an den Apparat. Er sagte, er sei der Offizier vom Dienst und tue allein Dienst. Nachtschicht. Ich fragte ihn, ob er Papier und Bleistift zur Hand habe. Er bejahte beides. Ich wies ihn an, sich für ein Diktat bereitzuhalten, das er ins Reine tippen und auf Garbers Schreibtisch legen sollte, damit der Kommandeur es morgen früh als Erstes sah.

»Kann's losgehen?«, fragte ich.

Er sagte, er sei bereit.

Ich diktierte: »In der verschlafenen Kleinstadt Carter Crossing, Mississippi, hat sich gestern am späten Abend eine Tragödie ereignet, als das Auto von United States Senator Carlton Riley mit einem Güterzug zusammenstieß. Der Fahrer des Wagens war Captain Reed Riley, United States Army, der ganz in der Nähe in Fort Kelham, Mississippi, stationiert war. Senator Riley aus Missouri war im Senat Vorsitzender des Streitkräfteausschusses, und Captain Riley, der in der Army als kommender Mann galt, war Kommandeur einer Einheit, die regelmäßig wichtige Auslandseinsätze durchführt. Beide Männer waren bei dem Zusammenstoß sofort tot. Wie Elizabeth Deveraux, Sheriff von Carter County, bestätigt, versuchen leichtsinnige Autofahrer immer wieder, noch rasch vor dem Zug übers Bahngleis zu kommen, um sich lästiges Warten zu ersparen. Captain Riley, der noch nicht allzu lange in Fort Kelham stationiert war und als risikofreudig galt, muss die Geschwindigkeit des herannahenden Güterzugs unterschätzt haben.«

Ich machte eine Pause.

»Das hab ich alles«, sagte die Stimme des Leutnants in meinem Ohr.

»Neuer Absatz«, sagte ich. »Der Senator und sein Sohn waren auf der Rückfahrt nach Fort Kelham, nachdem sie in der benachbarten Kleinstadt mitgeholfen hatten, den erfolgreichen Abschluss von Sheriff Deveraux' Ermittlungen wegen einer Mordserie zu feiern. Diese neun Monate dauernde Serie hatte fünf Menschenleben gefordert: drei junge Frauen aus Carter Crossing, einen einheimischen Jugendlichen und einen Journalisten aus Oxford, Mississippi. Der Einzeltäter war ein Milizionär und Verfechter der Überlegenheit der weißen Rasse aus dem benachbarten Tennessee, der vor einigen Tagen in einem an Fort Kelham angrenzenden Waldgebiet von der hiesigen Polizei erschossen wurde, als er bei der Verhaftung Widerstand leistete.«

»Das hab ich alles«, sagte der Leutnant wieder.

»Fangen Sie zu tippen an«, sagte ich und legte auf.

23.42 Uhr. Der Güterzug war noch achtzehn Meilen weit entfernt.

Zimmer 17 sah genauso schlicht aus, wie es Zimmer 21 gewesen war. Deveraux hatte gar nicht erst versucht, ihm eine persönliche Note zu verleihen. Zwei zerschrammte offene Koffer dienten als Kleiderschrank, eine frisch gebügelte Uniform hing an der Vorhangstange, und auf dem Nachttisch lag ein Buch. Und das war's schon.

Wir saßen etwas benommen nebeneinander auf ihrem Bett, und sie sagte: »Du hast getan, was du konntest. Die Gerechtigkeit hat gesiegt, und die Army braucht nicht darunter zu leiden. Du bist ein guter Soldat.«

Ich sagte: »Sie finden bestimmt irgendwas, an dem sie herummeckern können.«

»Aber ich bin enttäuscht über das Marine Corps. Es hätte nicht mitmachen dürfen. Es ist mir in den Rücken gefallen.«

»Eigentlich nicht«, sagte ich. »Deine Leute haben ihr Bestes getan. Sie standen unter gewaltigem Druck und spielten scheinbar mit, aber in Wirklichkeit haben sie alle möglichen Hinweise eingestreut. Zwei Tote und eine erfundene Soldatin? Die Sache mit deinem Dienstgrad? Diese Fehler müssen beabsichtigt gewesen sein, um die Akte bei genauem Hinsehen als Fälschung zu kennzeichnen. Ähnlich war's auch mit Garber. Er hat kein gutes Haar an dir gelassen, aber in Wirklichkeit nur eine Rolle gespielt. Er hat wie erwartet reagiert – und mich so zum Nachdenken animiert.«

»Hast du meine Personalakte beim ersten Durchlesen für echt gehalten?«

»Ehrliche Antwort?«

»Von dir würde ich keine andere erwarten.«

»Ich habe sie nicht gleich für eine Fälschung gehalten. Das hat ein paar Stunden gedauert.«

»Für deine Verhältnisse ziemlich lang.«

»Sehr«, sagte ich.

»Du hast mir alle möglichen komischen Fragen gestellt.«

»Ich weiß. Tut mir leid.«

Schweigen.

Der Zug war noch fünfzehn Meilen entfernt.

Deveraux sagte: »Das braucht dir nicht leidzutun. Ich hätte es vielleicht selbst geglaubt.«

Was lieb von ihr war. Sie beugte sich zu mir herüber und küsste mich. Ich ging ins Bad, um mir die letzten angetrockneten Spritzer von Carlton Rileys Blut von den Händen zu waschen. Dann liebten wir uns zum sechsten Mal, und das klappte perfekt. Das Zimmer begann wie auf ein Stichwort hin zu beben. Ihr Zahnputzglas auf der Spiegelablage fing an zu klirren. Die Balkontür zitterte, der Fußboden knarrte, die Zimmertür ratterte, und unsere ausgezogenen Schuhe hüpften und wanderten. Das Bett bewegte sich leicht. Und genau auf dem Höhepunkt glaubte ich einen Ton zu vernehmen, als würden Becken aneinandergeschlagen: verschwindend kurz, schwach und fern wie eine in Bruchteilen einer Sekunde ablaufende metallische Explosion, wie von in Atome zerlegten Molekülen, und dann war der Mitternachtszug vorbei.

Anschließend duschten wir gemeinsam. Dann zog ich mich an und machte mich bereit, die Heimreise anzutreten und die Suppe, die ich mir eingebrockt hatte, auszulöffeln. Deveraux lächelte tapfer und lud mich ein, unbedingt vorbeizukommen, wenn ich mal wieder in dieser Gegend war. Ich lächelte tapfer und sagte, das würde ich bestimmt tun. Ich verließ das Hotel, ging zu dem dunklen Diner, stieg in den ausgeliehenen Buick und fuhr nach Osten, am eindrucksvollen Haupttor von Fort Kelham vorbei, dann weiter nach Alabama hinein und dort nach Norden. Nachts herrschte praktisch kein Verkehr, sodass ich mich schon vor Tagesanbruch wieder an meinem Standort befand.

Ich verkroch mich, um vier Stunden lang zu schlafen, und stellte dann fest, dass die Army den Text, den ich Garbers Offizier vom

Dienst nachts hastig diktiert hatte, mehr oder weniger wortwört-
lich als offizielle Version der Ereignisse übernommen hatte. Alle
sprachen in gedämpftem Ton geradezu ehrfürchtig über Vater und
Sohn Riley. Angeblich sollte Reed Riley für seine Einsätze in einem
nicht näher bezeichneten Land postum die Distinguished Service
Medal erhalten, und für seinen Vater würde in der kommenden
Woche in einer großen Washingtoner Kirche ein Trauergottes-
dienst stattfinden, um ihn für irgendwelche Verdienste zu ehren.

Ich bekam weder Orden noch Gottesdienst, sondern eine halbe
Stunde bei Leon Garber, der mir gleich erklärte, meine Sache stehe
schlecht. Das verdankte ich dem dicken Oberstleutnant des PR-
Teams aus Kelham. Sein Anruf in Benning hatte zu denkbar un-
günstiger Zeit Kreise gezogen, und als der Dicke außerdem einen
schriftlichen Bericht erstattet hatte, war ich auf die Liste der gegen ihren Willen zu Verabschiedenden gesetzt worden. Garber
versicherte mir, unter den gegenwärtigen Umständen sei es kin-
derleicht, mich von der Entlassungsliste streichen zu lassen. Ganz
ohne Zweifel. Ich könne einen Preis für mein Schweigen fordern.
Er sei gern bereit, den Deal zu vermitteln.

Dann verstummte er.

Ich fragte: »Was?«

Er sagte: »Aber Ihr Leben wäre nicht mehr lebenswert. Sie würden nie wieder befördert. Sie würden ewig Major bleiben – selbst
wenn Sie hundert würden. Sie würden in ein Nachschublager in
New Jersey versetzt. Auch wenn Sie sich von der Entlassungsliste
streichen lassen, bleiben Sie ewig auf der Schwarzen Liste. So funktioniert das bei der Army. Aber das wissen Sie selbst.«

»Ich habe die Army vor Schlimmerem bewahrt.«

»Und daran würde die Army durch Ihren Anblick ständig
erinnert.«

»Ich besitze ein Purple Heart und einen Silver Star.«

»Aber was haben Sie in letzter Zeit für mich getan?«

Garbers Sekretärin gab mir ein Faltblatt mit, auf dem das Verfahren erklärt wurde. Ich konnte meinen Antrag persönlich im Pentagon stellen oder mit der Post schicken. Also setzte ich mich wieder in den Buick und fuhr nach Washington. Den Dienstwagen musste ich Neagley ohnehin zurückbringen. Ich kam eine halbe Stunde vor Schalterschluss der Banken an, betrat die nächstbeste und eröffnete ein Konto. Als Bonus hätte ich zwischen einem Toaster mit Grill und einem CD-Player wählen können, aber ich verzichtete auf beides, ließ mir nur die Telefonnummer des zuständigen Mitarbeiters geben und vereinbarte ein Kennwort.

Danach machte ich mich auf den Weg ins Pentagon. Ich wollte zum Südosteingang, aber auf halbem Weg dorthin blieb ich plötzlich stehen. Um mich herum strömte die Menge achtlos weiter. Ich wollte nicht noch mal dort hinein. Also lieh ich mir von einem ungeduldigen Passanten einen Kugelschreiber, unterschrieb meinen Antrag und warf ihn in einen der Briefkästen. Dann ging ich über den Nationalfriedhof und durch den Hauptausgang hinaus in das Straßenlabyrinth zwischen Friedhof und Potomac River.

Ich war sechsunddreißig Jahre alt, Bürger eines Landes, das ich bisher kaum kannte, und es gab Orte, die ich sehen, und Dinge, die ich tun wollte. Es gab Großstädte und unberührtes weites Land. Es gab Berge und Täler. Es gab Flüsse. Es gab Museen und Musik, Motels und Clubs, Diners und Bars und Busse. Es gab Schlachtfelder und Geburtsorte, Geschichten und Straßen. Es gab Gesellschaft, wenn ich sie wollte, und Einsamkeit, wenn ich sie bevorzugte.

Ich wählte die nächste Ausfallstraße, stellte einen Fuß auf den Randstein und einen auf die Fahrbahn und reckte den Daumen hoch.